An Anthology of

EIGHTEENTH CENTURY FRENCH LITERATURE

London: Humphrey Milford
Oxford University Press

An Anthology of
EIGHTEENTH CENTURY FRENCH LITERATURE

COMPILED BY MEMBERS OF THE
DEPARTMENT OF MODERN LANGUAGES,
PRINCETON UNIVERSITY

P. A. CHAPMAN : : : LOUIS CONS
S. L. LEVENGOOD : W. U. VREELAND
IRA O. WADE

PRINCETON
PRINCETON UNIVERSITY PRESS
1930

COMPOSITION BY LANCASTER PRESS, INC.
LANCASTER, PENNSYLVANIA, U.S.A.
PRINTED AT PRINCETON UNIVERSITY PRESS
PRINCETON, NEW JERSEY, U.S.A.

CONTENTS

PAGE

INTRODUCTION ix

PIERRE BAYLE
Pensées diverses 1
Dictionnaire 17

FONTENELLE
Entretiens sur la pluralité des mondes 23
Histoire des oracles 39
Les anciens et les modernes 43

VAUVENARGUES
Réflexions critiques sur quelques poètes 52
Caractères 54
Réflexions et maximes 56

MONTESQUIEU
Lettres persanes 62
De l'esprit des lois 99

DIDEROT
Pensées philosophiques 121
Lettre sur les aveugles 123
Pensées sur l'interprétation de la nature 128
Encyclopédie 133
Dorval et moi 142
De la poésie dramatique 146
Salon de 1765 149
Neveu de Rameau 153
Le rêve de d'Alembert 166

D'ALEMBERT
L'encyclopédie, discours préliminaire 180
Les grands philosophes 200
Éloge de l'abbé de Saint-Pierre 207

HELVÉTIUS
De l'esprit 224

CONDILLAC
Extrait raisonné du traité des sensations 237

BUFFON
Histoire naturelle 245
Discours sur le style 271

VOLTAIRE
L'Épître à Uranie 278
La Henriade 281
Histoire de Charles XII 287
Lettres philosophiques 292
Nouvelles considérations 305
Traité de métaphysique 309
Le mondain 314
Siècle de Louis XIV 318
La loi naturelle 322
Dictionnaire philosophique 325
Micromégas 330
Traité sur la tolérance 347
Lettres 348

ROUSSEAU
Les sciences et les arts 359
Discours sur l'inégalité 360
Émile 365
Le contrat social 390
La nouvelle Héloïse 396
Les confessions 403
Dialogues 419
Lettres 420

CHÉNIER
L'aveugle 435
Le malade 443
Néære 447
La jeune Tarentine 447

L'invention 448
Aimée Franquetot de Coigny, duchesse de Fleury 451
Iambes 453

CONDORCET
Esquisse d'un tableau historique des progrès de l'esprit humain 456

INTRODUCTION

I

The Origins of Eighteenth Century Liberalism (1685–1715)

The corps of beliefs of the eighteenth century which have created such a disturbance from the beginning of the nineteenth century to the present era demand a most careful study.[1] We should be interested not only in the origin of the ideas, but in their organization, in the frequency with which they occur, in their inner relationships, and in their interpretation. Only after a careful consideration of all these aspects can we attempt a history of French eighteenth century philosophy which will serve to clarify our present heritage.

Four theories have been advanced concerning the rise of liberal thought during the years 1685–1789. According to Taine,[2] it had its origin in the scientific movement at the close of the seventeenth century. Sainte-Beuve,[3] on the other hand, suggested that it was but the emergence of the libertine movement which started with Montaigne and continued as an undercurrent with Vanini, Théophile de Viau, Cyrano de Bergerac, Molière, Gassendi, and La Fontaine. Brunetière [4] was inclined to accept

[1] Many studies of the sort have appeared recently, with varying points of view but always with the evident intention of seizing the broad aspects of the movement in ideas. The following works are especially recommended for the thoroughness of their treatment and the excellence of their arrangement: Mornet, D., *La Pensée française au XVIIIe siècle*, Paris, 1926; Martin, K., *French Liberal Thought in the XVIIIth Century*, Boston, 1930; Sée, H., *L'Évolution de la pensée politique en France au XVIIIe siècle*, Paris, 1925; Hearnshaw, F., *Social and Political Ideas of Some Great French Thinkers of the Age of Reason*, London, 1930; Cresson, A., *Les Courants de la pensée philosophique française*, Paris, 1927, 2 vols.

[2] Taine, H., *Ancien régime*, Paris, 1875. The book, though considerably out of date, still contains many interesting facts which make it invaluable to the student of the eighteenth century.

[3] Sainte-Beuve, C., *Causeries du lundi*, Paris, 1874, 15 vols; and *Nouveaux Lundis*, Paris, 1870–1875, 13 vols.

[4] Brunetière, F., *Histoire de la littérature française classique*, Paris, 1904, Vol. III.

the importance of libertine ideas in the philosophy of the eighteenth century, but he persisted in seeing also a strong English influence. In his opinion, it was this English influence which gave to the century a cosmopolitan phase not characteristically French. Lastly, Mr. Lanson's [5] point of view represents substantially that of Brunetière, but with a change in attitude. Whereas Brunetière condemned the English influence as harmful, Mr. Lanson seems inclined to accept it as beneficial. Moreover, Mr. Lanson suggests that neither the libertine nor the English influence could have produced the thought of the eighteenth century had it not been for its peculiar social atmosphere.

Whatever its origin, the body of thought which was destined to be called eighteenth century liberalism was evolved in the last thirty years of the reign of Louis XIV.[6] To be sure, many of the ideas which contributed to the evolution of that thought were neither new nor original. Some of them can be traced to the ancients, others found their inception in the chaotic, freethinking sixteenth century. But in the sixteenth century they lacked coherent organization, and though they exist undoubtedly in the undercurrent of the seventeenth century they are in no way characteristic of the general tenor of the time. Only in the last thirty years of the reign of Louis XIV did they become sufficiently strong to arrest attention and sufficiently organized to maintain their prestige in the face of church and state opposition.

The organization of liberal ideas was brought about as a result of the revival of Cartesianism.[7] Cartesian rationalism had been expressed only insufficiently between 1637 and 1685. After 1685, however, it united with the stream of free-thought promulgated by Montaigne and advanced by Théophile de Viau,

[5] Lanson, G., *Histoire de la littérature française*, Paris, 1912.

[6] Tilley, A., *The Decline of the Age of Louis XIV*, Cambridge, 1929.

[7] Bouillier, F., *Histoire de la philosophie cartésienne*, Paris, 1868, 2 vols. On the philosophy of Descartes, see Cresson, A., *op. cit.*, and Fisher, K., *History of Modern Philosophy—Descartes and his School*, New York, 1887. For the tendencies of Cartesianism, see Brunetière, F., *Études critiques*, Vol. IV, "Jansénistes et Cartésiens." For the Ethics of Descartes, see Espinas, A., *Descartes et la morale*, Paris, 1925, 2 vols.

Vanini, Gassendi, and Cyrano de Bergerac.[8] In a letter to a disciple of Malebranche, Bossuet [9] remarked upon the curious coalition of Cartesianism and Libertinism. "Je vois . . . un grand combat," wrote Bossuet, "se préparer contre l'Église sous le nom de la philosophie cartésienne. . . . En un mot, ou je me trompe bien fort, ou je vois un grand parti se former contre l'Église, et il éclatera de son temps, si de bonne heure on ne cherche à s'entendre, avant qu'on s'engage tout à fait." The Cartesianism of the end of the century with its admixture of Libertinism presented an aspect considerably different from the philosophy of Descartes. Its tendencies, such as general skepticism, unlimited faith in reason, and a dislike of the traditional, rather than its positive tenets, were apparent. In 1691, a decree accused it of doing away with all sorts of prejudices and doubting everything before affirming any knowledge; of ignoring, in philosophy, the fatal consequences which an opinion might have in matters of faith even were the opinion incompatible with faith; and of rejecting all the reasons hitherto employed by theologians and philosophers to prove that there is a God.

The new popularized type of Cartesianism completely overshadowed the philosophy of Descartes. Besides, the years 1685–1715 produced no philosopher who could either comprehend the *Méditations métaphysiques* or co-ordinate the varying tendencies of the period. Malebranche (1638–1715) and Leibnitz (1646–1716), it is true, might have interpreted the real Descartes to the public, but the former was too theological, the latter too metaphysical to make any widespread appeal. The popular Cartesians were such men as Perrault and Fontenelle who were content to use only such parts of Cartesian method as they could understand. As a consequence, a very abstruse philosophy became a popular creed, composed of generalized axioms. But what was lost in profundity was gained in vigor. The comparatively static quality of Descartes' thought gave way to an intensely dynamic quality in the later Cartesians.

[8] For the activities of the libertines in the seventeenth century, see Perrens, *Les Libertins au XVIIIe siècle*, Paris, 1896. The relationship of the libertines to the free-thinkers of other nations can be found in Robertson, J., *A Short History of Freethought*, London, 1899.

[9] Brunetière, F., *Études critiques*, Vol. IV, p. 133.

It was this dynamic quality in Cartesianism which brought about certain changes in the evolution of French thought. Its first manifestation could be seen in the Quarrel of the Ancients and the Moderns (1687–1700).[10] This seemingly trivial, but very important, discussion had effects which can scarcely be measured with accuracy. To the general public of 1687–1700, it seemed merely a discussion of the value of contemporary and ancient writers. The French Academy and the drawing-rooms found amusement in debating the relative merits of each side. Even Mme de Sévigné [11] took pleasure in recording such a debate. In reality, though, what was at stake was not French literature, but French thought. It is characteristic of a social group to apply the large principles of a philosophy to a relatively small phase of life without realizing the effects of such an application to other spheres of life. A group which had no intention of questioning political, social, and religious authority attacked, in the name of Cartesian rationalism, literary authority. But political, social, and religious authority, like literary authority, was founded in the seventeenth century upon tradition. Essentially there was no difference between literary tradition and political tradition. To attack the principles of one inevitably led to attacking the principles of the other.

An examination of the arguments [12] of both sides will disclose the new tendencies which were creeping into French thought. The ancients based their arguments upon the principle that man is always the same. They held the conception that life was essentially static. The moderns, on the other hand, rejected the absolute in man's nature. With true Cartesian method, they averred that nature, not man, is the same throughout all centuries. Their premise, to be sure, was false but so was the absolute of the ancients, and for the moment, at least, it seemed true. Nature is static, man is dynamic. His nature can be

[10] Rigault, H., *Histoire de la querelle des anciens et des modernes*, Paris, 1856. Gillot, H., *La Querelle des anciens et des modernes en France*, Paris, 1914. Brunetière, F., *Études critiques*, Vol. V, pp. 183 *ff*.

[11] Sévigné, *Œuvres*, Vol. IX, p. 413.

[12] These arguments are concisely given in Vial et Denise, *Idées et doctrines littéraires*, seventeenth and eighteenth century, 2 vols., Paris, n. d.

changed, like that of a tree, by time, usage, space, and all sorts of particular circumstances and conditions.

The leading spirit in the quarrel was Fontenelle,[13] who in the succinct *Digression sur les anciens et les modernes* exposed with brevity, clarity, and Cartesian logic the arguments of the Moderns. Fontenelle, suave, superficial, skeptical, whose greatest characteristic, as La Bruyère said, was the good opinion which he had of himself, possessed none the less certain admirable qualities. He admired his time, he loved logic, and he had almost a childish faith in the power of knowledge and the ability of humanity to improve. In all probability he had learned his Cartesianism not in Descartes' works, but in the works of his famous uncle, Corneille, and in the seventeenth century libertine salons. More than any one man, he grasped not the essence of Cartesianism—he was too superficial to do that—but the dynamic forces in Cartesianism. He unhesitatingly adopted certain of its principles. Throughout his work there is the idea that science is objective, and constitutes, like nature, a unity; that reason, such reason as he could grasp by logic, is supreme; and that nature's laws are immutable. His inferences were sweeping: beliefs sanctioned by tradition are entitled to no more respect than those of the present; all branches of knowledge are but portions of a great science, philosophy; man's perfection depends only upon his assimilation of knowledge. That is to say, philosophy ceases to become the monopoly of experts; it is the common property of every man. Fontenelle insisted upon its popularization. His *Entretiens sur la pluralité des mondes* (1686) endeavored to bring astronomy and physics within the reach of all, while his *Éloges* (1708) brought the achievements of real scientists to the level of laymen. By the popularization of science, he led his public from Christianity to religious skepticism and from religious skepticism to faith in science. The discreet idol of the salons who is reputed to have said that "tout est vrai et tout le monde a raison" never placed science in opposition to religion. The propagandist in Fontenelle is secondary to the popularizer. Whatever propaganda may be found in his works is presented indirectly. Even in the *Histoire des oracles* (1687),

[13] Maigron, L., *Fontenelle, l'homme, l'œuvre, l'influence*, Paris, 1906.

he only suggested by insinuations that there may be trickery in the ancient religions.

The arguments of Fontenelle and the other Moderns produced three results. They created in the seventeenth century mind a growing disrespect for tradition. Even a man like Bayle who had no faith in the cause of the Moderns, who thought that "chaque siècle se comporte comme s'il était le premier venu," could maintain that "l'antiquité et la généralité d'une opinion n'est pas une marque de vérité." The second result, springing from the controversy concerning relationships, was less tangible, and consequently more dangerous. There had been much discussion concerning the relationship between man's nature and climate, between climate and government, government and literature, literature and inventions, inventions and genius. Such a discussion inevitably introduced into the French mind the doctrine of relativity which established life as a series of "rapports" between man and nature, between the individual and society, or government, or religion, between the individual and fortuitous circumstances. The theory of relativity led to a third result, the establishment of a doctrine of Progress.

The doctrine of Progress,[14] last offspring of dynamic Cartesianism, could make no headway so long as certain doctrines of religion were preeminent. We of the twentieth century find it difficult to conceive that orthodox religion and progress are incompatible, possibly because we think much of progress and but little of religion. In the seventeenth century, the reverse was true. It is inconceivable how deeply rooted in man's nature dogma had become. Religion was a matter of doctrines; otherwise, Jansenism and Quietism would never have become popular creeds, Bossuet [15] would never have been noted for the sermons in which he expatiated upon dogma, and Mme de Sévigné [16] would never have been proud to confess to her daughter that she was a "dévote." The seventeenth century was profoundly,

[14] Brunetière, F., *Études critiques*, Vol. V. Bury, J. B., *The Idea of Progress*, London, 1920. Delvaille, J., *Essai sur l'histoire de l'idée du progrès jusqu'à la fin du XVIIIe siècle*, Paris, 1910.

[15] Lanson, G., *Bossuet*, Paris, 1898.

[16] Sévigné, *Œuvres*, Vol. IX, p. 413.

sincerely, and dogmatically religious. Moreover, in the religion of the seventeenth century, certain doctrines such as those of original sin, Providence, Final Causes, and innate ideas, explained rationally, not only atrophy, but even nullify any belief in progress. The theory of Providence, expounded by Bossuet,[17] and popularly accepted, kills any individual initiative. Similarly the doctrine of original sin, universally accepted by the century, paralyzes any attempt to improve man's nature or even his life. Man cannot even improve his mind, for thoughts, like life and activity, come from Providence.

Before the doctrine of Progress could become a force in thought, religion had to lose its position of primary importance in French life. This came about during the closing years of the seventeenth century. From 1685 onward, religion was more and more discredited.[18] Nothing so injures dogma as discussion. The Jansenist-Jesuit quarrel dragged theological matters to the man in the street. But as if that were not sufficient, the public in 1688–1698 was treated to the amazing spectacle of a conflict between two of France's most respected clergy, Bossuet and Fénélon. This controversy, known as the quarrel of Quietism, consummated what the dispute concerning Jansenism had begun; it ruined popular respect for the authority of the Church. Then, too, the fact that the revocation of the Edict of Nantes (1685) was considered necessary indicates that there existed a diversity in religious thought. In each new discussion, religion suffered. Efforts to clarify beliefs only served to confuse them, and to bewilder the public. The crowning event, however, was the promulgation in 1713 of a papal bull which condemned Quesnel's *Réflexions morales*. The whole affair of Jansenism burst out anew, this time mingled with the Gallican question. The Cardinal de Noailles, archbishop of Paris, and the Jesuit Le Tellier struggled in an undignified manner for political supremacy, the Sorbonne rejected the bull, the Parlements accepted it only under royal compulsion, and "acceptants" and "récusants,"

[17] For Bossuet's treatment of Providence, see Brunetière, *Études critiques*, Vol. V, p. 41. "La Philosophie de Bossuet."

[18] For these religious quarrels, see Tilley, A., *Modern France*, Cambridge, 1922, and Martin, K., *op. cit.*

as the supporters or opponents of the bull were called, comported themselves in a way which was hardly edifying to the public.

Still, the Catholic religion was so organized and received such hearty support from Louis XIV that its political power was scarcely diminished by the weakness of its creed. The layman of 1685–1715 may not have known exactly what he believed, but he found it very convenient to believe, or, at any rate, to pretend to believe what was told him. The Church still claimed the right to control in matters of morality, to dictate in matters of belief, and to exercise civil compulsion. Before Progress could claim the minds of men, these three functions had to be curtailed. This task was performed by Pierre Bayle.[19]

The usual view of Bayle's work is that it is characterized by skepticism, and a demand for tolerance. In reality, skepticism is only a method with him, and tolerance is only a means to the end. What he accomplished was a three-fold assault upon catholicism. In the *Pensées diverses sur la comète* (1682) he attacked the moral function of the Church. In this work he maintained that truth is never obligatory and he even went so far as to assert that society can exist without religion, in case the State takes upon itself the enforcement of moral laws. This theory led him inevitably to the doctrine of the separation of Church and State, in which he placed the enforcement of moral laws under the jurisdiction of the State. The dogmatic function of the Church he assailed in the *Critique générale de l'histoire du Calvinisme* (1682), written to combat the attack of Maimbourg upon the Protestants. In this treatise, Bayle affirmed that a religion rests upon the fundamental principle of authority, which can be exercised only by the group which possesses absolute truth. But, said Bayle, that there is no absolute truth is proven by the contradictions in the church fathers, contradictions in religions, contradictions in the sects. Bossuet used the same argument in the *Histoire des variations* (1688), although he persisted in recognizing the right of the Catholic Church to state an absolute truth. Bayle makes no

[19] Delvolvé, J., *Religion, critique et philosophie positive chez Pierre Bayle*, Paris, 1906. Lenient, C., *Étude sur Bayle*, Paris, 1855. Cazes, A., *Pierre Bayle*, Paris, 1905.

such exception. For him, each truth being a particular truth, each religion becomes an individual matter, heresy becomes the normal state of man, and everyone has the right to the free exercise of his conscience. The Church can no longer be the source of every man's dogma. Nor can it force man to accept its beliefs. This right to exercise civil compulsion Bayle assailed in the *Commentaire philosophique* (1686). The doctrine of "compelle intrare," averred Bayle, is false. It is not only contrary to reason; it is not in accord with the rest of the Scriptures. Therefore, he concluded, governments should tolerate all religions and force all religions to tolerate each other.

Bayle's work was accomplished by applying Cartesian principles to every branch of thought, but in doing so he rejected the Cartesian method. There were, he said (Article Bellarmin) three rules to observe in reasoning: first, before attacking an adversary, one must be certain of the facts; second, one should exclude personal feeling, which proves nothing, from discussion; and, finally, one should accept nothing, however sacred or obvious, without evidence. Bayle also rejected the Cartesian criterion of truth, and insisted rather upon weighing relative arguments than upon drawing definite conclusions. As a result, skepticism has been considered the greatest characteristic of his work, and he has been likened to Montaigne. In reality, he was as affirmative as the sixteenth century moralist whom he admired. He, like his predecessor, started with a fact from which he formulated a general idea. He then proceeded to the verification of the idea, both positively and negatively. In the verification, he appealed to history, to observation, and to personal experience. And thence having reached, if not a conclusion, at least a point of view, he proceeded to an application which appears for the most part paradoxical. The very chapter headings of his books are indicative of his type of mind: "L'Athéisme ne conduit pas nécessairement à la corruption des mœurs;" "L'Antiquité et la généralité d'une opinion n'est pas une marque de vérité." Such a type of mind is admirable for a dialectitian, since it works inevitably in three stages: from contradiction to doubt, from doubt to indifference, and from indifference to a broad tolerance. But it also presents a difficulty.

His reasoning was so diffuse and intricate that it becomes practically impossible to grasp his ideas by using a simpler form of logic. He himself admitted the intricacies of his arguments: "Je ne sais ce que c'est que de méditer régulièrement sur une chose; je prends le change fort aisément; je m'écarte très souvent de mon sujet; je saute dans les lieux dont on aurait bien de la peine à deviner les chemins."

His thought is furthermore disconcerting because of his own nature and his manner of expression. By nature he was curious, ideas were of greater interest to him than life, and all ideas presented material for his speculations. A comet furnished him with a theme for an important work upon prejudices and morality; the *Histoire du Calvinisme* of the priest Maimbourg was the starting-point of his doctrine of the erring mind; Rapin's book upon the decline in morals led him to the doctrine of state morality; the scientific discoveries of the day gave him subject matter for his *Nouvelles de la république des lettres*, and Moréri's *Dictionnaire* offered him a basis for his own *Dictionnaire historique et critique* (1697).

There is, nevertheless, a unity in Bayle's thought, a unity brought about by his criticism of religious dogma and his opposition to the Church. This Protestant who accepted catholicism only to become reconverted to protestantism, who in turn renounced protestantism for deism, was, as were all his successors, a practical metaphysician who was too rational for his own comfort. To the contemporary, he appeared only to be discussing, with much skepticism, such dogmas as Providence, and the question of good and evil. To the critic of today, he seems merely to be the arch-enemy of prejudices and the manipulator of a vexatious number of critical facts.

His importance in the eighteenth century can scarcely be overestimated. He not only left to the thinkers of the time a mine of information and certain fundamental doctrines such as tolerance, deism, state morality and the right to follow one's conscience, he also willed to the century a manner of expression. "De la manière que l'homme est fait, un conte lascif," he wrote, "est une chose qui réveille extrêmement sa curiosité, et qui l'attire par des charmes presque insurmontables." The "conte lascif" became one of the favorite manners of expression of the century. Bayle's irony and apostolic bow were also employed by the later Philosophes. But his greatest legacy to the Philosophes was his manner of arranging ideas in the *Dictionnaire*.[20] For it, he invented an elaborate system of citations, side-notes, foot-notes and cross-references, which was adopted, by the editors of the *Encyclopédie*, as a convenient means of eluding the watchful eyes of the censors.

The gradual removal of the Church from its place of paramount importance in everyday life which was begun by Bayle, made necessary the establishment of a new ideal. Mankind feels safer when he has something to adore, something for which to strive, something to which he can attach his achievements. The Christian religion had served this purpose in France for at least eight centuries. It was now replaced by the ideal of Progress which, in a way, became the religion of the eighteenth century. It had its high-priests, its laymen, its devotees. It also had a creed derived largely from the tendencies of Cartesianism. Instead of the doctrine of original sin which had done so much to mould the seventeenth century mind, it heralded the doctrine of perfectibility through reason. It maintained that man possessed infinite possibilities of perfecting himself through knowledge. It affirmed also the solidarity of all knowledge, advocated its popularization, proclaimed the utility of truth, and insisted upon the eudæmonic value of civilization. Lastly, it predicated that human nature is moulded by institutions.

Throughout the century, Progress became the watchword of all the writers. The whole movement in the natural sciences grew out of it. Voltaire wrote his histories under its inspiration. It gave direction to the Encyclopedic movement, and, in its name, reforms were continually proposed. Even Rousseau, who regarded its advance with much concern, none the less recognized its inevitability. And when, in 1793, the whole movement in ideas seemed to have failed, it is significant that Condorcet had the courage to write his *Esquisse d'un tableau historique des progrès de l'esprit humain* (1794).

[20] Brunetière, F., *Études critiques*, Vol. V, p. 111, "La Critique de Bayle."

With the establishment of the doctrine of Progress, the foundation was completed for the building up of eighteenth century liberal thought. The France of 1715 had journeyed far from the France of 1660–1680. In all probability, however, the new movement in ideas would not have gained ground so rapidly had it not been seconded by circumstances and conditions of a religious, social, and political nature.[21] The results of the religious quarrels have already been discussed. Socially, the decline of the great reign of Louis XIV offered a striking contrast to the France of 1660. The nobles who were drawn to Versailles found in the closing years of the reign that the king's funds were exceedingly meagre because of wars. Those who had refused to go to court lived on their estates in comparative poverty. The condition of the people was hardly enviable, if La Bruyère's portrait of them can be trusted. They were oppressed with taxes, and even tortured by the elements. The hard winter of 1709 with its famine can only be paralleled in French history by the winter and famine of 1788–1789. Suffering was intense and, naturally, protests arose. The general tenor of the protests can be noted in La Bruyère's *Caractères* as early as 1688, where the author protests against the luxury of the wealthy, the suffering of the poor, the cruelty of tax-gatherers and financiers, the extravagance at court, and the selling of benefits among the clergy. Fénélon in his *Télémaque* (1699) and his *Remontrances à Louis XIV* (1694) urged such reforms as the abolition of war, state education, the equitable distribution of land, the equalization of taxation and the revival of the ancient Constitution of France. Le Sage wrote his scathing condemnation of the financiers in *Turcaret* (1709), and satirized all elements of society in *Le Diable Boiteux* (1711). In the year of the famine, 1709, scurrilous songs were composed against the king, and a band of women, marching to Versailles to demand bread, had to be stopped by troops.[22] And when in 1715 the Grand Monarch was carried to his last resting-place, there was, according to Voltaire,[23] general rejoicing. The rejoicings, however, were

[21] Tilley, A., *The Decline of the Age of Louis XIV*, Cambridge, 1929, and Lanson, G., *Histoire de la littérature française*, Paris, 1912, pp. 621–30.

[22] Bainville, J., *Histoire de France*, Paris, 1924, p. 252.

[23] Voltaire, *Œuvres*, Vol. X, p. 285.

intermingled with some feeling of trepidation. The careful schemes of Louis XIV to assure himself an experienced successor had failed completely. In the years 1710, 1711, and 1712, he had lost one after the other his son, his grandson, and his great-grandson. He was succeeded only by the second of his great-grandsons, then a youth of but five years. The limitless power of a monarch who ruled France with the slogan "un Roi, une loi, une foi," was placed in the hands of a five-year-old child and his cousin, the Duke of Orléans, who perhaps was less capable of wielding it than the youth.

Thus, in the years 1685–1715, all the seeds from which eighteenth century thought was destined to spring had been sown. Ideas were still vague but tendencies were well pronounced. Already the individual had learned to regard authority with suspicion, and to oppose tradition. He was aware that the Church, the State, and Society were no longer infallible. The Church and Society showed particular evidences of weakness, while the State was thought capable of muddling through. To be sure, it, too, had been shorn of some of its prestige, but it still possessed vigor—so much, in fact, that constant hammerings at the structure could not materially change it for seventy-five years more. However, the right to question had become a privilege common to all. The three R's—relativity, reason, and reform—had been taught, if not thoroughly comprehended. A new ideal—Progress—had supplanted Religion. And with this ideal there had to come a different attitude towards and a different conception of life. Clearly the old formulæ were outgrown. A new value had to be placed upon man, a new analysis had to be made of his nature. Nature, too, had to be revalued. All of the institutions—the family, the State, the Church, Society—had to be revised. But for the moment, these vexing problems were ignored. France in the years of the Regency (1715–1723) decided to live before reforming its philosophy. The parties of the Palais Royal, those of the Temple or of Sceaux were but an epicurean relaxation after the dignified, somewhat hypocritical, and sombre last years of the seventeenth century.

II

The Regency (1715–1723)

The events of the last years of Louis XIV's reign had discredited the Church, those of the Regency[24] discredited the State. Although any government which succeeded the reign of the absolute monarch would necessarily have appeared by comparison feeble, that of the Duke of Orléans was particularly weak. It was not, however, altogether his fault, for Louis XIV imperilled the monarchy by the provisions of his will. The Duke was to hold power only nominally, the affairs of the State being placed in the hands of a council of which the Duke, the Duke of Maine and the Count of Toulouse were members. Moreover, the new government was harrassed by external problems. Philip V, of Spain, grandson of Louis XIV, was, in spite of his renunciation, a pretender to the throne of France. The exact terms of the Treaty of Utrecht were still undetermined. And the finances of the State were in such a deplorable condition that Saint Simon urged a declaration of bankruptcy. Such problems, perplexing enough for a strong, experienced king, were overwhelming to the Duke of Orléans. He none the less set bravely to his task. He suppressed the Council at the expense of conceding to Parlement the authority which Louis XIV had taken from it. He, through his minister Dubois,[25] allied himself with England in the hope of frustrating the schemes of Philip V. And in an attempt to retrieve the financial situation, he adopted the system of John Law which Louis had steadfastly rejected. Each act ended disastrously for the monarchy. The Parlements became a constant source of opposition to royalty and through their intrigues created a public opinion strongly in favor of constitutional government rather than of absolute monarchy. The alliance with England brought to France liberal ideas about English government. And the failure of John Law's system in 1720 not only added to the embarrassment of the treasury but created greater confusion among the classes.

[24] Perkins, J. B., *France under the Regency*, New York, 1892. Stryienski, C., *Le Dix-huitième siècle*, Paris, 1909.

[25] Bourgeois, E., *Le Secret du régent*, Paris, 1909, and *Le Secret de Dubois*, Paris, 1910.

Nevertheless, the period of the Regency and the opening years of Louis XV's reign were known to be favorable to ideas of reform. One of the first acts of the Regent was to order the publishing of Fénélon's *Télémaque* which Louis XIV had suppressed. The third edition of Bayle's *Dictionnaire* was published in France and became exceedingly popular. According to legend, it was at this time that lines of people formed before the Mazarine library to consult it. The libertines, who had concealed their thoughts and acts during Louis XIV's reign now made no efforts of concealment. Scurrilous verses about the Regent and his daughter appeared, but they were resented only in a half-hearted manner. Occasionally, a poet would be incarcerated in the Bastille, as was Voltaire in 1717. But in general the Regency seems to have been a period of great freedom. The *Discours sur la polysynodie* of the Abbé de Saint-Pierre [26] and the other "projets de réforme" of the indefatigable author evidence the liberal tendencies of the time. A group of amateur politicians —D'Argenson, Saint-Pierre, Plélo, D'Oby—formed a club, the famous Club de l'Entresol (1724–1731), for the purpose of studying and commenting on political events. The coffee-houses were in great vogue, particularly those of the Régence, Procope, and Laurent, where the literary men of the time gathered to discuss and exchange views. It was there that Lesage made his observations for his study of French society in *Gil Blas* (1715–1735). Moreover, society congregated not only in the coffee-houses and at the Palais Royal but at the miniature courts scattered throughout the realm: at the Temple where the Grand Prieur and the libertines lived riotously and thought recklessly, at Sceaux where the Duchess of Maine assembled a group which was interested as much in politics as in the scandalous "fêtes galantes," at La Source where Bolingbroke organized a group which discussed chiefly the liberal English ideas.

The book which best expressed the spirit of the Regency was Montesquieu's *Lettres persanes* (1721).[27] The serious-minded "Président à mortier" who spent his serious moments sending

[26] Drouet, J., *L'Abbé de Saint-Pierre*, Paris, 1912.

[27] Barckhausen, H., *Montesquieu, ses idées et ses œuvres*, Paris, 1907. Sorel, A., *Montesquieu*, Paris, 1889.

scientific treatises to the Academy of Sciences of Bordeaux and his frivolous ones visiting the literary salon of the scandalous Mme de Tencin, gathered into his work all the brilliancy, wit, and flippancy of the period. The dedicatory epistle gave the tone to the work. Nothing is too sacred for his mock gaiety. He represents the King of France as a magician, the Pope as a still greater magician. He mocks airily Parisian curiosity. In his book figured types of the day: the financier, the "directeur," the "homme à bonnes fortunes," the dowager, the poet. Through it all runs a social satire: the coffee-house, the salon, the rise of the valet class, the country estate. Topics of the time are recorded in letter after letter: the quarrel of Lamotte and Mme Dacier, and the scheme of John Law.

Montesquieu's work was not written merely for the purpose of amusement. Though his tone is generally flippant, his satire genial, he has scathing words for the rise of the valet class, bitter scorn for Louis XIV, and irreverent contempt for the "vierge qui a mis au monde douze prophètes." Contemporary French society, the State, and the Church all fare badly in the hands of the superficial, drawing-room Président. Montesquieu has much of La Bruyère in his writings, but he is less psychological and more bitter than La Bruyère. At times he strikingly resembles Bayle. Like Bayle, he condemns the Revocation of the Edict of Nantes and pleads for tolerance and humanity. He believes that the only purpose of religion is that of restraining the individual. Personally he is inclined toward deism and the deistic prayer of his character who ate the rabbit reminds one of the conversation of Zadig, twenty-seven years later, with the Celt, the Grecian, the Chinee, the Hindu, and the Egyptian.

The most distinctive feature, however, in the serious part of Montesquieu's book is his discussion of government. In the days when the French government was weakening, Montesquieu not only held it up to ridicule, but sought eagerly for a new and more appropriate form—a form founded upon justice which with virtue seemed to him the greatest good. Virtue was to be the principle of the new state, and glory the recompense of its citizens for their services. The author who condemned the reign of Louis XIV because of its despotism, clearly indicated in the *Lettres persanes* the problems which he was to discuss in the *Esprit des lois*—the origins and types of government, its necessity, its evolution, its history, and its principles. With the publication of the *Lettres*, political science became a field for eighteenth century thought. And the problems proposed in the history of the Troglodytes were those which the thinkers of the century were destined to consider most seriously for the next seventy years.

III

The Growth of Knowledge (1685–1750)

The Regency and the first twenty-seven years of the reign of Louis XV saw an intellectual expansion which compares favorably with the Renaissance of the sixteenth century or the tremendous advance of science in the age of Napoleon III. It was this growth in knowledge which persuaded the eighteenth century contemporaries that their age was the "âge des lumières." To it the Germans, who profited more by the advance than the generation of French which issued from the Revolution, have always given the name "Aufklärung." It was distinguished by three movements: the influx of English ideas, the expansion of the natural sciences, and the rise and development of the social sciences, particularly history, politics, and psychology.

Of the many causes which contributed to the popularity of England [28] in France from 1685 to 1770, the first in importance was the revocation of the Edict of Nantes (1685). Just how many Protestants left France as the result of the revocation will never be known, but it is safe to assume that at least several thousand established themselves in the neighborhood of London. Being of a dissenting mind, they naturally noticed the possibilities for free-thinking in their new country. Their first favorable reaction was naturally one of admiration for English liberty; their second, one of respect for English thought. At that

[28] See the opening chapters of Texte, J., *Jean-Jacques Rousseau et les origines du cosmopolitisme littéraire en France au XVIIIe siècle*, Paris, 1895. For the rôle played by the Protestants in introducing English thought to the French, see Weiss, C., *History of the French Protestant Refugees*, New York, 1854, 2 vols.

moment England was particularly busy with three problems:[29] the theological aspects of Deism, the theory of constitutional government, and the relationship between liberty and tolerance. Since two of the problems, Deism and tolerance, were essentially religious, it was quite natural that a sect persecuted for its religious beliefs should have been keenly interested in the controversy. They gathered for purposes of debating the questions at the Rainbow Coffee-house and created a considerable amount of embarrassment for the French Ambassador. Nor were they content to enjoy the privilege of open discussion; they felt the need to acquaint their more unfortunate countrymen at home both with their privileges and the subjects of their debates. A chain of communication was established between the Protestants of England and the Protestant booksellers of Holland. Translations into French of English works were made, published in Holland, and smuggled into France in spite of a rigid censorship.

French interest in things English was stimulated not alone by the French Protestants. The diplomatic relations between the Regency and the government of George I brought the two races in close contact. The French public naturally became interested in their new ally. Visits also played a large part in the relationship. Throughout the century, Englishmen journeyed to France, beginning with Bolingbroke and Bishop Atterbury, and continuing with Horace Walpole, Garrick, Hume and Gibbon. On the other hand, Frenchmen journeyed to England and returned with rather unbounded enthusiasm for English customs, English society, English liberty, English government and English liberal thought. Muralt, a Swiss, had published his *Lettres sur les Anglais et sur les Français* as early as 1725. Destouches[30] remained in London between 1717 and 1723. Montesquieu travelled in England in 1729–1730. Buffon spent the year 1738 with his friend the Duke of Kingston in London. But the most distinguished visitor to England, as well as the most influential in popularizing anglomania, was Voltaire.

[29] Stephen, L., *English Thought in the XVIIIth Century*, London, 1902, 2 vols.

[30] Hankiss, J., *Philippe Néricault Destouches, l'homme et l'œuvre*, Debreczen, 1918.

Voltaire was in England during the years 1726–1729, following an unfortunate incident with the Chevalier de Rohan which had culminated in a second imprisonment in the Bastille. He had already become acquainted with several famous Englishmen, among them Bolingbroke whom he had visited at La Source.[31] In England,[32] he mingled with a heterogeneous group ranging from the King of England to Chetwood, the prompter at Drury Lane Theater. He was on intimate terms with the Prince and Princess of Wales, conversed freely with members of both the Whigs and the Tories, frequented the theater, and even had himself instructed in the Quaker religion by Lee Higginson. He became acquainted with the activity of the English merchants through his friend Falkener, with whom he stayed at Wandsworth. He was introduced also to the leading men of letters of his time: Young, Gay, Congreve, and Cibber. He visited Pope at Twickenham and lived three months with Swift. He investigated English ideas, became acquainted with Berkeley and Clarke and had an interview with Mrs. Conduit concerning Newton's philosophy. In general, he was struck with the vigor and freedom of English literature, with English liberty, with tolerance, with the new scientific discoveries, and with the boldness of English thought, particularly political and philosophical. Since these impressions contrasted strongly with those received from recent experiences he had had in France, they were all the more striking.

Upon his return to France, Voltaire incorporated his impressions in twenty-four letters which he published both in England (1733) and in France (1734) under the title of *Lettres anglaises*. His letters differed from those of Muralt in that they did not attempt to give a description of the manners of the country. Seven of them were devoted to a discussion of the religious

[31] For the early life of Voltaire, see Lanson, *Voltaire*, Paris, 1906, and Chase, C., *The Young Voltaire*, New York, 1926.

[32] Many writers have concerned themselves with Voltaire's trip to England. See particularly: Lanson, G., *Voltaire*, Paris, 1906; Ballantyne, A., *Voltaire's Visit to England*, London, 1919; Collins, C., *Voltaire, Montesquieu, and Rousseau in England*, London, 1908; and Sonet, E., *Voltaire et l'influence anglaise*, Rennes, 1926. The last-named work contains a fairly complete bibliography upon the subject.

situation, three to politics, one to inoculation, six to philosophers, five to literature, and two to the condition of men of letters in England. In reviewing the religion of the Quakers, Presbyterians, Anglicans, and Lutherans, he passed lightly over their idiosyncracies, but praised the austerity of their morals, and the simplicity of their faith. Most of all, he admired them for their tolerance. He noted enthusiastically in English politics the growth in political liberty, the restrictions placed upon the monarch who "tout-puissant pour faire du bien, a les mains liées pour faire le mal." He commended the equalization in taxation, equality before the law, and the engagement of the nobility in commerce. He extolled the experimental method of Locke, Bacon, and Newton and its application both in physics and metaphysics. And although too much a classicist to admire without reserve English literature, he was none the less intelligent enough to recognize therein the expression of the English love of freedom.

The double purpose of Voltaire in composing his *Lettres* is immediately evident. He undertook first of all to analyze the spirit of a race, to reduce it, if possible, to a single formula, and to apply this formula to every manifestation of its civilization. The greatest characteristic which he seemed to find in England was love of liberty—religious, political, philosophical and literary. But liberty was precisely the thing which was lacking to France. And consequently Voltaire purposed to introduce to the French not only a foreign race, but also the very spirit of that race. The *Lettres philosophiques* which commended the qualities of the English continually called attention to the defects in the French. They contained a whole program of reform for France: the separation of faith and reason, the establishment of liberty, of equality, and of the experimental method, the equalization of taxation, and the encouragement of commerce.

With the publication of the *Lettres philosophiques*, England became the model nation for the French. Montesquieu, in Book XI of his *Esprit des lois* built up his theories of liberty and representative government, based upon a series of checks and balances with English government as his pattern.[33] The Abbé

[33] Dedieu, J., *Montesquieu et la tradition politique anglaise en France*, Paris, 1909.

Prévost [34] had already (1733) inaugurated his periodical *Le Pour et contre,* each number of which, he promised, would contain interesting observations concerning "le génie des Anglais, les curiosités de Londres et des autres parties de l'île, le progrès qu'on y fait tous les jours dans les sciences et dans les lettres." The Abbé Leblanc, after a visit of several months, published three volumes of *Lettres* (1751) upon England. The *Encyclopédie* popularized the works of Francis Bacon and adopted his classification of knowledge as its own. Diderot [35] translated portions of Shaftesbury, Condillac adapted the sensationalism of Locke, while Voltaire and Holbach disseminated the works and thoughts of the English Deists.

It is difficult to say to what extent English thought influenced the traditional current of French liberal ideas. It is perhaps safe to state that the ideas which found their way from England to France confirmed those which had already originated with Bayle and Fontenelle. Tolerance, liberty, separation of the powers of Church and State, freedom of conscience were not at all new to the French mind, and in some cases French thought even anticipated English. Bayle's plea for tolerance, for instance, was made three years before that of John Locke. Moreover, there had always persisted among the libertines a somewhat mechanistic conception of the universe and a considerable faith in natural religion. It is to be remarked that the French possessed a crude form of deism long before the formulation of the deistic creed by the English theologians. It is beyond all doubt that Voltaire had professed his deism as early as 1722 before his trip to England.[36] Similarly, questions of reform in Government interested Montesquieu before he became preoccupied with English government. One may safely assert that the problems which created the corps of French liberal thought arose not in England, but in the social atmosphere of France. England did not produce the problems; she served rather to suggest or confirm their solutions. Still, it is incontestable that English liberal thought gave a new impetus to, and, in three

[34] Havens, G. R., *The Abbé Prévost and English Literature,* Baltimore, 1921.
[35] Cru, R. L., *Diderot as a Disciple of English Thought,* New York, 1913.
[36] Torrey, N., *Voltaire and the English Deists,* New Haven, 1930.

respects, aided materially French thought. It contributed a new doctrine, the doctrine of utilitarianism; an Englishman, John Locke, furnished a new psychology; and another, Francis Bacon, emphasized a new method, that of observation and experiment.

The second movement which characterized the first fifty years of the century was the development of the natural sciences.[37] This expansion had its origin in the doctrine of progress which had been fostered by the late seventeenth century revival of Descartes' philosophy. Cartesianism had consisted of three parts: a method, a metaphysic, and an epistemology. The method had served its purpose, in producing the quarrel of the ancients and the moderns and the doctrine of progress. The metaphysic had been rejected. The scientific Descartes now became predominant in importance and under his influence, the new movement in science started. The natural sciences were not uniformly developed. Under the principle of the solidarity of all knowledge, it was difficult to distinguish the progress in individual sciences. In general, mathematics had made the greatest advance. Mathematics led to astronomy, due no doubt to the insistence placed by Descartes upon mechanics as well as the vogue for Galileo, Kepler, and Newton.. Curiously enough, the sciences were developed in the same order as religion, that is, from the metaphysical to the more physical. Man's eye seemed to glance from the heavens to the earth and then to himself. Astronomy gave way to an elementary form of biology, biology to geology, and geology to chemistry.

The scientific movement began with Fontenelle in the *Entretiens sur la pluralité des mondes*, and even Mme de Sévigné did not escape it. Rather than a love of nature, her two oft-quoted letters (1690) upon the coming of spring show a close observation of nature. Bayle, especially in his *Nouvelles de la république de lettres*, showed that he was keenly interested in the movement. It became very much the fashion to be an amateur scientist. The Duke of Orléans organized a laboratory in the rear of the Palais Royal, until rumor had it that he had become a magician.

[37] Mornet, D., *Les Sciences de la nature en France au XVIIIe siècle*, Paris, 1911.

The interest in science, moreover, was not restricted to Paris. Montesquieu, at Bordeaux, was writing treatises on the renal glands and on the causes of the winds. Voltaire returned from England with great admiration for Newton. At Cirey, he set up his laboratory, performed his experiments, and, with Mme du Châtelet, presented a memorandum upon the nature and spread of fire. Mme du Châtelet herself was a capable mathematician of the Leibnitz school. Diderot became extremely interested in anatomy and medicine. And the then obscure Rousseau was experimenting with synthetic ink at the Charmettes when an explosion nearly cost him his eyesight. There was much amateurism, much fashion, and no little pedantry in the thirst for science. But there were also many serious experiments, such as those of the Abbé Nollet who published in 1743 his *Leçons sur la physique expérimentale.* Moreover, it was not enough to know; knowledge had to be popularized, the more abstruse sciences had to be explained, and advances in them noted. Fontenelle had endeavored to give a lucid explanation of the Copernican system in the *Entretiens*, while Voltaire attempted to simplify Newton in his *Éléments de la philosophie de Newton* (1738). Pluche in the nine volumes of the *Spectacle de la nature* (1732) tried to organize the discoveries in compact encyclopedic form, while Réaumur wrote a more specialized treatise in his *Histoire des insectes* (1734–1742). But the great scientist of the eighteenth century was Buffon who brought out in 1749 the first three volumes of his *Histoire naturelle.*

Buffon [38] is the classical type of scientist, industrious, active, careful in his explanations of phenomena, with a mind ever open to new hypotheses. For fifty years he labored incessantly, accumulating facts from the observation of nature, interpreting and classifying them, renouncing former interpretations and classifications in favor of new ones, in a gigantic effort to bring order out of chaos. Order is, in fact, the most characteristic element of his life, of his work, and of his style. His descriptions of animals, admired greatly in his time, are remarkable for their arrangement of detail. His "grandes vues" which he himself

[38] For Buffon, see Faguet, E., *Le Dix-huitième siècle*, Paris, 1890, and Lanson, G., *Histoire*, pp. 750–4.

preferred to his minute descriptions likewise evidence his painstaking care for orderly arrangement. It was his love of order, indeed, which made him distrust abstract classifications, and stereotyped systems, since, according to him, the facts of phenomena never could be adapted to the theories of systems. Though willing to accept any theory, he did not hesitate to reject it the moment it became arbitrary.

Buffon's work profoundly influenced his time. Unlike his contemporaries, he refrained from using his *Histoire naturelle* as a means either of combating theology or of upsetting the accepted social order. There is nothing noisy or undignified in the orderly, majestic sentences of the "Sage of Montbard," as Voltaire called him. As a true scientist, he limited his field to the observation of nature, steadfastly refusing to apply the discoveries made in his laboratory to the world about him. Since the State and religion are institutions which to him seemed to have nothing in common with Nature, he ignored their very existence. And yet, by a strange anomaly, this man, who regarded human institutions as insignificant accidents in the vast pictures which he drew of the universe, who could see only an imperceptible progress between the thirteenth and the sixteenth centuries, infinitesimal in comparison with the cataclysmic changes of the geological epochs with which he was concerned,—this man persisted in believing that a study should be made of only those portions of the natural sciences which were of service to man. He, like all his contemporaries, was a utilitarian; he merely disdained, as many another scientist has done, to apply to every-day existence the results of his discoveries. But his readers scorned less than he the abstract deductions which could be made from his hypotheses, and adapted his observations to the organization of society.

Buffon's contribution to the thought of his time was two-fold. He furnished material from which others, especially Diderot, could extract theories very important to eighteenth century thought. The doctrine of transformation or of the separation of the species which was at the basis of Diderot's naturalism can be found in Buffon's *Histoire naturelle* (1749). Like Montesquieu, he had his theory of climate and a general theory of determinism. The orderly arrangement of his descriptions became in large measure the model for the descriptive part of the *Encyclopédie.* Moreover, he not only gave material for thought to his contemporaries; he, by continuous effort, set them an example of a studious scientist, devoted whole-heartedly to his career. After 1749, the amateur in science gives place gradually to the experienced scientist. Buffon, by his dignified treatment of the sciences of nature, had converted what had begun as a fad into a serious scientific movement.

The growth of the natural sciences produced results of far-reaching consequences. First of all it taught the French public the value of facts. The practical aspects of eighteenth century philosophy are derived almost exclusively from the interest in the facts of science. Secondly, it impressed upon the public the value of observation and experimentation. In this respect, the scientific movement radically modified the current of thought which had produced it and profoundly changed the complexion of the age. The rationalism of the later Cartesians was in general discredited in favor of the new experimentation. Thirdly, the facts of science not only clashed with the rationalistic method; they also were at variance with the revealed truths of Religion which that method had tended to destroy. Fontenelle in the *Histoire des oracles* (1685) and Bayle in the *Dictionnaire historique et critique* (1697) had used the rational method to combat revelation. The experimental method now completed what they had begun. As might be expected, the new discoveries did not, could not, in fact, always coincide with traditional views. After sustaining the attack against revelation on rational grounds, the Church now found itself forced to defend its stand against objections deduced from observation and experiment. At first, only the first chapter of Genesis became involved in the struggle but it was not long before all of the Biblical miracles were subjected to criticism. The scientists of the eighteenth century, however, attempted to avoid controversy with the theologians either by disclaiming any discrepancy between the two series of facts, or by establishing the principle of relative truth. Buffon himself tried both procedures. But the defenders of orthodoxy would not accept a compromise. They had been trained by

Bossuet and by the theologians that when there is a difference between two series of facts, one is right and the other is wrong. Such was the logic of the seventeenth century. The proposed compromise of several kinds of truth which was nothing less than a polite way of stating the doctrine of the relativity of truth, only served to complicate the situation.

In one respect, a positive result was attained. The natural sciences led to the establishment of the social sciences. The Bible had provided a science of society for the seventeenth century. The model government, whether good or bad, was the Jewish form of government. The laws of social conduct were, of course, the ten commandments. And the founder, director of all, was Providence. One series of events conformed to the laws of Providence and consequently was good, another did not conform and was bad. The method of the natural sciences militated against this view, since experiment and observation revealed causes which were natural rather than providential. Thus history in the eighteenth century ceased to be considered as a branch of Ecclesiastical History; political science was no longer "tirée de l'Écriture Sainte"; and "la morale" was freed from the dictates of the Jewish moral code.

Montesquieu and Voltaire[39] developed the new science of history, the former in the *Considérations sur les causes de la grandeur des Romains et de leur décadence* (1734), the latter in the *Histoire de Charles XII* (1731), the *Siècle de Louis XIV* (1751), and the *Essai sur les mœurs* (1753–1756). Montesquieu destroyed the idea that it was Providence which directed the history of races. Taking the race which had attracted Bossuet in the *Histoire universelle* (1681), Montesquieu showed that its greatness was due to certain specific causes such as the love of liberty, love of work, and love of the fatherland. The reasons for its decline can be found in the too vast extent of its empire, in distant and civil wars, in luxury which corrupts morals. And Montesquieu concludes in his famous passage which was at

[39] For Voltaire's treatment of history, see Black, J. B., *The Art of History*, London, 1926; Lanson, G., *Voltaire*, Paris, 1906; Bellessort, A., *Essai sur Voltaire*, Paris, 1925; and the introduction of E. Bourgeois' *Siècle de Louis XIV* (Hachette edition). An additional bibliography will be found in both Lanson and Bourgeois.

the same time the manifesto of the new history and the underlying principle of his politics in *L'Esprit des lois:* "Ce n'est pas la fortune qui domine le monde. . . . Il y a des causes générales, soit morales, soit physiques, qui agissent dans chaque monarchie, l'élèvent, la maintiennent ou la précipitent." Voltaire's contribution to the new science of history was even greater than that of Montesquieu. To be sure, he rejects the theory of interference of Providence on the grounds that it is unscientific. "Peut-être," he wrote in the introduction to *Charles XII*, "arrivera-t-il bientôt dans la manière d'écrire l'histoire ce qui est arrivé dans la physique. Les nouvelles découvertes ont fait proscrire les anciens systèmes. On voudra connaître le genre humain dans ce détail intéressant qui fait aujourd'hui la base de la philosophie naturelle." Not only does he disapprove of the old ways of writing history; he endeavors to make it more philosophical. Eliminating anecdotes, the annals of kings, the chronology of events, the tales of heroes whom he calls "saccageurs de provinces," he introduces a new method: "Il [the historian] recherchera quel a été le vice radical et la vertu dominant d'une nation; pourquoi elle a été puissante ou faible sur la mer; comment et jusqu'à quel point elle s'est enrichie depuis un siècle. . . . Il voudra savoir comment les arts, les manufactures se sont établies. . . . Les changements dans les mœurs et dans les lois seront enfin son grand objet." Thus one will become acquainted with the story of mankind, and with his manners and customs, instead of following the uninteresting movements of kings and courts. History becomes useful to mankind: it records progress made, it points out progress to be made. Voltaire gave it a new impetus when he united it with the philosophy of progress.

While Voltaire was busy establishing the science of history, Montesquieu [40] was occupied with creating in *L'Esprit des lois* (1748) a science of politics. Resuming the problems which he had already proposed in the *Lettres persanes*, he now endeavored to define in general and to classify laws, and to establish their relationships with each other, with the sovereign power, and

[40] For Montesquieu's political theories, see Dunning, W. A., *Political Theories*, Vol. II, London, 1905; Brunetière, F., *Études critiques*, Vol. IV; Lanson, G., *Histoire*, pp. 709–25; and Barckhausen, H., *op. cit.*

with the individual. Natural laws interested him but little, since, contrary to Rousseau, he always conceived of government as a fact. Positive laws he divided into international, political and civil. Since these vary in organized states, he was confronted with the necessity of studying types of states. Montesquieu distinguished three: democracy, monarchy, and despotism. Each type of state differs not only in nature, but in principle: patriotism is the principle of a democracy; honor, of a monarchy; fear, of a despotism. Having defined laws as "rapports nécessaires," and established the types of governments with the principles of their action, Montesquieu now proceeds to study the laws which are the highest expression of the relationships between the sovereign power and the governed, and between the individual and his fellow-citizens. For, in his opinion, laws must be particularly adapted to each distinct form of government. Those in a monarchy concerning education should differ from those of a democracy, those in a monarchy concerning luxury should differ from those of a despotism. Moreover, not only must laws conform to the type of government, and sustain its principle, they must also be adapted to the race's general spirit which is determined by climate, geographical situation, nature of the soil, manners and customs.

Many attempts have been made to explain Montesquieu's purpose in writing his treatise, but each new effort has only served to complicate his work already exceedingly intricate. In reality, he had three things in mind when he wrote *L'Esprit des lois*. Disliking the reign of Louis XIV and dreading that Louis XV would continue that reign, feeling that France was degenerating into a despotism, and knowing that its laws, its type of government, its principle, its general spirit had all been designed for a monarchy, he displayed throughout the book his intention to preserve it as a constitutional monarchy. He was interested in the politics of France because he was a French citizen, but his interest extended beyond the confines of his native land. In a large and unostentatious manner, he is a humanitarian. Thus humanitarianism is the second motive in the writing of the book. His plea for tolerance, for civil liberty, for leniency in penal cases, for the abolition of slavery, is made along the same lines as the pleas of Bayle and Voltaire. A third and greater preoccupation with Montesquieu, however, was his desire to establish the science of politics upon such a basis that it would henceforth be of service in regulating the affairs of men. As Voltaire had done in the science of history, he inaugurated his science of politics by basing it upon the methods of the natural sciences. Like a naturalist, he defined laws as "les rapports nécessaires qui dérivent de la nature des choses," he relied for his classification and definitions upon the observations made in his travels, and made generalizations which resembled closely those of Buffon in the *Histoire naturelle.* Finally, he introduced into politics the deterministic attitude which plays such a large rôle in the method of the natural sciences. The wily Gascon who would not admit that "fortune" plays a predominant part in life, none the less admitted that certain other factors such as climate, geographical location, commerce, and religion do determine human affairs.

Montesquieu has often been criticized for his obscurity and lack of unity. And indeed, *L'Esprit des lois* does lack unity, for the author could not refrain from intermingling contemporary satire, revolutionary propaganda, and sweeping generalizations with carefully deduced logical principles. His point of view is never quite the same, nor is his method consistent. His first ten books deal largely with the abstract theory of government, his next fifteen, with its practical application, while those remaining form an appendix for the genesis and evolution of French law. In the first ten, he uses the rational method of Bayle and the Cartesians, in the next fifteen, the observation method of the contemporary natural scientists, and in the appendix, he reverts to the historical method of Voltaire. But not only does Montesquieu vary in point of view and method; he has the same type of rambling mind as Bayle, that is, he passes from a generalization to a fact and from an established fact to a conclusion.

In spite of its defects, *L'Esprit des lois* was of paramount importance in the history of eighteenth century liberalism. It was not altogether understood nor universally admired. Mme du Deffand remarked that its title should be "De l'esprit sur les lois," and Voltaire condemned it with the remark that "c'est faire le goguenard dans un livre de jurisprudence universelle." Helvétius wrote a criticism against Montesquieu's conservative views, while the *Nouvelles ecclésiastiques* attacked the work as radical. Nevertheless, it was extremely popular, for Quérard [41] records twenty-two editions in eighteen months. Grimm [42] stated that everyone was discussing it and that it could be found everywhere on the tops of dressing-tables. Had the book possessed no other value, it at least introduced the problems of political science to the public conscience. The need of government, its types, its principles, its relations, and its determining principles all became subjects of popular discussion. Montesquieu had succeeded in making the public politically "conscious."

With the increase of knowledge in the natural sciences, in history, and in politics, there arose a need to revise the science of man. The old anthropocentric hypothesis which had done such valiant service in the doctrines of the Church had never been destroyed in men's minds but it had been singularly changed. The eighteenth century no longer believed that Providence arranged the laws of nature for the benefit of man, but it did believe that man should benefit by his knowledge of the laws of nature. The adage of Terence "homo sum, humani nil a me alienum puto," which was quoted so often by the writers of the time, may be in many respects taken as the epigraph of eighteenth century thought. It is surprising how quickly the idea of utility entered into the sciences. Even Vauvenargues, who partially condemned the scientific movement, wrote in his *Réflexions sur divers sujets:* "Cependant ce qu'on a pu découvrir (de la physique) n'a pas laissé que de répandre de grandes lumières sur toutes les choses humaines: d'où je conclus qu'il est bon que beaucoup d'hommes s'appliquent à cette science, et la portent jusqu'au degré où elle peut être portée, sans se décourager par la lenteur de leur progrès et par l'imperfection de leur connaissance. . . ." But before the discoveries in science could be fully

[41] Quérard, J., *La France littéraire*, Paris, 1827–1864, 12 vols.

[42] Grimm, F.M., *Correspondance littéraire, philosophique et critique*, (Ed. Tourneux), Paris, 1877–1882.

utilized, more had to be known about man and his relationship with science.

Very little was known about man before the seventeenth century. Montaigne thought him a "sujet merveilleusement vain, divers et ondoyant." In the seventeenth century, however, it was assumed that he had certain absolute characteristics. Descartes dwelt upon his rational faculties, particularly reason and will, the Jansenists stressed the weaknesses of his nature, particularly the passions. La Rochefoucauld analyzed both his virtues and vices and tried to derive them from "amour-propre." All of the excellent literary psychologists were either Aristotelians or Cartesians. All agreed—even the skeptics—rather more than less with Pascal that "toute notre dignité consiste en la pensée." The processes of thought, however, were never clearly defined. Either, as with the Aristotelians, thought was conceived as deriving from certain intuitive truths which could be indefinitely developed by syllogistic reasoning, or, as with the Cartesians, it was considered as having its origin in a few axiomatic truths, called innate ideas, and developed indefinitely by Cartesian method. In either case, the mind depended for its expansion on some intuitive, or supernatural force.

At the end of the seventeenth century, Locke [43] rejected both theories in his *Essay on Human Understanding*. To him, it seemed that man did not acquire his knowledge from intuitive or axiomatic ideas, but rather from the senses working in conjunction with a faculty which he called reflexion. "That there are certain propositions," wrote Locke, "which, though the Soul from the beginning or when a man is born, does not know, yet, by assistance from the outward senses, and the help of some previous cultivation, it may afterwards come certainly to know the truth of, is no more than what I have affirmed in my first book." The *Essay* was translated into French in 1700 by Coste, but it had scant influence upon French thought until the publication of Voltaire's *Lettres philosophiques*. After 1734, Locke became the "grand homme" of Voltaire and of all the Encyclopedists. Vauvenargues [44] read his essay during the

[43] Marion, H., *J. Locke, sa vie et son œuvre d'après des documents nouveaux*, Paris, 1878.

[44] Wallas, M., *Luc de Clapiers, Marquis de Vauvenargues*, Cambridge, 1928.

Bohemian campaign and partially adopted his conclusions in the *Introduction à la connaissance de l'esprit humain* (1746). His *Introduction* is extremely interesting in that it reveals the transition from Cartesianism to Lockean psychology. He divided "esprit" into two parts: reason and the senses. From reason he derived the faculty of reflection; from the senses, that of imagination; and from the combination of the two, that of memory. "Imaginer, réfléchir, se souvenir, voilà donc les trois principales facultés de notre esprit."

It was reserved for Condillac [45] to establish sensationalism as the basic doctrine of the Encyclopedic school. This he did first in the *Essai sur l'origine des connaissances humaines* (1746) and later in the *Traité des sensations* (1754). In Condillac's treatise all knowledge is transformed sensation to the exclusion of any such faculty as reflection. Condillac proved his statement by assuming a statue to be endowed with the senses in succession. He deduced logically the reaction of the statue to each separate sense, and, from these reactions, he determined all the operations of life. When a sense impression occupies consciousness, it evokes attention. Attention calls forth either a feeling of pleasure or of pain. If the feeling is pleasurable, the statue will want the sense impression to continue or repeat itself. If the feeling is one of pain, he will wish to avoid its continuation or repetition. When the sense impression lingers, memory comes into play. From memory springs comparison, which is nothing more than giving attention to two impressions simultaneously. With comparison comes the faculty of judgment, and comparison plus judgment gives rise to the association of ideas. Since the statue seeks pleasure and avoids pain, he will select for repetition only those sensations which he chooses to have. Hence association of ideas results in desire and desire determines all the operations of life.

The theory of the sensations confirmed the leading doctrines and theories of the century. First, since according to Locke and Condillac all men start with the sense organs and without knowledge, it is evident that all men are born equal. Thus the theory of the sensations corroborated the theory of natural

[45] Lenoir, R., *Condillac*, Paris, 1924.

equality. But since each sensation brings knowledge and since it is readily agreed that all men do not respond equally to the same sensations, equality necessarily results in inequality. "Tous les hommes," wrote Condillac, "ont les mêmes sensations; mais le peuple occupé à des travaux pénibles, l'homme du monde tout entier à des objets frivoles, et le philosophe qui s'est fait un besoin de l'étude de la nature, ne sont sensibles ni aux mêmes plaisirs, ni aux mêmes peines." Second, since knowledge depends upon experience, experience upon pleasure, and since man is constantly seeking more and new pleasure, it follows that with each new experience, knowledge grows. Thus the theory of the sensations supported the theory of progress. Third, since conduct is determined by pleasure, the only purpose which man's will serves is to sustain him in his pursuit of pleasure, and his only moral law is the obligation to follow his inclination. Condillac realized the danger of such a doctrine and endeavored to circumscribe its effect, by recommending that man constantly exercise the faculty of judgment and distinguish between actual pleasure and assumed pleasure. But the damage had been done. The theory of the sensations corroborated the doctrine of the relativity of morals. Fourth, since man acts according to his experience, and since experience is determined by desire, it follows that man is free to conduct himself as he wishes. Thus the theory of the sensations confirmed the doctrine of philosophical and moral liberty and in part that of political liberty.

The theory of the sensations became the dominant force in the thought of the eighteenth century and the nucleus of all other theories. It was accepted by Buffon who poetized it. Voltaire admitted it unreservedly and made a curious use of it in his story of *Micromégas* (1752). D'Alembert used its earlier exposition in the *Discours préliminaire* (1751) for the classification of all knowledge in the *Encyclopédie.* Helvétius resorted to it constantly in his *De l'Esprit* (1758), the first part of which is, in fact, merely a restatement of Condillac's essay. Rousseau utilized it in his "Profession de foi du vicaire savoyard" in a way which recalls a paraphrase of Descartes' famous "cogito, ergo sum." "J'existe, et j'ai des sens par lesquels je suis affecté." It is, to be sure, at the basis of all the philosophy of sentiment of Rousseau. The most enthusiastic supporter of the theory, beyond all doubt, was Diderot. As might be expected, each writer modified it somewhat. With Helvétius,[46] it became the basis of his doctrine of personal interest. He contended that since every man seeks to attain pleasure, he must consequently act according to his own personal interest. This argument being logically deduced, did not contain a theory of conduct, but merely made an observation upon conduct. Helvétius was more interested in politics than in morality in spite of the fact that he derived his theories of government from the observed laws of morality. He reasoned that since each man follows his interest, the State should train its citizens to see in the interest of the general body the greatest good of each individual. This, with Helvétius, was the starting-point of his greatest-happiness principle and his doctrine of state education. On the other hand, Rousseau, who was in many respects primarily a moralist, used the theory throughout *Émile* (1762) for the moral reconstruction of the individual. Since it contained elements of immorality, Rousseau corrected it with his theory of "bonté naturelle" and the "principe inné de justice et de vertu." Lastly, Diderot and the materialists, among them Holbach,[47] employed it chiefly as a justification for the passions of man.

IV

The Encyclopédie and the Growth of Liberalism (1750–1789)

The rapid development in the natural sciences, in history, politics, and psychology, during the first half of the century made a general inventory of knowledge imperative. This need became all the more urgent since the century believed implicitly in the solidarity of the sciences and the unity of knowledge. Diversity of thought as well as of method threatened this essential solidarity. Moreover, certain authors in the process of accumulating information had apparently lost their way and those who held steadfastly to the paths they had chosen were continually

[46] Keim, A., *Helvétius, sa vie et son œuvre*, Paris, 1907.

[47] Cushing, M. P., *Baron d'Holbach, a Study of Eighteenth Century Radicalism in France*, New York, 1914. Hubert, R., *D'Holbach et ses amis*, Paris, 1928.

harassed by the authorities. A necessity was created not only for coordinating the new knowledge, but for organizing, classifying and, above all, making it useful. It was in answer to this need that the *Encyclopédie* (1751–1780) [48] was published. The work aimed to bring up to date in usable form the sum total of the achievements of the human mind. Diderot proclaimed its object in the article "Encyclopédie." "Le but de l'encyclopédie est de rassembler les connaissances éparses sur la surface de la terre; d'en exposer le système général aux hommes avec qui nous vivons, et de le transmettre aux hommes qui viendront après nous, afin que les travaux des siècles passés n'aient pas été des travaux inutiles pour les siècles qui succèderont; que nos neveux, devenant plus instruits, deviennent en même temps plus vertueux et plus heureux, et que nous ne mourions pas sans avoir bien mérité du genre humain."

The first two volumes of *L'Encyclopédie ou Dictionnaire raisonné des sciences des arts et des métiers* were published in 1751 and additional parts continued to appear in spite of two suppressions, one extending over a period of seven years, until 1765.[49] The general editor, Diderot, enlisted D'Alembert's aid in the editorial work. The most famous writers of the day, among whom were Voltaire, Montesquieu, Rousseau, Marmontel, Buffon, Saint Lambert, contributed to its volumes. Diderot wrote the *Prospectus*, D'Alembert the *Discours préliminaire*, Voltaire the article about *Éloquence*, Buffon about *Nature*, and Marmontel about *Littérature*. Montesquieu was requested to write upon *Économie politique*, but he chose instead the harmless subject *Goût*. The *Économie politique* was eventually written by Rousseau to whom had been assigned *Musique*. In addition to the contemporary writers, specialists were engaged to contribute: Daubenton in the field of natural history; Tronchin, in medicine; and Dumarsais, in grammar. There was a corps of abbés or clergymen chosen to discuss matters of religion, and

[48] Duprat, P., *Les Encyclopédistes*, Paris, 1865. Le Gras, J., *Diderot et l'Encyclopédie*, Amiens, 1928. Ducros, L., *Les Encyclopédistes*, Paris, 1900. Belin, J. P., *Le Mouvement philosophique de 1748 à 1789*, Paris, 1913.

[49] Six volumes of cuts were added in 1772, five volumes of supplementary material in 1777, and two volumes of index in 1780.

another of artisans to describe accurately the processes of trades. Besides, the editors did not scruple to appropriate material wherever they found it, whether in Voltaire's *Lettres anglaises*, Condillac's *Traité des sensations* or Montesquieu's *Esprit des lois*. The articles *Amour* and *Amitié* were taken largely from Vauvenargues' *Introduction à la connaissance de l'esprit humain*.[50]

The *Encyclopédie* produced three results: it organized definitely the knowledge of the eighteenth century; it created a close organization of the more liberal thinkers of the century; and, lastly, it welded the political, social, and religious doctrines and theories into a compact whole.

The task of classifying the knowledge of the *Encyclopédie* fell to D'Alembert, who divided the work into two parts: an encyclopedia and a dictionary of knowledge: "Comme encyclopédie, il doit exposer autant qu'il est possible l'ordre et l'enchaînement des connaissances humaines; comme dictionnaire raisonné, il doit contenir sur chaque science et sur chaque art les principes généraux qui en sont la base, et les détails les plus essentiels qui en font le corps et la substance." In exposing the order and relationship of the various sciences which make up the body of human knowledge, he accepted as the unity of his scheme the theory of the sensations. But he immediately broke this unity by calling attention to two interpretations of Condillac's theory: a theoretical one and a practical one. Theoretically his classification was sound, although it served only to condemn once for all the theory of the unity of knowledge. D'Alembert believed that all ideas, coming from the sensations, are transformed according to three faculties: the mind, appealing to memory, preserves them; or, using the faculty of reason, combines them; or lastly, using that of imagination, imitates them. The results of the three processes of the mind are the three divisions of knowledge: history, philosophy and the fine arts. Each division has three fields in which to work: religion, society, and nature. The application of each branch to each field will give various subjects for study. Philosophy applied to religion, for instance, will give ontology; to man, logic; to nature, mathematics and physics.

[50] See Wallas, M., *op. cit.*, Introduction.

The theoretical classification of D'Alembert was, as all theoretical classifications, defective, but most of its defects grew out of the tendencies of the time. It none the less achieved two important results. It effectively coordinated all the then known fields of learning under sensationalism, and established the relative importance of each field. That it was not as useless as modern criticism is tempted to affirm can be proven by the fact that Auguste Comte did not hesitate to use it as a starting-point for his system and that Taine admired it. The classification still exists as an excellent example of the ultimate futility of establishing a unity in knowledge. There are other examples, however, which have been more involved and less serviceable.

D'Alembert's encyclopedic tree placed clearly before the reading public the necessity of correlation between the branches of science. However, it was of little practical service to Diderot in the arrangement and distribution of encyclopedic material. For instance, the question arose as to which branch of the three was the master branch. The problem of the relative importance and relationship of the various ramifications of the branches had to be considered. Evidently the Encyclopedists used a confusing metaphor in speaking of the Encyclopedic tree. Diderot maintained that knowledge can more aptly be compared to a geographical unit. In order to portray the unit one needs first of all a large "mappemonde," then a series of maps giving in detail kingdoms and provinces, and lastly another series of smaller and more detailed maps to represent the exact topography of each community. Diderot showed in his article *Encyclopédie* that just as one must have a succession of maps to explain a geographical unit, in compiling an encyclopedia of the intelligible world, one needs several orders: first of all a general encyclopedic order, a second to control the point of view and prevent one branch of knowledge being considered as superior to the other, a third to keep in proper relationship the smaller divisions of a main branch, a fourth to correlate all these minor divisions, and, finally, a fifth order to put the proper limits to the respective fields of each minor division. To unify the various divisions, Diderot had recourse to Bayle's critical method. Just as in a map there are roads drawn to show the various means of communication between the communities, so in an encyclopedia there must be references to connect, explain, classify. Diderot distinguished four kinds: references which correlate, which elucidate, which suggest, which satirize.

Diderot's five encyclopedic orders and his judicious use of references and cross-references are responsible for the comparatively effective arrangement of the articles. His method of arrangement also brings about a certain unity in which there is evident a definite encyclopedic doctrine. Through this doctrine, determined to a great extent by the individual views of the contributors, the *Encyclopédie* accomplished what each contributor individually could not accomplish. Its first step was the substitution of Nature for Providence. This had an immediate result: the theory of Providence being effectively refuted, man ceases to be the center of the universe; he is merely a part of nature, subject to nature's laws. Final causes are eliminated by the explanation of nature's laws and the method of determinism. Such a view had consequences of supreme import: the philosophy of history was completely changed, the natural sciences were revolutionized. Moreover, a new method of looking at life was instituted. The break with tradition and authority which had occurred with the Quarrel of the Ancients and the Moderns now became final. Authority was replaced by experience and evidence, which are of value only when they become practical. Hence the utilitarian doctrine of knowledge. Moreover, experience and evidence are only semi-rational, hence the insistence upon common sense rather than upon the absolute "raison raisonnante." The *Encyclopédie* sought to establish facts, practical facts, in the expectation that in the natural course of events certain results would be accomplished.

Changes did come when the established facts were applied to the three fields of religion, politics, and ethics. In religion, practically all the old dogmas were eliminated as unserviceable. Providence became Voltaire's "Dieu rémunérateur et vengeur," but the supernatural was completely abolished. In politics, the Encyclopedists proceeded more carefully. They opposed the divine right of kings and proposed the doctrine of the social contract. They favored the agricultural and industrial classes, proposed the abolition of privileges, and demanded a general reform in taxation. In the field of ethics they were most dangerous, in openly demanding that there should be no restraint of the emotions. They none the less advocated Bayle's old theory of morality enforced by the State and hoped that state education would correct the vicious tendencies of human nature.

Around the *Encyclopédie* grew and flourished innumerable works to which it gave inspiration and encouragement. Helvétius published his *De l'Esprit* (1758) in which he propounded his doctrine of personal interest and state education, and his theory of the greatest happiness for the greatest number. Rousseau in his *Essai sur l'inégalité* (1755) traced the evil in society to property rights. Voltaire entertained the Parisian public with short pamphlets, plays, longer treatises, short stories, poems and letters. Morelly [51] proposed his rather communistic ideas, while Quesnay [52] and the Physiocrats discussed reforms in economics. Turgot [53] having become minister suggested the policy of tolerance to the King. Mankind finally was being enlightened. However, the danger of propagating abstract conceptions in a public inadequately trained to receive them was ignored. Almost any insignificant pamphlet dealt with Reason, Nature, Humanity, Liberty, Equality, Fraternity. Newspapers spoke of these abstract conceptions as if they were realizable ideals, and actors [54] prated about them in the theaters. Around these terms sprang up almost countless theories and doctrines: the determinism of Montesquieu, the naturalism of Diderot, the deism of Voltaire, the theories of the sensations, of the social contract, of state education, of the separation of Church and State, of perfectibility, liberty and equality; the doctrines of personal interest, of the decline of civilization, of tolerance and of progress. Upon these conceptions, theories, and doctrines,

[51] Reverdy, A., *Morelly*, Poitiers, 1909; and Lichtenberger, A., *Le Socialisme au XVIIIe siècle*, Paris, 1895.

[52] Weulersse, G., *Le Mouvement physiocratique en France de 1756 à 1770*, Paris, 1910.

[53] Schelle, G., *Turgot*, Paris, 1909.

[54] Fontaine, L., *Le Théâtre et la philosophie au XVIIIe siècle*, 1878. Lion, H., *Les Tragédies et les théories dramatiques de Voltaire*, Paris, 1896.

the Philosophes, now an organized group, worked with the conviction that a millenium was near at hand.

The outstanding influence in the composition of the *Encyclopédie* was that of Diderot,[55] its editor-in-chief. For fifteen years he toiled over it, seeking contributors, assigning articles to be written, classifying them as they poured in, encouraging the writers who hesitated, and, when they deserted, writing their articles himself. From his contact with the contributors, Diderot assimilated a fund of information which, thanks to his exceedingly active and impressionistic mind, made him one of the most learned of the eighteenth century Philosophes. He was not content, however, to absorb his ideas from his contemporaries; the robust genius investigated every known field of the intellectual world. He assimilated the ideas of Bayle, Shaftesbury, Fontenelle, Spinoza, and the Père Buffier, as easily as those of Rousseau, Montesquieu, D'Alembert, and Voltaire. He, like his contemporaries, dabbled in the physical and social sciences, but he pushed his investigations farther than they into the realm of physiology and morality. The results of his speculation he was never able to combine in a complete work, but they may be found in scattered "pensées"—*Pensées philosophiques* (1746), *Pensées sur l'interprétation de la nature* (1754), and in fragmentary "dialogues"—*Entretien entre un philosophe et la maréchale* (1776), *Le Neveu de Rameau* (1823), *Supplément au voyage de Bougainville* (1796) or *Le Rêve de d'Alembert* (1830). His thoughts form no coherent whole, no system, and do not even follow each other logically. They spring on the contrary full-fledged from an over-expansive, over-exuberant temperament.

Though there is no logical development in Diderot's work, his ideas, none the less, follow certain well defined trends. Like Rousseau, he was preoccupied with establishing a new ethical basis for the science of man. His one great ambition was to write an Ethic, but he refrained, because, as he said, if it did not

[55] For Diderot, see Ducros, L., *Diderot, l'homme et l'écrivain*, Paris, 1894; Reinach, J., *Diderot*, Paris, 1894; Cru, R. L., *Diderot as a Diciple of English Thought*, New York, 1913; Hermand, P., *Les Idées morales de Diderot*, Paris, 1923; and Johansson, J., *Études sur Denis Diderot*, Goteborg, 1927.

encourage virtue, it would inevitably foster vice. His treatment of ethics was deeply influenced by his concepts of Nature, concepts which he was always careful to distinguish from metaphysics, religion, and society. Nature, to Diderot, meant three things: he was, like Lucretius, impressed by the ebb and flow of the atoms of matter which composed it; he saw in its simplicity and freedom from corruption a distinct contrast to contemporary civilization; and lastly he was amazed at the phenomena which it placed before the scientist. Around these three concepts, Diderot built up ideas and hypotheses the importance of which he himself failed to realize. In his first work, the *Pensées philosophiques* (1746), he had urged his readers to "élargir Dieu." He himself expanded the idea of God until His presence was no longer discernible in the universe. For the idea of God, Diderot substituted in the *Rêve de d'Alembert* that of Nature, the ever-changing flow of atoms. Into Nature, he placed the species, and at the top of the species Man—natural man with his strange mixture of passions and sentiments. One of Diderot's great contributions to the thought of his time was the glorification of the emotions, which, in his opinion, were always good in the state of nature. This view led him to his attack upon society, in the *Supplément* and in the *Entretien entre un philosophe et la maréchale*, for all the social conventions, particularly that of marriage, seemed to him just so many restraints upon the natural man.

There is a contradiction between Diderot's theory and practice. In theory, he is an atheist, a materialist, a determinist, almost an anarchist. In practice, he is a deist, an idealist, seeking every possible means to restrain the disorder which he sometimes seems to provoke. The reason for this apparent contradiction can be found in the temperament of the man. Diderot is a sentimentalist, imbued with the ideals of humanity, justice, utility, and "bienfaisance," and dazzled by the new discoveries in science. The disparity which he sees between his own ideals and contemporary practices produces in him, in turn, feelings of enthusiasm, discouragement and revolt.

His works, the greater part of which were published only after the Encyclopedic movement had given way to the French

Revolution, had but little effect upon his contemporaries. His real influence was in the editing of the *Encyclopédie*, and in the salons of the times. The editor-in-chief gathered around him in his office on the Rue Taranne a countless group of individuals whom he encouraged and inspired. At the Chevrette, Mme d'Épinay's home, at Grandval, Holbach's country house, at the Café de la Régence, he was an indefatigable causeur. For a thought from Rousseau, Mably, Raynal,[56] Helvétius, Holbach, or Sedaine,[57] the many-facetted Auvergnat gave innumerable suggestions. Literary history has not yet determined to what extent he may be held responsible for the works of Rousseau, Helvétius, Holbach, and Sedaine.

Diderot and the Encyclopedists encountered no little opposition in the formation and propagation of their doctrine. The court found their theories particularly obnoxious. Louis XV, in spite of all his indifference, was irritated by their reforms. Around the Dauphin was gathered a religious group which resented the attacks against the Church, particularly those of Voltaire, whose war-cry "écrasez l'infâme" was constantly heard from one end of France to the other. The Church as a whole was opposed to the liberal movement. The Jesuits and Jansenists combined in order to combat the new ideas, but their old antagonism to each other was stronger than their new consolidation against the philosophic party. The Sorbonne under the control of the Church party, the Parlements under the control of the Jansenists, passed condemnation after condemnation upon each philosophic work. The church parties had their newspapers: the Jesuits, the *Journal de Trévoux;* the Jansenists, the *Nouvelles ecclésiastiques*. They had their defenders: journalists like Fréron[58] and Desfontaines, men of political rank like Joly de Fleury, scholars like Nonnotte and Larcher, literary men like Palissot.[59] In the face of such opposition the cause of the Philosophes seemed hopeless. Critics, in general, today underestimate the strength of the eighteenth century reactionaries. But their

[56] Feugère, A., *L'Abbé Raynal*, Paris, 1922.
[57] Günther, *L'Œuvre dramatique de Sedaine*, Paris, 1908.
[58] Cornou, F., *Élie Fréron*, Paris, 1922.
[59] Delafarge, D., *La Vie et l'œuvre de Palissot*, Paris, 1912.

influence was most keenly felt by the Philosophes. Whole editions were confiscated, authors imprisoned, works discontinued or suppressed, Voltaire, Rousseau, and Diderot were publicly ridiculed on the stage, and their works were refuted either in short periodical articles or in lengthy replies. Rousseau's first discourse evoked ten replies; his second, twelve; while Voltaire's *Dictionnaire philosophique* was refuted seven times. Helvétius was forced to retract his *De l'Esprit* three times, his first and second retractations being considered unsatisfactory. Diderot was imprisoned in Vincennes for the *Essai sur les aveugles*, Morellet incarcerated in the Bastille for *La Vision de Charles Palissot*, and Rousseau was forced to leave France for his publication of *Émile*. Even Voltaire at Ferney took fright and sought permission of Frederick to establish at Clèves a colony of Philosophes.

The Philosophes none the less profited by the lack of a unified organization in the opposition party. They had their adherents at court, among whom was Mme de Pompadour, and their supporters in the government, notable among them Malesherbes,[60] the director of the "librairie." In the quarrel between the Jesuits and the Jansenists, they took sides alternately until, in 1764 when the Jesuits were suppressed, they could turn their full attention to the Jansenists. In the struggle between Parlement and King, they supported the Parlement to weaken the King, and in turn the King to weaken the Parlement. With the acquisition of more strength, however, they ceased transferring their allegiance from one party to another and identified themselves with various reform measures: Choiseul, Turgot and Necker [61] received their whole-hearted support; and they watched the "coup d'état" of Maupeou [62] with much interest and some despair. They gradually crept into certain institutions: the French Academy, the Théâtre Français, the Librairie. They dominated the café and salon life [63] of the time. The salons of

[60] Robert, H., *Malesherbes*, Paris, 1927.

[61] Nourrisson, J., *Trois révolutionnaires*, Paris, 1885.

[62] For Maupeou and his reforms, see the *Journal historique de la révolution opérée dans la constitution de la monarchie française*, Londres, 1774–1776, 7 vols.

[63] Clergue, H., *The Salon, a Study of French Society and Personalities in the Eighteenth Century*, London, 1907.

Mme Geoffrin, Mme d'Épinay, Mme Necker, Mlle de Lespinasse, and Mme du Deffant were just so many broadcasting stations for the dissemination of liberal ideas. The Philosophes also had their periodicals. They had only partial control of the *Mercure de France* and the *Journal des savants*, but they controlled absolutely the *Journal encyclopédique*.

Around the leaders of the Philosophes assembled a motley crowd distinguished as much for the variance of their individual views as for their common interest in establishing a new foundation to the science of life. The relations of the leaders themselves were not harmonious. Rousseau and Diderot had advanced far beyond the cautious Montesquieu, and now Rousseau and Diderot became antagonistic to each other. Helvétius and Holbach were even more daring in their hypotheses than Diderot, Mably and Morellet [64] in turn surpassed Helvétius and Holbach. Evidently what was needed was someone who could conciliate all the views of this unorganized group, who could prevent their liberalism from becoming radicalism, who could organize their efforts and direct their energies. That man was Voltaire.

Voltaire [65] had now reached the final period of his life. The patriarch, after a noisy youth in Paris (1694–1725), after his experience in England (1726–1729) and a studious period at Cirey (1733–1749), followed by the fiasco at Berlin (1750–1753), settled at Ferney (1759–1777) to become the leader of the Philosophe party. The geographical location of Ferney placed his activity beyond the control of authorities. His keen inquisitiveness had kept him in touch with all of the important movements of the century. And his feverish activity made him a force in the directing of thought. He seems to have known everybody and every thought; the index to his fifty volumes reads like the annals of the eighteenth century. He had passed

[64] Proteau, P., *Étude sur Morellet*, Poitiers, 1910.

[65] The bibliography of critical works upon Voltaire is so large and contains so many works of interest, that one must hesitate before making any recommendation. Lanson's *Voltaire* is the best starting-point of any serious work upon Voltaire. The carefully selected bibliography of Mr. Lanson should be supplemented with his *Manuel bibliographique*, and with Barr, M., *A Bibliography of Writings on Voltaire, 1825–1925*, New York, 1929. Bengesco's *Bibliographie des œuvres de Voltaire*, 4 vols., is also most helpful.

through all the intellectual phases of the century: the lightness and airiness of the regency is evident in his earlier poems; anglomania in his *Lettres philosophiques* and in his plays; deism as early as 1722 made an impression upon him; the scientific movement left its imprint upon him; the philosophic optimism of Leibnitz and Pope profoundly influenced him from 1734 to 1749; in the evolution of historical method he had been a leader rather than a disciple; he had lent his aid to the destruction of Cartesianism and to the propagation of the new psychology of sensationalism. In religion, in politics, in morality, he had labored for the replacement of the old with the new. To be sure, he had not always been original, nor even profound, and he never saw a virtue in consistency at the expense of truth. He none the less was interested in and discussed all the opinions of his age and with common sense extracted from them what Rabelais would have called the "substantifique moelle." Both his friends and enemies admit that there is always a relationship between his action and his thought: while his enemies delight in pointing out incongruity in his actions and thought, his friends rejoice in showing that his thought always took its origin in his actions.

This most amazing old man was eminently qualified to direct his age. He was neither a reactionary nor a radical. In all his opinions,[66] he preserves the middle course. In politics, between the two extremes of democracy and despotism, he was disposed to favor monarchy. In religion, between the extremes of dogmatic religion and atheism, he inclined toward deism. In philosophy, he rejected both metaphysics and naturalism and elected the middle ground of positivism. In morality, he condemned unbridled epicureanism as he scoffed at puritan stoicism. Such a stand is not so admirable as it is expedient. It prevented Voltaire from being the leader of his age, but it also equipped him with the power of becoming its director. Voltaire's relation to his time is that of a driver to his quadriga of horses. There is the fiery, impetuous horse, the shy one, "rétif et ombrageux," the slow, cautious one, and the unimaginative, accurate, rather ill-tempered one. All of them are ahead

[66] Pellissier, G., *Voltaire philosophe*, Paris, 1908.

of Voltaire pulling their age along rather than guiding it. Their actions are not always concerted, but by continued effort the wagon is dragged forward. There is ever the danger that it may sink into a rut, that it may be pulled apart by lack of concerted action, shattered against some obstacle, which the horses do not see, or overturned with its load of humanity. The fortunes of the wagon and its load rest with the driver.

Voltaire understood his task. He himself was to have no system of philosophy, he hated systems. It was for him to extract, correlate, and coordinate the ideas from the systems of others. To do this he worked out for himself a literary method exceedingly intricate and diverse. Certain of its rules, such as the separation of reason and faith, the application of a rigid historical criticism, and the insistence upon experience, are clear. Other elements, such as his mode of expression, cannot be easily analyzed, for expression with Voltaire means style, rhythm, irony, and even acrobatics. By means of this method, he examined carefully the thoughts of his age, both reactionary and radical. Each idea has a value in itself. Voltaire's negations are strong, but so are his affirmations. The indefatigable old man passed in review every thought of his time from the nature of God to the drainage system in Paris. It is characteristic that he did not originate a single one of the twelve major theories of the eighteenth century; he knew them all, however, realized their value, saw their defects, put them into practice when serviceable, rejected them when they seemed harmful.

From the application of Voltairian method to the philosophy of the eighteenth century, there arose a spirit to which has been applied the name Voltairianism.[67] It is distinguished first of all by a great display of common sense. Essentially, it is anti-religious, that is, it is violently opposed to catholicism, indifferent to the beauty of religion in general, and mildly opposed to any affirmation of metaphysics. It is, on the contrary, enthusiastically in favor of all forms of material prosperity. In politics, it is liberal, but by no means radical. In philosophy, it is critical, skeptical, superficially but sincerely scientific. It is neither optimistic nor pessimistic, it is melioristic.

[67] Nourrisson, J., *Voltaire et le voltairianisme*, Paris, 1896.

Of this spirit Voltaire was the incarnation from 1753 to 1778. The Patriarch of Ferney used every device at his disposal to instil his method, his opinions, his spirit into the minds of the French public. From his château on the Swiss frontier there poured into Paris letters, poems, diatribes, dialogues, pamphlets of all sorts, short stories, plays, treatises, sermons, newspaper articles, every known form of literature—the "petits pâtés," the "rogatons," as he called them. They are designed to correct injustice, to right wrong, to suppress evil, to innovate good. When a contemporary like Palissot takes an unfair advantage of innocent Philosophes, he is gently, but firmly, rebuked. If he is a Fréron, he is violently denounced. When Diderot, in the *Essai sur les aveugles*, or Rousseau, in the *Essai sur l'inégalité*, tend toward radicalism, their inconsistencies are noted. If they become reasonable, they are encouraged to continue their work. If, however, they rebel, they must be denounced. When the "frères" squabble among themselves, a letter urges them to unite against their common enemy. When they become radical and revolutionary, like Holbach, they must be suppressed. Theories and systems may be tolerated and discussed for the sake of the ideas contained in them, but there is a point at which ideas, theories, and systems become dangerous. Beyond that point they must not go. No man ever acknowledged more than Voltaire the relativity of truth or realized more than he the amount of error which may be contained in truth.

For twenty-five years he ruled his age, its intellectual king. In some cases, he wielded his power with a despot's hand, but for the most part, he played the rôle of a benign and intelligent monarch. And under his reign, the kingdom flourished. Already, in 1764, he remarked with satisfaction the advance which had been made: "Une grande revolution dans les esprits s'annonce de tous côtés. Vous ne sauriez croire quel progrès la raison a fait dans une partie de l'Allemagne. Je ne parle pas des impies qui embrassent ouvertement le système de Spinosa; je parle des honnêtes gens, qui n'ont point de principes fixes sur la nature des choses, qui ne savent point ce qui est, mais qui savent très bien ce qui n'est pas: voilà mes vrais philosophes. Je peux vous assurer que de tous ceux qui sont venus me voir, je n'en ai trouvé que deux qui fussent des sots. Il me paraît qu'on n'a jamais tant craint des gens d'esprit à Paris qu'aujourd'hui."[68] To be sure, there was always some opposition from the Church, but it had become considerably weakened, thanks to the encyclopedic army. Voltaire never relaxed his vigilance; he feared the return of "la superstition," which ever since the publication of the *Épître à Uranie* had signified to him everything that was vicious. Of even more concern to him was the defection in his own army. Morellet persisted in being a socialist, Morelly also saw the greatest good in communism, Holbach would not be restrained, even Diderot showed signs of open revolt. But the greatest deserter was Rousseau.

The place of Rousseau[69] in eighteenth century thought has been considerably misunderstood because of arbitrary likes and dislikes. It is an error to consider Rousseau's works as independent of his life. It is unjust to condemn them because of his life. It is dangerous to assume that Rousseau stands apart from his century, and it is fatal to maintain, on the contrary, that he is in harmony with it. To affirm that he is a forerunner of the romantic movement is true, but to insist on his romantic qualities obscures rather than clarifies about sixty per cent of his work. It is impossible to treat him exclusively as a novelist, or an economist, or an anthropologist, or an educationalist, or a political theorist, or even as a moralist. To consider him solely as a radical, a revolutionist, a madman and an idiot is manifestly unfair. To attribute to him all the evil of the revolution and the nineteenth century is as nonsensical as to credit him with all the good. Nothing more disturbs an impartial judgment of the man than love of him—unless it be hatred for him.

He was not in complete accord with his times, but he was none

[68] A M. D'Alembert, 5 avril, 1765.

[69] For Rousseau's biography and a general estimate of his work, see Vallette, G., *Jean-Jacques Rousseau, genevois*, Paris, 1910, and Faguet, E., *Vie de Rousseau*, Paris, 1911. For the political theories of Rousseau, see Faguet, E., *Politique comparée de Rousseau, Voltaire et Montesquieu*, Paris, 1902, and Vaughan, C. E., *The Political Writings of Rousseau*, Cambridge, 1915, 2 vols. For the religious ideas, see Masson, P. M., *La Religion de Jean-Jacques Rousseau*, Paris, 1916. For the unity of thought in Rousseau's works, see the article of Lanson in the *Annales Jean-Jacques Rousseau*, 1912.

the less in agreement with them in many respects. He, like Condillac, believed in the doctrine of the sensations. Like Voltaire, he yearned for liberty. Like Montesquieu, he was vitally interested in problems of political science. He united with all the Encyclopedists in decrying the principles and practices of revealed religion. The logic of Condillac was his logic. The expansive sentimentality of Diderot was his sentiment. He was as interested in education as Helvétius. In fact, there is hardly a major doctrine of the eighteenth century in which he did not interest himself. He is credited with establishing in the thought of his time four of the twelve major theories—that of the social contract, of natural goodness of man, of liberty, and of equality. And he expressed his views upon tolerance, sensationalism, personal interest, deism, state education, war, natural law, the nobility of primitive life, the breakdown in morality, the evolution of government, climate, and attendant circumstances. In his political theory he resembles closely Montesquieu; in his hypothetical anthropology, he is closely allied to Buffon; in his psychology he, as everyone, was a disciple of Condillac; and in his revolutionary reaction to contemporary society, he followed Diderot.

There is, in Rousseau's work and thought, a unity which many critics have deliberately refused to recognize. His name is constantly associated with the formula "back to nature," and yet he steadfastly maintained that "la nature humaine ne rétrograde pas." The object which he constantly strove to attain was the reconstitution of moral man, whom he wanted above all to be virtuous, happy, and free; a creature fully endowed with intelligence, sympathy, and conscience. But moral man was now in chains, fettered by the conventions of society, by the political state, by religious, economic, educational, even artistic institutions. Rousseau realized better than any eighteenth century philosopher the intricate relationships between the inner individual and the external forces about him. These external forces seemed to be stifling the inner self, hence he deemed it his life's work to remove them or to modify them in such a way as to give the fullest freedom to the innate goodness of the individual. He reviewed the history of man and found in it corroborative evidence of his degradation. He analyzed politics and found therein a vicious force. He studied social organization and discovered a principle of vice. He investigated the organized Christian religion and condemned it for its intricacies, its worldliness, its uselessness. He delved into the human soul and saw there black scars left by the State, society and religion.

His program for the reconstitution of moral man comprised three parts: a glorification of natural man, a critique of society, and its reorganization. His fundamental principle is that the individual in the state of nature was good, free, happy, but owing to social inequality he became evil, dependent, and wretched. This inequality founded upon property rights and maintained by the social contract is manifest in every activity of society, particularly in the sciences and the arts, even more so in the theater which encourages immorality. The conclusion of Rousseau's critique would seem to be that man should return to the state of nature. But Rousseau, realizing the impossibility of such a return, proposed instead the reorganization of society by endowing its individuals with the virtues of natural man. His plan of reorganization also comprised three parts: the reconstitution of the individual through education, that of the family through the purification of morals, and that of the State through the reestablishment of a social contract based on right.

The originality of Rousseau's thought lies not so much in the novelty of his suggestions as in the peculiar twist he gave to the ideas which circulated around him. This can be explained by certain elements which entered into his personality. If one forgets his Genevan inheritance, one can only with difficulty interpret his political creed or his moral reforms. His Protestant upbringing beyond any doubt determined the decided modification which he brought about in all eighteenth century religious doctrines. His educational theories are absurd except in the light of his own education. Moreover, in his personality there is an element which is extremely dynamic. The man Rousseau attracted his eighteenth century acquaintances, his works held a peculiar magnetic spell over the public. In modern criticism, there has been a tendency to attribute this attraction to his style, which is fiery, captivating, highly picturesque, and sentimentally logical; but the attribution is true only in the sense in which Buffon characterized style: "Le style, c'est l'homme même."

Through the amazing world of eighteenth century liberal ideas, the strange genius marked out a path distinctly his own. He accepts the doctrine of the sensations but makes room in it for innate feeling. He agrees with the doctrine of personal interest, and yet offers it a corrective which he calls conscience. He regrets that he cannot accept revealed religion and installs in its place a vague form of sentimental pantheism. He is inclined to agree with the deists that God is a reality, but he stresses His presence, rather than His existence and His function in the Universe. He finds the doctrine of the fall of man abhorrent, and yet he replaces it with the theory of the decline of civilization. He admits the presence of evil in man, but insists upon his own, and presumably everybody's, innate goodness. He acknowledges that this world contains all the horror, misery, and degradation imaginable, but persists in opposing to Voltaire's common-sense meliorism a most aggravating optimism. Civilization he portrays as degenerate, nevertheless he proclaims that it must follow the law of progress. Government is founded upon an iniquitous contract which springs from the inequality of governors and governed, and still he reiterates the necessity of a contract for the establishment of government. Rousseau wends his way in and out among liberal eighteenth century ideas, accepting, extracting, distinguishing, rejecting, contradicting other thinkers, in strange contradiction even with himself at times; forever seeking the absolute in life, creating a Utopia impossible of realization, and ever yearning to attain it.

The ideas of Rousseau, Diderot, Voltaire, Montesquieu and the *Encyclopédie* united with the more advanced theories of Holbach, Morelly, Mably,[70] Raynal, and Delisle de Sales,[71] and permeated the whole of French society between 1770 and 1784. Evidences of the Encyclopedic spirit can be noted in all the social

[70] Teyssendier de la Serve, P., *Mably et les physiocrates*, Poitiers, 1911.
[71] See Grimm, *op. cit.*

groups, though the means of diffusing it can not be definitely traced.[72] The aristocracy and the upper bourgeoisie, in all probability, were more influenced by the spirit of Voltaire; the lower bourgeoisie and the Tiers État in general were more affected by the sentimental eloquence of Rousseau or his imitators. The middle classes were thoroughly imbued with the doctrines and teachings of the *Encyclopédie*. Moreover, the dissemination of the ideas of the four leading Philosophes was aided, willingly or unwillingly, by the social organizations. Their theories crept into the colleges and lycées until the old scholastic method had been replaced by the rational and finally by the experimental method. Professional groups, particularly the lawyers and the parliamentarians, had their part in spreading the new ideas. Parisian and provincial journals introduced and discussed them for the benefit of the reading public, and thereby served to mould public opinion. The literary academies, of which there were some forty throughout France, were instrumental in the diffusion, since having proposed topics for competitive essays they received oftentimes contributions from Philosophes. Though the *Mémoires* contributed were not for the most part masterpieces of contemporary thought, they sometimes, as in the instance of Rousseau's two discourses, became very well known. The numerous secret societies and the many salons were also factors in spreading the new ideas. There were seven hundred masonic lodges on the eve of the French Revolution while the salons were widespread throughout the nation. In the first part of the century they were literary; around 1740, critical; and toward the end of the century they became frankly philosophical. The cultivated classes were amply provided with means of acquainting themselves with the new thought. The uncultivated classes had fewer opportunities to come in contact with it. In the larger cities, they had occasion to hear about the ideas either in the shops, in the streets, or in the salons. In the smaller villages, they received their information mainly from the parish priests who had now become philosophical. For the peasantry and the lower orders, the

[72] Mornet, D., *La Pensée française au XVIIIe siècle*, Paris, 1926. Delbeke, F., *L'Action politique et sociale des avocats au XVIIIe siècle*, Paris, 1927.

spread of philosophical doctrine was particularly dangerous. Receiving it in second-hand fashion, and being wofully incompetent to judge it, they contented themselves with the formulæ which expressed approximately the idea rather than with an analysis of each idea. "Back to nature," "Man is born good, society has depraved him," "All men are born equal," "Each man follows his pleasure,"—such were the expressions of the doctrines which the Philosophes had taken hundreds of pages to establish, modify and clarify.

The diffusion of the philosophical doctrines coincided with political and economic changes of a grave nature. Throughout the century, the monarchy had been in constant conflict with Parlement, until, in 1771, Parlement was suppressed, and Maupeou's councils were instituted. But the public being persuaded that the last of the intermediary powers had been removed, Maupeou's reforms became exceedingly unpopular, and, in 1775, Louis XVI restored Parlement. It returned only to oppose both the King and the reforms of the Philosophes. The reverses of the Seven Years War, and those of the War of the Austrian Succession, in no way had added to the prestige of the monarchy. Barbier wrote as early as 1760: "Il y a une grande fermentation dans les esprits au sujet du gouvernement. Il faut convenir à la vérité que la disette et la rareté de l'argent, la misère des campagnes, la multiplicité des impôts, donnent lieu de penser qu'il y a déprédation dans l'administration des finances et qu'on ne sait comment s'en venger." The fermentation, increased by famines and burdensome taxes, continued. The various classes of society, which had lived in a state of comparative toleration of each other, now became jealous and envious of each other. The higher nobles lived in luxury while the poor barely eked out an existence of continual suffering. The bourgeoisie envied the nobility and scorned the lower orders. Parlement hated the ministers of the King who, in turn, feared, cajoled or ignored it. The lower clergy, who came in contact with the misery and suffering of their parishioners, and whose situation was scarcely more enviable than that of the peasants, despised the upper clergy who lived the life of "grands seigneurs."

A spirit of uneasiness crept into the public conscience, semi-rational, semi-sentimental, highly colored with optimism and slightly tinged with pessimism. All through the century, there had been a gradual growth in the power of the emotions [73] until the populace was now in a state of constant agitation. There had been instances of sentimentality revealing itself in various ways—from a morbid popular interest in criminals at the beginning of the century to the highest form of literary expression in *Manon Lescaut*.[74] The doctrine of man's goodness, the nobility of the savage, the idealization of man in the state of nature, all these ideas so easily extracted from the pages of Rousseau and Diderot became tremendously impressive in the mind of the public from 1760 onwards. And withal there was a keen joy in life, a constant seeking after pleasure, an artificial intellectuality, a hatred of the abuses, prejudices, and traditions of the present, an uncontrolled hope for "something else" in the future. All of these emotions found their expression in the monologue of Figaro in the *Mariage de Figaro* (April 27, 1784).[75] The movement of thought in the eighteenth century had terminated.

In the midst of the turmoil which was a final manifestation of the complete breakdown in the thought of the century, two men arose, one an artist, the other a Philosophe, to challenge the accusation that the movement had been in vain. By a strange coincidence, both were victims of the fury which the ideas of the century had helped to unleash. André Chénier [76] was guillotined in 1793; Condorcet [77] took poison the following year to escape the same fate. And yet both clung to the ideals of

[73] Mornet, D., *Le Romantisme en France au XVIIIe siècle*, Paris, 1912. Potez, H., *L'Élégie en France avant le romantisme*, Paris, 1898. Mornet, D., *Le Sentiment de la nature de Jean-Jacques Rousseau à Bernardin de Saint-Pierre*, Paris, 1907.

[74] For Prévost's life and works, see Schrœder, V., *L'Abbé Prévost, sa vie, ses romans*, Paris, 1898; Harrisse, H., *L'Abbé Prévost, histoire de sa vie et de ses œuvres*, Paris, 1896; Hazard, P., *Études sur Manon Lescaut*, Chicago, 1929.

[75] For Beaumarchais, see Lintilhac, E., *Beaumarchais et ses œuvres*, Paris, 1887; and De Loménie, L., *Beaumarchais et son temps*, Paris, 1856, 2 vols.

[76] Faguet, E., *André Chénier*, Paris, 1902.

[77] Robinet, J., *Condorcet, sa vie, son œuvre*, Paris, 1893.

the century. Both believed in the goodness of life, both had faith in the power of reason and the growth of knowledge, both celebrated, each in his own way, the indefinite perfectibility of man.

—IRA WADE.

PIERRE BAYLE

1647–1706

PENSÉES DIVERSES

écrites à un Docteur de Sorbonne à l'occasion de la comète qui a paru au mois de Décembre 1680

I

Occasion de l'ouvrage

Vous avez raison, Monsieur, de m'écrire que ceux qui n'avaient pas eu la commodité de voir la comète, pendant qu'elle paraissait avant le jour, sur la fin de novembre et au commencement de décembre, n'attendraient pas longtemps à la voir à une heure plus commode; car en effet, elle a commencé à reparaître le 22 du mois passé, dès l'entrée de la nuit; mais je doute fort que vous ayez eu raison de m'exhorter à vous écrire tout ce que je penserais sur cette matière, et de me promettre une réponse fort exacte à tout ce que je vous en écrirais. Cela va plus loin que vous n'avez cru: je ne sais ce que c'est que de méditer régulièrement sur une chose: je prends le change fort aisément: je m'écarte très souvent de mon sujet: je saute dans des lieux dont on aurait bien de la peine à deviner les chemins, et je suis fort propre à faire perdre patience à un docteur qui veut de la méthode et de la régularité partout. C'est pourquoi, Monsieur, pensez y bien: songez plus d'une fois à la proposition que vous m'avez faite. Je vous donne quinze jours de terme pour prendre votre dernière résolution. Cet avis et les vœux que je fais pour votre prospérité dans ce renouvellement d'année sont toutes les étrennes que vous aurez de moi pour le coup.

Je suis votre, etc.

A . . . , le 1 de janvier 1681.

LXXXVIII

Refléxion sur les conversions présentes des Huguenots

Je suis bien aise d'être tombé sur ce discours, parce que cela me donne lieu de vous demander ce que vous pensez de tant de conquêtes que nous faisons incessamment sur la religion prétendue réformée. Je sais que vous êtes un catholique fort zélé, et je connais peu de gens qui vous égalent en cela. Si bien que je pourrais facilement croire, que vous êtes si sensible aux victoires que nous remportons sur le parti huguenot, qu'il ne vous reste point de temps pour en examiner les suites et les circonstances. Mais comme je sais d'ailleurs, que votre zèle ne vous empêche pas d'avoir l'esprit solide, je puis m'imaginer que vous portez votre vue beaucoup plus loin que les autres. C'est pourquoi ne voyant pas clair dans votre esprit sur cette affaire, je vous prie de m'apprendre ce que vous en pensez. S'il ne faut que vous montrer le chemin, pour vous engager à une confidence de cette nature, l'affaire est faite, car voici dans le vrai ce que je pense sur cela.

Je ne trouve point que ce soit entrer dans le véritable esprit du christianisme, que d'extorquer des conversions à force d'argent, et à force de rendre malheureuse la destinée de ceux qui ne se convertissent point. J'avoue que dans l'état où sont aujourd'hui les calvinistes de France, ces moyens-là sont très propres à les faire changer de religion, parce qu'ils ont perdu ce premier feu et cette ardeur qui accompagne tous les grands changements, et qui à cause de cela se trouvait avec une grande force dans leurs ancêtres. Mais franchement, je ne crois pas que ce soit le vrai moyen d'en faire de bons catholiques; et c'est pourtant à cela qu'il faudrait uniquement travailler. Car nous avons tant de malhonnêtes gens et tant de scélérats dans notre corps, qu'au lieu d'en grossir le nombre par cette multitude de faux convertis et de ministres sociniens [1] qui s'y joignent de jour en jour, il faudrait prier Dieu de chasser de son église tous ceux qui la déshonorent par leur conduite déréglée.

Vous me direz sans doute, que l'intention de ceux qui travail-

[1] The followers of the Italian theologians Lælius Socinus (1525–1562), and Faustus Socinus (1539–1604). In the eighteenth century they are scarcely to be distinguished from the deists.

lent à l'extirpation du calvinisme, n'est pas d'augmenter le nombre des malhonnêtes gens qui sont parmi nous. Je le crois aussi, Monsieur. Mais vous savez bien ce que l'on dit en philosophie contre ceux qui boivent beaucoup, et qui protestent néanmoins qu'ils n'ont pas intention de s'enivrer. On leur dit, que s'ils n'ont pas cette intention *formellement*, ils l'ont du moins *interprétativement*, c'est-à-dire qu'ils ont une intention qui peut être raisonnablement interprétée, par celle de s'enivrer. Disons le même de nos convertisseurs; ils ne veulent pas *formellement* que les huguenots deviennent méchants catholiques, mais ils le veulent *interprétativement*, puisqu'ils veulent des choses qui mènent tout droit à une fausse conversion. Car ils veulent que les huguenots soient pauvres, s'ils persistent dans leur religion; qu'ils perdent leurs charges, et leurs emplois; qu'ils soient exposés à mille insultes; qu'ils ne puissent s'assembler qu'avec mille peines. On leur offre mille douceurs, s'ils abjurent leur créance: on les délivre d'un joug fort pesant: on leur facilite l'entrée des biens et des honneurs. Il faut être bien ignorant de ce qui se passe dans l'homme, pour ne pas savoir, qu'il y a une infinité de gens dans ce siècle-ci, qui à ce prix-là feraient profession de croire tout ce qu'on voudrait.

Comme nous avons deux sortes de convertisseurs, les uns de robe courte, et les autres de robe longue,[2] je ne crois pas qu'il faille faire un même jugement de tous. Ceux de robe longue me paraissent moins excusables que les autres, tant parce qu'ils ont inspiré au roi toutes ces manières de convertir, que parce qu'ils ont lu dans l'histoire ecclésiastique la condamnation de ces manières: au lieu que les convertisseurs de robe courte ne font qu'obéir aux ordres du roi, et ne sont pas de profession à savoir ce que disent les anciens pères. Permettez-moi de vous citer un passage de Socrate, qui fait voir en même temps que ces manières de convertir étaient blâmées par les anciens chrétiens, et engageaient une infinité de personnes à abjurer la profession de leur créance. Je sais bien que vous n'ignorez pas ce passage; mais vous ignorez peut-être que je le sais: alors je m'en ferai honneur, s'il vous plaît, auprès de vous. Voici donc ce que dit Socrate,[3] "Pour ce qui est de la trop grande cruauté, qu'on avait employée sous

[2] The *robe courte* designates the military profession; the *robe longue*, the nobility and the clergy.

[3] See Socrates (a fifth century church historian), *Hist. Eccles.* III, 12.

l'empire de Dioclétien,[4] l'empereur Julien [5] ne s'en voulut pas servir, mais il ne laissa pas de persécuter l'église (remarquez bien ces paroles) *car j'appelle persécution, lorsque des gens qui se tiennent en repos, sont inquiétés de quelque manière que ce soit.* Or il inquiéta les chrétiens de cette façon. Il fit une loi qui leur défendait d'étudier, de peur, disait-il, que par le secours des sciences, ils ne répondissent plus aisément aux philosophes païens. Il les éloigna aussi de tout emploi militaire dans le palais, et de tout gouvernement de province, et en partie par ses caresses, en partie par ses libéralités, il en attira beaucoup au culte des dieux. On vit alors, comme à l'épreuve du creuset, qui étaient les faux chrétiens, et qui étaient les véritables. Car les véritables chrétiens se défirent gaiement de leurs charges, prêts à endurer toutes choses, plutôt que de renoncer à la foi. Mais ceux qui, au lieu d'être véritablement chrétiens, préféraient les richesses et les honneurs du monde à la vraie félicité, ne balancèrent pas à sacrifier aux idoles." Il parle ensuite d'un sophiste nommé Écebolius,[6] qui est le véritable portrait d'une infinité de gens. "Il était toujours de la religion des empereurs. Sous l'empire de Constantius [7] il fit semblant d'avoir un zèle merveilleux pour l'évangile; mais sous Julien il parut excessivement attaché aux superstitions païennes. Après la mort de Julien, le christianisme étant remonté sur le trône, le sophiste ne manqua pas de reprendre la profession de chrétien." Enfin Socrate nous apprend, que sous cet empereur apostat, les chrétiens furent obligés de payer des sommes immenses pour se racheter de l'obligation de sacrifier aux dieux.

Il n'y a point d'honnête homme qui ne condamne cette manière de convertir; et si les dieux de Julien eussent été raisonnables, ils

[4] Diocletian (245–313), Roman emperor from 284, ordered a general persecution of the Christians in 303.

[5] Julian (331–363), emperor from 361, was brought up as a Christian, but turned to paganism, announcing, however, toleration to all religions, a promise which was not kept. Julian was much admired by Voltaire.

[6] A Greek sophist and professor of rhetoric of the fourth century. Under the reign of Constantius II he passed as a Christian, but when Julian came to the throne he became a zealous pagan. "Enfin il mourut sans reconnaître d'autre dieu que l'intérêt."

[7] Constantius II (317–361) favored the Arians and banished the orthodox bishops.

eussent détesté les chrétiens qui ne leur eussent offert des sacrifices, qu'afin de se sauver de la taxe qu'on leur faisait payer rigoureusement. Quel cas croyons-nous donc que Dieu fasse de tant de huguenots qui se convertissent pour du pain; Dieu, dis-je, qui est infiniment plus digne d'être servi à cause de lui-même, que les divinités du paganisme.

Je suis presque sûr que vous ne me croyez pas assez versé dans l'histoire ecclésiastique, pour avoir ouï parler d'un évêque grec, nommé Astérius,[8] qui vivait sur la fin du quatrième siècle. Il est néanmoins vrai que je connais ce nom-là, et que j'ai lu son homélie contre l'avarice, où j'ai trouvé un passage qui ne sera pas mal placé en cet endroit. "Qui est-ce, s'écrie-t-il, qui a obligé des chrétiens à s'abandonner au culte des démons? N'est-ce pas le désir des richesses? N'est-ce pas l'espérance et la promesse que les impies leur ont faites, des biens et des dignités du monde, qui a porté ces misérables à changer de religion comme d'habit? Nous nous souvenons encore des exemples des premiers temps, et nous en avons vu de nos jours de bien funestes. Car lorsque l'empereur (Julien) levant tout d'un coup le masque, découvrit ce qu'il avait dissimulé fort longtemps, et sacrifia publiquement aux dieux, et incita les autres par diverses récompenses à faire de même, combien y en eut-il qui abandonnèrent l'église pour se ranger à la communion des idolâtres? Combien y en eut-il qui attirés par différents leurres, avalèrent le hameçon de l'impiété?"

Il ne faut pas douter que les gentils ne dissent à peu près les mêmes choses, lorsque les empereurs chrétiens attiraient les idolâtres à la vraie religion par l'espérance de faire fortune; et il ne faut pas douter non plus, qu'ils n'eussent raison de soutenir, qu'un très grand nombre de gens les quittaient par complaisance pour le prince. Car il est sûr, comme je l'ai déjà remarqué, que du temps des Constantins,[9] des Théodoses[10] et des Clovis,[11] la

[8] Bishop of Amasia in Pontus. His fame rests upon his homilies, of which about twenty have survived.

[9] Constantine I, "the Great" (272–337), Roman emperor from 306. He caused Christianity to be recognized by the state, convened the Council of Nicæa in 325, and made Constantinople capital of the Roman Empire in 330.

[10] Theodosius I, "the Great" (*ca.* 346–395), emperor after 379, known in ecclesiastical history for his submission to Ambrose.

[11] Clovis I (*ca.* 465–511), founder of the Merovingian line of Frankish kings. He became king in 481, was baptised in 496, and fixed his court at Paris in 507.

plus grande partie des païens qui voulaient être bons courtisans, ou qui n'avaient point de conscience, ou qui croyaient qu'on peut plaire à Dieu par toute sorte de cultes, se jetèrent dans la bonne religion. Dieu sait le gré que l'évangile leur en devait savoir, et le préjudice que la vérité en a souffert. Ces faux convertis ont été un germe de superstitions et d'erreurs, dont peut-être l'église se sent encore. Nous avons présentement à craindre tout le contraire de nos faux convertis, savoir un germe d'incrédulité qui sapera peu à peu nos fondements, et qui à la longue inspirera du mépris à nos peuples pour les dévotions qui ont le plus de vogue parmi nous. Or si nous changeons dans ces points-là, que deviendront les fondements de notre foi, qui ne subsistent que dans la supposition de l'infaillibilité, et par conséquent de l'immutabilité de l'église? Ne me dites pas, que quand même les nouveaux catholiques nous amèneraient peu à peu l'abolition de certains cultes, les décisions des conciles demeureraient hors de toute atteinte. Car quoiqu'en dise M. de Condom,[12] on ne peut guère sauver l'infaillibilité de l'église, si on abandonne aux protestants les dévotions qui les choquent. Je trouverai peut-être l'occasion de vous parler plus amplement de cela avant que de finir. Je ne la chercherai point: mais si elle se présente, je vous promets de ne la point laisser échapper.

Quand je songe à la remarque que font les rabbins,[13] que les idolâtres qui suivirent en très grand nombre, et en qualité de prosélytes, le peuple de Dieu sortant du pays d'Égypte, furent les premiers auteurs de la fonte du veau d'or, et de tous les murmures de ce peuple dans le désert, je tremble pour l'église catholique; m'imaginant que tous ces nouveaux convertis exciteront cent murmures dans l'occasion contre plusieurs choses, qui leur paraîtront d'autant plus choquantes, qu'ils les regarderont de près: Dieu surtout. Il y a des gens fort sensés,[14] qui croient que le nombre prodigieux de sectes qui se voient parmi les Turcs, vient de ce qu'il y a eu plusieurs personnes de différente religion, qui ont embrassé le mahométisme ou par intérêt, ou par force. Les Grecs qui l'ont fait, étant d'un pays qui a été l'école des arts

[12] Bossuet, made bishop of Condom in 1669.

[13] See James Windet, *De Vita Functorum Statu*, p. 256.

[14] See Paul Ricault, *Histoire de l'état présent de l'empire ottoman*, trad. de l'anglais par Briol, 1670, II, 12.

et des sciences, ont mêlé les anciennes opinions des philosophes avec les rêveries de l'Alcoran, dont ils n'étaient pas trop contents. Les Russiens, les Moscovites, les Circassiens, et autres nations semblables, y ont aussi ajouté quelque chose du leur: et c'est ce qui a multiplié les sectes à l'infini. Ce que je viens de dire après les rabbins est assez conforme à l'écriture, qui remarque en deux endroits,[15] qu'il y eut une grande multitude de gens qui sortirent d'Égypte avec les enfants d'Israël; et en un autre lieu, que ce furent eux qui commencèrent le murmure. Mais c'est trop m'écarter de mon sujet; revenons-y.

C

L'antiquité et la généralité d'une opinion n'est pas une marque de vérité

Prenez la peine de voir présentement, s'il faut compter pour beaucoup la conformité qui se trouve entre les anciens et les modernes, à juger que les comètes sont des présages sinistres. Je le dis encore un coup; c'est une illusion toute pure, que de prétendre qu'un sentiment qui passe de siècle en siècle, et de génération en génération, ne peut être entièrement faux. Pour peu qu'on examine les causes qui établissent certaines opinions dans le monde, et celles qui les perpétuent de père en fils, on verra qu'il n'y a rien de moins raisonnable que cette prétention. On m'avouera sans doute, qu'il est facile de persuader au peuple certaines opinions fausses, qui s'accordent avec les préjugés de l'enfance, ou avec les passions du cœur, comme sont toutes les prétendues règles des présages. Je n'en demande pas davantage, car cela suffit pour rendre ces opinions éternelles; parce qu'à la réserve de quelques esprits philosophes, personne ne s'avise d'examiner, si ce qu'on entend dire partout est véritable. Chacun suppose qu'on l'a examiné autrefois, et que les anciens ont assez pris les devants contre l'erreur; et là-dessus c'est à l'enseigner à son tour à la postérité, comme une chose infaillible. Souvenez-vous de ce que j'ai dit ailleurs de la paresse de l'homme, et de la peine qu'il faut prendre pour examiner les choses à fond, et vous verrez qu'au lieu de dire avec Minucius Félix,[16] "Tout est incer-

[15] Exodus XII, 38, and Numbers, II, 4.

[16] See Minucius Felix, *Octavius*, V.

tain parmi les hommes, mais plus tout est incertain, plus y a-t-il lieu de s'étonner que quelques-uns par le dégoût d'une recherche exacte de la vérité, aiment mieux embrasser téméRairement la première opinion qui se présente, que d'approfondir les choses longtemps et soigneusement"; il faut dire, *plus tout est incertain, moins y a-t-il lieu de s'étonner que quelques-uns*, etc. L'auteur de l'*Art de penser* [17] remarque fort judicieusement, que la plupart des hommes se déterminent à croire un sentiment plutôt qu'un autre, par certaines marques extérieures et étrangères, qu'ils jugent plus convenables à la vérité qu'à la fausseté, et qu'ils discernent facilement; au lieu que les raisons solides et essentielles, qui font connaître la vérité, sont difficiles à découvrir. De sorte que comme les hommes se portent aisément à ce qui leur est plus facile, ils se rangent presque toujours du côté où ils voient ces marques extérieures. Or comme vous savez, Monsieur, l'antiquité et la généralité d'une opinion passent volontiers dans notre esprit pour une de ces marques extérieures.

Je vois tous les jours des gens qui évitent de se marier dans le mois de mai, parce qu'ils ont ouï dire, qu'on a cru de temps immémorial que cela portait malheur: et je ne doute point que cette superstition, qui nous est venue de l'ancienne Rome, et qui était fondée sur ce que l'on y célébrait dans le mois de mai la fête des esprits malins, *lemuralia*, ne subsiste parmi les chrétiens jusqu'à la fin des siècles. Car il ne faut pour la conserver dans une famille, sinon qu'on se souvienne qu'un grand-père, ou qu'un oncle, ont eu ce scrupule-là. C'est une raison invincible, et qui fait d'autant plus impression sur l'esprit, qu'on voit des gens d'entendement dans la même préoccupation. En effet, il y en a qui sans être superstitieux, reculent, ou avancent leurs noces, pour éviter le mois de mai, parce qu'il leur importe qu'on ne croie pas qu'ils se sont livrés eux-mêmes à la mauvaise fortune. Il ne faut rien négliger en ce monde. Un marchand peut devenir effectivement malheureux, par la ridicule opinion que l'on a, qu'il est menacé de malheur, personne ne voulant lui faire crédit, ni se lier de commerce avec lui. Qui voudrait rechercher toutes les causes qui fomentent les erreurs populaires, ce ne serait jamais fait.

[17] See *Logique de Port-Royal ou Art de penser* by Arnauld and Nicole, III, 19.

CXXXIII

L'athéisme ne conduit pas nécessairement à la corruption des mœurs

Je reviens à vous, Monsieur, et commence par vous dire, que la raison sur laquelle notre docteur insista le plus amplement fut celle-ci: que ce qui nous persuade que l'athéisme est le plus abominable état où l'on se puisse trouver, n'est qu'un faux préjugé que l'on se forme touchant les lumières de la conscience, que l'on s'imagine être la règle de nos actions, faute de bien examiner les véritables ressorts qui nous font agir. Car voici le raisonnement que l'on fait. L'homme est naturellement raisonnable, il n'aime jamais sans connaître, il se porte nécessairement à l'amour de son bonheur, et à la haine de son malheur, et à donner la préférence aux objets qui lui semblent les plus commodes. S'il est donc convaincu qu'il y a une providence qui gouverne le monde, et à qui rien ne peut échapper, qui récompense d'un bonheur infini ceux qui aiment la vertu, qui punit d'un châtiment éternel ceux qui s'adonnent au vice; il ne manquera point de se porter à la vertu, et de fuir le vice, et de renoncer aux voluptés corporelles, qu'il sait fort bien qui attirent des douleurs qui ne finiront jamais pour quelques moments de plaisir qui les accompagnent, au lieu que la privation de ces plaisirs passagers est suivie d'une éternelle félicité. Mais s'il ignore qu'il y ait une providence, il regardera ses désirs comme sa dernière fin, et comme la règle de toutes ses actions: il se moquera de ce que les autres appellent vertu et honnêteté, et il ne suivra que les mouvements de sa convoitise: il se défera, s'il peut, de tous ceux qui lui déplairont: il fera de faux serments pour la moindre chose; et s'il se trouve dans un poste qui le mette au-dessus des lois humaines, aussi bien qu'il s'est déjà mis au-dessus des remords de la conscience, il n'y a point de crime qu'on ne doive attendre de lui. C'est un monstre infiniment plus dangereux que ces bêtes féroces, ces lions et ces taureaux dont Hercule délivra la Grèce. Un autre qui n'aurait rien à craindre de la part des hommes, pourrait être du moins retenu par la crainte de ses dieux. C'est par là qu'on a tenu en bride de tout temps les passions de l'homme: et il est sûr qu'on a prévenu quantité de crimes dans le paganisme, par le soin qu'on avait de conserver la mémoire de toutes les punitions éclatantes des scélérats, et de les attribuer à leur impiété, et d'en supposer même quelques exemples, comme était celui qu'on débita du temps d'Auguste, à l'occasion d'un temple d'Asie pillé par les soldats de M. Antoine.[18] On disait que celui qui avait mis le premier la main sur l'image de la déesse qui était adorée dans ce temple, avait perdu la vue subitement, et était devenu paralytique de toutes les parties de son corps. Auguste voulant éclairer le fait, apprit d'un vieux officier qui avait fait le coup, non seulement qu'il s'était toujours bien porté depuis ce temps-là, mais aussi que cette action l'avait mis à son aise pour toute sa vie. Tel était encore ce qu'on débitait de ceux qui avaient la témérité d'entrer, malgré la défense qui en était faite, dans un temple d'Arcadie consacré à Jupiter;[19] c'est que leurs corps ne faisait plus d'ombre après cette action. Apparemment la mort subite de cet envoyé des Latins, qui avait parlé irrévéremment du Jupiter des Romains en plein sénat, sur laquelle Tite-Live n'ose rien avancer de positif, à cause qu'il voyait que les auteurs étaient partagés là-dessus, est une semblable fraude pieuse. Ces sortes de choses, vraies ou fausses, qui faisaient un très bon effet sur l'esprit d'un idolâtre, ne sont d'aucune vertu pour un athée. Si bien qu'étant inaccessible à toutes ces considérations, il doit être nécessairement le plus grand et le plus incorrigible scélérat de l'univers.

CXXXV

Pourquoi il y a tant de différence entre ce qu'on croit et ce qu'on fait

Voilà le véritable dénouement de cette difficulté. Quand on compare les mœurs d'un homme qui a une religion, avec l'idée générale que l'on se forme des mœurs de cet homme, on est tout surpris de ne trouver aucune conformité entre ces deux choses. L'idée générale veut qu'un homme qui croit un Dieu, un paradis et un enfer, fasse tout ce qu'il connaît être agréable à Dieu, et ne fasse rien de ce qu'il sait lui être désagréable. Mais la vie de cet homme nous montre qu'il fait tout le contraire. Voulez-vous savoir la cause de cette incongruité? La voici. C'est que

[18] The story is told by Guez de Balzac, *Entretien*, XXXIV, 3.
[19] See Polybius, *General History*, XVI, 4.

l'homme ne se détermine pas à une certaine action plutôt qu'à une autre, par les connaissances générales qu'il a de ce qu'il doit faire, mais par le jugement particulier qu'il porte de chaque chose, lorsqu'il est sur le point d'agir. Or ce jugement particulier peut bien être conforme aux idées générales que l'on a de ce qu'on doit faire, mais le plus souvent il ne l'est pas. Il s'accommode presque toujours à la passion dominante du cœur, à la pente du tempérament, à la force des habitudes contractées, et au goût ou à la sensibilité que l'on a pour certains objets. Le poète qui a fait dire à Médée, *je vois et j'approuve le bien, mais je fais le mal,*[20] a parfaitement bien représenté la différence qui se rencontre entre les lumières de la conscience, et le jugement particulier qui nous fait agir. La conscience connaît en général la beauté de la vertu, et nous force de tomber d'accord qu'il n'y a rien de plus louable que les bonnes mœurs. Mais quand le cœur est une fois possédé d'un amour illégitime; quand on voit qu'en satisfaisant cet amour, on goûtera du plaisir, et qu'en ne le satisfaisant pas, on se plongera dans des chagrins et dans des inquiétudes insupportables; il n'y a lumière de conscience qui tienne, on ne consulte plus que la passion, et on juge qu'il faut agir *hic et nunc*[21] contre l'idée générale que l'on a de son devoir. Ce qui montre, qu'il n'y a rien de plus sujet à l'illusion, que de juger des mœurs d'un homme par les opinions générales dont il est imbu. C'est encore pis que si on jugeait de ses actions par ses livres ou par ses harangues, qui néanmoins sont de fort mauvais garants des inclinations de l'auteur. Car que peut-on voir de plus grave, que les plaintes de Salluste[22] contre la corruption de son siècle. Les plus sévères observateurs de l'ancienne discipline n'eussent pas mieux dit. Cependant Salluste n'était pas plus sage qu'un autre. Le censeur fut obligé de le reprendre de sa mauvaise vie en plein sénat: il fut accusé deux fois d'adultère devant le préteur; et y ayant été surpris par Milon, il n'en fut quitte que pour une bonne somme

[20] Ovid, *Metamorphoses,* VII, 1.

[21] "here and now."

[22] A Roman historian (*ca.* 86 B.C.–*ca.* 34 B.C.), expelled from the Senate in 50 B.C. on the stated grounds of adultery with the wife of T. Annius Milo, but more probably for political reasons. The contrast of his early life with the high moral tone in his writings has frequently been criticised. See Aulus Gellius, *Noctes Atticae,* XVII, 18.

d'argent, qu'il fut obligé de payer après avoir eu les étrivières. Si nous avions la harangue que Clodius prononça devant le sénat, pour se plaindre de la profanation des choses saintes, nous y verrions sans doute toutes les marques d'une grande piété, et beaucoup de ces figures de rhétorique qui représentent si vivement l'atrocité d'une action. Cependant Clodius n'était rien moins que zélé pour le service divin. Il se vantait lui-même d'avoir été foudroyé par deux cents arrêts du sénat, pour des affaires de religion, et il avait profané les mystères de la bonne déesse avec la dernière insolence.

CXXXVI

Que l'homme n'agit pas selon ses principes

Que l'homme soit une créature raisonnable, tant qu'il vous plaira; il n'en est pas moins vrai, qu'il n'agit presque jamais conséquemment à ses principes. Il a bien la force dans les choses de spéculation, de ne point tirer de mauvaises conséquences, car dans cette sorte de matières, il pèche beaucoup plus par la facilité qu'il a de recevoir de faux principes, que par les fausses conclusions qu'il en infère. Mais c'est tout autre chose quand il est question des bonnes mœurs. Ne donnant presque jamais dans des faux principes, retenant presque toujours dans sa conscience les idées de l'équité naturelle, il conclut néanmoins presque toujours à l'avantage de ses désirs déréglés. D'où vient je vous prie, qu'encore qu'il y ait parmi les hommes une prodigieuse diversité d'opinions touchant la manière de servir Dieu, et de vivre selon les lois de la bienséance, on voit néanmoins certaines passions régner constamment dans tous les pays, et dans tous les siècles? Que l'ambition, l'avarice, l'envie, le désir de se venger, l'impudicité, et tous les crimes qui peuvent satisfaire ces passions se voient partout? Que le Juif, le mahométan, le Turc et le Maure, le chrétien et l'infidèle, l'Indien et le Tartare, l'habitant de terre ferme et l'habitant des îles, le noble et le roturier, toutes ces sortes de gens qui dans le reste ne conviennent, pour ainsi dire, que dans la notion générale de l'homme, sont si semblables à l'égard de ces passions, que l'on dirait qu'ils se copient les uns les autres? D'où vient tout cela, sinon de ce que le véritable principe des actions de l'homme, (j'excepte ceux en qui la grâce du Saint Esprit se déploie avec toute son efficace) n'est autre chose que le tempérament, l'inclination naturelle pour le plaisir, le goût que l'on contracte pour certains objets, le désir de plaire à quelqu'un, une habitude gagnée dans le commerce de ses amis, ou quelque autre disposition qui résulte du fond de notre nature, en quelque pays que l'on naisse, et de quelques connaissances que l'on nous remplisse l'esprit?

Il faut bien que cela soit, puisque les anciens païens accablés d'une multitude incroyable de superstitions, perpétuellement occupés à apaiser la colère de leurs dieux, épouvantés par une infinité de prodiges, s'imaginant que les dieux étaient les dispensateurs de l'adversité et de la prospérité selon la vie que l'on menait, n'ont pas laissé de commettre tous les crimes imaginables. Et si cela n'était pas, comment serait-il possible que les chrétiens qui connaissent si clairement par une révélation soutenue de tant de miracles, qu'il faut renoncer au vice pour être éternellement heureux, et pour n'être pas éternellement malheureux; qui ont tant d'excellents prédicateurs payés pour leur faire là-dessus les plus vives et les plus pressantes exhortations du monde; qui trouvent partout tant de directeurs de conscience zélés et savants et tant de livres de dévotion; comment, dis-je, serait-il possible parmi tout cela, que les chrétiens vécussent, comme ils le font, dans les plus énormes dérèglements du vice?

CLX

Que ceux qui attribuent la corruption des mœurs à l'affaiblissement de la foi, exténuent le crime, au lieu de le rendre plus atroce

Un esprit superficiel qui m'entendrait raisonner comme je raisonne, croirait infailliblement que je fais l'apologie des pécheurs: mais un esprit pénétrant jugerait sans doute que je fais tout le contraire. Car puisque je tâche de prouver que les hommes vivent très mal, quoiqu'ils conservent la persuasion des vérités évangéliques, il est indubitable que je les accuse d'une plus noire méchanceté, que ne serait la méchanceté de ceux qui manqueraient de cette persuasion. C'est un principe universellement reconnu, que plus on pèche avec connaissance de cause, plus on se rend criminel. Or, selon moi, les pécheurs sont persuadés de la vérité de l'évangile. Donc ils sont plus criminels, selon moi, que selon le père Rapin,[23] qui s'imagine que leurs crimes viennent du manque de foi. Il est certain que la malice d'une action diminue, à mesure que les connaissances de celui qui la commet sont moindres; si ce n'est qu'il soit lui-même la cause de son ignorance, ayant étouffé ses lumières de gaieté de cœur, afin de pécher plus librement. Or comme il n'y a que Dieu qui sache qui sont ceux qui se sont rendus ignorants eux-mêmes par pure malice, nous serions fort téméraires, si nous disions que ceux qui pèchent parce qu'ils n'ont presque plus de foi, sont plus méchants que les autres: mais on le peut fort bien soutenir, sans faire des jugements téméraires, de ceux qui pèchent dans une pleine persuasion de la vérité de l'évangile; et par conséquent ceux qui sont dans les principes que je pose, aggravent le crime des pécheurs, bien loin de l'exténuer.

Car de dire qu'il n'y a que la malice du cœur, qui soit capable d'offusquer l'évidence des vérités évangéliques, c'est en vérité s'ériger en juge d'une chose qui n'est pas trop de notre ressort, puisqu'il n'y a que Dieu qui connaisse certainement ce qui se passe dans l'homme, et la proportion des objets avec les dispositions de l'entendement. Nous éprouvons tous les jours dans des choses purement spéculatives, que les mêmes raisons paraissent convaincantes à quelques personnes, et fort probables à quelques autres, pendant qu'un troisième n'en fait aucun cas. Dans un plaidoyer où nous n'avions point d'intérêt, combien de fois nous arrive-t-il d'être plus frappés de ce qu'il y a de moins solide? Combien de fois nous arrive-t-il d'être plus frappés des objections que des réponses, quoique les réponses soient meilleures en elles-mêmes que les objections et qu'il nous soit indifférent pour notre fortune, qu'elles le soient, ou qu'elles ne le soient pas? Il serait donc ridicule de soutenir, que toutes les fois que nous préférons une raison à une autre, nous le faisons pour favoriser l'envie d'offenser Dieu. Or cela étant insoutenable, on ne peut pas dire raisonnablement, que tous ceux qui doutent de nos mystères, le font parce qu'ils souhaiteraient que l'Évangile fût faux. Il n'est pas impossible que l'éloignement où nous sommes du temps que l'évangile s'est établi par une infinité de miracles, et l'étrange

[23] René Rapin (1621–1687), author of various works among which is *La foi des derniers siècles*, 1679.

dépravation des mœurs qui couvre depuis mille ans tout le christianisme, et les sectes innombrables en quoi il s'est divisé, dont chacune condamne toutes les autres, et dont il y en a plusieurs qui écrivent fort savamment et fort subtilement contre les autres; il n'est pas impossible, dis-je, que tout cela ne forme des nuages dans certains esprits, qui les empêchent d'apercevoir clairement la divinité de l'évangile, sans qu'ils y contribuent par leur inclination au mal. Quoi qu'il en soit, j'ai lieu de croire que l'on trouvera son compte à ce que j'ai dit, soit que l'on aime à exagérer la dépravation de l'homme, soit que l'on aime à lui donner des éloges. Car en disant qu'il conserve sain et entier le précieux dépôt de la foi, en dépit de ses passions corrompues, je lui donne quelque louange, mais cela même nous fait voir, qu'il faut que sa malignité soit bien excessive, puisque la lumière de la foi n'est pas capable de la corriger.

Il importe plus qu'on ne pense, de faire sentir à l'homme jusqu'où va sa dépravation, et surtout de lui faire bien connaître le monstrueux désordre où il est plongé, qui fait qu'il agit continuellement contre ses principes, et contre les préceptes de la religion qu'il croit avoir reçue de Dieu; cela, dis-je, importe beaucoup, parce que si on prend garde que tout le reste du monde est sujet à certaines lois de mécanique qui s'observent régulièrement, et qui nous paraissent très conformes à l'idée que nous avons de l'ordre, on conclura nécessairement, qu'il y a dans l'homme un principe qui n'est pas corporel. Car si l'homme n'était que corps, il serait nécessairement soumis à cette sage et régulière mécanique qui règne dans tout l'univers, et il n'agirait pas d'une manière si contraire à l'idée que nous avons de l'ordre. Il y a donc dans l'homme une âme, qui est une substance distincte du corps, et plus parfaite que le corps, puisque c'est celle qui rend l'homme raisonnable. Or comment s'imaginer que tous les corps sont sujets à l'ordre, et ne pas croire que les substances plus parfaites que le corps y sont sujettes aussi? Si le monde est l'ouvrage du hasard, pourquoi est-il sujet à des lois qui s'exécutent toujours? On ne peut répondre rien qui vaille. Il faut donc dire à tout le moins, que la nature des choses a voulu que le monde se gouvernât par de belles lois. Mais si elle l'a voulu pour le corps, pourquoi n'a-t-elle point voulu que l'âme de l'homme fût sujette à l'ordre?

On ne peut encore répondre rien qui vaille. Il faut donc dire, que l'âme de l'homme a été créée dans l'ordre, aussi bien que les autres choses, par un Être infiniment parfait, et que si elle n'y est plus, c'est parce qu'abusant de sa liberté, elle est tombée dans le désordre. Plus on prouve la corruption de l'homme, plus on oblige la raison à croire ce que Dieu nous a révélé de la chute d'Adam. Si bien qu'il est plus utile qu'on ne pense à la religion, de prouver que la malice des hommes est si prodigieuse, qu'il n'y a qu'une grâce particulière du Saint Esprit qui la puisse corriger, et que sans cette grâce, c'est toute la même chose à l'égard des mœurs, ou d'être athée, ou de croire à tous les canons des conciles. Cela est si vrai, que vous ne voyez guère d'esprit fort qui veuille convenir de la corruption de l'homme.

CLXI

Conjectures sur les mœurs d'une société qui serait sans religion

Après toutes ces remarques, je ne ferai pas difficulté de dire, si on veut savoir ma conjecture touchant une société d'athées, qu'il me semble qu'à l'égard des mœurs et des actions civiles, elle serait toute semblable à une société de païens. Il y faudrait à la vérité des lois fort sévères, et fort bien exécutées pour la punition des criminels. Mais n'en faut-il pas partout? Et oserions-nous sortir de nos maisons, si le vol, le meurtre, et les autres voies de fait étaient permises par les lois du prince? N'est-ce pas uniquement la nouvelle vigueur que le roi a donnée aux lois pour réprimer la hardiesse des filous, qui nous met à couvert de leurs insultes la nuit et le jour dans les rues de Paris? Sans cela ne serions-nous pas exposés aux mêmes violences que sous les autres règnes, quoique les prédicateurs et les confesseurs fassent encore mieux leur devoir qu'ils ne faisaient autrefois? Malgré les roues, et le zèle des magistrats, et la diligence des prévôts, combien se fait-il de meurtres et de brigandages, jusque dans les lieux et dans le temps où on exécute les criminels? On peut dire sans faire le déclamateur, que la justice humaine fait la vertu de la plus grande partie du monde, car dès qu'elle lâche la bride à quelque péché, peu de personnes s'en garantissent.

DICTIONNAIRE HISTORIQUE ET CRITIQUE

An article from Bayle's *Dictionnaire historique et critique* may consist of (I) Text (given in normal type); (II) Explanatory notes upon text (given in smaller type at bottom of text and marked A, B, C, etc.); (III) References to authorities quoted in text (given in margin and marked a, b, c, etc.); (IV) References to authorities cited in explanatory notes (given at extreme bottom of page and marked 1, 2, 3, etc.); (V) Cross-references to other articles in *Dictionnaire* (given either in margin of text or at extreme bottom of page and marked either a, b, c, if in margin, or 1, 2, 3, if at bottom).

Example

Article PAULICIENS.

I. Text given complete.
II. Explanatory note A and extract from E given.
III. All references to authorities quoted in text.
IV. All references to authorities cited in explanatory notes A and extract from E.
V. Cross-references c and 3.

I. PAULICIENS. C'est ainsi qu'on nomma les manichéens dans l'Arménie, lorsqu'un certain Paul se rendit leur chef au VIIe siècle. "Ils parvinrent à une si grande puissance (* [1]) ou par la faiblesse du gouvernement, ou par la protection des Sarrasins, ou même par la faveur de l'empereur Nicéphore, très attaché à cette secte, qu'à la fin persécutés par l'impératrice Théodore, femme de Basile, (* [2]) ils se trouvèrent en état de bâtir des villes, et de prendre les armes contre leurs princes. Ces guerres furent longues et sanglantes sous l'empire de Basile le Macédonien, c'est-à-dire à l'extrémité du IXe siècle (a)." On avait fait néanmoins un si grand carnage de ces hérétiques sous l'impératrice Théodore (A), qu'il semblait qu'ils ne seraient jamais en état de se relever. On croit que les prédicateurs qu'ils envoyèrent dans la Bulgarie (B), y établirent l'hérésie manichéenne, et que *c'est de là qu'elle se répandit bientôt après dans le reste de l'Europe* (b). Ils condamnaient le culte des saints, et les images de la croix (C); mais ce n'était point là leur principal caractère. Leur doctrine fondamental était celle des deux principes coéternels, indépendants l'un de l'autre. Ce dogme donne d'abord de l'horreur, et par conséquent il est étrange que la secte manichéenne ait pu séduire tant de monde (D). Mais d'autre côté on a tant de peine à répondre à ses objections sur l'origine du mal (E), qu'il ne faut pas s'étonner que l'hypothèse des deux principes, l'un bon l'autre mauvais, ait ébloui plusieurs anciens philosophes, et trouvé tant de sectateurs dans le christianisme, où la doctrine qui apprend l'inimitié capitale des démons pour le vrai Dieu, est toujours accompagnée de la doctrine qui apprend la rébellion et la chute d'une partie des bons anges. Cette hypothèse des deux principes aurait fait apparemment plus de progrès, si l'on en avait donné le détail moins grossièrement, et si l'on ne l'avait pas accompagnée de plusieurs pratiques odieuses (c), ou s'il y eût eu alors autant de disputes qu'aujourd'hui sur la prédestination (F), dans lesquelles les chrétiens s'accusent les uns les autres, ou de faire Dieu auteur du péché, ou de lui ôter le gouvernement du monde. Les païens pouvaient mieux répondre que les chrétiens aux objections manichéennes (G); mais quelques-uns de leurs philosophes s'y trouvaient embarrassés (d). Il faudra marquer en quel sens les orthodoxes semblent admettre deux premiers principes (H), et en quel sens on ne peut pas dire, que selon les manichéens, Dieu soit l'auteur du péché (I). Nous critiquerons aussi un moderne qui a nié que la doctrine qui fait Dieu auteur du péché conduise à l'irréligion. Il a même dit que cette doctrine élève Dieu au plus haut faîte de grandeur qui se puisse concevoir. Les anciens pères n'ont pas ignoré que la question de l'origine du mal ne fût très embarrassante (K). Ils n'ont point pu la résoudre par l'hypothèse des platoniciens, qui au fond était une branche de manichéisme (L), puisqu'elle admettait deux principes; ils ont été obligés de recourir aux privilèges de la liberté de l'homme; mais plus on fait réflexion sur cette manière de dénouer la difficulté, plus éprouve-t-on que les lumières naturelles de la philosophie fournissent de quoi serrer et embrouiller davantage ce nœud gordien (M). Un savant homme prétend que les pythagoriciens donnèrent lieu à cette question épineuse. Ils cherchaient en toutes choses les superlatifs, c'est-à-dire que par leurs interrogations ils tendaient à la connaissance de ce qui occupe le plus haut degré dans chaque espèce. Ils demandaient, par exemple, qu'est-ce qu'il y a de plus fort, de plus ancien, de plus commun, de plus véritable? On répondait, à l'égard du dernier point que les hommes sont méchants, et que Dieu est bon. Cela fit naître cette autre demande, d'où peut venir que, Dieu étant bon, les hommes sont criminels (N)? La solution de cette difficulté a paru très importante à Simplicius (e).

II. (*A*) *On avait fait un si grand carnage de ces hérétiques sous l'impératrice Théodore.* Il en est parlé dans le supplément de Moréri (1): on y cite le père Maimbourg, dont voici les propres paroles. "Théodora . . . se résolut de procurer efficacement la conversion de ces Pauliciens, ou d'en délivrer l'empire, s'ils s'opposaient opiniâtrement à leur véritable bonheur. . . . Il est vrai que ceux à qui elle en donna la commission, et des forces pour y travailler, en usèrent avec trop de rigueur et de cruauté, parce qu'au lieu de s'appliquer d'abord à les ramener doucement, et avec charité, à la connaissance de la vérité, ils se saisirent de ces misérables, qui étaient épars dans les villes, et dans les bourgades; et l'on dit qu'ils en firent mourir près de cent mille hommes dans toute l'Asie, par toutes sortes de supplices, ce qui obligea tout le reste à s'aller rendre aux Sarrasins, qui surent bien s'en servir quelques temps après contre les Grecs. Mais l'impératrice, qui n'eut point de part à cette inhumanité de ses lieutenants, ne laissa pas d'en tirer cet avantage, que l'empire du moins fut nettoyé de cette vermine durant son règne de quatorze ans (2)." Voilà des manières de convertir tout à fait mahométanes, et qui confirment ce que l'on dit ailleurs (3), que les chrétiens ont été infiniment plus cruel que les sectateurs de Mahomet, contre ceux qui n'étaient pas de leur religion.

(*E*) *On a tant de peine à répondre aux objections* des manichéens *sur l'origine du mal.* J'ai préparé mes lecteurs (13) à voir ici trois observations que j'aurais mises dans l'article des manichéens, si je n'avais voulu éviter d'être trop long en cet endroit-là. Acquittons-nous de notre promesse, et ne frustrons pas l'attente de ceux qui auront envie de suivre notre renvoi. Je mettrai à part ci-dessous (14) la seconde et la troisième observation. Mais voici la première.

Les pères de l'église, qui ont si bien réfuté les marcionites, les manichéens, et en général tous ceux qui admettaient deux principes, n'ont guère bien répondu aux objections qui se rapportent à l'origine du mal. . . .

Ce que je viens de dire prouve invinciblement, ce me semble, que l'on ne gagnerait rien contre nos pauliciens, si on leur représentait que Dieu n'a mêlé les biens et les maux, qu'à cause qu'il a prévu que le bien tout pur nous paraîtrait fade dans peu de temps. Ils répondraient que cette propriété n'est point contenue dans l'idée que l'on a du bien, et qu'elle est directement opposée à la doctrine ordinaire sur le bonheur du paradis. Et pour ce qui est de l'expérience qui ne nous apprend que trop, 1°, que les joies de cette vie ne sont sensibles qu'à proportion qu'elles nous délivrent d'un état fâcheux; 2°, qu'elles traînent après soi le dégoût, pour peu qu'elles durent: ils soutiendraient que ce phénomène est inexplicable, si l'on ne recourt à leur hypothèse des deux principes. Car si nous ne dépendons, diront-ils, que d'une cause toute puissante, infiniment bonne, infiniment libre, et qui dispose universellement de tous les êtres selon le bon plaisir de sa volonté, nous ne devons sentir aucun mal: tous nos biens doivent être purs, nous n'y devons jamais trouver le moindre dégoût. L'auteur de notre être, s'il est infiniment bienfaisant, se doit faire un plaisir continuel de nous rendre heureux, et de prévenir tout ce qui pourrait troubler ou diminuer notre joie. C'est un caractère essentiellement contenu dans l'idée de la souveraine bonté. Les fibres de notre cerveau ne peuvent pas être cause que Dieu affaiblisse nos plaisirs; car selon vous il est l'auteur unique de la matière, il est tout puissant, rien n'empêche qu'il n'agisse selon toute l'étendue de sa bonté infinie: il n'a qu'à vouloir que nos plaisirs ne dépendent pas des fibres de notre cerveau; et s'il veut qu'ils en dépendent, il peut conserver éternellement ces fibres dans le même état: il n'a qu'à vouloir, ou qu'elles ne s'usent pas, ou que le dommage qu'elles souffrent soit réparé promptement. Vous ne pouvez donc expliquer nos expériences que par l'hypothèse des deux principes. Si nous sentons du plaisir, c'est le bon principe qui nous le donne; mais si nous ne le sentons pas tout pur, et si nous en sommes bientôt dégoûtés, c'est parce que le mauvais principe traverse le bon. Celui-ci lui rend la pareille, il fait en sorte que la douleur soit moins sensible par l'accoutumance, et qu'il nous reste toujours quelque ressource dans les plus grands maux. Cela et le bon usage qu'on fait souvent de l'adversité, et le mauvais usage qu'on fait du bonheur, sont des phénomènes qui s'expliquent admirablement selon l'hypothèse manichéenne. Ce sont des choses qui nous conduisent à supposer que les deux principes ont passé une transaction qui limite réciproquement leurs opérations (19). Le bon ne peut pas nous faire tout le bien qu'il souhaiterait: il a fallu que pour nous en faire beaucoup, il consentît que son adversaire nous causât autant de mal; car sans ce consentement le chaos serait toujours demeuré chaos, et aucune créature n'eût jamais senti le bien. Aussi la souveraine bonté, trouvant un meilleur moyen de se satisfaire à voir le monde tantôt heureux, tantôt malheureux, qu'à ne le voir jamais heureux, a fait un accord qui a produit le mélange de bien et de mal que nous voyons dans le genre humain. En donnant à votre principe la toute puissance, et la gloire de jouir seul de l'éternité, vous lui ôtez celui de ses attributs qui passe devant tous les autres; car l'*optimus* précède toujours le *maximus* dans le style des plus savantes nations, quand elles parlent de Dieu: vous supposez que, n'y ayant rien qui l'empêche de combler de biens ses créatures, il les accable de maux; que s'il en élève quelques-unes, c'est afin que leur chute soit plus rude (20); nous le disculpons sur tout cela; nous expliquons, sans qu'il y aille de sa bonté tout ce qu'on peut dire de l'inconstance de la fortune, et de la jalousie de Némésis, et de ce jeu continuel dont Ésope fait l'occupation de Dieu. Il élève les choses basses, disait Ésope, et abaisse les choses hautes (21). Il n'a pu tirer, disons-nous, un meilleur parti de son adversaire: sa bonté s'est étendue autant qu'elle a pu; s'il ne nous fait pas plus de bien, c'est qu'il ne peut pas: nous n'avons donc pas sujet de nous plaindre.

Qui n'admirera et qui ne déplorera la destinée de notre raison? Voilà les manichéens, qui, avec une hypothèse tout à fait absurde et contradictoire, expliquent les expériences cent fois mieux que ne font les orthodoxes, avec la supposition si juste, si nécessaire, si uniquement véritable d'un premier principe infiniment bon et tout puissant.

III. (*1) Cedrenus, tom. 2, pag. 480.

(*2) *ibid.*, pag. 541.

(*a*) M. de Meaux, Hist. des Variations, livr. XI, num. 13, pag. 128.

(*b*) La même, num. 16, pag. 131.

(*c*) Voyez la rem. (B) de l'article Manichéens, tom. X, pag. 189.

(*d*) Voyez la rem. (G).

(*e*) Voyez la rem. (N), citat. (138).

IV. (1) Sous le mot Pauliciens.

(2) Maimbourg, Histoire des Iconoclastes, liv. VI, pag. 263, édition de Hollande, à l'ann. 845.

(3) Dans l'article Mahomet, tom. X, p. 67, remarques (O) et (AA) pag. 80.

(13) Dans l'article Manichéens, tom. X, pag. 200, citation (61).

(14) Dans les remarques (G) et (H).

(19) Dans la remarque (I), au premier alinéa, on apporte une explication qui ne suppose nul accord.

(20) . . . Tolluntur in altum, Ut lapsu graviore ruant. Claudianus, in Rufinum, lib. I, circa init.

(21) Voyez l'article Ésope, tom. VI, p. 284, rem. (I).

V. Cross references *c* and 3.

FONTENELLE

1657–1757

ENTRETIENS SUR LA PLURALITÉ DES MONDES

PREMIER SOIR

Que la Terre est une Planète qui tourne sur elle-même et autour du soleil

Nous [1] allâmes donc un soir, après souper, nous promener dans le parc. Il faisait un frais délicieux, qui nous récompensait d'une journée fort chaude, que nous avions essuyée. La lune était levée il y avait peut-être une heure, et ses rayons, qui ne venaient à nous qu'entre les branches des arbres, faisaient un agréable mêlange d'un blanc fort vif, avec tout ce vert qui paraissait noir. Il n'y avait pas un nuage qui dérobât ou qui obscurcît la moindre étoile; elles étaient toutes d'un or pur et éclatant, et qui était encore relevé par le fond bleu où elles sont attachées. Ce spectacle me fit rêver, et peut-être, sans la Marquise, eussé-je rêvé assez longtemps; mais la présence d'une si aimable dame ne me permit pas de m'abandonner à la lune et aux étoiles. Ne trouvez-vous pas, lui dis-je, que le jour même n'est pas si beau qu'une belle nuit? Oui, me répondit-elle, la beauté du jour est comme une beauté blonde, qui a plus de brillant; mais la beauté de la nuit est une beauté brune qui est plus touchante. Vous êtes bien généreuse, repris-je, de donner cet avantage aux brunes, vous qui ne l'êtes pas. Il est pourtant vrai que le jour est ce qu'il y a de plus beau dans la nature, et que les héroïnes de roman, qui sont ce qu'il y a de plus beau dans l'imagination, sont presque toujours blondes. Ce n'est rien que la beauté, répliqua-t-elle, si elle ne touche. Avouez que le jour ne vous eût jamais jeté dans une rêverie aussi douce que celle où je vous ai vu prêt de tomber tout à

[1] Fontenelle puts the discussion on the plurality of worlds in the form of a conversation between himself and an imaginary "Marquise."

l'heure à la vue de cette belle nuit. J'en conviens, répondis-je; mais en récompense, une blonde comme vous me ferait encore mieux rêver que la plus belle nuit du monde, avec toute sa beauté brune. Quand cela serait vrai, répliqua-t-elle, je ne m'en contenterais pas. Je voudrais que le jour, puisque les blondes doivent être dans ses intérêts, fît aussi le même effet. Pourquoi les amants, qui sont bons juges de ce qui touche, ne s'adressent-ils jamais qu'à la nuit, dans toutes les chansons et dans toutes les élégies que je connais? Il faut bien que la nuit ait leurs remerciements, lui dis-je; mais, reprit-elle, elle a aussi toutes leurs plaintes. Le jour ne s'attire point leurs confidences: d'où cela vient-il? C'est apparemment, répondis-je, qu'il n'inspire point je ne sais quoi de triste et de passionné. Il semble, pendant la nuit, que tout soit en repos. On s'imagine que les étoiles marchent avec plus de silence que le soleil; les objets que le ciel présente sont plus doux; la vue s'y arrête plus aisément; enfin, on rêve mieux, parce qu'on se flatte d'être alors, dans toute la nature, la seule personne occupée à rêver. Peut-être aussi que le spectacle du jour est trop uniforme; ce n'est qu'un soleil et une voûte bleue; mais il se peut que la vue de toutes ces étoiles, semées confusément, et disposées au hasard en mille figures différentes, favorise la rêverie, et un certain désordre de pensées où l'on ne tombe point sans plaisir. J'ai toujours senti ce que vous me dites, reprit-elle; j'aime les étoiles, et je me plaindrais volontiers du soleil qui nous les efface. Ah! m'écriai-je, je ne puis lui pardonner de me faire perdre de vue tous ces mondes. Qu'appelez-vous tous ces mondes, me dit-elle, en me regardant, et en se tournant vers moi? Je vous demande pardon, répondis-je; vous m'avez mis sur ma folie, et aussitôt mon imagination s'est échappée. Quelle est donc cette folie, reprit-elle? Hélas! répliquai-je, je suis bien fâché qu'il faille vous l'avouer. Je me suis mis dans la tête que chaque étoile pourrait bien être un monde. Je ne jurerais pourtant pas que cela fût vrai; mais je le tiens pour vrai, parce qu'il me fait plaisir à croire. C'est une idée qui me plaît, et qui s'est placée dans mon esprit d'une manière riante. Selon moi, il n'y a pas jusqu'aux vérités à qui l'agrément ne soit nécessaire. Eh bien, reprit-elle, puisque votre folie est si agréable, donnez-la-moi; je croirai, sur les étoiles, tout ce que vous voudrez, pourvu que j'y trouve du plaisir. Ah! Madame, répondis-je bien vite, ce n'est pas un plaisir comme celui que vous auriez à une comédie de Molière; c'en est un qui est je ne sais où dans la raison, et qui ne fait rire que l'esprit. Quoi donc, reprit-elle, croyez-vous qu'on soit incapable des plaisirs qui ne sont que dans la raison? Je veux, tout à l'heure, vous faire voir le contraire. Apprenez-moi vos étoiles. Non, répliquai-je, il ne me sera point reproché que dans un bois, à dix heures du soir, j'aie parlé de philosophie à la plus aimable personne que je connaisse. Cherchez ailleurs vos philosophes.

J'eus beau me défendre encore quelque temps sur ce ton-là, il fallut céder. Je lui fis du moins promettre, pour mon honneur, qu'elle garderait le secret; et quand je fus hors d'état de m'en pouvoir dédire, et que je voulus parler, je vis que je ne savais par où commencer mon discours; car avec une personne comme elle, qui ne savait rien en matière de physique, il fallait prendre les choses de bien loin, pour lui prouver que la terre pouvait être une planète, et les planètes autant de terres, et toutes les étoiles autant de soleils qui éclairaient des mondes. J'en revenais toujours à lui dire qu'il aurait mieux valu s'entretenir de bagatelles, comme toutes personnes raisonnables auraient fait en notre place. A la fin cependant, pour lui donner une idée générale de la philosophie, voici par où je commençai.

Toute la philosophie, lui dis-je, n'est fondée que sur deux choses, sur ce qu'on a l'esprit curieux et les yeux mauvais; car si vous aviez les yeux meilleurs que vous ne les avez, vous verriez bien si les étoiles sont des soleils qui éclairent autant de mondes, ou si elles n'en sont pas; et si, d'un autre côté, vous étiez moins curieuse, vous ne vous soucieriez pas de le savoir, ce qui reviendrait au même: mais on veut savoir plus qu'on ne voit; c'est là la difficulté. Encore si ce qu'on voit on le voyait bien, ce serait toujours autant de connu; mais on le voit tout autrement qu'il n'est. Ainsi, les vrais philosophes passent leur vie à ne point croire ce qu'ils voient, et à tâcher de deviner ce qu'ils ne voient point; et cette condition n'est pas, ce me semble, trop à envier. Sur cela, je me figure toujours que la nature est un grand spectacle, qui ressemble à celui de l'opéra. Du lieu où vous êtes à l'opéra, vous ne voyez pas le théâtre tout à fait comme il est: on a disposé les décorations et les machines pour faire de loin un effet agréable, et on cache à votre vue ces roues et ces contrepoids qui font tous les mouvements. Aussi ne vous embarrassez-vous guère de deviner comment tout cela joue. Il n'y a peut-être que quelque machiniste caché dans le parterre, qui s'inquiète d'un vol qui lui aura paru extraordinaire, et qui veut absolument démêler comment ce vol a été exécuté. Vous voyez bien que ce machiniste-là est assez fait comme les philosophes. Mais ce qui, à l'égard des philosophes, augmente la difficulté, c'est que dans les machines que la nature présente à nos yeux, les cordes sont parfaitement bien cachées, et elles le sont si bien, qu'on a été longtemps à deviner ce qui causait les mouvements de l'univers: car représentez-vous tous les sages à l'opéra, ces Pythagore, ces Platon, ces Aristote, et tous ces gens dont le nom fait aujourd'hui tant de bruit à nos oreilles: supposons qu'ils voyaient le vol de Phaëton que les vents enlèvent, qu'ils ne pouvaient découvrir les cordes, qu'ils ne savaient point comment le derrière du théâtre était disposé. L'un d'eux disait: "C'est une vertu secrète qui enlève Phaëton." L'autre: "Phaëton est composé de certains nombres qui le font monter." L'autre: "Phaëton a une certaine amitié pour le haut du théâtre; il n'est pas à son aise quand il n'y est pas." L'autre: "Phaëton n'est pas fait pour voler; mais il aime mieux voler que de laisser le haut du théâtre vide," et cent autres rêveries que je m'étonne qui n'aient perdu de réputation toute l'antiquité. A la fin, Descartes et quelques autres modernes sont venus qui ont dit: "Phaëton monte, parce qu'il est tiré par des cordes, et qu'un poids plus pesant que lui descend." Ainsi, on ne croit plus qu'un corps se remue, s'il n'est tiré, ou plutôt poussé par un autre corps: on ne croit plus qu'il monte ou qu'il descende, si ce n'est par l'effet d'un contrepoids ou d'un ressort; et qui verrait la nature telle qu'elle est, ne verrait que le derrière du théâtre de l'opéra. A ce compte, dit la Marquise, la philosophie est devenue bien mécanique? Si mécanique, répondis-je, que je crains qu'on n'en ait bientôt honte. On veut que l'univers ne soit en grand que ce qu'une montre est en petit, et que tout s'y conduise par des mouvements réglés, qui dépendent de l'arrangement des parties. Avouez la vérité. N'avez-vous pas eu quelquefois une idée plus sublime de l'univers, et ne lui avez-vous point fait plus d'honneur qu'il ne méritait? J'ai vu des gens qui l'en estimaient moins, depuis qu'ils l'avaient connu. Et moi, répliqua-t-elle, je l'en estime beaucoup plus, depuis que je sais qu'il ressemble à une montre. Il est surprenant que l'ordre de la nature, tout admirable qu'il est, ne roule que sur des choses si simples.

Je ne sais pas, lui répondis-je, qui vous a donné des idées si saines; mais, en vérité, il n'est pas trop commun de les avoir. Assez de gens ont toujours dans la tête un faux merveilleux, enveloppé d'une obscurité qu'ils respectent. Ils n'admirent la nature, que parce qu'ils la croient une espèce de magie où l'on n'entend rien; et il est sûr qu'une chose est déshonorée auprès d'eux, dès qu'elle peut être conçue. Mais, Madame, continuai-je, vous êtes si bien disposée à entrer dans tout ce que je veux vous dire, que je crois que je n'ai qu'à tirer le rideau, et à vous montrer le monde.

De la terre où nous sommes, ce que nous voyons de plus éloigné, c'est le ciel bleu, cette grande voûte, où il semble que les étoiles sont attachées comme des clous: on les appelle fixes, parce qu'elles ne paraissent avoir que le mouvement de leur ciel, qui les emporte avec lui d'orient en occident. Entre la terre et cette dernière voûte des cieux, sont suspendus, à différentes hauteurs, le soleil, la lune, et les cinq autres astres, qu'on appelle des planètes, Mercure, Vénus, Mars, Jupiter et Saturne. Ces planètes n'étant point attachées à un même ciel, ayant des mouvements inégaux, elles se regardent diversement, et figurent diversement ensemble; au lieu que les étoiles fixes sont toujours dans la même situation les unes à l'égard des autres. Le chariot, par exemple, que vous voyez, qui est formé de ces sept étoiles, a toujours été fait comme il est, et le sera encore longtemps; mais la lune est tantôt proche du soleil, tantôt elle en est éloignée, et il en va de même des autres planètes. Voilà comme les choses parurent à ces anciens bergers de Chaldée, dont le grand loisir produisit les premières observations, qui ont été le fondement de l'astronomie; car l'astronomie est née dans la Chaldée, comme la géométrie naquit, dit-on, en Égypte, où les inondations du Nil, qui confondaient les bornes des champs, furent cause que chacun voulut inventer des mesures exactes pour reconnaître son champ d'avec celui de son voisin. Ainsi, l'astronomie est fille de l'oisiveté; la géométrie est fille de l'intérêt, et s'il était question de la poésie, nous trouverions apparemment qu'elle est fille de l'amour.

Je suis bien aise, dit la Marquise, d'avoir appris cette généalogie des sciences, et je vois bien qu'il faut que je m'en tienne à l'astronomie. La géométrie, selon ce que vous me dites, demanderait une âme plus intéressée que je ne l'ai, et la poésie en demanderait une plus tendre; mais j'ai autant de loisir que l'astronomie en peut demander. Heureusement encore nous sommes à la campagne, et nous y menons quasi une vie pastorale: tout cela convient à l'astronomie. Ne vous y trompez pas, Madame, repris-je; ce n'est pas la vraie vie pastorale que de parler des planètes et des étoiles fixes. Voyez si c'est à cela que les gens de l'*Astrée*[2] passent leur temps. Oh! répondit-elle, cette sorte de bergerie-là est trop dangereuse; j'aime mieux celle de ces Chaldéens, dont vous me parlez. Recommencez un peu, s'il vous plaît, à me parler chaldéen. Quand on eut reconnu cette disposition des cieux, que vous m'avez dite, de quoi fut-il question? Il fut question, repris-je, de deviner comment toutes les parties de l'univers devaient être arrangées, et c'est là ce que les savants appellent faire un systême. Mais avant que je vous explique le premier des systêmes, il faut que vous remarquiez, s'il vous plaît, que nous sommes tous faits naturellement comme un certain fou Athénien,[3] dont vous avez entendu parler, qui s'était mis dans la fantaisie que tous les vaisseaux qui abordaient au port de Pyrée, lui appartenaient. Notre folie, à nous autres, est de croire aussi que toute la nature, sans exception, est destinée à nos usages; et quand on demande, à nos philosophes, à quoi sert ce nombre prodigieux d'étoiles fixes, dont une partie suffirait pour faire ce qu'elles font toutes, ils vous répondent froidement, qu'elles servent à leur réjouir la vue. Sur ce principe, on ne manqua pas d'abord de s'imaginer qu'il fallait que la terre fût en repos au centre de l'univers, tandis que tous les corps célestes, qui étaient faits pour elle, prendraient la peine de tourner à l'entour pour l'éclairer. Ce

[2] A pastoral romance by D'Urfé (1567–1625).

[3] A tale dating back to antiquity: See Claudius Ælianus, *Varia Historia*, IV, 25. It is also in maxim 92 of La Rochefoucauld.

fut donc au-dessus de la terre qu'on plaça la lune, et au-dessus de la lune, on plaça Mercure, ensuite Vénus, le Soleil, Mars, Jupiter, Saturne. Au-dessus de tout cela, était le ciel des étoiles fixes. La terre se trouvait justement au milieu des cercles que décrivent ces planètes, et ils étaient d'autant plus grands, qu'ils étaient plus éloignés de la terre, et par conséquent les planètes, plus éloignées, employaient plus de temps à faire leur cours, ce qui effectivement est vrai. Mais je ne sais pas, interrompit la Marquise, pourquoi vous semblez n'approuver pas cet ordre-là dans l'univers; il me paraît assez net et assez intelligible, et pour moi, je vous déclare que je m'en contente. Je puis me vanter, répliquai-je, que je vous adoucis bien tout ce système. Si je vous le donnais tel qu'il a été conçu par Ptolomée, son auteur, ou par ceux qui y ont travaillé après lui, il vous jetterait dans une épouvante horrible. Comme les mouvements des planètes ne sont pas si réguliers, qu'elles n'aillent tantôt plus vite, tantôt plus lentement, tantôt en un sens, tantôt en un autre, et qu'elles ne soient quelquefois plus éloignées de la terre, quelquefois plus proches; les anciens avaient imaginé je ne sais combien de cercles différemment entrelacés les uns dans les autres, par lesquels ils sauvaient toutes ces bizarreries. L'embarras de tous ces cercles était si grand, que dans un temps où l'on ne connaissait encore rien de meilleur, un roi [4] de Castille, grand mathématicien, mais apparemment peu dévot, disait, que si Dieu l'eût appelé à son conseil, quand il fit le monde, il lui eût donné de bons avis. La pensée est trop libertine; mais cela même est assez plaisant, que ce système fût alors une occasion de pécher, parce qu'il était trop confus. Les bons avis que ce roi voulait donner, regardaient, sans doute, la suppression de tous ces cercles, dont on avait embarrassé les mouvements célestes. Apparemment ils regardaient aussi une autre suppression de deux ou trois cieux superflus, qu'on avait mis au delà des étoiles fixes. Ces philosophes, pour expliquer une sorte de mouvement dans les corps célestes, faisaient au delà du dernier ciel que nous voyons, un ciel de crystal, qui imprimait ce mouve-

[4] Alfonso the Wise, king of Castile and Leon, and one of the most enlightened princes of his day. While musing on the defects of the universe he observed that he could have bettered it. Almost simultaneously there came a crashing thunderstorm which influenced the king to repent of his heresies.

ment aux cieux inférieurs. Avaient-ils nouvelle d'un autre mouvement? c'était aussitôt un autre ciel de crystal. Enfin, les cieux de crystal ne leur coûtaient rien. Et pourquoi ne les faisait-on que de crystal, dit la Marquise? N'eussent-ils pas été bons de quelque autre matière? Non, répondis-je; il fallait que la lumière passât au travers, et d'ailleurs il fallait qu'ils fussent solides: il le fallait absolument; car Aristote avait trouvé que la solidité était une chose attachée à la noblesse de leur nature; et puisqu'il l'avait dit, on n'avait garde d'en douter. Mais on a vu des comètes qui, étant plus élevées qu'on ne croyait autrefois, briseraient tout le crystal des cieux par où elles passent, et casseraient tout l'univers; et il fallut se résoudre à faire les cieux d'une matière fluide, telle que l'air. Enfin, il est hors de doute, par les observations de ces derniers siècles, que Vénus et Mercure tournent autour du soleil, et non autour de la terre; et l'ancien systême est absolument insoutenable par cet endroit. Je vais donc vous en proposer un qui satisfait à tout, et qui dispenserait le roi de Castille de donner des avis; car il est d'une simplicité charmante, et qui seule le ferait préférer. Il semblerait, interrompit la Marquise, que votre philosophie est une espèce d'enchère, où ceux qui offrent de faire les choses à moins de frais, l'emportent sur les autres. Il est vrai, repris-je, et ce n'est que par là qu'on peut attraper le plan sur lequel la nature a fait son ouvrage. Elle est d'une épargne extraordinaire; tout ce qu'elle pourra faire d'une manière qui lui coûtera un peu moins, quand ce moins ne serait presque rien, soyez sûre qu'elle ne le fera que de cette manière-là. Cette épargne néanmoins s'accorde avec une magnificence surprenante, qui brille dans tout ce qu'elle fait: c'est que la magnificence est dans le dessein, et l'épargne dans l'exécution. Il n'y a rien de plus beau qu'un grand dessein que l'on exécute à peu de frais. Nous autres, nous sommes sujets à renverser souvent tout cela dans nos idées. Nous mettons l'épargne dans le dessein qu'a eu la nature, et la magnificence dans l'exécution. Nous lui donnons un petit dessein, qu'elle exécute avec dix fois plus de dépense qu'il ne faudrait; cela est tout à fait ridicule. Je serai bien aise, dit-elle, que le systême dont vous m'allez parler, imite de fort près la nature; car ce grand ménage-là tournera au profit de mon imagination, qui n'aura pas tant de peine à comprendre ce que vous me direz. Il n'y a plus ici d'embarras inutiles, repris-je. Figurez-vous un Allemand, nommé Copernic, qui fait main basse sur tous ces cercles différents, et sur tous ces cieux solides, qui avaient été imaginés par l'antiquité. Il détruit les uns, il met les autres en pièces. Saisi d'une noble fureur d'astronome, il prend la terre, et l'envoie bien loin du centre de l'univers où elle s'était placé, et dans ce centre il y met le soleil, à qui cet honneur était bien mieux dû. Les planètes ne tournent plus autour de la terre, et ne l'enferment plus au milieu du cercle qu'elles décrivent. Si elles nous éclairent, c'est en quelque sorte par hasard, et parce qu'elles nous rencontrent en leur chemin. Tout tourne présentement autour du soleil; la terre y tourne elle-même; et pour la punir du long repos qu'elle s'était attribué, Copernic la charge le plus qu'il peut de tous les mouvements qu'elle donnait aux planètes et aux cieux. Enfin, de tout cet équipage céleste, dont cette petite terre se faisait accompagner et environner, il ne lui est demeuré que la lune, qui tourne encore autour d'elle. Attendez un peu, dit la Marquise, il vient de vous prendre un enthousiasme qui vous fait expliquer les choses si pompeusement, que je ne crois pas les avoir entendues. Le soleil est un centre de l'univers, et là il est immobile. Après lui, qu'est-ce qui suit? C'est Mercure, répondis-je; il tourne autour du soleil, en sorte que le soleil est à peu près le centre du cercle que Mercure décrit. Au-dessus de Mercure est Vénus, qui tourne de même autour du soleil. Ensuite vient la terre, qui, étant plus élevée que Mercure et Vénus, décrit autour du soleil un plus grand cercle que ces planètes. Enfin, suivent Mars, Jupiter, Saturne, selon l'ordre où je vous les nomme; et vous voyez bien que Saturne doit décrire autour du soleil le plus grand cercle de tous; aussi emploie-t-il plus de temps qu'aucune autre planète à faire sa révolution. Et la lune, vous l'oubliez, interrompit-elle? Je la retrouverai bien, repris-je. La lune tourne autour de la terre, et ne l'abandonne point; mais comme la terre avance toujours dans le cercle qu'elle décrit autour du soleil, la lune la suit, en tournant toujours autour d'elle; et si elle tourne autour du soleil, ce n'est que pour ne point quitter la terre.

Je vous entends, répondit-elle; et j'aime la lune de nous être restée, lorsque toutes les autres planètes nous abandonnaient. Avouez, que si votre Allemand eût pu nous la faire perdre, il l'aurait fait volontiers; car je vois, dans tout son procédé, qu'il était bien mal intentionné pour la terre. Je lui sais bon gré, répliquai-je, d'avoir rabattu la vanité des hommes, qui s'étaient mis à la plus belle place de l'univers; et j'ai du plaisir à voir présentement la terre dans la foule des planètes. Bon, répondit-elle, croyez-vous que la vanité des hommes s'étende jusqu'à l'astronomie? Croyez-vous m'avoir humiliée, pour m'avoir appris que la terre tourne autour du soleil? Je vous jure que je ne m'en estime pas moins. Mon Dieu, Madame, repris-je, je sais bien qu'on sera moins jaloux du rang qu'on tient dans l'univers, que de celui qu'on croit devoir tenir dans une chambre, et que la préséance de deux planètes ne sera jamais une si grande affaire que celle de deux ambassadeurs. Cependant, la même inclination, qui fait qu'on veut avoir la place la plus honorable dans une cérémonie, fait qu'un philosophe, dans un systême, se met au centre du monde, s'il peut. Il est bien aise que tout soit fait pour lui; il suppose peut-être, sans s'en apercevoir, ce principe qui le flatte, et son cœur ne laisse pas de s'intéresser à une affaire de pure spéculation. Franchement, répliqua-t-elle, c'est là une calomnie que vous avez inventée contre le genre humain. On n'aurait donc jamais dû recevoir de systême de Copernic, puisqu'il est si humiliant. Aussi, repris-je, Copernic lui-même se défiait-il fort du succès de son opinion. Il fut très longtemps à ne la vouloir pas publier. Enfin, il s'y résolut, à la prière de gens très considérables; mais aussi, le jour qu'on lui apporta le premier exemplaire imprimé de son livre, savez-vous ce qu'il fit? il mourut. Il ne voulut point essuyer toutes les contradictions qu'il prévoyait, et se tira habilement d'affaire. Écoutez, dit la Marquise, il faut rendre justice à tout le monde. Il est sûr qu'on a de la peine à s'imaginer qu'on tourne autour du soleil; car enfin, on ne change point de place, et on se retrouve toujours le matin où l'on s'était couché le soir. Je vois, ce me semble, à votre air, que vous m'allez dire que, comme la terre toute entière marche. . . . Assurément, interrompis-je, c'est la même chose que si vous vous endormiez dans un bateau qui allât sur la rivière, vous vous trouveriez à votre réveil dans la même place et dans la même situation, à l'égard de toutes les parties du bateau. Oui; mais, répliqua-t-elle, voici une différence; je trouverais à mon réveil le rivage changé, et cela me ferait bien voir que mon bateau aurait changé de place. Mais il n'en va pas de même de la terre; j'y retrouve toutes choses comme je les avais laissées. Non pas, Madame, répondis-je, non pas; le rivage est changé aussi. Vous savez qu'au delà de tous les cercles des planètes sont les étoiles fixes: voilà notre rivage. Je suis sur la terre, et la terre décrit un grand cercle autour du soleil. Je regarde au centre de ce cercle, j'y vois le soleil. S'il n'effaçait point les étoiles, en poussant ma vue en ligne droite au delà du soleil, je le verrais nécessairement répondre à quelques étoiles fixes; mais je vois aisément, pendant la nuit, à quelles étoiles il a répondu le jour, et c'est exactement la même chose. Si la terre ne changeait point de place sur le cercle où elle est, je verrais toujours le soleil répondre aux mêmes étoiles fixes; mais dès que la terre change de place, il faut que je la voie répondre à d'autres étoiles. C'est là le rivage qui change tous les jours; et comme la terre fait son cercle en un an autour du soleil, je vois le soleil, en l'espace d'une année, répondre successivement à diverses étoiles fixes qui composent un cercle; ce cercle s'appelle le zodiaque. Voulez-vous que je vous fasse ici une figure sur le sable? Non, répondit-elle, je m'en passerai bien, et puis cela donnerait à mon parc un air savant que je ne veux pas qu'il ait. N'ai-je pas ouï dire qu'un philosophe, qui fut jeté, par un naufrage, dans une île qu'il ne connaissait point, s'écria à ceux qui le suivaient, en voyant de certaines figures, des lignes et des cercles tracés sur le bord de la mer: *Courage, compagnons, l'île est habitée; voici des pas d'hommes.*[5] Vous jugez bien qu'il ne m'appartient point de faire de ces pas-là, et qu'il ne faut pas qu'on en voie ici.

Il vaut mieux, en effet, répondis-je, qu'on n'y voie que des pas d'amants, c'est-à-dire, votre nom et vos chiffres gravés sur l'écorce des arbres par la main de vos adorateurs. Laissons là, je vous prie, les adorateurs, reprit-elle, et parlons du soleil. J'entends bien comment nous nous imaginons qu'il décrit le cercle que nous décrivons nous-mêmes; mais ce tour ne s'achève qu'en un an, et

[5] This story is related by Cicero in his *De Republica*, I, XVII, 29. Fontenelle, however, seems to have used another source.

celui que le soleil fait tous les jours sur notre tête, comment se fait-il? Avez-vous remarqué, lui répondis-je, qu'une boule qui roulerait sur cette allée aurait deux mouvements? Elle irait vers le bout de l'allée, et en même temps elle tournerait plusieurs fois sur elle-même, en sorte que la partie de cette boule, qui est en haut, descendrait en bas, et que celle d'en bas monterait en haut. La terre fait la même chose. Dans le temps qu'elle avance sur le cercle qu'elle décrit en un an autour du soleil, elle tourne sur elle-même en vingt-quatre heures. Ainsi, en vingt-quatre heures, chaque partie de la terre perd le soleil et le recouvre; et à mesure qu'en tournant, on va vers le côté où est le soleil, il semble qu'il s'élève; et quand on commence à s'en éloigner, en continuant le tour, il semble qu'il s'abaisse. Cela est assez plaisant, dit-elle; la terre prend tout sur soi, et le soleil ne fait rien: et quand la lune et les autres planètes, et les étoiles fixes, paraissent faire un tour sur notre tête, en vingt-quatre heures, c'est donc aussi une imagination? Les planètes font seulement leurs cercles autour du soleil en des temps inégaux, selon leurs distances inégales; et celle que nous voyons aujourd'hui répondre à un certain point du zodiaque, ou de ce cercle d'étoiles fixes, nous la voyons demain à la même heure répondre à un autre point, tant parce qu'elle a avancé sur son cercle, que parce que nous avons avancé sur le nôtre. Nous marchons, et les autres planètes marchent aussi; mais plus ou moins vite que nous. Cela nous met dans différents points de vue à leur égard, et nous fait paraître dans leurs cours des bizarreries dont il n'est pas nécessaire que je vous parle: il suffit que vous sachiez que ce qu'il y a d'irrégulier dans les planètes, ne vient que de la diverse manière dont notre mouvement nous les fait rencontrer, et qu'au fond elles sont toutes très réglées. Je consens qu'elles le soient, dit la Marquise; mais je voudrais bien que leur régularité coûtât moins à la terre. On ne l'a guère ménagée; et pour une grosse masse aussi pesante qu'elle est, on lui demande bien de l'agilité. Mais, lui répondis-je, aimeriez-vous mieux que le soleil, et tous les autres astres, qui sont de très grands corps, fissent, en vingt-quatre heures, autour de la terre, un tour immense? que les étoiles fixes, qui seraient dans le plus grand cercle, parcourussent en un jour plus de vingt-sept mille six cent soixante fois deux cent millions de lieues?

car il faut que tout cela arrive, si la terre ne tourne pas sur elle-même en vingt-quatre heures. En vérité, il est bien plus raisonnable qu'elle fasse ce tour, qui n'est tout au plus que de neuf mille lieues. Vous voyez bien que neuf mille lieues, en comparaison de l'horrible nombre que je viens de vous dire, ne sont qu'une bagatelle.

Oh! répliqua la Marquise, le soleil et les astres sont tout de feu, et le mouvement ne leur coûte rien; mais la terre ne paraît guère portative. Et croiriez-vous, repris-je, si vous n'en aviez l'expérience, que ce fût quelque chose de bien portatif qu'un gros navire monté de cent cinquante pièces de canon, chargé de plus de trois mille hommes, et d'une très grande quantité de marchandises? Cependant, il ne faut qu'un petit souffle de vent pour le faire aller sur l'eau, parce que l'eau est liquide, et que se laissant diviser avec facilité, elle résiste peu au mouvement du navire; ou, s'il est au milieu d'une rivière, il suivra sans peine le fil de l'eau, parce qu'il n'y a rien qui le retienne. Ainsi, la terre, toute massive qu'elle est, est aisément portée au milieu de la matière céleste, qui est infiniment plus fluide que l'eau, et qui remplit tout ce grand espace où nagent les planètes. Et où faudrait-il que la terre fût cramponnée pour résister au mouvement de cette matière céleste, et ne s'y pas laisser emporter? C'est comme si une petite boule de bois pouvait ne pas suivre le courant d'une rivière.

Mais, répliqua-t-elle encore, comment la terre, avec tout son poids, se soutient-elle sur votre matière céleste, qui doit être bien légère, puisqu'elle est si fluide? Ce n'est pas à dire, répondis-je, que ce qui est fluide en soit plus léger. Que dites-vous de notre gros vaisseau, qui, avec tout son poids, est plus léger que l'eau, puisqu'il surnage? Je ne veux plus vous dire rien, dit-elle comme en colère, tant que vous aurez le gros vaisseau. Mais, m'assurez-vous bien qu'il n'y a rien à craindre sur une pirouette aussi légère que vous me faites la terre? Eh bien, lui répondis-je, faisons porter la terre par quatre éléphants, comme font les Indiens. Voici bien un autre système, s'écria-t-elle! Du moins j'aime ces gens-là d'avoir pourvu à leur sûreté, et fait de bons fondements; au lieu que nous autres Coperniciens nous sommes assez inconsidérés pour vouloir bien nager à l'aventure dans cette matière céleste. Je gage que si les Indiens savaient que la terre fût le moins du monde en péril de se mouvoir, ils doubleraient les éléphants.

Cela le mériterait bien, repris-je, en riant de sa pensée; il ne faut point épargner les éléphants, pour dormir en assurance; et si vous en avez besoin pour cette nuit, nous en mettrons dans notre système autant qu'il nous plaira; ensuite, nous les retrancherons peu à peu, à mesure que vous vous rassurerez. Sérieusement, reprit-elle, je ne crois pas, dès à présent, qu'ils me soient fort nécessaires, et je me sens assez de courage pour oser tourner. Vous irez encore plus loin, répliquai-je; vous tournerez avec plaisir, et vous vous ferez sur ce système des idées réjouissantes. Quelquefois, par exemple, je me figure que je suis suspendu en l'air, et que j'y demeure sans mouvement, pendant que la terre tourne sous moi en vingt-quatre heures. Je vois passer sous mes yeux tous ces visages différents, les uns blancs, les autres noirs, les autres basanés, les autres olivâtres. D'abord ce sont des chapeaux, et puis des turbans, et puis des têtes chevelues, et puis des têtes rasées; tantôt des villes à clochers, tantôt des villes à longues aiguilles, qui ont des croissants, tantôt des villes à tours de porcelaine, tantôt de grands pays, qui n'ont que des cabanes; ici de vastes mers, là des déserts épouvantables; enfin toute cette variété infinie qui est sur la surface de la terre.

En vérité, dit-elle, tout cela mériterait bien que l'on donnât vingt-quatre heures de son temps à le voir. Ainsi donc, dans le même lieu où nous sommes à présent, je ne dis pas dans ce parc, mais dans ce même lieu, à le prendre dans l'air, il y passe continuellement d'autres peuples, qui prennent notre place; et au bout de vingt-quatre heures, nous y revenons.

Copernic, lui répondis-je, ne le comprendrait pas mieux. D'abord il passera par ici des Anglais, qui raisonneront peut-être de quelque dessein de politique avec moins de gaieté que nous ne raisonnons de notre philosophie; ensuite viendra une grande mer, et il se pourra trouver en ce lieu-là quelque vaisseau qui n'y sera pas si à son aise que nous. Après cela paraîtront des Iroquois, en mangeant tout vif quelque prisonnier de guerre, qui fera semblant de ne s'en pas soucier; des femmes de la terre de Jesso,[6]

[6] Yesso or Yezo is the most northern of the principal islands of Japan.

qui n'emploieront tout leur temps qu'à préparer le repas de leurs maris, et à se peindre de bleu les lèvres et les sourcils, pour plaire aux plus vilains hommes du monde; des Tartares, qui iront fort dévotement en pèlerinage vers ce grand-prêtre, qui ne sort jamais d'un lieu obscur, où il n'est éclairé que par des lampes, à la lumière desquelles on l'adore; de belles Circassiennes, qui ne feront aucune façon d'accorder tout au premier venu, hormis ce qu'elles croient qui appartient essentiellement à leurs maris; de petits Tartares, qui iront voler des femmes pour les Turcs et pour les Persans; enfin nous, qui débiterons peut-être encore des rêveries.

Il est assez plaisant, dit la Marquise, d'imaginer ce que vous venez de me dire; mais si je voyais tout cela d'en haut, je voudrais avoir la liberté de hâter ou d'arrêter le mouvement de la terre, selon que les objets me plairaient plus ou moins, et je vous assure que je ferais passer bien vite ceux qui s'embarrassent de politique, ou qui mangent leurs ennemis: mais il y en a d'autres pour qui j'aurais de la curiosité. J'en aurais pour ces belles Circassiennes, par exemple, qui ont un usage si particulier. Mais il me vient une difficulté sérieuse. Si la terre tourne, nous changeons d'air à chaque moment, et nous respirons toujours celui d'un autre pays. Nullement, Madame, répondis-je; l'air qui environne la terre ne s'étend que jusqu'à une certaine hauteur, peut-être jusqu'à vingt lieues tout au plus; il nous suit et tourne avec nous. Vous avez vu quelquefois l'ouvrage d'un ver à soie, ou ces coques que ces petits animaux travaillent avec tant d'art pour s'y emprisonner: elles sont d'une soie fort serrée; mais elles sont couvertes d'un certain duvet fort léger et fort lâche. C'est ainsi que la terre, qui est assez solide, est couverte, depuis sa surface jusqu'à une certaine hauteur, d'une espèce de duvet, qui est l'air, et toute la coque du ver à soie tourne en même temps. Au delà de l'air est la matière céleste, incomparablement plus pure, plus subtile, et même plus agitée qu'il n'est.

Vous me présentez la terre sous des idées bien méprisables, dit la Marquise. C'est pourtant sur cette coque de ver à soie qu'il se fait de si grands travaux, de si grandes guerres, et qu'il règne de tous côtés une si grande agitation. Oui, répondis-je; et pendant ce temps-là, la nature, qui n'entre point en connaissance de tous ces petits mouvements particuliers, nous emporte tous ensemble d'un mouvement général, et se joue de la petite boule.

Il me semble, reprit-elle, qu'il est ridicule d'être sur quelque chose qui tourne, et de se tourmenter tant; mais le malheur est qu'on n'est pas assuré qu'on tourne; car enfin, à ne vous rien celer, toutes les précautions que vous prenez pour m'empêcher qu'on ne s'aperçoive du mouvement de la terre, me sont suspectes. Est-il possible qu'il ne laissera pas quelque petite marque sensible à laquelle on le reconnaisse?

Les mouvements les plus naturels, répondis-je, et les plus ordinaires, sont ceux qui se font le moins sentir: cela est vrai, jusque dans la morale. Le mouvement de l'amour-propre nous est si naturel, que le plus souvent nous ne le sentons pas, et que nous croyons agir par d'autres principes. Ah! vous moralisez, dit-elle, quand il est question de physique; cela s'appelle bâiller. Retirons-nous; aussi bien en voilà assez pour la première fois; demain nous reviendrons ici, vous avec vos systêmes, et moi avec mon ignorance.

En retournant au château, je lui dis, pour épuiser la matière des systêmes, qu'il y en avait un troisième inventé par Ticho-Brahé,[7] qui, voulant absolument que la terre fût immobile, la plaçait au centre du monde, et faisait tourner autour d'elle le soleil, autour duquel tournaient toutes les autres planètes parce que depuis les nouvelles découvertes, il n'y avait pas moyen de faire tourner les planètes autour de la terre. Mais la Marquise, qui a le discernement vif et prompt, jugea qu'il y avait trop d'affectation à exempter la terre de tourner autour du soleil, puisqu'on n'en pouvait pas exempter tant d'autres grands corps; que le soleil n'était plus si propre à tourner autour de la terre, depuis que toutes les planètes tournaient autour de lui; que ce systême ne pouvait être propre, tout au plus, qu'à soutenir l'immobilité de la terre, quand on avait bien envie de la soutenir, et nullement à la persuader; et enfin, il fut résolu que nous nous en tiendrions à celui de Copernic, qui est plus uniforme et plus riant, et n'a aucun mélange de préjugé. En effet, la simplicité dont il est, persuade, et sa hardiesse fait plaisir.

[7] Tycho Brahé (1546–1601), was a celebrated Danish astronomer. He rejected the Copernican system.

HISTOIRE DES ORACLES

Préface

Il y a quelque temps qu'il me tomba entre les mains un livre latin sur les oracles des païens, composé depuis peu par M. Van-Dale,[8] docteur en médecine, et imprimé en Hollande. Je trouvai que cet auteur détruisait avec assez de force ce que l'on croit communément des oracles rendus par les démons, et de leur cessation entière à la venue de Jésus-Christ; et tout l'ouvrage me parut plein d'une grande connaissance de l'antiquité, et d'une érudition très étendue. Il me vint en pensée de le traduire, afin que les femmes, et ceux même d'entre les hommes qui ne lisent pas si volontiers du latin, ne fussent point privés d'une lecture si agréable et si utile. Mais je fis réflexion que la traduction de ce livre ne serait pas bonne en son espèce, quoique le livre soit fort bon dans la sienne. M. Van-Dale n'a écrit que pour les savants, et il a eu raison de négliger des agréments dont ils ne feraient aucun cas. Il rapporte un grand nombre de passages qu'il cite très fidèlement, et dont il fait des versions d'une exactitude merveilleuse lorsqu'il les prend du grec; il entre dans la discussion de beaucoup de points de critique, quelquefois peu nécessaires, mais toujours curieux. Voilà ce qu'il faut aux gens doctes; qui leur égaierait tout cela par des réflexions, par des traits ou de morale, ou même de plaisanterie, ce serait un soin dont ils n'auraient pas grande reconnaissance. De plus, M. Van-Dale ne fait nulle difficulté d'interrompre très souvent le fil de son discours, pour y faire entrer quelque autre chose qui se présente, et dans cette parenthèse-là il y enchâsse une autre parenthèse, qui même n'est peut-être pas la dernière; il a encore raison, car ceux pour qui il a prétendu écrire, sont faits à la fatigue en matière de lecture, et ce désordre savant ne les embarrasse pas. Mais ceux pour qui j'aurais fait ma traduction ne s'en fussent guère accommodés si elle eût été en cet état. Les dames, et pour ne rien dissimuler, la plupart des hommes de ce pays-ci, sont bien aussi sensibles à l'agrément ou du tour, ou des expressions, ou des pensées, qu'à la solide beauté des recherches les plus exactes, ou

[8] Antoine van Dale (1638–1708). The book in question here is the *De Oraculis Veterum Ethnicorum*, published in 1683.

des discussions les plus profondes. Surtout, comme on est fort paresseux, on veut de l'ordre dans un livre, pour être d'autant moins obligé à l'attention. Je n'ai donc plus songé à traduire, et j'ai cru qu'il valait mieux en conservant le fond de la matière principale de l'ouvrage, lui donner toute une autre forme. J'avoue qu'on ne peut pas pousser cette liberté plus loin que j'ai fait; j'ai changé toute la disposition du livre, j'ai retranché tout ce qui m'a paru avoir ou peu d'utilité en soi ou trop peu d'agrément pour récompenser le peu d'utilité; j'ai ajouté non seulement tous les ornements dont j'ai pu m'aviser, mais encore assez de choses qui prouvent ou qui éclaircissent ce qui est en question sur les mêmes faits et sur les mêmes passages que me fournissait M. Van-Dale, j'ai quelquefois raisonné autrement que lui, je ne me suis point fait un scrupule d'insérer beaucoup de raisonnements qui ne sont que de moi; enfin j'ai refondu tout l'ouvrage, pour le remettre dans le même état où je l'eusse mis d'abord selon mes vues particulières, si j'avais eu autant de savoir que M. Van-Dale. Comme j'en suis extrêmement éloigné, j'ai pris sa science, et j'ai hasardé de me servir de mon esprit, tel qu'il est; je n'eusse pas manqué sans doute de prendre le sien si j'avais eu affaire aux mêmes gens que lui. Au cas que ceci vienne à sa connaissance, je le supplie de me pardonner la licence dont j'ai usé, elle servira à faire voir combien son livre est excellent, puisque assurément ce qui lui appartient ici paraîtra encore tout à fait beau, quoiqu'il ait passé par mes mains.

Au reste, j'apprends depuis peu deux choses qui ont rapport à ce livre. La première, que j'ai prise dans les *Nouvelles de la République des Lettres*,[9] est que M. Moëbius,[10] doyen des professeurs en théologie à Leipzig, a entrepris de réfuter M. Van-Dale. Véritablement il lui passe que les oracles n'ont pas cessé à la venue de Jésus-Christ, ce qui est effectivement incontestable, quand on a examiné la question; mais il ne lui peut accorder que les démons n'aient pas été les auteurs des oracles. C'est déjà faire une brêche très considérable au systême ordinaire, que de

[9] The *Nouvelles de la république des lettres* was a monthly periodical founded by Bayle. It was published in Holland from 1684 to 1687; and later (1687–1709), continued under the title *Histoire des ouvrages des savants*.

[10] George Moëbius (1616–1697), Lutheran theologian, professor at Leipzig, author of many works, among which is a *Tractatus Philologico-Theologicus de Origine, Propagatione et Duratione*, 1657.

laisser les oracles s'étendre au delà du temps de la venue de Jésus-Christ; et c'est un grand préjugé qu'ils n'ont pas été rendus par des démons, si le Fils de Dieu ne leur a pas imposé silence. Il est certain que selon la liaison que l'opinion commune a mise entre ces deux choses, ce qui détruit l'une, ébranle l'autre, ou même la ruine entièrement; et peut-être après la lecture de ce livre entrera-t-on encore mieux dans cette pensée; mais ce qui est plus remarquable, c'est que par l'extrait de la *République des lettres*, il paraît qu'une des plus fortes raisons de M. Moëbius contre M. Van-Dale, est que Dieu défendit aux Israëlites de consulter les devins et les esprits de Python;[11] d'où l'on conclut que Python, c'est-à-dire, les démons, se mêlaient des oracles, et apparemment l'histoire de l'apparition de Samuel [12] vient à la suite. M. Van-Dale répondra ce qu'il jugera à propos; pour moi, je déclare que, sous le nom d'oracle, je ne prétends point comprendre la magie, dont il est indubitable que le démon se mêle: aussi n'est-elle nullement comprise dans ce que nous entendons ordinairement par ce mot, non pas même selon le sens des anciens païens, qui d'un côté regardaient les oracles avec respect comme une partie de leur religion; et de l'autre avaient la magie en horreur aussi bien que nous. Aller consulter un nécromancien, ou quelqu'une de ces sorcières de Thessalie, pareille à l'Éricto de Lucain,[13] cela ne s'appelait pas aller à l'oracle; et s'il faut marquer encore cette distinction, même selon l'opinion commune, on prétend que les oracles ont cessé à la venue de Jésus-Christ, et cependant on ne peut pas prétendre que la magie ait cessé. Ainsi l'objection de M. Moëbius ne fait rien contre moi, s'il laisse le mot d'oracle dans sa signification ordinaire et naturelle, tant ancienne que moderne.

La seconde chose que j'ai à dire, c'est que l'on m'a averti que

[11] The python was a great serpent which appeared after the Deucalion deluge. It was killed by Apollo, and in memory of this victory the pythian games were instituted. The "spirits" mentioned here were those which entered into the bodies of men, and especially of women, to disclose to them future events.

[12] For the reference to Samuel, and also to Saul mentioned below, see I Samuel, 28.

[13] For Erichtho and the witches of Thessaly, and the reference to the "jeune Pompée" below see Lucan, *Pharsalia*, Book VI.

le R. P. Thomassin,[14] prêtre de l'Oratoire, fameux par tant de beaux livres, où il a accordé une piété solide avec une profonde érudition, avait enlevé à ce livre-ci l'honneur de la nouveauté du paradoxe, en traitant les oracles de pures fourberies, dans sa *Méthode d'étudier et d'enseigner chrétiennement les poètes*. J'avoue que j'en ai été un peu fâché; cependant je me suis consolé par la lecture du chap. XXI du livre II de cette *Méthode*, où je n'ai trouvé que dans l'article XIX, en assez peu de paroles, ce qui me pouvait être commun avec lui. Voici comme il parle: "La véritable raison du silence imposé aux oracles, était que par l'invocation du verbe divin la vérité éclairait le monde, et y répandait une abondance de lumières tout autre qu'auparavant. Ainsi, on se détrompait des illusions des augures, des astrologues, des observations des entrailles des bêtes, et de la plupart des oracles, qui n'étaient effectivement que des impostures où les hommes se trompaient les uns les autres par des paroles obscures et à double sens. Enfin, s'il y avait des oracles où les démons donnaient des réponses, l'avènement de la vérité incarnée avait condamné à un silence éternel le père du mensonge. Il est au moins bien certain qu'on consultait les démons lorsqu'on avait recours aux enchantements et à la magie, comme Lucain le rapporte du jeune Pompée, et comme l'écriture l'assure de Saül." Je conviens que, dans un gros traité où l'on ne parle des oracles que par occasion, très brièvement et sans aucun dessein d'approfondir la matière, c'est bien en dire assez que d'attribuer la plupart des oracles à l'imposture des hommes, de révoquer en doute s'il y en a eu où les démons aient eu part, de ne donner une fonction certaine aux démons que dans les enchantements et dans la magie, et enfin de faire cesser les oracles, non pas précisément parce que le Fils de Dieu leur imposa silence tout d'un coup, mais parce que les esprits plus éclairés par la publication de l'évangile, se désabusèrent; ce qui suppose encore des fourberies humaines, et ne s'est pu faire si promptement. Cependant, il me paraît qu'une question décidée en si peu de paroles peut être traitée de

[14] Louis Thomassin (1619–1695), author of many works among which is the *Méthode d'étudier et d'enseigner chrétiennement et solidement les lettres humaines par rapport aux lettres divines*, 1681. Chapter XXI of Book II has as title: "Des oracles, des devins, des prophéties, convenances des poètes avec les Écritures sur ce sujet."

nouveau dans toute son étendue naturelle, sans que le public ait droit de se plaindre de la répétition; c'est lui remettre en grand ce qu'il n'a encore vu qu'en petit, et tellement en petit, que les objets en étaient quasi imperceptibles.

Je ne sais s'il m'est permis d'allonger encore ma préface par une petite observation sur le style dont je me suis servi. Il n'est que de conversation; je me suis imaginé que j'entretenais mon lecteur d'autant plus aisément, qu'il fallait, en quelque sorte, disputer contre lui; et les matières que j'avais en main étant le plus souvent assez susceptibles de ridicule, m'ont invité à une manière d'écrire fort éloignée du sublime. Il me semble qu'il ne faudrait donner dans le sublime qu'à son corps défendant; il est si peu naturel! J'avoue que le style bas est encore quelque chose de pis: mais il y a un milieu, et même plusieurs; c'est ce qui fait l'embarras: on a bien de la peine à prendre juste le ton qu'il faut, et à n'en point sortir.

LES ANCIENS ET LES MODERNES

Toute la question de la prééminence entre les anciens et les modernes étant une fois bien entendue, se réduit à savoir si les arbres qui étaient autrefois dans nos campagnes étaient plus grands que ceux d'aujourd'hui. En cas qu'ils l'aient été, Homère, Platon, Démosthène ne peuvent être égalés dans ces derniers siècles; mais si nos arbres sont aussi grands que ceux d'autrefois, nous pouvons égaler Homère, Platon et Démosthène.

Éclaircissons ce paradoxe. Si les anciens avaient plus d'esprit que nous, c'est donc que les cerveaux de ce temps-là étaient mieux disposés, formés de fibres plus fermes ou plus délicates, remplis de plus d'esprits animaux; mais en vertu de quoi les cerveaux de ce temps-là auraient-ils été mieux disposés? Les arbres auraient donc été aussi plus grands et plus beaux; car si la nature était alors plus jeune et plus vigoureuse, les arbres, aussi bien que les cerveaux des hommes, auraient dû se sentir de cette vigueur et de cette jeunesse.

Que les admirateurs des anciens y prennent un peu garde, quand ils nous disent que ces gens-là sont les sources du bon goût et de la raison, et les lumières destinées à éclairer tous les autres hommes; que l'on n'a d'esprit qu'autant qu'on les admire; que la nature s'est épuisée à produire ces grands originaux: en vérité ils nous les font d'une autre espèce que nous, et la physique n'est pas d'accord avec toutes ces belles phrases. La nature a entre les mains une certaine pâte qui est toujours la même, qu'elle tourne et retourne sans cesse en mille façons, et dont elle forme les hommes, les animaux, les plantes; et certainement elle n'a point formé Platon, Démosthène ni Homère d'une argile plus fine ni mieux préparée que nos philosophes, nos orateurs et nos poètes d'aujourd'hui. Je ne regarde ici dans nos esprits, qui ne sont pas d'une nature matérielle, que la liaison qu'ils ont avec le cerveau, qui est matériel, et qui par ses différentes dispositions produit toutes les différences qui sont entre eux.

Mais si les arbres de tous les siècles sont également grands, les arbres de tous les pays ne le sont pas. Voilà des différences aussi pour les esprits. Les différentes idées sont comme des plantes ou des fleurs qui ne viennent pas également bien en toutes sortes de climats. Peut-être notre terroir de France n'est-il pas propre pour les raisonnements que font les Égyptiens, non plus que pour leurs palmiers; et sans aller si loin, peut-être les orangers, qui ne viennent pas aussi facilement ici qu'en Italie, marquent-ils qu'on a en Italie un certain tour d'esprit que l'on n'a pas tout-à-fait semblable en France. Il est toujours sûr que par l'enchaînement et la dépendance réciproque qui est entre toutes les parties du monde matériel, les différences de climats qui se font sentir dans les plantes doivent s'étendre jusqu'aux cerveaux, et y faire quelque effet.

Cet effet cependant y est moins grand et moins sensible, parce que l'art et la culture peuvent beaucoup plus sur les cerveaux que sur la terre, qui est d'une matière plus dure et plus intraitable! Ainsi les pensées d'un pays se transportent plus aisément dans un autre que ses plantes, et nous n'aurions pas tant de peine à prendre dans nos ouvrages le génie italien, qu'à élever des orangers. . . .

Quoi qu'il en soit, voilà, ce me semble, la grande question des anciens et des modernes vidée. Les siècles ne mettent aucune différence naturelle entre les hommes. Le climat de la Grèce ou de l'Italie, et celui de la France, sont trop voisins pour mettre quelque différence sensible entre les Grecs ou les Latins et nous.

Quand ils y mettraient quelqu'une, elle serait fort aisée à effacer, et enfin elle ne serait pas plus à leur avantage qu'au nôtre. Nous voilà donc tous parfaitement égaux, anciens et modernes, Grecs, Latins et Français.

Je ne réponds pas que ce raisonnement paraisse convaincant à tout le monde. Si j'eusse employé de grands tours d'éloquence, opposé des traits d'histoire honorables pour les modernes à d'autres traits d'histoire honorables pour les anciens, et des passages favorables aux uns à des passages favorables aux autres; si j'eusse traité de savants entêtés ceux qui nous traitent d'ignorants et d'esprits superficiels; et que selon les lois établies entre les gens de lettres, j'eusse rendu exactement injure pour injure aux partisans de l'antiquité, peut-être aurait-on mieux goûté mes preuves; mais il m'a paru que prendre l'affaire de cette manière-là, c'était pour ne finir jamais; et qu'après beaucoup de belles déclamations de part et d'autre, on serait tout étonné de voir qu'on n'aurait rien avancé. J'ai cru que le plus court était de consulter un peu sur tout ceci la physique, qui a le secret d'abréger bien des contestations que la rhétorique rend infinies.

Ici, par exemple, après que l'on a reconnu l'égalité naturelle qui est entre les anciens et nous, il ne reste plus aucune difficulté. On voit clairement que toutes les différences, quelles qu'elles soient, doivent être causées par des circonstances étrangères, telles que sont le temps, le gouvernement, l'état des affaires générales.

Les anciens ont tout inventé, c'est sur ce point que leurs partisans triomphent; donc ils avaient beaucoup plus d'esprit que nous: point du tout, mais ils étaient avant nous. J'aimerais autant qu'on les vantât sur ce qu'ils ont bu les premiers l'eau de nos rivières, et que l'on nous insultât sur ce que nous ne buvons plus que leurs restes. Si l'on nous avait mis en leur place, nous aurions inventé; s'ils étaient en la nôtre, ils ajouteraient à ce qu'ils trouveraient inventé; il n'y a pas là grand mystère. . . .

Je pousse si loin l'équité dont je suis sur cet article, que je tiens même compte aux anciens d'une infinité de vues fausses qu'ils ont eues, de mauvais raisonnements qu'ils ont faits, de sottises qu'ils ont dites. Telle est notre condition, qu'il ne nous est point permis d'arriver tout d'un coup à rien de raisonnable sur quelque matière que ce soit; il faut avant cela que nous nous égarions longtemps, et que nous passions par diverses sortes d'erreurs et par divers degrés d'impertinences. Il eût toujours dû être bien facile, à ce qu'il semble, de s'aviser que tout le jeu de la nature consiste dans les figures et dans les mouvements des corps: cependant avant que d'en venir là, il a fallu essayer des idées de Platon, des nombres de Pythagore, des qualités d'Aristote; et tout cela ayant été reconnu pour faux, on a été réduit à prendre le vrai système. Je dis qu'on y a été réduit, car en vérité il n'en restait plus d'autre, et il semble qu'on s'est défendu de le prendre aussi longtemps qu'on a pu. Nous avons l'obligation aux anciens de nous avoir épuisé la plus grande partie des idées fausses qu'on se pouvait faire; il fallait absolument payer à l'erreur et à l'ignorance le tribut qu'ils ont payé, et nous ne devons pas manquer de reconnaissance envers ceux qui nous en ont acquittés. Il en va de même sur diverses matières, où il y a je ne sais combien de sottises, que nous dirions si elles n'avaient pas été dites, et si on ne nous les avait pas, pour ainsi dire, enlevées: cependant il y a encore quelquefois des modernes qui s'en ressaisissent, peut-être parce qu'elles n'ont pas encore été dites autant qu'il faut. Ainsi étant éclairés par les vues des anciens et par leurs fautes mêmes, il n'est pas surprenant que nous les surpassions. Pour ne faire que les égaler, il faudrait que nous fussions d'une nature fort inférieure à la leur; il faudrait presque que nous ne fussions pas hommes aussi bien qu'eux.

Cependant, afin que les modernes puissent toujours enchérir sur les anciens, il faut que les choses soient d'une espèce à le permettre. L'éloquence et la poésie ne demandent qu'un certain nombre de vues assez borné par rapport à d'autres arts, et elles dépendent principalement de la vivacité de l'imagination. Or les hommes peuvent avoir amassé en peu de siècles un petit nombre de vues; et la vivacité de l'imagination n'a pas besoin d'une longue suite d'expériences, ni d'une grande quantité de règles, pour avoir toute la perfection dont elle est capable. Mais la physique, la médecine, les mathématiques sont composées d'un nombre infini de vues, et dépendent de la justesse du raisonnement, qui se perfectionne avec une extrême lenteur, et se perfectionne toujours; il faut même souvent qu'elles soient aidées par des expériences que le hasard seul fait naître, et qu'il n'amène pas à point nommé. Il est évident que tout cela n'a point de fin, et que les derniers physiciens ou mathématiciens devront naturellement être les plus habiles.

Et en effet, ce qu'il y a de principal dans la philosophie et ce qui de là se répand sur tout, je veux dire la manière de raisonner, s'est extrêmement perfectionné dans ce siècle. Je doute fort que la plupart des gens entrent dans la remarque que je vais faire; je la ferai cependant pour ceux qui se connaissent en raisonnements; et je puis me vanter que c'est avoir du courage que de s'exposer pour l'intérêt de la vérité à la critique de tous les autres, dont le nombre n'est assurément pas méprisable. Sur quelque matière que ce soit, les anciens sont assez sujets à ne pas raisonner dans la dernière perfection. Souvent de faibles convenances, de petites similitudes, des jeux d'esprit peu solides, des discours vagues et confus, passent chez eux pour des preuves; aussi rien ne leur coûte à prouver: mais ce qu'un ancien démontrait en se jouant, donnerait à l'heure qu'il est bien de la peine à un pauvre moderne; car de quelle rigueur n'est-on pas sur les raisonnements? On veut qu'ils soient intelligibles, on veut qu'ils soient justes, on veut qu'ils concluent. On aura la malignité de démêler la moindre équivoque, ou d'idées, ou de mots; on aura la dureté de condamner la chose du monde la plus ingénieuse, si elle ne va pas au fait. Avant M. Descartes on raisonnait plus commodément; les siècles passés sont bienheureux de n'avoir pas eu cet homme-là. C'est lui, à ce qu'il me semble, qui a amené cette nouvelle méthode de raisonner, beaucoup plus estimable que sa philosophie même, dont une bonne partie se trouve fausse ou fort incertaine, selon les propres règles qu'il nous a apprises. Enfin il règne non seulement dans nos bons ouvrages de physique et de métaphysique, mais dans ceux de religion, de morale, de critique, une précision et une justesse qui jusqu'à présent n'avaient été guère connues.

Je suis même fort persuadé qu'elles iront encore plus loin. Il ne laisse pas de se glisser encore dans nos meilleurs livres quelques raisonnements à l'antique; mais nous serons quelque jour anciens, et ne sera-t-il pas bien juste que notre postérité à son tour nous redresse et nous surpasse, principalement sur la manière de raisonner, qui est une science à part, et la plus difficile, et la moins cultivée de toutes? . . .

Mon dessein n'est pas d'entrer dans un plus grand détail de critique; je veux seulement faire voir que puisque les anciens ont pu parvenir sur de certaines choses à la dernière perfection, et n'y pas parvenir, on doit, en examinant s'ils y sont parvenus,[15] ne conserver aucun respect pour leurs grands noms, n'avoir aucune indulgence pour leurs fautes, les traiter enfin comme des modernes. Il faut être capable de dire, ou d'entendre dire sans adoucissement, qu'il y a une impertinence dans Homère ou dans Pindare; il faut avoir la hardiesse de croire que des yeux mortels peuvent apercevoir des défauts dans ces grands génies; il faut pouvoir digérer que l'on compare Démosthène et Cicéron à un homme qui aura un nom français, et peut-être bas: grand et prodigieux effort de raison!

Sur cela, je ne puis m'empêcher de rire de la bizarrerie des hommes. Préjugé pour préjugé, il serait plus raisonnable d'en prendre à l'avantage des modernes, qu'à l'avantage des anciens. Les modernes naturellement ont dû enchérir sur les anciens: cette prévention favorable pour eux aurait un fondement. Quels sont au contraire les fondements de celle où l'on est pour les anciens? Leurs noms qui sonnent mieux dans nos oreilles, parce qu'ils sont grecs ou latins; la réputation qu'ils ont eue d'être les premiers hommes de leur siècle, ce qui n'était vrai que pour leur siècle; le nombre de leurs admirateurs qui est fort grand, parce qu'il a eu le loisir de grossir pendant une longue suite d'années. Tout cela considéré, il vaudrait encore mieux que nous fussions prévenus pour les modernes; mais les hommes, non contents d'abandonner la raison pour les préjugés, vont quelquefois choisir ceux qui sont les plus déraisonnables.

Quand nous aurons trouvé que les anciens ont atteint sur quelque chose le point de la perfection, contentons-nous de dire qu'ils ne peuvent être surpassés; mais ne disons pas qu'ils ne peuvent être égalés, manière de parler très familière de leurs admirateurs. Pourquoi ne les égalerions-nous pas? En qualité d'hommes nous

[15] The sense would seem clearer if this passage read ". . . et n'y pas parvenir sur d'autres, on doit, en examinant s'ils y sont parvenus dans un cas particulier. . . ."

avons toujours droit d'y prétendre. N'est-il pas plaisant qu'il soit besoin de nous relever le courage sur ce point-là, et que nous qui avons souvent une vanité si mal entendue, nous ayons quelquefois une humilité qui ne l'est pas moins? Il est donc bien déterminé qu'aucune sorte de ridicule ne nous manquera.

Sans doute la nature se souvient bien encore comment elle forma la tête de Cicéron et de Tite-Live. Elle produit dans tous les siècles des hommes propres à être de grands hommes; mais les siècles ne leur permettent pas toujours d'exercer leurs talents. Des inondations de barbares, des gouvernements ou absolument contraires, ou peu favorables aux sciences et aux arts, des préjugés et des fantaisies qui peuvent prendre une infinité de formes différentes, tel qu'est à la Chine le respect des cadavres, qui empêche qu'on ne fasse aucune anatomie, des guerres universelles, établissent souvent et pour longtemps l'ignorance et le mauvais goût. Joignez à cela toutes les diverses dispositions des fortunes particulières, et vous verrez combien la nature sème en vain de Cicérons et de Virgiles dans le monde, et combien il doit être rare qu'il y en ait quelques-uns, pour ainsi dire, qui viennent à bien. On dit que le ciel en faisant naître de grands rois, fait naître aussi de grands poètes pour les chanter, d'excellents historiens pour écrire leurs vies. Ce qu'il y a de vrai, c'est qu'en tout temps les historiens et les poètes sont tout prêts, et que les princes n'ont qu'à vouloir les mettre en œuvre.

Les siècles barbares qui ont suivi celui d'Auguste, et précédé celui-ci, fournissent aux partisans de l'antiquité celui de tous leurs raisonnements qui a le plus d'apparence d'être bon. D'où vient, disent-ils, que dans ces siècles-là l'ignorance était si épaisse et si profonde? C'est que l'on n'y connaissait plus les Grecs et les Latins, on ne les lisait plus; mais du moment que l'on se remit devant les yeux ces excellents modèles, on vit renaître la raison et le bon goût. Cela est vrai, et ne prouve pourtant rien. Si un homme qui aurait de bons commencements des sciences, des belles-lettres, venait à avoir une maladie qui les lui fît oublier, serait-ce à dire qu'il en fût devenu incapable? Non, il pourrait les reprendre quand il voudrait, en recommençant dès les premiers éléments. Si quelque remède lui rendait la mémoire tout à coup, ce serait bien de la peine épargnée, il se trouverait sachant tout ce qu'il avait su, et pour continuer il n'aurait qu'à reprendre où il aurait fini. La lecture des anciens a dissipé l'ignorance et la barbarie des siècles précédents. Je le crois bien. Elle nous rendit tout d'un coup des idées du vrai et du beau, que nous aurions été longtemps à rattraper, mais que nous eussions rattrapées à la fin sans le secours des Grecs et des Latins, si nous les avions bien cherchées. Et où les eussions-nous prises? Où les avaient prises les anciens. Les anciens même, avant que de les prendre, tâtonnèrent bien longtemps.

La comparaison que nous venons de faire des hommes de tous les siècles et un seul homme, peut s'étendre sur toute notre question des anciens et des modernes. Un bon esprit cultivé est, pour ainsi dire, composé de tous les esprits des siècles précédents; ce n'est qu'un même esprit qui s'est cultivé pendant tout ce temps-là. Ainsi cet homme qui a vécu depuis le commencement du monde jusqu'à présent, a eu son enfance, où il ne s'est occupé que des besoins les plus pressants de la vie; sa jeunesse, où il a assez bien réussi aux choses d'imagination, telles que la poésie et l'éloquence, et où même il commence à raisonner, mais avec moins de solidité que de feu. Il est maintenant dans l'âge de virilité, où il raisonne avec plus de force, et a plus de lumières que jamais; mais il serait bien plus avancé, si la passion de la guerre ne l'avait occupé longtemps, et ne lui avait donné du mépris pour les sciences auxquelles il est enfin revenu.

Il est fâcheux de ne pouvoir pas pousser jusqu'au bout une comparaison qui est en si beau train; mais je suis obligé d'avouer que cet homme-là n'aura point de vieillesse, il sera toujours également capable des choses auxquelles sa jeunesse était propre, et il le sera toujours de plus en plus de celles qui conviennent à l'âge de virilité; c'est-à-dire, pour quitter l'allégorie, que les hommes ne dégénéreront jamais, et que les vues saines de tous les bons esprits qui se succéderont, s'ajouteront toujours les unes aux autres. . . .

Si les grands hommes de ce siècle avaient des sentiments charitables pour la postérité, ils l'avertiraient de ne les admirer point trop, et d'aspirer toujours du moins à les égaler. Rien n'arrête tant le progrès des choses, rien ne borne tant les esprits, que l'admiration excessive des anciens. Parce qu'on s'était dévoué à l'autorité d'Aristote, et qu'on ne cherchait la vérité que dans ses écrits énigmatiques, et jamais dans la nature, non seulement la philosophie n'avançait en aucune façon, mais elle était tombée dans une abîme de galimatias et d'idées inintelligibles, d'où l'on a eu toutes les peines du monde à la retirer. Aristote n'a jamais fait un vrai philosophe, mais il en a beaucoup étouffé qui le fussent devenus, s'il eût été permis. Et le mal est qu'une fantaisie de cette espèce une fois établie parmi les hommes, en voilà pour longtemps: on sera des siècles entiers à en revenir, même après qu'on en aura reconnu le ridicule. Si l'on allait s'entêter un jour de Descartes, et le mettre à la place d'Aristote, ce serait à peu près le même inconvénient.

Cependant il faut tout dire, il n'est pas bien sûr que la postérité nous compte pour un mérite les deux ou trois mille ans qu'il y aura un jour entr'elle et nous, comme nous les comptons aujourd'hui aux Grecs et aux Latins. Il y a toutes les apparences du monde que la raison se perfectionnera, et que l'on se désabusera généralement du préjugé grossier de l'antiquité. Peut-être ne durera-t-il pas encore longtemps; peut-être à l'heure qu'il est admirons-nous les anciens en pure perte, et sans devoir jamais être admirés en cette qualité-là. Cela serait un peu fâcheux.

Si après tout ce que je viens de dire, on ne me pardonne pas d'avoir osé attaquer des anciens dans le *Discours sur l'églogue*,[16] il faut que ce soit un crime qui ne puisse être pardonné. J'ajouterai seulement que si j'ai choqué les siècles passés par la critique des églogues des anciens, je crains fort de ne plaire guère au siècle présent par les miennes. Outre beaucoup de défauts qu'elles ont, elles représentent toujours un amour tendre, délicat, appliqué, fidèle jusqu'à en être superstitieux; et selon tout ce que j'entends dire, le siècle est bien mal choisi pour y peindre un amour si parfait.

[16] The *Discours sur la nature de l'églogue* was published by Fontenelle in 1688. The *Digression sur les anciens et les modernes* was published as the second part of the *Discours*.

VAUVENARGUES

1715–1747

RÉFLEXIONS CRITIQUES SUR QUELQUES POÈTES

I. *La Fontaine*

Lorsqu'on a entendu parler de La Fontaine, et qu'on vient à lire ses ouvrages, on est étonné d'y trouver, je ne dis pas plus de génie, mais plus même de ce qu'on appelle de l'esprit, qu'on n'en trouve dans le monde le plus cultivé. On remarque avec la même surprise la profonde intelligence qu'il fait paraître de son art; et on admire qu'un esprit si fin ait été en même temps si naturel.

Il serait superflu de s'arrêter à louer l'harmonie variée et légère de ses vers; la grâce, le tour, l'élégance, les charmes naïfs de son style et de son badinage. Je remarquerai seulement que le bon sens et la simplicité sont les caractères dominants de ses écrits. Il est bon d'opposer un tel exemple à ceux qui cherchent la grâce et le brillant hors de la raison et de la nature. La simplicité de La Fontaine donne de la grâce à son bon sens, et son bon sens rend sa simplicité piquante: de sorte que le brillant de ses ouvrages naît peut-être essentiellement de ces deux sources réunies. Rien n'empêche au moins de le croire; car pourquoi le bon sens, qui est un don de la nature, n'en aurait-il pas l'agrément? La raison ne déplaît, dans la plupart des hommes, que parce qu'elle leur est étrangère. Un bon sens naturel est presque inséparable d'une grande simplicité; et une simplicité éclairée est un charme que rien n'égale. . . .

V, VI. *Corneille et Racine*

. . . Les héros de Corneille disent souvent de grandes choses sans les inspirer: ceux de Racine les inspirent sans les dire. Les uns parlent, et toujours trop, afin de se faire connaître; les autres se font connaître parce qu'ils parlent. Surtout Corneille paraît ignorer que les grands hommes se caractérisent souvent davantage par les choses qu'ils ne disent pas que par celles qu'ils disent. . . .

Il est aisé d'ailleurs aux moindres poètes, de mettre dans la bouche de leurs personnages des paroles fières. Ce qui est difficile, c'est de leur faire tenir ce langage hautain avec vérité et à propos. C'était le talent admirable de Racine, et celui qu'on a le moins remarqué dans ce grand homme. Il y a toujours si peu d'affectation dans ses discours, qu'on ne s'aperçoit pas de la hauteur qu'on y rencontre. . . .

Corneille est tombé trop souvent dans ce défaut de prendre l'ostentation pour la hauteur, et la déclamation pour l'éloquence; et ceux qui se sont aperçus qu'il était peu naturel à beaucoup d'égards, ont dit, pour le justifier, qu'il s'était attaché à peindre les hommes tels qu'ils devaient être. Il est donc vrai du moins qu'il ne les a pas peints tels qu'ils étaient. . . .

Me permettra-t-on de le dire? Il me semble que l'idée des caractères de Corneille est presque toujours assez grande; mais l'exécution en est quelquefois bien faible, et le coloris faux ou peu agréable. Quelques-uns des caractères de Racine peuvent bien manquer de grandeur dans le dessein; mais les expressions sont toujours de main de maître, et puisées dans la vérité et la nature. . . .

Je ne puis cacher ma pensée: il était donné à Corneille de peindre des vertus austères, dures et inflexibles; mais il appartient à Racine de caractériser les esprits supérieurs, et de les caractériser sans raisonnements et sans maximes, par la seule nécessité où naissent les grands hommes d'imprimer leur caractère dans leurs expressions. . . .

Cependant, lorsqu'on fait le parallèle de ces deux poètes, il semble qu'on ne convienne de l'art de Racine que pour donner à Corneille l'avantage du génie. Qu'on emploie cette distinction pour marquer le caractère d'un faiseur de phrases, je la trouverai raisonnable; mais lorsqu'on parle de l'art de Racine, l'art qui met toutes choses à leur place, qui caractérise les hommes, leurs passions, leurs mœurs, leur génie; qui chasse les obscurités, les superfluités, les faux brillants; qui peint la nature avec feu, avec sublimité et avec grâce; que peut-on penser d'un tel art, si ce n'est qu'il est le génie des hommes extraordinaires, et l'original même de ces règles que les écrivains sans génie embrassent avec tant de zèle et avec si peu de succès. . . .

Racine n'est pas sans défauts. Il a mis quelquefois dans ses ouvrages un amour faible qui fait languir son action. Il n'a pas conçu assez fortement la tragédie. Il n'a point assez fait agir ses personnages. On ne remarque pas dans ses écrits autant d'énergie que d'élévation, ni autant de hardiesse que d'égalité. Plus savant encore à faire naître la pitié que la terreur, et l'admiration que l'étonnement, il n'a pu atteindre au tragique de quelques poètes. Nul homme n'a eu en partage tous les dons. Si d'ailleurs on veut être juste, on avouera que personne ne donna jamais au théâtre plus de pompe, n'éleva plus haut la parole, et n'y versa plus de douceur. Qu'on examine ses ouvrages sans prévention, quelle facilité! quelle abondance! quelle poésie! quelle imagination dans l'expression! Qui créa jamais une langue ou plus magnifique, ou plus simple, ou plus variée, ou plus noble, ou plus harmonieuse et plus touchante? Qui mit jamais autant de vérité dans ses dialogues, dans ses images, dans ses caractères, dans l'expression des passions? Serait-il trop hardi de dire que c'est le plus beau génie que la France ait eu, et le plus éloquent de ses poètes?

CARACTÈRES

IX. *Clazomène, ou la Vertu malheureuse*

Clazomène [1] a eu l'expérience de toutes les misères de l'humanité. Les maladies l'ont assiégé dès son enfance, et l'ont sevré dans son printemps de tous les plaisirs de la jeunesse. Né pour les plus grands déplaisirs, il a eu de la hauteur et de l'ambition dans la pauvreté. Il s'est vu dans ses disgrâces méconnu de ceux qu'il aimait. L'injure a flétri sa vertu; et il a été offensé de ceux dont il ne pouvait prendre de vengeance. Ses talents, son travail continuel, son application à bien faire n'ont pu fléchir la dureté de sa fortune. Sa sagesse n'a pu le garantir de faire des fautes irréparables. Il a souffert le mal qu'il ne méritait pas, et celui que son imprudence lui a attiré. Lorsque la fortune a paru se lasser de le poursuivre, la mort s'est offerte à sa vue. Ses yeux se sont fermés à la fleur de son âge; et quand l'espérance trop lente commençait à flatter sa peine, il a eu la douleur insupportable de ne pas laisser assez de bien pour payer ses dettes, et n'a

[1] Vauvenargues is here giving a portrait of himself.

pu sauver sa vertu de cette tache. Si l'on cherche quelque raison d'une destinée si cruelle, on aura, je crois, de la peine à en trouver. Faut-il demander la raison pourquoi des joueurs très habiles se ruinent au jeu, pendant que d'autres hommes y font leur fortune? ou pourquoi l'on voit des années qui n'ont ni printemps ni automne, où les fruits de l'année sèchent dans leur fleur? Toutefois qu'on ne pense pas que Clazomène eût voulu changer sa misère pour la prospérité des hommes faibles. La fortune peut se jouer de la sagesse des gens vertueux; mais il ne lui appartient pas de faire fléchir leur courage.

XXII. *Horace, ou l'Enthousiaste*

Horace se couche au point du jour, et se lève quand le soleil est déjà sur son déclin. Les rideaux de sa chambre demeurent fermés jusqu'à ce que la nuit approche. Il lit quelquefois aux flambeaux pendant le jour, afin d'être plus recueilli; et la tête échauffée par sa lecture, il lui arrive de quitter son livre, de parler seul, et de prononcer des paroles qui n'ont aucun sens. On l'a vu autrefois à Rome, pendant les chaleurs de l'été, se promener toute la nuit sur des ruines, ou s'asseoir parmi des tombeaux, et interroger ces débris. On l'a vu aussi à des bals s'attacher quelquefois à un masque qui ne parlait point, et se rendre amoureux de ce silence, qu'il interprétait follement; car Horace est l'homme du monde dont l'imagination va le plus vite, et son esprit prompt et fertile sait prêter aux êtres muets toutes les passions qui l'animent. Une autre fois, sur ce qu'il entend dire qu'un ministre a parlé librement au prince en faveur de quelque innocent, Horace lui écrit avec transport, et le félicite au nom des peuples d'une belle action qu'il n'a pas faite. On lui reproche ses extravagances, et il les avoue. Il se raconte lui-même si naïvement qu'on lui pardonne sans aucune peine ses folles singularités. Il parle même quelquefois avec tant de sens, de justesse et de véhémence, qu'on est malgré soi entraîné. Sa forte éloquence lui fait prendre de l'ascendant sur les esprits. Ceux qui se sont moqués de ses chimères deviennent très souvent ses prosélytes, et plus enthousiastes que lui, ils répandent ses sentiments et sa folie.

RÉFLEXIONS ET MAXIMES

3. Lorsqu'une pensée est trop faible pour porter une expression simple, c'est la marque pour la rejeter.

4. La clarté orne les pensées profondes.

5. L'obscurité est le royaume de l'erreur.

6. Il n'y aurait point d'erreurs qui ne périssent d'elles-mêmes, rendues clairement.

9. Lorsqu'une pensée s'offre à nous comme une profonde découverte, et que nous prenons la peine de la développer, nous trouvons souvent que c'est une vérité qui court les rues.

12. C'est un grand signe de médiocrité de louer toujours modérément.

17. La prospérité fait peu d'amis.

18. Les longues prospérités s'écoulent quelquefois en un moment, comme les chaleurs de l'été sont emportées par un jour d'orage.

19. Le courage a plus de ressources contre les disgrâces que la raison.

22. La servitude abaisse les hommes jusqu'à s'en faire aimer.

25. Avant d'attaquer un abus, il faut voir si on peut ruiner ses fondements.

28. On ne peut être juste, si on n'est humain.

55. Il n'y a guère de gens plus aigres que ceux qui sont doux par intérêt.

57. Il est faux qu'on ait fait fortune, lorsqu'on ne sait pas en jouir.

63. Les gens d'esprit seraient presque seuls, sans les sots qui s'en piquent.

64. Celui qui s'habille le matin avant huit heures pour entendre plaider à l'audience, ou pour voir des tableaux étalés au Louvre, ou pour se trouver aux répétitions d'une pièce prête à paraître, et qui se pique de juger en tout genre du travail d'autrui, est un homme auquel il ne manque souvent que de l'esprit et du goût.

67. Il est difficile d'estimer quelqu'un comme il veut l'être.

75. Le sentiment de nos forces les augmente.

81. Les hommes ont la volonté de rendre service jusqu'à ce qu'ils en aient le pouvoir.

107. Les maximes des hommes décèlent leur cœur.

111. Peu de maximes sont vraies à tous égards.

112. On dit peu de choses solides, lorsqu'on cherche à en dire d'extraordinaires.

123. La raison nous trompe plus souvent que la nature.

127. Les grandes pensées viennent du cœur.

128. Le bon instinct n'a pas besoin de la raison, mais il la donne.

130. La magnanimité ne doit pas compte à la prudence de ses motifs.

131. Personne n'est sujet à plus de fautes que ceux qui n'agissent que par réflexion.

133. La conscience est la plus changeante des règles.

137. La fermeté ou la faiblesse de la mort dépend de la dernière maladie.

142. Pour exécuter de grandes choses, il faut vivre comme si on ne devait jamais mourir.

143. La pensée de la mort nous trompe; car elle nous fait oublier de vivre.

151. Nous devons peut-être aux passions les plus grands avantages de l'esprit.

154. Les passions ont appris aux hommes la raison.

159. Les conseils de la vieillesse éclairent sans échauffer, comme le soleil de l'hiver.

171. Nul homme est faible par choix.

176. On peut aimer de tout son cœur ceux en qui on reconnaît de grands défauts. Il y aurait de l'impertinence à croire que la perfection a seule le droit de nous plaire. Nos faiblesses nous attachent quelquefois les uns aux autres autant que pourrait faire la vertu.

202. O soleil! ô cieux! qu'êtes-vous? Nous avons surpris le secret et l'ordre de vos mouvements. Dans la main de l'Être des êtres, instruments aveugles et ressorts peut-être insensibles, le monde sur qui vous régnez mériterait-il nos hommages? Les révolutions des empires, la diverse face des temps, les nations qui ont dominé, et les hommes qui ont fait la destinée de ces nations mêmes, les principales opinions et les coutumes qui ont partagé la créance des peuples dans la religion, les arts, la morale et les sciences, tout cela, que peut-il paraître? Un atome

presque invisible, qu'on appelle l'homme, qui rampe sur la face de la terre, et qui ne dure qu'un jour, embrasse en quelque sorte d'un coup d'œil le spectacle de l'univers dans tous les âges.

204. Ce n'est point un grand avantage d'avoir l'esprit vif, si on ne l'a juste. La perfection d'une pendule n'est pas d'aller vite, mais d'être réglée.

214. Le sot qui a beaucoup de mémoire, est plein de pensées et de faits; mais il ne sait pas en conclure: tout tient à cela.

215. Savoir bien rapprocher les choses, voilà l'esprit juste. Le don de rapprocher beaucoup de choses et de grandes choses, fait les esprits vastes. Ainsi la justesse paraît être le premier degré, et une condition très nécessaire de la vraie étendue d'esprit.

216. Un homme qui digère mal, et qui est assez vorace, est peut-être une image assez fidèle du caractère d'esprit de la plupart des savants.

217. Je n'approuve point la maxime qui veut *qu'un honnête homme sache un peu de tout.* C'est savoir presque toujours inutilement, et quelquefois pernicieusement, que de savoir superficiellement et sans principes. Il est vrai que la plupart des hommes ne sont guère capables de connaître profondément; mais il est vrai aussi que cette science superficielle qu'ils recherchent ne sert qu'à contenter leur vanité. Elle nuit à ceux qui possèdent un vrai génie; car elle les détourne nécessairement de leur objet principal, consume leur application dans des détails, et sur des objets étrangers à leurs besoins et à leurs talents naturels: et enfin, elle ne sert point, comme ils s'en flattent, à prouver l'étendue de leur esprit. De tout temps on a vu des hommes qui savaient beaucoup avec un esprit très médiocre; et au contraire, des esprits très vastes qui savaient fort peu. Ni l'ignorance n'est défaut d'esprit, ni le savoir n'est preuve de génie.

219. Il y a peut-être autant de vérités parmi les hommes que d'erreurs; autant de bonnes qualités que de mauvaises; autant de plaisirs que de peines: mais nous aimons à contrôler la nature humaine, pour essayer de nous élever au-dessus de notre espèce, et pour nous enrichir de la considération dont nous tâchons de la dépouiller. Nous sommes si présomptueux que nous croyons pouvoir séparer notre intérêt personnel de celui de l'humanité, et médire du genre humain sans nous compromettre. Cette

vanité ridicule a rempli les livres des philosophes d'invectives contre la nature. L'homme est maintenant en disgrâce chez tous ceux qui pensent, et c'est à qui le chargera de plus de vices. Mais peut-être est-il sur le point de se relever et de se faire restituer toutes ses vertus, car la philosophie a ses modes comme les habits, la musique et l'architecture, etc.

223. Le contemplateur, mollement couché dans une chambre tapissée, invective contre le soldat qui passe les nuits de l'hiver au bord d'un fleuve, et veille en silence sous les armes pour la sûreté de sa patrie.

238. La plupart des hommes vieillissent dans un petit cercle d'idées qu'ils n'ont pas tirées de leur fonds; il y a peut-être moins d'esprits faux que de stériles.

267. Il ne faut point juger des hommes par ce qu'ils ignorent, mais par ce qu'ils savent, et par la manière dont ils le savent.

273. Ce que nous appelons une pensée brillante n'est ordinairement qu'une expression captieuse, qui, à l'aide d'un peu de vérité, nous impose une erreur qui nous étonne.

281. C'est un malheur que les hommes ne puissent d'ordinaire posséder aucun talent sans avoir quelque envie d'abaisser les autres. S'ils ont la finesse, ils décrient la force; s'ils sont géomètres ou physiciens, ils écrivent contre la poésie et l'éloquence; et les gens du monde, qui ne pensent pas que ceux qui ont excellé dans quelque genre jugent mal d'un autre talent, se laissent prévenir par leurs décisions. Ainsi, quand la métaphysique ou l'algèbre sont à la mode, ce sont des métaphysiciens ou des algébristes qui font la réputation des poètes et des musiciens; ou tout au contraire: l'esprit dominant assujettit les autres à son tribunal, et la plupart du temps à ses erreurs.

283. C'est une maxime inventée par l'envie, et trop légèrement adoptée par les philosophes, *qu'il ne faut point louer les hommes avant leur mort.* Je dis au contraire que c'est pendant leur vie qu'il faut les louer, lorsqu'ils ont mérité de l'être. C'est pendant que la jalousie et la calomnie, animées contre leur vertu ou leurs talents, s'efforcent de les dégrader, qu'il faut oser leur rendre témoignage. Ce sont les critiques injustes qu'il faut craindre de hasarder, et non les louanges sincères.

285. Il faut exciter dans les hommes le sentiment de leur pru-

dence et de leur force, si on veut élever leur génie. Ceux qui, par leurs discours ou leurs écrits, ne s'attachent qu'à relever les ridicules et les faiblesses de l'humanité, sans distinction ni égards, éclairent bien moins la raison et les jugements du public, qu'ils ne dépravent ses inclinations.

290. Est-il contre la raison ou la justice de s'aimer soi-même? Et pourquoi voulons-nous que l'amour-propre soit toujours un vice?

291. S'il y a un amour de nous-même naturellement officieux et compatissant, et un autre amour-propre sans humanité, sans équité, sans bornes, sans raison, faut-il les confondre?

294. Il y a des semences de bonté et de justice dans le cœur de l'homme, si l'intérêt propre y domine. J'ose dire que cela est non seulement selon la nature, mais aussi selon la justice, pourvu que personne ne souffre de cet amour-propre, ou que la société y perde moins qu'elle n'y gagne.

301. Il n'y a guère d'esprits qui soient capables d'embrasser à la fois toutes les faces de chaque sujet: et c'est là, à ce qu'il me semble, la source la plus ordinaire des erreurs des hommes. Pendant que la plus grande partie d'une nation languit dans la pauvreté, l'opprobre et le travail, l'autre qui abonde en honneurs, en commodités, en plaisirs, ne se lasse pas d'admirer le pouvoir de la politique, qui fait fleurir les arts et le commerce, et rend les États redoutables.

307. La médiocrité d'esprit et la paresse font plus de philosophes que la réflexion.

329. L'art de plaire est l'art de tromper.

333. Il ne faut pas craindre de redire une vérité ancienne, lorsqu'on peut la rendre plus sensible par un meilleur tour, ou la joindre à une autre vérité qui l'éclaircisse, et former un corps de raison. C'est le propre des inventeurs de saisir le rapport des choses, et de savoir les rassembler; et les découvertes anciennes sont moins à leurs premiers auteurs qu'à ceux qui les rendent utiles.

335. On ne peut avoir l'âme grande ou l'esprit un peu pénétrant, sans quelque passion pour les lettres. Les arts sont consacrés à peindre les traits de la belle nature; les sciences à la vérité. Les arts ou les sciences embrassent tout ce qu'il y a,

dans les objets de la pensée, de noble ou d'utile; de sorte qu'il ne reste à ceux qui les rejettent, que ce qui est indigne d'être peint ou enseigné.

337. Deux études sont importantes: l'éloquence et la vérité; la vérité, pour donner un fondement solide à l'éloquence, et bien disposer notre vie; l'éloquence, pour diriger la conduite des autres hommes, et défendre la vérité.

338. La plupart des grandes affaires se traitent par écrit; il ne suffit donc pas de savoir parler: tous les intérêts subalternes, les engagements, les plaisirs, les devoirs de la vie civile, demandent qu'on sache parler; c'est donc peu de savoir écrire. Nous aurions besoin tous les jours d'unir l'une et l'autre éloquence; mais nulle ne peut s'acquérir, si d'abord on ne sait penser, et on ne sait guère penser si l'on n'a des principes fixes et puisés dans la vérité. Tout confirme notre maxime: l'étude du vrai la première, l'éloquence après.

371. Tout ce qu'on n'a pensé que pour les autres est ordinairement peu naturel.

372. La clarté est la bonne foi des philosophes.

373. La netteté est le vernis des maîtres.

378. Pour savoir si une pensée est nouvelle, il n'y a qu'à l'exprimer bien simplement.

382. Les feux de l'aurore ne sont pas si doux que les premiers regards de la gloire.

398. La liberté est incompatible avec la faiblesse.

410. Les premiers jours du printemps ont moins de grâce que la vertu naissante d'un jeune homme.

447. Il ne faut pas trop craindre d'être dupe.

461. Un peu de bon sens ferait évanouir beaucoup d'esprit.

462. Le caractère du faux esprit est de ne paraître qu'aux dépens de la raison.

546. Ceux qui viendront après nous, sauront peut-être plus que nous, et ils s'en croiront plus d'esprit; mais seront-ils plus heureux ou plus sages? Nous-mêmes qui savons beaucoup, sommes-nous meilleurs que nos pères qui savaient si peu.

593. La vérité est le soleil des intelligences.

598. Quand je vois qu'un homme d'esprit, dans le plus éclairé de tous les siècles, n'ose se mettre à table si on est treize, il n'y a plus d'erreur, ni ancienne ni moderne, qui m'étonne.

609. La solitude est à l'esprit ce que la diète est au corps.

MONTESQUIEU

1689–1755

LETTRES PERSANES

Préface

Je ne fais point ici d'épître dédicatoire, et je ne demande point de protection pour ce livre: on le lira, s'il est bon; et s'il est mauvais, je ne me soucie pas qu'on le lise.

J'ai détaché ces premières lettres, pour essayer le goût du public: j'en ai un grand nombre d'autres dans mon portefeuille, que je pourrai lui donner dans la suite.

Mais c'est à condition que je ne serai pas connu: car, si l'on vient à savoir mon nom, dès ce moment je me tais. Je connais une femme qui marche assez bien, mais qui boîte dès qu'on la regarde. C'est assez des défauts de l'ouvrage, sans que je présente encore à la critique ceux de ma personne. Si l'on savait qui je suis,[1] on dirait: "Son livre jure avec son caractère, il devrait employer son temps à quelque chose de mieux, cela n'est pas digne d'un homme grave." Les critiques ne manquent jamais ces sortes de réflexions, parce qu'on les peut faire sans essayer beaucoup son esprit.

Les Persans qui écrivent ici étaient logés avec moi; nous passions notre vie ensemble. Comme ils me regardaient comme un homme d'un autre monde, ils ne me cachaient rien. En effet, des gens transplantés de si loin ne pouvaient plus avoir de secrets. Ils me communiquaient la plupart de leurs lettres; je les copiai. J'en surpris même quelques-unes, dont ils se seraient bien gardés de me faire confidence, tant elles étaient mortifiantes pour la vanité et la jalousie persanes.

Je ne fais donc que l'office de traducteur; toute ma peine a été de mettre l'ouvrage à nos mœurs. J'ai soulagé le lecteur du langage asiatique autant que je l'ai pu, et l'ai sauvé d'une in-

[1] He was president of the Parlement of Bordeaux.

finité d'expressions sublimes qui l'auraient ennuyé jusque dans les nues.

Mais ce n'est pas tout ce que j'ai fait pour lui. J'ai retranché les longs compliments, dont les Orientaux ne sont pas moins prodigues que nous; et j'ai passé un nombre infini de ces minuties, qui ont tant de peine à soutenir le grand jour, et qui doivent toujours mourir entre deux amis.

Si la plupart de ceux qui nous ont donné des recueils de lettres avaient fait de même, ils auraient vu leurs ouvrages s'évanouir.

Il y a une chose qui m'a souvent étonné: c'est de voir ces Persans quelquefois aussi instruits que moi-même des mœurs et des manières de la nation, jusqu'à en connaître les plus fines circonstances, et à remarquer des choses qui, j'en suis sûr, ont échappé à bien des Allemands qui ont voyagé en France. J'attribue cela au long séjour qu'ils y ont fait: sans compter qu'il est plus facile à un Asiatique de s'instruire des mœurs des Français dans un an, qu'il ne l'est à un Français de s'instruire des mœurs des Asiatiques dans quatre, parce que les uns se livrent autant que les autres se communiquent peu.

L'usage a permis à tout traducteur, et même au plus barbare commentateur, d'orner la tête de sa version ou de sa glose du panégyrique de l'original, et d'en relever l'utilité, le mérite et l'excellence. Je ne l'ai point fait: on en devinera facilement les raisons. Une des meilleures est que ce serait une chose très ennuyeuse, placée dans un lieu déjà très ennuyeux de lui-même, je veux dire une préface.

LETTRE 10

Mirza à son ami Usbek, à Erzéron

Tu étais le seul qui pût me dédommager de l'absence de Rica, et il n'y avait que Rica qui pût me consoler de la tienne. Tu nous manques, Usbek; tu étais l'âme de notre société. Qu'il faut de violence pour rompre les engagements que le cœur et l'esprit ont formés!

Nous disputons ici beaucoup; nos disputes roulent ordinairement sur la morale. Hier on mit en question si les hommes étaient heureux par les plaisirs et les satisfactions des sens, ou par la pratique de la vertu. Je t'ai souvent ouï dire que les hommes étaient nés pour être vertueux, et que la justice est une qualité qui leur est aussi propre que l'existence. Explique-moi, je te prie, ce que tu veux dire.

J'ai parlé à des mollahs, qui me désespèrent avec leurs passages de l'Alcoran: car je ne leur parle pas comme vrai croyant, mais comme homme, comme citoyen, comme père de famille.

Adieu.

D'Ispahan,[2] le dernier de la lune de Saphar, 1711.

LETTRE 11

Usbek à Mirza, à Ispahan

Tu renonces à ta raison pour essayer la mienne; tu descends jusqu'à me consulter; tu me crois capable de t'instruire. Mon cher Mirza, il y a une chose qui me flatte encore plus que la bonne opinion que tu as conçue de moi: c'est ton amitié, qui me la procure.

Pour remplir ce que tu me prescris, je n'ai pas cru devoir employer des raisonnements fort abstraits: il y a de certaines vérités qu'il ne suffit pas de persuader, mais qu'il faut encore faire sentir. Telles sont les vérités de morale. Peut-être que ce morceau d'histoire te touchera plus qu'une philosophie subtile.

Il y avait en Arabie un petit peuple, appelé *Troglodyte*, qui descendait de ces anciens Troglodytes qui, si nous en croyons les historiens, ressemblaient plus à des bêtes qu'à des hommes. Ceux-ci n'étaient point si contrefaits: ils n'étaient point velus comme des ours; ils ne sifflaient point; ils avaient deux yeux; mais ils étaient si méchants et si féroces qu'il n'y avait parmi eux aucun principe d'équité ni de justice.

Ils avaient un roi d'une origine étrangère, qui, voulant corriger la méchanceté de leur naturel, les traitait sévèrement. Mais ils conjurèrent contre lui, le tuèrent et exterminèrent toute la famille royale.

Le coup étant fait, ils s'assemblèrent pour choisir un gouvernement, et, après bien des dissensions, ils créèrent des magistrats.

[2] To give a slight oriental flavor Montesquieu uses the Persian names for the months. In a general way Saphir corresponds to February; Rébiab 1, to March; Rébiab 2, to April; Gemmadi 1, to May; Gemmadi 2, to June; Rhégeb, to July; Chahban, to August; Ramadan, to September; Chalval, to October; Zilcadé, to November; and Zilhagé, to December.

Mais, à peine les eurent-ils élus, qu'ils leur devinrent insupportables, et ils les massacrèrent encore.

Ce peuple, libre de ce nouveau joug, ne consulta plus que son naturel sauvage; tous les particuliers convinrent qu'ils n'obéiraient plus à personne; que chacun veillerait uniquement à ses intérêts, sans consulter ceux des autres.

Cette résolution unanime flattait extrêmement tous les particuliers. Ils disaient: "Qu'ai-je affaire d'aller me tuer à travailler pour des gens dont je ne me soucie point? Je penserai uniquement à moi; je vivrai heureux. Que m'importe que les autres le soient? Je me procurerai tous mes besoins, et, pourvu que je les aie, je ne me soucie point que tous les autres Troglodytes soient misérables."

On était dans le mois où l'on ensemence les terres. Chacun dit: "Je ne labourerai mon champ que pour qu'il me fournisse le blé qu'il me faut pour me nourrir: une plus grande quantité me serait inutile; je ne prendrai point de la peine pour rien."

Les terres de ce petit royaume n'étaient pas de même nature: il y en avait d'arides et de montagneuses, et d'autres qui, dans un terrain bas, étaient arrosées de plusieurs ruisseaux. Cette année la sécheresse fut très grande, de manière que les terres qui étaient dans les lieux élevés manquèrent absolument, tandis que celles qui purent être arrosées furent très fertiles. Ainsi les peuples des montagnes périrent presque tous de faim par la dureté des autres, qui leur refusèrent de partager la récolte.

L'année d'ensuite fut très pluvieuse; les lieux élevés se trouvèrent d'une fertilité extraordinaire, et les terres basses furent submergées. La moitié du peuple cria une seconde fois famine; mais ces misérables trouvèrent des gens aussi durs qu'ils l'avaient été eux-mêmes.

Un des principaux habitants avait une femme fort belle; son voisin en devint amoureux et l'enleva. Il s'émut une grande querelle; et, après bien des injures et des coups, ils convinrent de s'en remettre à la décision d'un Troglodyte qui, pendant que la république subsistait, avait eu quelque crédit. Ils allèrent à lui et voulurent lui dire leurs raisons. "Que m'importe, dit cet homme, que cette femme soit à vous, ou à vous? J'ai mon champ à labourer; je n'irai peut-être pas employer mon temps à terminer vos différends et travailler à vos affaires, tandis que je négligerai les miennes. Je vous prie de me laisser en repos, et de ne m'importuner plus de vos querelles." Là-dessus il les quitta et s'en alla travailler sa terre. Le ravisseur, qui était le plus fort, jura qu'il mourrait plutôt que de rendre cette femme, et l'autre, pénétré de l'injustice de son voisin et de la dureté du juge, s'en retournait désespéré, lorsqu'il trouva dans son chemin une femme jeune et belle, qui revenait de la fontaine. Il n'avait plus de femme; celle-là lui plut, elle lui plut bien davantage lorsqu'il apprit que c'était la femme de celui qu'il avait voulu prendre pour juge, et qui avait été si peu sensible à son malheur. Il l'enleva et l'emmena dans sa maison.

Il y avait un homme qui possédait un champ assez fertile, qu'il cultivait avec grand soin. Deux de ses voisins s'unirent ensemble, le chassèrent de sa maison, occupèrent son champ; ils firent entre eux une union pour se défendre contre tous ceux qui voudraient l'usurper, et effectivement ils se soutinrent par là pendant plusieurs mois. Mais un des deux, ennuyé de partager ce qu'il pouvait avoir tout seul, tua l'autre, et devint seul maître du champ. Son empire ne fut pas long: deux autres Troglodytes vinrent l'attaquer; il se trouva trop faible pour se défendre, et il fut massacré.

Un Troglodyte presque tout nu vit de la laine qui était à vendre; il en demanda le prix. Le marchand dit en lui-même: "Naturellement je ne devrais espérer de ma laine qu'autant d'argent qu'il en faut pour acheter deux mesures de blé; mais je la vais vendre quatre fois davantage, afin d'avoir huit mesures." Il fallut en passer par là et payer le prix demandé. "Je suis bien aise, dit le marchand: j'aurai du blé à présent.—Que dites-vous? reprit l'acheteur. Vous avez besoin de blé? J'en ai à vendre. Il n'y a que le prix qui vous étonnera peut-être: car vous saurez que le blé est extrêmement cher, et que la famine règne presque partout. Mais rendez-moi mon argent, et je vous donnerai une mesure de blé: car je ne veux pas m'en défaire autrement, dussiez-vous crever de faim."

Cependant une maladie cruelle ravageait la contrée. Un médecin habile y arriva du pays voisin et donna ses remèdes si à propos qu'il guérit tous ceux qui se mirent dans ses mains.

Quand la maladie eut cessé, il alla chez tous ceux qu'il avait traités demander son salaire; mais il ne trouva que des refus. Il retourna dans son pays, et il y arriva accablé des fatigues d'un si long voyage. Mais bientôt après il apprit que la même maladie se faisait sentir de nouveau et affligeait plus que jamais cette terre ingrate. Ils allèrent à lui cette fois, et n'attendirent pas qu'il vînt chez eux. "Allez, leur dit-il, hommes injustes! Vous avez dans l'âme un poison plus mortel que celui dont vous voulez guérir; vous ne méritez pas d'occuper une place sur la terre, parce que vous n'avez point d'humanité, et que les règles de l'équité vous sont inconnues. Je croirais offenser les dieux, qui vous punissent, si je m'opposais à la justice de leur colère."

A Erzéron, le 3 de la lune de Gemmadi 2, 1711.

LETTRE 12

Usbek au même, à Ispahan

Tu as vu, mon cher Mirza, comment les Troglodytes périrent par leur méchanceté même et furent les victimes de leurs propres injustices. De tant de familles, il n'en resta que deux qui échappèrent aux malheurs de la nation. Il y avait dans ce pays deux hommes bien singuliers: ils avaient de l'humanité; ils connaissaient la justice; ils aimaient la vertu. Autant liés par la droiture de leur cœur que par la corruption de celui des autres, ils voyaient la désolation générale et ne la ressentaient que par la pitié; c'était le motif d'une union nouvelle. Ils travaillaient avec une sollicitude commune pour l'intérêt commun; ils n'avaient de différends que ceux qu'une douce et tendre amitié faisait naître; et, dans l'endroit du pays le plus écarté, séparés de leurs compatriotes indignes de leur présence, ils menaient une vie heureuse et tranquille. La terre semblait produire d'elle-même, cultivée par ces vertueuses mains.

Ils aimaient leurs femmes, et ils en étaient tendrement chéris. Toute leur attention était d'élever leurs enfants à la vertu. Ils leur représentaient sans cesse les malheurs de leurs compatriotes et leur mettaient devant les yeux cet exemple si triste; ils leur faisaient surtout sentir que l'intérêt des particuliers se trouve toujours dans l'intérêt commun; que vouloir s'en séparer, c'est vouloir se perdre; que la vertu n'est point une chose qui doive nous coûter; qu'il ne faut point la regarder comme un exercice pénible; et que la justice pour autrui est une charité pour nous.

Ils eurent bientôt la consolation des pères vertueux, qui est d'avoir des enfants qui leur ressemblent. Le jeune peuple qui s'éleva sous leurs yeux s'accrut par d'heureux mariages: le nombre augmenta; l'union fut toujours la même, et la vertu, bien loin de s'affaiblir dans la multitude, fut fortifiée, au contraire, par un plus grand nombre d'exemples.

Qui pourrait représenter ici le bonheur de ces Troglodytes? Un peuple si juste devait être chéri des dieux. Dès qu'il ouvrit les yeux pour les connaître, il apprit à les craindre, et la religion vint adoucir dans les mœurs ce que la nature y avait laissé de trop rude.

Ils instituèrent des fêtes en l'honneur des dieux: les jeunes filles, ornées de fleurs, et les jeunes garçons les célébraient par leurs danses et par les accords d'une musique champêtre. On faisait ensuite des festins où la joie ne régnait pas moins que la frugalité. C'était dans ces assemblées que parlait la nature naïve: c'est là qu'on apprenait à donner le cœur et à le recevoir; c'est là que la pudeur virginale faisait en rougissant un aveu surpris, mais bientôt confirmé par le consentement des pères; et c'est là que les tendres mères se plaisaient à prévoir de loin une union douce et fidèle.

On allait au temple pour demander les faveurs des dieux; ce n'était pas les richesses et une onéreuse abondance: de pareils souhaits étaient indignes des heureux Troglodytes; ils ne savaient les désirer que pour leurs compatriotes. Ils n'étaient au pied des autels que pour demander la santé de leurs pères, l'union de leurs frères, la tendresse de leurs femmes, l'amour et l'obéissance de leurs enfants. Les filles y venaient apporter le tendre sacrifice de leur cœur, et ne leur demandaient d'autre grâce que celle de pouvoir rendre un Troglodyte heureux.

Le soir, lorsque les troupeaux quittaient les prairies, et que les bœufs fatigués avaient ramené la charrue, ils s'assemblaient, et, dans un repas frugal, ils chantaient les injustices des premiers Troglodytes et leurs malheurs, la vertu renaissante avec un nouveau peuple et sa félicité. Ils célébraient les grandeurs des dieux, leurs faveurs toujours présentes aux hommes qui les implorent, et leur colère inévitable à ceux qui ne les craignent pas; ils décrivaient ensuite les délices de la vie champêtre et le bonheur d'une condition toujours parée de l'innocence. Bientôt ils s'abandonnaient à un sommeil que les soins et les chagrins n'interrompaient jamais.

La nature ne fournissait pas moins à leurs désirs qu'à leurs besoins. Dans ce pays heureux, la cupidité était étrangère: ils se faisaient des présents où celui qui donnait croyait toujours avoir l'avantage. Le peuple troglodyte se regardait comme une seule famille; les troupeaux étaient presque toujours confondus; la seule peine qu'on s'épargnait ordinairement, c'était de les partager.

D'Erzéron, le 6 de la lune de Gemmadi 2, 1711

LETTRE 13

Usbek au même

Je ne saurais assez te parler de la vertu des Troglodytes. Un d'eux disait un jour: "Mon père doit demain labourer son champ; je me lèverai deux heures avant lui, et, quand il ira à son champ, il le trouvera tout labouré."

Un autre disait en lui-même: "Il me semble que ma sœur a du goût pour un jeune Troglodyte de nos parents; il faut que je parle à mon père, et que je le détermine à faire ce mariage."

On vint dire à un autre que des voleurs avaient enlevé son troupeau: "J'en suis bien fâché, dit-il: car il y avait une génisse toute blanche que je voulais offrir aux dieux."

On entendait dire à un autre: "Il faut que j'aille au temple remercier les dieux: car mon frère, que mon père aime tant, et que je chéris si fort, a recouvré la santé."

Ou bien: "Il y a un champ qui touche celui de mon père, et ceux qui le cultivent sont tous les jours exposés aux ardeurs du soleil; il faut que j'aille y planter deux arbres, afin que ces pauvres gens puissent aller quelquefois se reposer sous leur ombre."

Un jour que plusieurs Troglodytes étaient assemblés, un vieillard parla d'un jeune homme qu'il soupçonnait d'avoir commis une mauvaise action, et lui en fit des reproches. "Nous ne croyons pas qu'il ait commis ce crime, dirent les jeunes Troglodytes; mais, s'il l'a fait, puisse-t-il mourir le dernier de sa famille!"

On vint dire à un Troglodyte que des étrangers avaient pillé sa maison et avaient tout emporté. "S'ils n'étaient pas injustes, répondit-il, je souhaiterais que les dieux leur en donnassent un plus long usage qu'à moi."

Tant de prospérités ne furent pas regardées sans envie; les peuples voisins s'assemblèrent, et, sous un vain prétexte, ils résolurent d'enlever leurs troupeaux. Dès que cette résolution fut connue, les Troglodytes envoyèrent au-devant d'eux des ambassadeurs, qui leur parlèrent ainsi:

"Que vous ont fait les Troglodytes? Ont-ils enlevé vos femmes, dérobé vos bestiaux, ravagé vos campagnes? Non: nous sommes justes, et nous craignons les dieux. Que demandez-vous donc de nous? Voulez-vous de la laine pour vous faire des habits? Voulez-vous du lait de nos troupeaux ou des fruits de nos terres? Mettez bas les armes; venez au milieu de nous, et nous vous donnerons de tout cela. Mais nous jurons, par ce qu'il y a de plus sacré, que, si vous entrez dans nos terres comme ennemis, nous vous regarderons comme un peuple injuste, et que nous vous traiterons comme des bêtes farouches."

Ces paroles furent renvoyées avec mépris; ces peuples sauvages entrèrent armés dans la terre des Troglodytes, qu'ils ne croyaient défendus que par leur innocence.

Mais ils étaient bien disposés à la défense: ils avaient mis leurs femmes et leurs enfants au milieu d'eux. Ils furent étonnés de l'injustice de leurs ennemis, et non pas de leur nombre. Une ardeur nouvelle s'était emparée de leur cœur: l'un voulait mourir pour son père; un autre, pour sa femme et ses enfants; celui-ci, pour ses frères; celui-là, pour ses amis; tous, pour le peuple troglodyte. La place de celui qui expirait était d'abord prise par un autre, qui, outre la cause commune avait encore une mort particulière à venger.

Tel fut le combat de l'injustice et de la vertu; ces peuples lâches, qui ne cherchaient que le butin, n'eurent pas honte de fuir, et ils cédèrent à la vertu des Troglodytes, même sans en être touchés.

D'Erzéron, le 9 de la lune de Gemmadi 2, 1711

LETTRE 14

Usbek au même

Comme le peuple grossissait tous les jours, les Troglodytes crurent qu'il était à propos de se choisir un roi. Ils convinrent qu'il fallait déférer la couronne à celui qui était le plus juste, et ils jetèrent tous les yeux sur un vieillard vénérable par son âge et par une longue vertu. Il n'avait pas voulu se trouver à cette assemblée; il s'était retiré dans sa maison, le cœur serré de tristesse.

Lorsqu'on lui envoya des députés pour lui apprendre le choix qu'on avait fait de lui: "A Dieu ne plaise, dit-il, que je fasse ce tort aux Troglodytes, que l'on puisse croire qu'il n'y a personne parmi eux de plus juste que moi! Vous me déférez la couronne, et si vous le voulez absolument, il faudra bien que je la prenne. Mais comptez que je mourrai de douleur d'avoir vu en naissant les Troglodytes libres et de les voir aujourd'hui assujettis." A ces mots, il se mit à répandre un torrent de larmes. "Malheureux jour! disait-il; et pourquoi ai-je tant vécu?" Puis il s'écria d'une voix sévère: "Je vois bien ce que c'est, ô Troglodytes! votre vertu commence à vous peser. Dans l'état où vous êtes, n'ayant point de chef, il faut que vous soyez vertueux malgré vous: sans cela vous ne sauriez subsister, et vous tomberiez dans le malheur de vos premiers pères. Mais ce joug vous paraît trop dur; vous aimez mieux être soumis à un prince et obéir à ses lois, moins rigides que vos mœurs. Vous savez que, pour lors, vous pourrez contenter votre ambition, acquérir des richesses et languir dans une lâche volupté, et que, pourvu que vous évitiez de tomber dans les grands crimes, vous n'aurez pas besoin de la vertu." Il s'arrêta un moment, et ses larmes coulèrent plus que jamais. "Et que prétendez-vous que je fasse? Comment se peut-il que je commande quelque chose à un Troglodyte? Voulez-vous qu'il fasse une action vertueuse parce que je la lui commande, lui qui la ferait tout de même sans moi et par le seul penchant de la nature? O Troglodytes! je suis à la fin de mes jours; mon sang est glacé dans mes veines; je vais bientôt revoir vos sacrés aïeux. Pourquoi voulez-vous que je les afflige, et que je sois obligé de leur dire que je vous ai laissés sous un autre joug que celui de la vertu?

D'Erzéron, le 10 de la lune de Gemmadi 2, 1711

LETTRE 29

Rica à Ibben, à Smyrne

Le pape est le chef des chrétiens. C'est une vieille idole qu'on encense par habitude. Il était autrefois redoutable aux princes mêmes: car il les déposait aussi facilement que nos magnifiques sultans déposent les rois d'Imirette et de Géorgie. Mais on ne le craint plus. Il se dit successeur d'un des premiers chrétiens, qu'on appelle saint Pierre, et c'est certainement une riche succession: car il a des trésors immenses et un grand pays sous sa domination.

Les évêques sont des gens de loi qui lui sont subordonnés et ont, sous son autorité, deux fonctions bien différentes: quand ils sont assemblés, ils font, comme lui, des articles de foi; quand ils sont en particulier, ils n'ont guère d'autre fonction que de dispenser d'accomplir la loi. Car tu sauras que la religion chrétienne est chargée d'une infinité de pratiques très difficiles, et, comme on a jugé qu'il est moins aisé de remplir ces devoirs que d'avoir des évêques qui en dispensent, on a pris ce dernier parti pour l'utilité publique. De sorte que, si l'on ne veut pas faire le rhamazan;[3] si on ne veut pas s'assujettir aux formalités des mariages; si on veut rompre ses vœux; si on veut se marier contre les défenses de la loi; quelquefois même, si on veut revenir contre son serment: on va à l'évêque ou au pape, qui donne aussitôt la dispense.

Les évêques ne font pas des articles de foi de leur propre mouvement. Il y a un nombre infini de docteurs, la plupart dervis, qui soulèvent entre eux mille questions nouvelles sur la religion. On les laisse disputer longtemps, et la guerre dure jusqu'à ce qu'une décision vienne la terminer.

Aussi puis-je t'assurer qu'il n'y a jamais eu de royaume où il y ait eu tant de guerres civiles que dans celui de Christ.

Ceux qui mettent au jour quelque proposition nouvelle sont d'abord appelés *hérétiques*. Chaque hérésie a son nom qui est, pour ceux qui y sont engagés, comme le mot de ralliement. Mais n'est hérétique qui ne veut:[4] il n'y a qu'à partager le différend

[3] Usually "Ramadan", a Mohammedan festival, here used for the Christian Lent.

[4] "No one is a heretic who does not wish to be: all you have to do is to divide the disputed point in two and satisfy your accusers with a *distinguo*." Cf. Pascal, *Lettres provinciales, première lettre.*

par la moitié et donner une distinction à ceux qui accusent d'hérésie, et, quelle que soit la distinction, intelligible ou non, elle rend un homme blanc comme la neige, et il peut se faire appeler *orthodoxe*.

Ce que je te dis est bon pour la France et l'Allemagne: car j'ai ouï dire qu'en Espagne et en Portugal il y a de certains dervis qui n'entendent point raillerie, et qui font brûler un homme comme de la paille. Quand on tombe entre les mains de ces gens-là, heureux celui qui a toujours prié Dieu avec de petits grains de bois à la main, qui a porté sur lui deux morceaux de drap attachés à deux rubans, et qui a été quelquefois dans une province qu'on appelle *la Galice*![5] Sans cela un pauvre diable est bien embarrassé. Quand il jurerait comme un païen qu'il est orthodoxe, on pourrait bien ne pas demeurer d'accord des qualités et le brûler comme hérétique: il aurait beau donner sa distinction. Point de distinction! Il serait en cendres avant que l'on eût seulement pensé à l'écouter.

Les autres juges présument qu'un accusé est innocent; ceux-ci le présument toujours coupable: dans le doute, ils tiennent pour règle de se déterminer du côté de la rigueur; apparemment parce qu'ils croient les hommes mauvais. Mais, d'un autre côté, ils en ont une si bonne opinion, qu'ils ne les jugent jamais capables de mentir: car ils reçoivent le témoignage des ennemis capitaux, des femmes de mauvaise vie, de ceux qui exercent une profession infâme. Ils font dans leur sentence un petit compliment à ceux qui sont revêtus d'une chemise de soufre,[6] et leur disent qu'ils sont bien fâchés de les voir si mal habillés, qu'ils sont doux, qu'ils abhorrent le sang et sont au désespoir de les avoir condamnés. Mais pour se consoler, ils confisquent tous les biens de ces malheureux à leur profit.

Heureuse la terre qui est habitée par les enfants des prophètes! Ces tristes spectacles y sont inconnus. La sainte religion que les anges y ont apportée se défend par sa vérité même: elle n'a point besoin de ces moyens violents pour se maintenir.

A Paris, le 4 de la lune de Chalval, 1712

[5] "with a rosary in his hand, who has worn a scapulary, and who has made occasional pilgrimages to Santiago de Compostela" (formerly the capital of Galicia).

[6] "Chemise ardente, chemise enduite de soufre qu'on mettait aux personnes condamnés à périr sur un bûcher."

LETTRE 30

Rica à Ibben, à Smyrne

Les habitants de Paris sont d'une curiosité qui va jusqu'à l'extravagance. Lorsque j'arrivai, je fus regardé comme si j'avais été envoyé du ciel: vieillards, hommes, femmes, enfants, tous voulaient me voir. Si je sortais, tout le monde se mettait aux fenêtres, si j'étais aux Tuileries, je voyais aussitôt un cercle se former autour de moi; les femmes même faisaient un arc-en-ciel nuancé de mille couleurs, qui m'entourait. Si j'étais au spectacle, je trouvais d'abord cent lorgnettes dressées contre ma figure: enfin jamais homme n'a été tant vu que moi. Je souriais quelquefois d'entendre des gens qui n'étaient presque jamais sortis de leur chambre, qui disaient entre eux: "Il faut avouer qu'il a l'air bien persan." Chose admirable! je trouvais de mes portraits partout, je me voyais multiplié dans toutes les boutiques, sur toutes les cheminées, tant on craignait de ne m'avoir pas assez vu.

Tant d'honneurs ne laissent pas d'être à charge: je ne me croyais pas un homme si curieux et si rare, et, quoique j'aie très bonne opinion de moi, je ne me serais jamais imaginé que je dusse troubler le repos d'une grande ville où je n'étais point connu. Cela me fit résoudre à quitter l'habit persan et à en endosser un à l'européenne, pour voir s'il resterait encore dans ma physionomie quelque chose d'admirable. Cet essai me fit connaître ce que je valais réellement. Libre de tous les ornements étrangers, je me vis apprécié au plus juste. J'eus sujet de me plaindre de mon tailleur, qui m'avait fait perdre en un instant l'attention et l'estime publique: car j'entrai tout à coup dans un néant affreux. Je demeurais quelquefois une heure dans une compagnie sans qu'on m'eût regardé, et qu'on m'eût mis en occasion d'ouvrir la bouche. Mais si quelqu'un par hasard apprenait à la compagnie que j'étais Persan, j'entendais autour de moi comme un bourdonnement: "Ah! ah! monsieur est Persan? C'est une chose bien extraordinaire! Comment peut-on être Persan?"

A Paris, le 6 de la lune de Chalval, 1712

LETTRE 36

Usbek a Rhédi, à Venise

Le café est très en usage à Paris; il y a un grand nombre de maisons publiques où on le distribue. Dans quelques-unes de ces maisons, on dit des nouvelles; dans d'autres, on joue aux échecs. Il y en a une où l'on apprête le café [7] de telle manière qu'il donne de l'esprit à ceux qui en prennent: au moins, de tous ceux qui en sortent, il n'y a personne qui ne croie qu'il en a quatre fois plus que lorsqu'il y est entré.

Mais ce qui me choque de ces beaux esprits, c'est qu'ils ne se rendent pas utiles à leur patrie, et qu'ils amusent leurs talents à des choses puériles. Par exemple, lorsque j'arrivai à Paris, je les trouvai échauffés sur une dispute, la plus mince qui se puisse imaginer: il s'agissait de la réputation d'un vieux poète grec [8] dont, depuis deux mille ans, on ignore la patrie, aussi bien que le temps de sa mort. Les deux partis avouaient que c'était un poète excellent: il n'était question que du plus ou du moins de mérite qu'il fallait lui attribuer. Chacun en voulait donner le taux; mais, parmi ces distributeurs de réputation, les uns faisaient meilleur poids que les autres: voilà la querelle. Elle était bien vive, car on se disait cordialement de part et d'autre des injures si grossières, on faisait des plaisanteries si amères, que je n'admirais pas moins la manière de disputer que le sujet de la dispute. "Si quelqu'un, disais-je en moi-même, était assez étourdi pour aller, devant l'un de ces défenseurs du poète grec, attaquer la réputation de quelque honnête citoyen, il ne serait pas mal relevé et je crois que ce zèle si délicat sur la réputation des morts s'embraserait bien pour défendre celle des vivants. Mais, quoi qu'il en soit, ajoutais-je, Dieu me garde de m'attirer jamais l'inimitié des censeurs de ce poète, que le séjour de deux mille ans dans le tombeau n'a pu garantir d'une haine si implacable! Ils frappent à présent des coups en l'air: mais que serait-ce si leur fureur était animée par la présence d'un ennemi? "

Ceux dont je te viens de parler disputent en langue vulgaire, et il faut les distinguer d'une autre sorte de disputeurs qui se servent

[7] Said to be the Café Laurent.

[8] Homer. In 1714 the famous Quarrel of the Ancients and the Moderns had just been renewed by the publication of La Motte's *Iliade abrégée.*

d'une langue barbare [9] qui semble ajouter quelque chose à la fureur et à l'opiniâtreté des combattants. Il y a des quartiers où l'on voit comme une mêlée noire et épaisse de ces sortes de gens: ils se nourrissent de distinctions, ils vivent de raisonnements obscurs et de fausses conséquences. Ce métier où l'on devrait mourir de faim ne laisse pas de rendre.[10] On a vu une nation entière chassée de son pays,[11] traverser les mers pour s'établir en France, n'emportant avec elle, pour parer aux nécessités de la vie, qu'un redoutable talent pour la dispute. Adieu.

A Paris, le dernier de la lune de Zilhagé, 1713

LETTRE 46

Usbek à Rhédi, à Venise

Je vois ici des gens qui disputent sans fin sur la religion; mais il me semble qu'ils combattent en même temps à qui l'observera le moins.

Non seulement ils ne sont pas meilleurs chrétiens, mais même meilleurs citoyens, et c'est ce qui me touche: car, dans quelque religion qu'on vive, l'observation des lois, l'amour pour les hommes, la piété envers les parents, sont toujours les premiers actes de religion.

En effet, le premier objet d'un homme religieux ne doit-il pas être de plaire à la divinité, qui a établi la religion qu'il professe? Mais le moyen le plus sûr pour y parvenir est sans doute d'observer les règles de la société et les devoirs de l'humanité: car, en quelque religion qu'on vive, dès qu'on en suppose une, il faut bien que l'on suppose aussi que Dieu aime les hommes, puisqu'il établit une religion pour les rendre heureux; que s'il aime les hommes, on est assuré de lui plaire en les aimant aussi, c'est-à-dire en exerçant envers eux tous les devoirs de la charité et de l'humanité, et en ne violant point les lois sous lesquelles ils vivent.

Par là, on est bien plus sûr de plaire à Dieu qu'en observant telle ou telle cérémonie: car les cérémonies n'ont point un degré de bonté par elles-mêmes; elles ne sont bonnes qu'avec égard et

[9] Scholastic Latin.

[10] "give some returns."

[11] Reference to the great number of Irish theological students in Paris, due to anti-Catholic agitation at home. They were noted controversialists.

dans la supposition que Dieu les a commandées. Mais c'est la matière d'une grande discussion; on peut facilement s'y tromper: car il faut choisir les cérémonies d'une religion entre celles de deux mille.

Un homme faisait tous les jours à Dieu cette prière: "Seigneur, je n'entends rien dans les disputes que l'on fait sans cesse à votre sujet. Je voudrais vous servir selon votre volonté; mais chaque homme que je consulte veut que je vous serve à la sienne. Lorsque je veux vous faire ma prière, je ne sais en quelle langue je dois vous parler. Je ne sais pas non plus en quelle posture je dois me mettre: l'un dit que je dois vous prier debout; l'autre veut que je sois assis; l'autre exige que mon corps porte sur mes genoux. Ce n'est pas tout: il y en a qui prétendent que je dois me laver tous les matins avec de l'eau froide; d'autres soutiennent que vous me regarderez avec horreur si je ne me fais couper un petit morceau de chair. Il m'arriva l'autre jour de manger un lapin dans un caravansérail: trois hommes [12] qui étaient auprès de là me firent trembler: ils me soutinrent tous trois que je vous avais grièvement offensé; l'un, parce que cet animal était immonde; l'autre, parce qu'il était étouffé; l'autre enfin, parce qu'il n'était pas poisson. Un brachmane qui passait par là, et que je pris pour juge, me dit: 'Ils ont tort, car apparemment vous n'avez pas tué vous-même cet animal.—Si fait, lui dis-je.—Ah! vous avez commis une action abominable, et que Dieu ne vous pardonnera jamais, me dit-il d'une voix sévère: que savez-vous si l'âme de votre père n'était pas passée dans cette bête?' Toutes ces choses, Seigneur, me jettent dans un embarras inconcevable: je ne puis remuer la tête que je ne sois menacé de vous offenser; cependant je voudrais vous plaire, et employer à cela la vie que je tiens de vous. Je ne sais si je me trompe, mais je crois que le meilleur moyen pour y parvenir est de vivre en bon citoyen dans la société où vous m'avez fait naître, et en bon père dans la famille que vous m'avez donnée."

A Paris, le 8 de la lune de Chahban, 1713

[12] A Jew, a Turk, and an Armenian.

LETTRE 48

Usbek à Rhédi, à Venise

Ceux qui aiment à s'instruire ne sont jamais oisifs. Quoique je ne sois chargé d'aucune affaire importante, je suis cependant dans une occupation continuelle. Je passe ma vie à examiner, j'écris le soir ce que j'ai remarqué, ce que j'ai vu, ce que j'ai entendu dans la journée; tout m'intéresse, tout m'étonne: je suis comme un enfant dont les organes encore tendres sont vivement frappés par les moindres objets.

Tu ne le croirais pas peut-être; nous sommes reçus agréablement dans toutes les compagnies et dans toutes les sociétés. Je crois devoir beaucoup à l'esprit vif et à la gaieté naturelle de Rica, qui fait qu'il recherche tout le monde et qu'il en est également recherché. Notre air étranger n'offense plus personne; nous jouissons même de la surprise où l'on est de nous trouver quelque politesse; car les Français n'imaginent pas que notre climat produise des hommes. Cependant, il faut l'avouer, ils valent la peine qu'on les détrompe.

J'ai passé quelques jours dans une maison de campagne auprès de Paris, chez un homme de considération, qui est ravi d'avoir de la compagnie chez lui. Il a une femme fort aimable, et qui joint à une grande modestie une gaieté que la vie retirée ôte toujours à nos dames de Perse.

Étranger que j'étais, je n'avais rien de mieux à faire que d'étudier cette foule de gens qui y abordaient sans cesse, et qui me présentaient toujours quelque chose de nouveau. Je remarquai d'abord un homme dont la simplicité me plut; je m'attachai à lui, il s'attacha à moi; de sorte que nous nous trouvions toujours l'un auprès de l'autre.

Un jour que, dans un grand cercle, nous nous entretenions en particulier, laissant les conversations générales à elles-mêmes: "Vous trouverez peut-être en moi, lui dis-je, plus de curiosité que de politesse; mais je vous supplie d'agréer que je vous fasse quelques questions, car je m'ennuie de n'être au fait de rien et de vivre avec des gens que je ne saurais démêler. Mon esprit travaille depuis deux jours; il n'y a pas un seul de ces hommes qui ne m'ait donné deux cents fois la torture; et je ne les devinerais de mille ans: ils me sont plus invisibles que les femmes de notre grand monarque.—Vous n'avez qu'à dire, me répondit-il, et je vous instruirai de tout ce que vous souhaiterez; d'autant mieux que je vous crois homme discret, et que vous n'abuserez pas de ma confiance."

"Qui est cet homme, lui dis-je, qui nous a tant parlé des repas qu'il a donnés aux grands, qui est si familier avec vos ducs, et qui parle si souvent à vos ministres, qu'on me dit être d'un accès si difficile? Il faut bien que ce soit un homme de qualité: mais il a la physionomie si basse qu'il ne fait guère honneur aux gens de qualité; et d'ailleurs je ne lui trouve point d'éducation. Je suis étranger; mais il me semble qu'il y a en général une certaine politesse commune à toutes les nations; je ne lui trouve point de celle-là: est-ce que vos gens de qualité sont plus mal élevés que les autres?—Cet homme, me répondit-il en riant, est un fermier: il est autant au-dessus des autres par ses richesses, qu'il est au-dessous de tout le monde par sa naissance: il aurait la meilleure table de Paris, s'il pouvait se résoudre à ne manger jamais chez lui. Il est bien impertinent, comme vous voyez; mais il excelle par son cuisinier: aussi n'en est-il pas ingrat; car vous avez entendu qu'il l'a loué tout aujourd'hui."

"Et ce gros homme vêtu de noir, lui dis-je, que cette dame a fait placer auprès d'elle, comment a-t-il un habit si lugubre avec un air si gai et un teint si fleuri? Il sourit gracieusement dès qu'on lui parle; sa parure est plus modeste, mais plus arrangée que celle de vos femmes.—C'est, me répondit-il, un prédicateur, et, qui pis est, un directeur.[13] Tel que vous le voyez, il en sait plus que les maris; il connaît le faible des femmes: elles savent aussi qu'il a le sien.—Comment, dis-je, il parle toujours de quelque chose qu'il appelle la *grâce*!—Non pas toujours, me répondit-il: à l'oreille d'une jolie femme il parle encore plus volontiers de sa chute: il foudroie en public, mais il est doux comme un agneau en particulier.—Il me semble, dis-je, qu'on le distingue beaucoup, et qu'on a de grands égards pour lui.—Comment! si on le distingue! C'est un homme nécessaire; il fait la douceur de la vie retirée: petits conseils, soins officieux, visites marquées;[14] il dissipe un mal de tête mieux qu'homme du monde; il est excellent."

[13] i.e., a "directeur de conscience."

[14] "regular calls."

"Mais, si je ne vous importune pas, dites-moi qui est celui qui est vis-à-vis de nous, qui est si mal habillé, qui fait quelquefois des grimaces, et a un langage différent des autres; qui n'a pas d'esprit pour parler, mais qui parle pour avoir de l'esprit.—C'est, me répondit-il, un poète, et le grotesque du genre humain. Ces gens-là disent qu'ils sont nés ce qu'ils sont. Cela est vrai, et aussi ce qu'ils seront toute leur vie, c'est-à-dire presque toujours les plus ridicules de tous les hommes. Aussi ne les épargne-t-on point: on verse sur eux le mépris à pleines mains. La famine a fait entrer celui-ci dans cette maison, et il y est bien reçu du maître et de la maîtresse, dont la bonté et la politesse ne se démentent à l'égard de personne. Il fit leur épithalame, lorsqu'ils se marièrent. C'est ce qu'il a fait de mieux en sa vie: car il s'est trouvé que le mariage a été aussi heureux qu'il l'a prédit.

"Vous ne le croiriez pas peut-être, ajouta-t-il, entêté comme vous êtes des préjugés de l'Orient: il y a parmi nous des mariages heureux et des femmes dont la vertu est un gardien sévère. Les gens dont nous parlons goûtent entre eux une paix qui ne peut être troublée; ils sont aimés et estimés de tout le monde; il n'y a qu'une chose: c'est que leur bonté naturelle leur fait recevoir chez eux toute sorte de monde; ce qui fait qu'ils ont quelquefois mauvaise compagnie. Ce n'est pas que je les désapprouve: il faut vivre avec les hommes tels qu'ils sont; les gens qu'on dit être de si bonne compagnie ne sont souvent que ceux dont les vices sont plus raffinés, et peut-être en est-il comme des poisons, dont les plus subtils sont aussi les plus dangereux."

"Et ce vieil homme, lui dis-je tout bas, qui a l'air si chagrin? Je l'ai pris d'abord pour un étranger: car, outre qu'il est habillé autrement que les autres, il censure tout ce qui se fait en France et n'approuve pas votre gouvernement.—C'est un vieux guerrier, me dit-il, qui se rend mémorable à tous ses auditeurs par la longueur de ses exploits. Il ne peut souffrir que la France ait gagné des batailles où il ne se soit pas trouvé, ou qu'on vante un siège où il n'ait pas monté à la tranchée. Il se croit si nécessaire à notre histoire, qu'il s'imagine qu'elle finit où il a fini: il regarde quelques blessures qu'il a reçues, comme la dissolution de la monarchie, et, à la différence de ces philosophes qui disent qu'on ne jouit que du présent, et que le passé n'est rien, il ne jouit au contraire que du passé, et n'existe que dans les campagnes qu'il a faites: il respire dans les temps qui se sont écoulés, comme les héros doivent vivre dans ceux qui passeront après eux.—Mais pourquoi, dis-je, a-t-il quitté le service?—Il ne l'a point quitté, me répondit-il; mais le service l'a quitté: on l'a employé dans une petite place,[15] où il racontera ses aventures le reste de ses jours; mais il n'ira jamais plus loin: le chemin des honneurs lui est fermé.—Et pourquoi? lui dis-je.—Nous avons une maxime en France, me répondit-il: c'est de n'élever jamais les officiers dont la patience a langui dans les emplois subalternes. Nous les regardons comme des gens dont l'esprit s'est rétréci dans les détails, et qui, par l'habitude des petites choses, sont devenus incapables de plus grandes. Nous croyons qu'un homme qui n'a pas les qualités d'un général à trente ans ne les aura jamais; que celui qui n'a pas ce coup d'œil qui montre tout d'un coup un terrain de plusieurs lieues dans toutes ses situations différentes, cette présence d'esprit qui fait que, dans une victoire, on se sert de tous ses avantages, et, dans un échec, de toutes ses ressources, n'acquerra jamais ces talents. C'est pour cela que nous avons des emplois brillants pour ces hommes grands et sublimes que le ciel a partagés non seulement d'un cœur, mais aussi d'un génie héroïque, et des emplois subalternes pour ceux dont les talents le sont aussi. De ce nombre sont ces gens qui ont vieilli dans une guerre obscure: ils ne réussissent tout au plus qu'à faire ce qu'ils ont fait toute leur vie, et il ne faut point commencer à les charger dans le temps qu'ils s'affaiblissent."

Un moment après, la curiosité me reprit, et je lui dis: "Je m'engage à ne vous plus faire de questions, si vous voulez encore souffrir celle-ci. Qui est ce grand jeune homme qui a des cheveux, peu d'esprit et tant d'impertinence? D'où vient qu'il parle plus haut que les autres et se sait si bon gré d'être au monde?—C'est un homme à bonnes fortunes," me répondit-il. A ces mots, des gens entrèrent, d'autres sortirent; on se leva; quelqu'un vint parler à mon gentilhomme, et je restai aussi peu instruit qu'auparavant. Mais, un moment après, je ne sais par quel hasard, ce jeune homme se trouva auprès de moi, et, m'adressant la parole: "Il fait beau. Voudriez-vous, Monsieur, faire un tour dans le parterre?" Je lui répondis le plus civilement qu'il me fut pos-

[15] "stronghold," "fortress."

sible, et nous sortîmes ensemble. "Je suis venu à la campagne, me dit-il, pour faire plaisir à la maîtresse de la maison, avec laquelle je ne suis pas mal. Il y a bien certaine femme dans le monde qui ne sera pas de bonne humeur, mais qu'y faire? Je vois les plus jolies femmes de Paris; mais je ne me fixe pas à une, et je leur en donne bien à garder; car, entre vous et moi, je ne vaux pas grand'chose.—Apparemment, Monsieur, lui dis-je, que vous avez quelque charge ou quelque emploi qui vous empêche d'être plus assidu auprès d'elles.—Non, Monsieur, je n'ai d'autre emploi que de faire enrager un mari ou désespérer un père; j'aime à alarmer une femme qui croit me tenir, et la mettre à deux doigts de sa perte. Nous sommes quelques jeunes gens qui partageons ainsi tout Paris et l'intéressons à nos moindres démarches.—A ce que je comprends, lui dis-je, vous faites plus de bruit que le guerrier le plus valeureux, et vous êtes plus considéré qu'un grave magistrat. Si vous étiez en Perse, vous ne jouiriez pas de tous ces avantages: vous deviendriez plus propre à garder nos dames qu'à leur plaire." [16] Le feu me monta au visage, et je crois que, pour peu que j'eusse parlé, je n'aurais pu m'empêcher de le brusquer.

Que dis-tu d'un pays où l'on tolère de pareilles gens, et où l'on laisse vivre un homme qui fait un tel métier; où l'infidélité, la trahison, le rapt, la perfidie et l'injustice conduisent à la considération; où l'on estime un homme parce qu'il ôte une fille à son père, une femme à son mari, et trouble les sociétés les plus douces et les plus saintes? Heureux les enfants d'Hali,[17] qui défendent leurs familles de l'opprobre et de la séduction! La lumière du jour n'est pas plus pure que le feu qui brûle dans le cœur de nos femmes: nos filles ne pensent qu'en tremblant au jour qui doit les priver de cette vertu qui les rend semblables aux anges et aux puissances incorporelles. Terre natale et chérie, sur qui le soleil jette ses premiers regards, tu n'es point souillée par les crimes horribles qui obligent cet astre à se cacher dès qu'il paraît dans le noir occident.

A Paris, le 4 de la lune de Ramadan, 1713

[16] i.e., they would have made a eunuch of him.

[17] Hali, or Ali (600–661), was cousin, adopted son and son-in-law of Mohammed. After the great schism which divided the Mohammedan world soon after the prophet's death, the Persians and most of the Mohammedans of India looked back to Ali as their first rightful caliph.

LETTRE 80

Usbek à Rhédi, à Venise

Depuis que je suis en Europe, mon cher Rhédi, j'ai vu bien des gouvernements. Ce n'est pas comme en Asie, où les règles de la politique se trouvent partout les mêmes.

J'ai souvent recherché quel était le gouvernement le plus conforme à la raison. Il m'a semblé que le plus parfait est celui qui va à son but à moins de frais; de sorte que celui qui conduit les hommes de la manière qui convient le plus à leur penchant et à leur inclination est le plus parfait.

Si, dans un gouvernement doux, le peuple est aussi soumis que dans un gouvernement sévère, le premier est préférable, puisqu'il est plus conforme à la raison, et que la sévérité est un motif étranger.

Compte, mon cher Rhédi, que, dans un état, les peines plus ou moins cruelles ne font pas que l'on obéisse plus aux lois. Dans les pays où les châtiments sont modérés, on les craint comme dans ceux où ils sont tyranniques et affreux.

Soit que le gouvernement soit doux, soit qu'il soit cruel, on punit toujours par degrés; on inflige un châtiment plus ou moins grand à un crime plus ou moins grand. L'imagination se plie d'elle-même aux mœurs du pays où l'on est: huit jours de prison ou une légère amende frappent autant l'esprit d'un Européen nourri dans un pays de douceur que la perte d'un bras intimide un Asiatique. Ils attachent un certain degré de crainte à un certain degré de peine, et chacun la partage à sa façon: le désespoir de l'infamie vient désoler un Français condamné à une peine qui n'ôterait pas un quart d'heure de sommeil à un Turc.

D'ailleurs je ne vois pas que la police, la justice et l'équité, soient mieux observées en Turquie, en Perse, chez le Mogol, que dans les républiques de Hollande, de Venise, et dans l'Angleterre même: je ne vois pas qu'on y commette moins de crimes, et que les hommes, intimidés par la grandeur des châtiments, y soient plus soumis aux lois.

Je remarque au contraire une source d'injustices et de vexations au milieu de ces mêmes états.

Je trouve même le prince, qui est la loi même, moins maître que partout ailleurs.

Je vois que, dans ces moments rigoureux, il y a toujours des mouvements tumultueux où personne n'est le chef, et que, quand une fois l'autorité violente est méprisée, il n'en reste plus assez à personne pour la faire revenir;

Que le désespoir même de l'impunité confirme le désordre, et le rend plus grand;

Que, dans ces états, il ne se forme point de petite révolte, et qu'il n'y a jamais d'intervalle entre le murmure et la sédition;

Qu'il ne faut point que les grands événements y soient préparés par de grandes causes, au contraire, le moindre accident produit une grande révolution souvent aussi imprévue de ceux qui la font que de ceux qui la souffrent.

Lorsqu' Osman,[18] empereur des Turcs, fut déposé, aucun de ceux qui commirent cet attentat ne songeait à le commettre: ils demandaient seulement en suppliants qu'on leur fît justice sur quelque grief: une voix, qu'on n'a jamais connue, sortit de la foule par hasard; le nom de Mustapha fut prononcé, et soudain Mustapha fut empereur.

A Paris, le 2 de la lune de Rébiab 1, 1715

LETTRE 83

Usbek à Rhédi, à Venise

S'il y a un Dieu, mon cher Rhédi, il faut nécessairement qu'il soit juste; car s'il ne l'était pas, il serait le plus mauvais et le plus imparfait de tous les êtres.

La justice est un rapport de convenance qui se trouve réellement entre deux choses: ce rapport est toujours le même, quelque être qui le considère, soit que ce soit Dieu, soit que ce soit un ange, ou enfin que ce soit un homme.

Il est vrai que les hommes ne voient pas toujours ces rapports; souvent même lorsqu'ils les voient, ils s'en éloignent; et leur intérêt est toujours ce qu'ils voient le mieux. La justice élève sa

[18] Mustapha I became sultan of Turkey in 1617, was deposed in 1618 in favor of his nephew Osman II, but again came to the throne in 1622 for one year when he was again deposed.

voix; mais elle a peine à se faire entendre dans le tumulte des passions.

Les hommes peuvent faire des injustices, parce qu'ils ont intérêt de les commettre, et qu'ils préfèrent leur propre satisfaction à celle des autres. C'est toujours par un retour sur eux-mêmes qu'ils agissent: nul n'est mauvais gratuitement; il faut qu'il y ait une raison qui détermine, et cette raison est toujours une raison d'intérêt.

Mais il n'est pas possible que Dieu fasse jamais rien d'injuste: dès qu'on suppose qu'il voit la justice, il faut nécessairement qu'il la suive; car, comme il n'a besoin de rien et qu'il se suffit à lui-même, il serait le plus méchant de tous les êtres, puisqu'il le serait sans intérêt.

Ainsi, quand il n'y aurait pas de Dieu, nous devrions toujours aimer la justice, c'est-à-dire faire nos efforts pour ressembler à cet être dont nous avons une si belle idée, et qui, s'il existait, serait nécessairement juste. Libres que nous serions du joug de la religion, nous ne devrions pas l'être de celui de l'équité.

Voilà, Rhédi, ce qui m'a fait penser que la justice est éternelle, et ne dépend point des conventions humaines; et, quand elle en dépendrait, ce serait une vérité terrible qu'il faudrait se dérober à soi-même.

Nous sommes entourés d'hommes plus forts que nous; ils peuvent nous nuire de mille manières différentes; les trois quarts du temps ils peuvent le faire impunément. Quel repos pour nous de savoir qu'il y a dans le cœur de tous ces hommes un principe intérieur qui combat en notre faveur et nous met à couvert de leurs entreprises!

Sans cela nous devrions être dans une frayeur continuelle; nous passerions devant les hommes comme devant les lions, et nous ne serions jamais assurés un moment de notre bien, de notre honneur et de notre vie.

Toutes ces pensées m'animent contre ces docteurs qui représentent Dieu comme un être qui fait un exercice tyrannique de sa puissance; qui le font agir d'une manière dont nous ne voudrions pas agir nous-mêmes de peur de l'offenser, qui le chargent de toutes les imperfections qu'il punit en nous, et, dans leurs opinions contradictoires, le représentent tantôt comme un être mauvais, tantôt comme un être qui hait le mal et le punit.

Quand un homme s'examine, quelle satisfaction pour lui de trouver qu'il a le cœur juste! ce plaisir, tout sévère qu'il est, doit le ravir: il voit son être autant au-dessus de ceux qui ne l'ont pas, qu'il se voit au-dessus des tigres et des ours. Oui, Rhédi, si j'étais sûr de suivre toujours inviolablement cette équité que j'ai devant les yeux, je me croirais le premier des hommes.

A Paris, le premier de la lune de Gemmadi 1, 1715

LETTRE 85

Usbek à Mirza, à Ispahan

Tu sais, Mirza, que quelques ministres de Cha-Soliman [19] avaient formé le dessein d'obliger tous les Arméniens de Perse de quitter le royaume ou de se faire mahométans, dans la pensée que notre empire serait toujours pollué tandis qu'il garderait dans son sein ces infidèles.

C'était fait de la grandeur persane si dans cette occasion l'aveugle dévotion avait été écoutée.

On ne sait comment la chose manqua. Ni ceux qui firent la proposition ni ceux qui la rejetèrent n'en connurent les conséquences: le hasard fit l'office de la raison et de la politique, et sauva l'empire d'un péril plus grand que celui qu'il aurait pu courir de la perte d'une bataille et de la prise de deux villes.

En proscrivant les Arméniens on pensa détruire en un seul jour tous les négociants et presque tous les artisans du royaume. Je suis sûr que le grand Cha-Abas [20] aurait mieux aimé se faire couper les deux bras que de signer un ordre pareil, et qu'en envoyant au mogol et aux autres rois des Indes ses sujets les plus industrieux, il aurait cru leur donner la moitié de ses états.

Les persécutions que nos mahométans zélés ont faites aux guèbres les ont obligés de passer en foule dans les Indes, et ont

[19] Shah Soliman (1646–1694), sultan of Persia from 1666, succeeding Abbas II, is said to have planned to do what Montesquieu states. It is, of course, the treatment of the protestants under Louis XIV that the author has in mind.

[20] Abbas I, "the Great" (1557–1628), ruled over Persia from 1586 to 1628. He was able but cruel. Under him Ispahan became the capital. Perhaps Henri IV is meant.

privé la Perse de cette nation si appliquée au labourage, et qui seule, par son travail, était en état de vaincre la stérilité de nos terres.

Il ne restait à la dévotion qu'un second coup à faire: c'était de ruiner l'industrie; moyennant quoi l'empire tombait de lui-même, et avec lui, par une suite nécessaire, cette même religion qu'on voulait rendre si florissante.

S'il faut raisonner sans prévention, je ne sais, Mirza, s'il n'est pas bon que, dans un état, il y ait plusieurs religions.

On remarque que ceux qui vivent dans des religions tolérées se rendent ordinairement plus utiles à leur patrie que ceux qui vivent dans la religion dominante, parce que, éloignés des honneurs, ne pouvant se distinguer que par leur opulence et leurs richesses, ils sont portés à en acquérir par leur travail, et à embrasser les emplois de la société les plus pénibles.

D'ailleurs, comme toutes les religions contiennent des préceptes utiles à la société, il est bon qu'elles soient observées avec zèle: or qu'y a-t-il de plus capable d'animer ce zèle que leur multiplicité?

Ce sont des rivales qui ne se pardonnent rien. La jalousie descend jusqu'aux particuliers; chacun se tient sur ses gardes, et craint de faire des choses qui déshonoreraient son parti et l'exposeraient aux mépris et aux censures impardonnables du parti contraire.

Aussi a-t-on toujours remarqué qu'une secte nouvelle, introduite dans un état, était le moyen le plus sûr pour corriger tous les abus de l'ancienne.

On a beau dire qu'il n'est pas de l'intérêt du prince de souffrir plusieurs religions dans son état: quand toutes les sectes du monde viendraient s'y rassembler, cela ne lui porterait aucune préjudice, parce qu'il n'y en a aucune qui ne prescrive l'obéissance et ne prêche la soumission.

J'avoue que les histoires sont remplies de guerres de religion: mais, qu'on y prenne bien garde, ce n'est point la multiplicité des religions qui a produit ces guerres, c'est l'esprit d'intolérance qui animait celle qui se croyait la dominante.

C'est cet esprit de prosélytisme que les Juifs ont pris des

Égyptiens, et qui d'eux est passé, comme une maladie épidémique et populaire, aux mahométans et aux chrétiens.

C'est enfin cet esprit de vertige dont les progrès ne peuvent être regardés que comme une éclipse entière de la raison humaine.

Car enfin, quand il n'y aurait pas de l'inhumanité à affliger la conscience des autres, quand il n'en résulterait aucun des mauvais effets qui en germent à milliers, il faudrait être fou pour s'en aviser. Celui qui veut me faire changer de religion ne le fait sans doute que parce qu'il ne changerait pas la sienne quand on voudrait l'y forcer: il trouve donc étrange que je ne fasse pas une chose qu'il ne ferait pas lui-même peut-être pour l'empire du monde.

A Paris, le 26 de la lune de Gemmadi 1, 1715

LETTRE 89

Usbek à Ibben, à Smyrne

Le désir de la gloire n'est point différent de cet instinct que toutes les créatures ont pour leur conservation. Il semble que nous augmentons notre être lorsque nous pouvons le porter dans la mémoire des autres: c'est une nouvelle vie que nous acquérons, et qui nous devient aussi précieuse que celle que nous avons reçue du ciel.

Mais comme tous les hommes ne sont pas également attachés à la vie, ils ne sont pas aussi également sensibles à la gloire. Cette noble passion est bien toujours gravée dans leur cœur, mais l'imagination et l'éducation la modifient de mille manières.

Cette différence qui se trouve d'homme à homme se fait encore plus sentir de peuple à peuple.

On peut poser pour maxime que, dans chaque état, le désir de la gloire croît avec la liberté des sujets, et diminue avec elle: la gloire n'est jamais compagne de la servitude.

Un homme de bon sens me disait l'autre jour: "On est en France, à bien des égards, plus libre qu'en Perse: aussi y aime-t-on plus la gloire. Cette heureuse fantaisie fait faire à un Français avec plaisir et avec goût ce que votre sultan n'obtient de ses sujets qu'en leur mettant sans cesse devant les yeux les supplices et les récompenses.

"Aussi parmi nous le prince est-il jaloux de l'honneur du

dernier de ses sujets. Il y a pour le maintenir des tribunaux respectables: c'est le trésor sacré de la nation, et le seul dont le souverain n'est pas le maître, parce qu'il ne peut l'être sans choquer ses intérêts. Ainsi, si un sujet se trouve blessé dans son honneur par son prince, soit par quelque préférence, soit par la moindre marque de mépris, il quitte sur-le-champ sa cour, son emploi, son service, et se retire chez lui.

"La différence qu'il y a des troupes françaises aux vôtres, c'est que les unes, composées d'esclaves naturellement lâches, ne surmontent la crainte de la mort que par celle du châtiment; ce qui produit dans l'âme un nouveau genre de terreur qui la rend comme stupide: au lieu que les autres se présentent aux coups avec délices, et bannissent la crainte par une satisfaction qui lui est supérieure.

"Mais le sanctuaire de l'honneur, de la réputation et de la vertu, semble être établi dans les républiques et dans les pays où l'on peut prononcer le mot de patrie. A Rome, à Athènes, à Lacédémone, l'honneur payait seul les services les plus signalés; une couronne de chêne ou de laurier, une statue, un éloge, étaient une récompense immense pour une bataille gagnée ou une ville prise.

"Là, un homme qui avait fait une belle action se trouvait suffisamment récompensé par cette action même. Il ne pouvait voir un de ses compatriotes qu'il ne ressentît le plaisir d'être son bienfaiteur: il comptait le nombre de ses services par celui de ses concitoyens. Tout homme est capable de faire du bien à un homme: mais c'est ressembler aux dieux que de contribuer au bonheur d'une société entière.

"Or cette noble émulation ne doit-elle point être entièrement éteinte dans le cœur de vos Persans, chez qui les emplois et les dignités ne sont que des attributs de la fantaisie du souverain? La réputation et la vertu y sont regardées comme imaginaires si elles ne sont accompagnées de la faveur du prince, avec laquelle elles naissent et meurent de même. Un homme qui a pour lui l'estime publique n'est jamais sûr de ne pas être déshonoré demain. Le voilà aujourd'hui général d'armée; peut-être que le prince le va faire son cuisinier, et qu'il ne lui laissera plus à espérer d'autre éloge que celui d'avoir fait un bon ragoût."

A Paris, le 15 de la lune de Gemmadi 2, 1715

LETTRE 98

Usbek à Ibben, à Smyrne

Il n'y a point de pays au monde où la fortune soit si inconstante que dans celui-ci. Il arrive tous les dix ans [21] des révolutions qui précipitent le riche dans la misère, et enlèvent le pauvre, avec des ailes rapides, au comble des richesses. Celui-ci est étonné de sa pauvreté, celui-là l'est de son abondance. Le nouveau riche admire la sagesse de la Providence; le pauvre, l'aveugle fatalité du destin.

Ceux qui lèvent les tributs nagent au milieu des trésors: parmi eux il y a peu de Tantales.[22] Ils commencent pourtant ce métier par la dernière misère; ils sont méprisés comme de la boue pendant qu'ils sont pauvres: quand ils sont riches, on les estime assez; aussi ne négligent-ils rien pour acquérir de l'estime.

Ils sont a présent dans une situation bien terrible. On vient d'établir une chambre, [23] qu'on appelle *de justice*, parce qu'elle va leur ravir tout leur bien. Ils ne peuvent ni détourner ni cacher leurs effets; car on les oblige de les déclarer au juste, sous peine de la vie: ainsi on les fait passer par un défilé bien étroit, je veux dire entre la vie et leur argent. Pour comble d'infortune, il y a un ministre [24] connu par son esprit, qui les honore de ses plaisanteries, et les badine sur toutes les délibérations du conseil. On ne trouve pas tous les jours des ministres disposés à faire rire le peuple; et l'on doit savoir bon gré à celui-ci de l'avoir entrepris.

Le corps des laquais est plus respectable en France qu'ailleurs: c'est un séminaire de grands seigneurs; il remplit le vide des autres états. Ceux qui le composent prennent la place des grands malheureux, des magistrats ruinés, des gentilshommes tués dans les fureurs de la guerre: et quand ils ne peuvent pas suppléer par

[21] The abuses in tax collecting were so great that, from time to time, though not "every ten years," or even regularly, there was an investigation, and some of the farmers-general, rich through their spoils, were dismissed and others appointed.

[22] i.e., few who don't have all they can wish for.

[23] The special court established in Paris in 1716 to judge the exactions of the tax-farmers.

[24] Adrien Maurice, duc de Noailles, 1678–1766, secretary of finances under the Regent.

eux-mêmes, ils relèvent toutes les grandes maisons par le moyen de leurs filles, qui sont comme une espèce de fumier qui engraisse les terres montagneuses et arides.

Je trouve, Ibben, la Providence admirable dans la manière dont elle a distribué les richesses. Si elle ne les avait accordées qu'aux gens de bien, on ne les aurait pas assez distinguées de la vertu, et on n'en aurait plus senti tout le néant. Mais quand on examine qui sont les gens qui en sont le plus chargés, à force de mépriser les riches, on vient enfin à mépriser les richesses.

A Paris, le 26 de la lune de Maharram, 1717

LETTRE 99

Rica à Rhédi, à Venise

Je trouve les caprices de la mode, chez les Français, étonnants. Ils ont oublié comment ils étaient habillés cet été; ils ignorent encore plus comment ils le seront cet hiver: mais surtout on ne saurait croire combien il en coûte à un mari pour mettre sa femme à la mode.

Que me servirait de te faire une description exacte de leurs habillements et de leurs parures? Une mode nouvelle viendrait détruire tout mon ouvrage, et, avant que tu n'eusses reçu ma lettre, tout serait changé.

Une femme qui quitte Paris pour aller passer six mois à la campagne, en revient aussi antique que si elle s'y était oubliée trente ans. Le fils méconnaît le portrait de sa mère, tant l'habit avec lequel elle est peinte lui paraît étranger; il s'imagine que c'est quelque Américaine qui y est représentée, ou que le peintre a voulu exprimer quelqu'une de ses fantaisies.

Quelquefois les coiffures montent insensiblement, et une révolution les fait descendre tout à coup. Il a été un temps que leur hauteur immense mettait le visage d'une femme au milieu d'elle-même; dans un autre c'étaient les pieds qui occupaient cette place: les talons faisaient un piédestal qui les tenaient en l'air. Qui pourrait le croire? Les architectes ont été souvent obligés de hausser, de baisser et d'élargir leurs portes, selon que les parures des femmes éxigeaient d'eux ce changement, et les règles de leur art ont été asservies à ces caprices. On voit quelquefois sur un visage une quantité prodigieuse de mouches, et elles disparaissent toutes le lendemain. Autrefois les femmes avaient de la taille et des dents; aujourd'hui il n'en est pas question. Dans cette changeante nation, quoi qu'en disent les mauvais plaisants, les filles se trouvent autrement faites que leurs mères.

Il en est des manières et de la façon de vivre comme des modes: les Français changent de mœurs selon l'âge de leur roi. Le monarque pourrait même parvenir à rendre la nation grave, s'il l'avait entrepris. Le prince imprime le caractère de son esprit à la cour, la cour à la ville, la ville aux provinces. L'âme du souverain est un moule qui donne la forme à toutes les autres.

A Paris, le 8 de la lune de Saphar, 1717

LETTRE 102

Usbek à Ibben, à Smyrne

Les plus puissants états de l'Europe sont ceux de l'empereur, des rois de France, d'Espagne et d'Angleterre. L'Italie et une grande partie de l'Allemagne sont partagées en un nombre infini de petits états dont les princes sont, à proprement parler, les martyrs de la souveraineté. Nos glorieux sultans ont plus de femmes que quelques-uns de ces princes n'ont de sujets. Ceux d'Italie, qui ne sont pas si unis, sont plus à plaindre; leurs états sont ouverts comme des caravansérails, où ils sont obligés de loger les premiers qui viennent: il faut donc qu'ils s'attachent aux grands princes, et leur fassent part de leur frayeur plutôt que de leur amitié.

La plupart des gouvernements d'Europe sont monarchiques, ou plutôt sont ainsi appelés; car je ne sais pas s'il y en a jamais eu véritablement de tels; au moins est-il difficile qu'ils aient subsisté longtemps dans leur pureté. C'est un état violent qui dégénère toujours en despotisme ou en république. La puissance ne peut jamais être également partagée entre le peuple et le prince; l'équilibre est trop difficile à garder: il faut que le pouvoir diminue d'un côté pendant qu'il augmente de l'autre; mais l'avantage est ordinairement du côté du prince qui est à la tête des armées.

Aussi le pouvoir des rois d'Europe est-il bien grand, et on peut dire qu'ils l'ont tel qu'ils le veulent; mais ils ne l'exercent point avec tant d'étendue que nos sultans; premièrement, parce qu'ils ne veulent pas choquer les mœurs et la religion des peuples; secondement, parce qu'il n'est pas de leur intérêt de le porter si loin.

Rien ne rapproche plus nos princes de la condition de leurs sujets que cet immense pouvoir qu'ils exercent sur eux; rien ne les soumet plus aux revers et aux caprices de la fortune.

L'usage où ils sont de faire mourir tous ceux qui leur déplaisent, au moindre signe qu'ils font, renverse la proportion qui doit être entre les fautes et les peines, qui est comme l'âme des états et l'harmonie des empires; et cette proportion, scrupuleusement gardée par les princes chrétiens, leur donne un avantage infini sur nos sultans.

Un Persan qui, par imprudence ou par malheur, s'est attiré la disgrâce du prince, est sûr de mourir; la moindre faute ou le moindre caprice le met dans cette nécessité; mais s'il avait attenté à la vie de son souverain, s'il avait voulu livrer ses places aux ennemis, il en serait quitte aussi pour perdre la vie: il ne court donc plus de risque dans ce dernier cas que dans le premier.

Aussi, dans la moindre disgrâce, voyant la mort certaine, et ne voyant rien de pis, il se porte naturellement à troubler l'état et à conspirer contre le souverain, seule ressource qui lui reste.

Il n'en est pas de même des grands d'Europe, à qui la disgrâce n'ôte rien que la bienveillance et la faveur. Ils se retirent de la cour, et ne songent qu'à jouir d'une vie tranquille et des avantages de leur naissance. Comme on ne les fait guère périr que pour le crime de lèse-majesté, ils craignent d'y tomber, par la considération de ce qu'ils ont à perdre et du peu qu'ils ont à gagner; ce qui fait qu'on voit peu de révoltes, et peu de princes qui périssent d'une mort violente.

Si, dans cette autorité illimitée qu'ont nos princes, ils n'apportaient pas tant de précautions pour mettre leur vie en sûreté, ils ne vivraient pas un jour; et s'ils n'avaient à leur solde un nombre innombrable de troupes pour tyranniser le reste de leurs sujets, leur empire ne subsisterait pas un mois.

Il n'y a que quatre ou cinq siècles qu'un roi de France [25] prit des

[25] Philip II (1165–1223), king of France from 1180, was active in the third crusade and in the Albigensian campaigns. He was the first French king to have a regular bodyguard, called "sergents d'armes" or "ribauds." The "petit prince d'Asie" was the Sheik-al-Jabal, the "Old Man of the Mountains," head of a tribe of assassins which was active from the end of the eleventh century to the middle of the thirteenth.

gardes contre l'usage de ces temps-là, pour se garantir des assassins qu'un petit prince d'Asie avait envoyés pour le faire périr; jusque-là les rois avaient vécu tranquilles au milieu de leurs sujets, comme des pères au milieu de leurs enfants.

Bien loin que les rois de France puissent de leur propre mouvement ôter la vie à un de leurs sujets, comme nos sultans, ils portent au contraire toujours avec eux la grâce de tous les criminels: il suffit qu'un homme ait été assez heureux pour voir l'auguste visage de son prince, pour qu'il cesse d'être indigne de vivre. Ces monarques sont comme le soleil, qui porte partout la chaleur et la vie.

A Paris, le 8 de la lune de Rébiab 2, 1717

LETTRE 104

Usbek à Ibben

Tous les peuples d'Europe ne sont pas également soumis à leurs princes; par exemple, l'humeur impatiente des Anglais ne laisse guère à leur roi le temps d'appesantir son autorité. La soumission et l'obéissance sont les vertus dont ils se piquent le moins: ils disent là-dessus des choses bien extraordinaires. Selon eux, il n'y a qu'un lien qui puisse attacher les hommes, qui est celui de la gratitude: un mari, une femme, un père et un fils, ne sont liés entre eux que par l'amour qu'ils se portent ou par les bienfaits qu'ils se procurent: et ces motifs divers de reconnaissance sont l'origine de tous les royaumes et de toutes les sociétés.

Mais si un prince, bien loin de faire vivre ses sujets heureux, veut les accabler et les détruire, le fondement de l'obéissance cesse; rien ne les lie, rien ne les attache à lui; et ils rentrent dans leur liberté naturelle. Ils soutiennent que tout pouvoir sans bornes ne saurait être légitime, parce qu'il n'a jamais pu avoir d'origine légitime. "Car nous ne pouvons pas, disent-ils, donner à un autre plus de pouvoir sur nous que nous n'en avons nous-mêmes: or nous n'avons pas sur nous-mêmes un pouvoir sans bornes; par exemple, nous ne pouvons pas nous ôter la vie: personne n'a donc, concluent-ils, sur la terre un tel pouvoir."

Le crime de lèse-majesté n'est autre chose, selon eux, que le crime que le plus faible commet contre le plus fort en lui désobéissant, de quelque manière qu'il lui désobéisse. Aussi le peuple d'Angleterre, qui se trouvait le plus fort contre un de leurs rois, déclara-t-il que c'était un crime de lèse-majesté à un prince de faire la guerre à ses sujets.[26] Ils ont donc grande raison quand ils disent que le précepte de leur Alcoran [27] qui ordonne de se soumettre aux puissances n'est pas bien difficile à suivre, puisqu'il leur est impossible de ne le pas observer; d'autant que ce n'est pas au plus vertueux qu'on les oblige de se soumettre, mais à celui qui est le plus fort.

Les Anglais disent qu'un de leurs rois,[28] ayant vaincu et fait prisonnier un prince qui lui disputait la couronne, voulut lui reprocher son infidélité et sa perfidie. "Il n'y a qu'un moment, dit le prince infortuné, qu'il vient d'être décidé lequel de nous deux est le traître."

Un usurpateur déclare rebelles tous ceux qui n'ont point opprimé la patrie comme lui; et, croyant qu'il n'y a pas de lois là où il ne voit point de juges, il fait révérer comme des arrêts du ciel les caprices du hasard et de la fortune.

A Paris, le 20 de la lune de Rébiab 2, 1717

LETTRE 105

Rhédi à Usbek, à Paris

Tu m'as beaucoup parlé dans une de tes lettres des sciences et des arts cultivés en Occident. Tu me vas regarder comme un barbare; mais je ne sais si l'utilité que l'on en retire dédommage les hommes du mauvais usage que l'on en fait tous les jours.

J'ai ouï dire que la seule invention des bombes avait ôté la liberté à tous les peuples de l'Europe. Les princes ne pouvant plus confier la garde des places aux bourgeois, qui, à la première bombe, se seraient rendus, ont eu un prétexte pour entretenir de gros corps de troupes réglées avec lesquelles ils ont dans la suite opprimé leurs sujets.

[26] A reference to the opening of the trial of Charles I in January 1649, when this sentiment was expressed.

[27] The reference here is to the Bible, Romans, XIII, 1—"Let every soul be subject unto the higher powers."

[28] Edward IV of England (1441–1483). He suppressed the attempts of the followers of Henry VI to dethrone him.

Tu sais que depuis l'invention de la poudre il n'y a plus de place imprenable, c'est-à-dire, Usbek, qu'il n'y a plus d'asile sur la terre contre l'injustice et la violence.

Je tremble toujours qu'on ne parvienne à la fin à découvrir quelque secret qui fournisse une voie plus abrégée pour faire périr les hommes, détruire les peuples et les nations entières.

Tu as lu les historiens: fais-y bien attention; presque toutes les monarchies n'ont été fondées que sur l'ignorance des arts, et n'ont été détruites que parce qu'on les a trop cultivés. L'ancien empire de Perse peut nous en fournir un exemple domestique.

Il n'y a pas longtemps que je suis en Europe; mais j'ai ouï parler à des gens sensés des ravages de la chimie. Il semble que ce soit un quatrième fléau qui ruine les hommes et les détruit en détail, mais continuellement; tandis que la guerre, la peste, la famine, les détruisent en gros, mais par intervalles.

Que nous a servi l'invention de la boussole et la découverte de tant de peuples, qu'à nous communiquer leurs maladies plutôt que leurs richesses? L'or et l'argent avaient été établis, par une convention générale, pour être le prix de toutes les marchandises et un gage de leur valeur, par la raison que ces métaux étaient rares et inutiles à tout autre usage. Que nous importait-il donc qu'ils devinssent plus communs, et que, pour marquer la valeur d'une denrée, nous eussions deux ou trois signes au lieu d'un? Cela n'en était que plus incommode.

Mais, d'un autre côté, cette invention a été bien pernicieuse aux pays qui ont été découverts. Les nations entières ont été détruites; et les hommes qui ont échappé à la mort ont été réduits à une servitude si rude que le récit en fait frémir les musulmans.

Heureuse l'ignorance des enfants de Mahomet! Aimable simplicité si chérie de notre saint prophète, vous me rappelez toujours la naïveté des anciens temps et la tranquillité qui régnait dans le cœur de nos premiers pères!

A Venise, le 5 de la lune de Ramadan, 1717

LETTRE 131

Rhédi à Rica, à Paris

Une des choses qui a le plus exercé ma curiosité en arrivant en Europe, c'est l'histoire et l'origine des républiques. Tu sais que la plupart des Asiatiques n'ont pas seulement d'idée de cette sorte de gouvernement, et que l'imagination ne les a pas servis jusqu'à leur faire comprendre qu'il puisse y en avoir sur la terre d'autre que le despotique.

Les premiers gouvernements que nous connaissons étaient monarchiques: ce ne fut que par hasard et par la succession des siècles que les républiques se formèrent.

La Grèce ayant été abîmée par un déluge, de nouveaux habitants vinrent la peupler:[29] elle tira presque toutes ses colonies d'Égypte et des contrées de l'Asie les plus voisines; et comme ces pays étaient gouvernés par des rois, les peuples qui en sortirent furent gouvernés de même. Mais la tyrannie de ces princes devenant trop pesante, on secoua le joug; et du débris de tant de royaumes s'élevèrent ces républiques qui firent si fort fleurir la Grèce, seule polie au milieu des barbares.

L'amour de la liberté, la haine des rois, conserva longtemps la Grèce dans l'indépendance, et étendit au loin le gouvernement républicain. Les villes grecques trouvèrent des alliés dans l'Asie Mineure: elles y envoyèrent des colonies aussi libres qu'elles, qui leur servirent de remparts contre les entreprises des rois de Perse. Ce n'est pas tout: la Grèce peupla l'Italie; l'Italie l'Espagne, et peut-être les Gaules. On sait que cette grande Hespérie,[30] si fameuse chez les anciens, était au commencement la Grèce, que ses voisins regardaient comme un séjour de félicité: les Grecs, qui ne trouvaient point chez eux ce pays heureux, l'allèrent chercher en Italie; ceux d'Italie en Espagne; ceux d'Espagne dans la Bétique[31] ou le Portugal: de manière que toutes ces régions portèrent ce nom chez les anciens. Ces colonies grecques apportèrent avec elles un esprit de liberté qu'elles avaient pris dans ce doux pays. Ainsi on ne voit guère, dans ces temps reculés, de monarchie dans l'Italie, l'Espagne, les Gaules. Tu verras bientôt que les peuples du nord et d'Allemagne n'étaient pas moins

[29] In mythology the only survivors of the Greek flood were Deucalion and his wife Pyrrha. Their "ark" settled on Parnassus. To repeople the world they threw stones behind them, those thrown by Deucalion became men, and those thrown by Pyrrha women.

[30] According to the ancients Hesperia was the region to the west—Italy for the Greeks, Spain for the Romans.

[31] Ancient name for Andalusia.

libres: et si l'on trouve des vestiges de quelque royauté parmi eux, c'est qu'on a pris pour des rois les chefs des armées ou des républiques.

Tout ceci se passait en Europe: car, pour l'Asie et l'Afrique, elles ont toujours été accablées sous le despotisme, si vous en exceptez quelques villes de l'Asie Mineure dont nous avons parlé, et la république de Carthage en Afrique.

Le monde fut partagé entre deux puissantes républiques, celle de Rome et celle de Carthage. Il n'y a rien de si connu que les commencements de la république romaine, et rien qui le soit si peu que l'origine de celle de Carthage. On ignore absolument la suite des princes africains depuis Didon,[32] et comment ils perdirent leur puissance. C'eût été un grand bonheur pour le monde que l'agrandissement prodigieux de la république romaine, s'il n'y avait pas eu cette différence injuste entre les citoyens romains et les peuples vaincus; si l'on avait donné aux gouverneurs des provinces une autorité moins grande; si les lois si saintes pour empêcher leur tyrannie avaient été observées; et s'ils ne s'étaient pas servis pour les faire taire des mêmes trésors que leur injustice avait amassés.

Il semble que la liberté soit faite pour le génie des peuples d'Europe, et la servitude pour celui des peuples d'Asie. C'est en vain que les Romains offrirent aux Cappadociens ce précieux trésor: cette nation lâche le refusa, et elle courut à la servitude avec le même empressement que les autres peuples couraient à la liberté.

César opprima la république romaine, et la soumit au pouvoir arbitraire.

L'Europe gémit longtemps sous un gouvernement militaire et violent: et la douceur romaine fut changée en une cruelle oppression.

Cependant une infinité de nations inconnues sortirent du nord, se répandirent comme des torrents dans les provinces romaines; et, trouvant autant de facilité à faire des conquêtes qu'à exercer leurs pirateries, elles démembrèrent l'Empire, et fondèrent des royaumes. Ces peuples étaient libres; et ils bornaient si fort l'autorité de leurs rois qu'ils n'étaient proprement que des chefs

[32] Dido, or Elissa, founded Carthage 878 B.C., and became its queen.

ou des généraux. Ainsi ces royaumes, quoique fondés par la force, ne sentirent point le joug du vainqueur. Lorsque les peuples d'Asie, comme les Turcs et les Tartares, firent des conquêtes, soumis à la volonté d'un seul, ils ne songèrent qu'à lui donner de nouveaux sujets, et à établir par les armes son autorité violente: mais les peuples du nord, libres dans leur pays, s'emparant des provinces romaines, ne donnèrent point à leurs chefs une grande autorité. Quelques-uns même de ces peuples, comme les Vandales en Afrique, les Goths en Espagne, déposaient leurs rois dès qu'ils n'en étaient pas satisfaits; et, chez les autres, l'autorité du prince était bornée de mille manières différentes: un grand nombre de seigneurs la partageaient avec lui; les guerres n'étaient entreprises que de leur consentement; les dépouilles étaient partagées entre le chef et les soldats; aucun impôt en faveur du prince; les lois étaient faites dans les assemblées de la nation. Voilà le principe fondamental de tous ces états qui se formèrent des débris de l'empire romain.

A Venise, le 20 de la lune de Rhégeb, 1719

DE L'ESPRIT DES LOIS

CHAPITRE PREMIER

Des lois, dans le rapport qu'elles ont avec les divers êtres

Les lois, dans la signification la plus étendue, sont les rapports nécessaires qui dérivent de la nature des choses, et dans ce sens, tous les êtres ont leurs lois: la Divinité a ses lois, le monde matériel a ses lois, les intelligences supérieures à l'homme ont leurs lois, les bêtes ont leurs lois, l'homme a ses lois.

Ceux qui ont dit qu'*une fatalité aveugle a produit tous les effets que nous voyons dans le monde* ont dit une grande absurdité; car quelle plus grande absurdité qu'une fatalité aveugle qui aurait produit des êtres intelligents?

Il y a donc une raison primitive; et les lois sont les rapports qui se trouvent entre elle et les différents êtres, et les rapports de ces divers êtres entre eux.

Dieu a du rapport avec l'univers comme créateur et comme conservateur; les lois selon lesquelles il a créé sont celles selon lesquelles il conserve: il agit selon ses règles, parce qu'il les connaît; il les connaît parce qu'il les a faites; il les a faites parce qu'elles ont du rapport avec sa sagesse et sa puissance.

Comme nous voyons que le monde, formé par le mouvement de la matière et privé d'intelligence, subsiste toujours, il faut que ses mouvements aient des lois invariables; et si l'on pouvait imaginer un autre monde que celui-ci, il aurait des règles constantes, ou il serait détruit.

Ainsi la création, qui paraît être un acte arbitraire, suppose des règles aussi invariables que la fatalité des athées. Il serait absurde de dire que le Créateur, sans ces règles, pourrait gouverner le monde, puisque le monde ne subsisterait pas sans elles.

Ces règles sont un rapport constamment établi. Entre un corps mû et un autre corps mû, c'est suivant les rapports de la masse et de la vitesse que tous les mouvements sont reçus, augmentés, diminués, perdus: chaque diversité est *uniformité*, chaque changement est *constance*.

Les êtres particuliers, intelligents, peuvent avoir des lois qu'ils ont faites; mais ils en ont aussi qu'ils n'ont pas faites. Avant qu'il y eût des êtres intelligents, ils étaient possibles: ils avaient donc des rapports possibles, et par conséquent des lois possibles. Avant qu'il y eût des lois faites, il y avait des rapports de justice possibles. Dire qu'il n'y a rien de juste ni d'injuste que ce qu'ordonnent ou défendent les lois positives, c'est dire qu'avant qu'on eût tracé de cercle, tous les rayons n'étaient pas égaux.

Il faut donc avouer des rapports d'équité antérieurs à la loi positive qui les établit: comme, par exemple, que supposé qu'il y eût des sociétés d'hommes, il serait juste de se conformer à leurs lois; que s'il y avait des êtres intelligents qui eussent reçu quelque bienfait d'un autre être, ils devraient en avoir de la reconnaissance; que si un être intelligent avait créé un être intelligent, le créé devrait rester dans la dépendance qu'il a eue dès son origine; qu'un être intelligent qui a fait du mal à un être intelligent mérite de recevoir le même mal; et ainsi du reste.

Mais il s'en faut bien que le monde intelligent soit aussi bien gouverné que le monde physique. Car quoique celui-là ait aussi des lois qui, par leur nature, sont variables, il ne les suit pas constamment comme le monde physique suit les siennes. La raison en est que les êtres particuliers intelligents sont bornés par leur nature, et par conséquent sujets à l'erreur; et d'un autre côté il est de leur nature qu'ils agissent par eux-mêmes. Ils ne suivent donc pas constamment leurs lois primitives; et celles mêmes qu'ils se donnent, ils ne les suivent pas toujours.

On ne sait si les bêtes sont gouvernées par les lois générales du mouvement, ou par une motion particulière. Quoi qu'il en soit, elles n'ont point avec Dieu de rapports plus intimes que le reste du monde matériel, et le sentiment ne leur sert que dans le rapport qu'elles ont entre elles, ou avec d'autres êtres particuliers ou avec elles-mêmes.

Par l'attrait du plaisir, elles conservent leur être particulier, et par le même attrait elles conservent leur espèce. Elles ont des lois naturelles, parce qu'elles sont unies par le sentiment; elles ne suivent pourtant pas invariablement leurs lois naturelles: les plantes, en qui nous ne remarquons ni connaissance ni sentiment, les suivent mieux.

Les bêtes n'ont point les suprêmes avantages que nous avons, elles en ont que nous n'avons pas. Elles n'ont point nos espérances, mais elles n'ont pas nos craintes; elles subissent comme nous la mort, mais c'est sans la connaître: la plupart même se conservent mieux que nous, et ne font pas un aussi mauvais usage de leurs passions.

L'homme, comme être physique, est, ainsi que les autres corps, gouverné par des lois invariables; comme être intelligent, il viole sans cesse les lois que Dieu a établies, et change celles qu'il établit lui-même. Il faut qu'il se conduise, et cependant il est un être borné; il est sujet à l'ignorance et à l'erreur, comme toutes les intelligences finies; les faibles connaissances qu'il a, il les perd encore. Comme créature sensible, il devient sujet à mille passions. Un tel être pouvait à tous les instants oublier son Créateur: Dieu l'a rappelé à lui par les lois de la religion; un tel être pouvait à tous les instants s'oublier lui-même: les philosophes l'ont averti par les lois de la morale; fait pour vivre dans la société, il y pouvait oublier les autres: les législateurs l'ont rendu à ses devoirs par les lois politiques et civiles.

CHAPITRE III

Des lois positives

Sitôt que les hommes sont en société, ils perdent le sentiment de leur faiblesse; l'égalité qui était entre eux cesse, et l'état de guerre commence.

Chaque société particulière vient à sentir sa force; ce qui produit un état de guerre de nation à nation. Les particuliers, dans chaque société, commencent à sentir leur force: ils cherchent à tourner en leur faveur les principaux avantages de cette société; ce qui fait entre eux un état de guerre.

Ces deux sortes d'état de guerre font établir les lois parmi les hommes. Considérés comme habitants d'une si grande planète qu'il est nécessaire qu'il y ait différents peuples, ils ont des lois dans le rapport que ces peuples ont entre eux: et c'est le DROIT DES GENS. Considérés comme vivant dans une société qui doit être maintenue, ils ont des lois dans le rapport qu'ont ceux qui gouvernent avec ceux qui sont gouvernés: et c'est le DROIT POLITIQUE. Ils en ont encore dans le rapport que tous les citoyens ont entre eux: et c'est le DROIT CIVIL.

Le droit des gens est naturellement fondé sur ce principe, que les diverses nations doivent se faire dans la paix le plus de bien, et, dans la guerre, le moins de mal qu'il est possible, sans nuire à leurs véritables intérêts.

L'objet de la guerre, c'est la victoire; celui de la victoire, la conquête; celui de la conquête, la conservation. De ce principe et du précédent doivent dériver toutes les lois qui forment le droit des gens.

Toutes les nations ont un droit des gens; et les Iroquois mêmes, qui mangent leurs prisonniers, en ont un. Ils envoient et reçoivent des ambassades; ils connaissent les droits de la guerre et de la paix: le mal est que ce droit des gens n'est pas fondé sur les vrais principes.

Outre le droit des gens, qui regarde toutes les sociétés, il y a un droit politique pour chacune. Une société ne saurait subsister sans un gouvernement. "La réunion de toutes les forces particulières, dit très bien Gravina,[33] forme ce qu'on appelle l'ÉTAT POLITIQUE."

[33] Gravina (1664–1718), is the author of a book on the origins and progress of political law, *De Ortu et Progressu Juris Civilis*.

La force générale peut être placée entre les mains d'un seul, ou entre les mains de plusieurs. Quelques-uns ont pensé que, la nature ayant établi le pouvoir paternel, le gouvernement d'un seul était le plus conforme à la nature. Mais l'exemple du pouvoir paternel ne prouve rien; car si le pouvoir du père a du rapport au gouvernement d'un seul, après la mort du père le pouvoir des frères, ou, après la mort des frères, celui des cousins germains, ont du rapport au gouvernement de plusieurs. La puissance politique comprend nécessairement l'union de plusieurs familles.

Il vaut mieux dire que le gouvernement le plus conforme à la nature est celui dont la disposition particulière se rapporte mieux à la disposition du peuple pour lequel il est établi.

Les forces particulières ne peuvent se réunir sans que toutes les volontés se réunissent. "La réunion de ces volontés dit encore très bien Gravina, est ce qu'on appelle l'ÉTAT CIVIL."

La loi, en général, est la raison humaine, en tant qu'elle gouverne tous les peuples de la terre; et les lois politiques et civiles de chaque nation ne doivent être que les cas particuliers où s'applique cette raison humaine.

Elles doivent être tellement propres au peuple pour lequel elles sont faites, que c'est un grand hasard si celles d'une nation peuvent convenir à une autre.

Il faut qu'elles se rapportent à la nature et au principe du gouvernement qui est établi, ou qu'on veut établir, soit qu'elles le forment, comme font les lois politiques, soit qu'elles le maintiennent, comme font les lois civiles.

Elles doivent être relatives au physique du pays; au climat glacé, brûlant ou tempéré; à la qualité du terrain, à sa situation, à sa grandeur; au genre de vie des peuples, laboureurs, chasseurs ou pasteurs: elles doivent se rapporter au degré de liberté que la constitution peut souffrir; à la religion des habitants, à leurs inclinations, à leurs richesses, à leur nombre, à leur commerce, à leurs mœurs, à leurs manières.[34] Enfin elles ont du rapport entre elles: elles en ont avec leur origine, avec l'objet du légis-

[34] The extreme importance of this chapter (cf. also Book XIV, Chap. II) lies in the originality of the conception of human geography. Burke in England and Taine in France are very much indebted to Montesquieu on this point. This paragraph contains also the outline of the subjects treated in the *Esprit des lois*.

lateur, avec l'ordre des choses sur lesquelles elles sont établies. C'est dans toutes ces vues qu'il faut les considérer.

C'est ce que j'entreprends de faire dans cet ouvrage. J'examinerai tous ces rapports: ils forment tous ensemble ce qu'on appelle l'ESPRIT DES LOIS. . . .

LIVRE III

CHAPITRE I

Différence de la nature du gouvernement et de son principe

Après avoir examiné quelles sont les lois relatives à la nature de chaque gouvernement, il faut voir celles qui le sont à son principe.

Il y a cette différence entre la nature du gouvernement et son principe, que sa nature est ce qui le fait être tel; et son principe ce qui le fait agir. L'une est sa structure particulière, et l'autre les passions humaines qui le font mouvoir.

Or les lois ne doivent pas être moins relatives au principe de chaque gouvernement qu'à sa nature. Il faut donc chercher quel est ce principe. C'est ce que je vais faire dans ce livre-ci.

CHAPITRE II

Du principe des divers gouvernements

J'ai dit que la nature du gouvernement républicain est que le peuple en corps, ou de certaines familles, y aient la souveraine puissance: celle du gouvernement monarchique, que le prince y ait la souveraine puissance, mais qu'il l'exerce selon les lois établies: celle du gouvernement despotique, qu'un seul y gouverne selon ses volontés et ses caprices. Il ne m'en faut pas davantage pour trouver leurs trois principes; ils en dérivent naturellement. Je commencerai par le gouvernement républicain, et je parlerai d'abord du démocratique.

CHAPITRE III

Du principe de la démocratie

Il ne faut pas beaucoup de probité pour qu'un gouvernement monarchique ou un gouvernement despotique se maintiennent ou se soutiennent. La force des lois dans l'un, le bras du prince toujours levé dans l'autre, règlent ou contiennent tout. Mais dans un état populaire, il faut un ressort de plus, qui est la vertu. . . .

CHAPITRE IV

Du principe de l'aristocratie

Comme il faut de la vertu dans le gouvernement populaire, il en faut aussi dans l'aristocratie. Il est vrai qu'elle n'y est pas si absolument requise.

Le peuple, qui est à l'égard des nobles ce que les sujets sont à l'égard du monarque, est contenu par leurs lois: il a donc moins besoin de vertu que le peuple de la démocratie. Mais comment les nobles seront-ils contenus? Ceux qui doivent faire exécuter les lois contre leurs collègues sentiront d'abord qu'ils agissent contre eux-mêmes. Il faut donc de la vertu dans ce corps, par la nature de la constitution. . . .

CHAPITRE VI

Comment on supplée à la vertu dans le gouvernement monarchique

Je me hâte et je marche à grands pas, afin qu'on ne croie pas que je fasse une satire du gouvernement monarchique. Non; s'il manque d'un ressort, il en a un autre. L'*honneur*, c'est-à-dire le préjugé de chaque personne et de chaque condition, prend la place de la vertu politique dont j'ai parlé, et la représente partout. Il y peut inspirer les plus belles actions; il peut, joint à la force des lois, conduire au but du gouvernement comme la vertu même.

Ainsi, dans les monarchies bien réglées, tout le monde sera à peu près bon citoyen, et on trouvera rarement quelqu'un qui soit homme de bien; car, pour être homme de bien,[35] il faut avoir intention de l'être, et aimer l'état moins pour soi que pour lui-même.

CHAPITRE VII

Du principe de la monarchie

Le gouvernement monarchique suppose, comme nous avons dit, des prééminences, des rangs, et même une noblesse d'origine. La

[35] Used here only as applied to political affairs.

nature de l'honneur est de demander des préférences et des distinctions; il est donc, par la chose même, placé dans ce gouvernement.

L'ambition est pernicieuse dans une république; elle a de bons effets dans la monarchie: elle donne la vie à ce gouvernement; et on y a cet avantage, qu'elle n'y est pas dangereuse, parce qu'elle y peut être sans cesse réprimée.

Vous diriez qu'il en est comme du système de l'univers, où il y a une force qui éloigne sans cesse du centre tous les corps, et une force de pesanteur qui les y ramène. L'honneur fait mouvoir toutes les parties du corps politique; il les lie par son action même; il se trouve que chacun va au bien commun, croyant aller à ses intérêts particuliers.

Il est vrai que, philosophiquement parlant, c'est un honneur faux qui conduit toutes les parties de l'état: mais cet honneur faux est aussi utile au public que le vrai le serait aux particuliers qui pourraient l'avoir.

Et n'est-ce pas beaucoup d'obliger les hommes à faire toutes les actions difficiles et qui demandent de la force, sans autre récompense que le bruit de ces actions?

CHAPITRE IX

Du principe du gouvernement despotique

Comme il faut de la vertu dans une république, et dans une monarchie de l'honneur, il faut de la *crainte* dans un gouvernement despotique: pour la vertu, elle n'y est point nécessaire, et l'honneur y serait dangereux.

Le pouvoir immense du prince y passe tout entier à ceux à qui il le confie. Des gens capables de s'estimer beaucoup eux-mêmes seraient en état d'y faire des révolutions: il faut donc que la crainte y abatte tous les courages, et y éteigne jusqu'au moindre sentiment d'ambition. . . .

LIVRE XI

CHAPITRE VI

De la constitution d'Angleterre [36]

Il y a dans chaque état trois sortes de pouvoirs; la puissance législative, la puissance exécutrice des choses qui dépendent du droit des gens, et la puissance exécutrice de celles qui dépendent du droit civil.

Par la première, le prince ou le magistrat fait des lois pour un temps ou pour toujours, et corrige ou abroge celles qui sont faites. Par la seconde, il fait la paix ou la guerre, envoie ou reçoit des ambassades, établit la sûreté, prévient les invasions. Par la troisième, il punit les crimes, ou juge les différends des particuliers. On appellera cette dernière la puissance de juger; et l'autre, simplement la puissance exécutrice de l'état.

La liberté politique, dans un citoyen, est cette tranquillité d'esprit qui provient de l'opinion que chacun a de sa sûreté; et, pour qu'on ait cette liberté, il faut que le gouvernement soit tel qu'un citoyen ne puisse pas craindre un autre citoyen.

Lorsque dans la même personne ou dans le même corps de magistrature la puissance législative est réunie à la puissance exécutrice, il n'y a point de liberté, parce qu'on peut craindre que le même monarque ou le même sénat ne fasse des lois tyranniques pour les exécuter tyranniquement.

Il n'y a point encore de liberté si la puissance de juger n'est pas séparée de la puissance législative et de l'exécutrice. Si elle était jointe à la puissance législative, le pouvoir sur la vie et la liberté des citoyens serait arbitraire; car le juge serait législateur. Si elle était jointe à la puissance exécutrice, le juge pourrait avoir la force d'un oppresseur.

Tout serait perdu si le même homme, ou le même corps des principaux, ou des nobles, ou du peuple, exerçait ces trois pouvoirs: celui de faire des lois, celui d'exécuter les résolutions publiques, et celui de juger les crimes ou les différends des particuliers.

[36] Most of the ideas in this chapter are derived from the *Two Treatises on Government* (1685), by Locke, Chap. XII.

Dans la plupart des royaumes de l'Europe, le gouvernement est modéré, parce que le prince, qui a les deux premiers pouvoirs, laisse à ses sujets l'exercice du troisième. Chez les Turcs, où ces trois pouvoirs sont réunis, sur la tête du sultan, il règne un affreux despotisme.

Dans les républiques d'Italie, où ces trois pouvoirs sont réunis, la liberté se trouve moins que dans nos monarchies. Aussi le gouvernement a-t-il besoin, pour se maintenir, de moyens aussi violents que le gouvernement des Turcs; témoin les inquisiteurs d'état,[37] et le tronc où tout délateur peut, à tous les moments, jeter avec un billet son accusation.

Voyez quelle peut être la situation d'un citoyen dans ces républiques. Le même corps de magistrature a, comme exécuteur des lois, toute la puissance qu'il s'est donnée comme législateur. Il peut ravager l'état par ses volontés générales; et, comme il a encore la puissance de juger, il peut détruire chaque citoyen par ses volontés particulières.

Toute la puissance y est une; et, quoiqu'il n'y ait point de pompe extérieure qui découvre un prince despotique, on le sent à chaque instant.

Aussi les princes qui ont voulu se rendre despotiques ont-ils toujours commencé par réunir en leur personne toutes les magistratures; et plusieurs rois d'Europe, toutes les grandes charges de leur état. . . .

La puissance de juger ne doit pas être donnée à un sénat permanent, mais exercée par des personnes tirées du corps du peuple, dans certains temps de l'année, de la manière prescrite par la loi, pour former un tribunal qui ne dure qu'autant que la nécessité le requiert.

De cette façon, la puissance de juger, si terrible parmi les hommes, n'étant attachée ni à un certain état, ni à une certaine profession, devient, pour ainsi dire, invisible et nulle. On n'a point continuellement des juges devant les yeux; et l'on craint la magistrature, et non pas les magistrats.

Il faut même que, dans les grandes accusations, le criminel, concurremment avec la loi, se choisisse des juges, ou, du moins, qu'il en puisse récuser un si grand nombre que ceux qui restent soient censés être de son choix.

[37] At Venice.

Les deux autres pouvoirs pourraient plutôt être donnés à des magistrats ou à des corps permanents, parce qu'ils ne s'exercent sur aucun particulier, n'étant, l'un, que la volonté générale de l'état, et l'autre, que l'exécution de cette volonté générale.

Mais, si les tribunaux ne doivent pas être fixes, les jugements doivent l'être à un tel point qu'ils ne soient jamais qu'un texte précis de la loi. S'ils étaient une opinion particulière du juge, on vivrait dans la société sans savoir précisément les engagements que l'on y contracte.

Il faut même que les juges soient de la condition de l'accusé, ou ses pairs, pour qu'il ne puisse pas se mettre dans l'esprit qu'il soit tombé entre les mains de gens portés à lui faire violence.

Si la puissance législative laisse à l'exécutrice le droit d'emprisonner des citoyens qui peuvent donner caution de leur conduite, il n'y a plus de liberté, à moins qu'ils ne soient arrêtés pour répondre sans délai à une accusation que la loi a rendue capitale; auquel cas ils sont réellement libres, puisqu'ils ne sont soumis qu'à la puissance de la loi.

Mais si la puissance législative se croyait en danger par quelque conjuration secrète contre l'état, ou quelque intelligence avec les ennemis du dehors, elle pourrait, pour un temps court et limité, permettre à la puissance exécutrice de faire arrêter les citoyens suspects, qui ne perdraient leur liberté pour un temps que pour la conserver pour toujours.

Et c'est le seul moyen conforme à la raison de suppléer à la tyrannique magistrature des éphores, et aux inquisiteurs d'état de Venise, qui sont aussi despotiques.

Comme dans un état libre tout homme qui est censé avoir une âme libre doit être gouverné par lui-même, il faudrait que le peuple en corps eût la puissance législative; mais comme cela est impossible dans les grands états, et est sujet à beaucoup d'inconvénients dans les petits, il faut que le peuple fasse par ses représentants tout ce qu'il ne peut faire par lui-même.

L'on connaît beaucoup mieux les besoins de sa ville que ceux des autres villes, et on juge mieux de la capacité de ses voisins que de celle de ses autres compatriotes. Il ne faut donc pas que les membres du corps législatif soient tirés en général du corps de la nation, mais il convient que, dans chaque lieu principal, les habitants se choisissent un représentant.

Le grand avantage des représentants, c'est qu'ils sont capables de discuter les affaires. Le peuple n'y est point du tout propre, ce qui forme un des grands inconvénients de la démocratie.

Il n'est pas nécessaire que les représentants, qui ont reçu de ceux qui les ont choisis une instruction générale, en reçoivent une particulière sur chaque affaire, comme cela se pratique dans les diètes d'Allemagne. Il est vrai que, de cette manière, la parole des députés serait plus l'expression de la voix de la nation; mais cela jetterait dans des longueurs infinies, rendrait chaque député le maître de tous les autres; et, dans les occasions les plus pressantes, toute la force de la nation pourrait être arrêtée par un caprice.

Quand les députés, dit très bien M. Sidney,[38] représentent un corps de peuple comme en Hollande, ils doivent rendre compte à ceux qui les ont commis: c'est autre chose lorsqu'ils sont députés par des bourgs, comme en Angleterre.

Tous les citoyens, dans les divers districts, doivent avoir droit de donner leur voix pour choisir le représentant, excepté ceux qui sont dans un tel état de bassesse qu'ils sont réputés n'avoir point de volonté propre.

Il y avait un grand vice dans la plupart des anciennes républiques: c'est que le peuple avait droit d'y prendre des résolutions actives, et qui demandent quelque exécution, chose dont il est entièrement incapable. Il ne doit entrer dans le gouvernement que pour choisir ses représentants, ce qui est très à sa portée. Car, s'il y a peu de gens qui connaissent le degré précis de la capacité des hommes, chacun est pourtant capable de savoir en général si celui qu'il choisit est plus éclairé que la plupart des autres.

Le corps représentant ne doit pas être choisi non plus pour prendre quelque résolution active, chose qu'il ne ferait pas bien, mais pour faire des lois, ou pour voir si l'on a bien exécuté celles qu'il a faites, chose qu'il peut très bien faire, et qu'il n'y a même que lui qui puisse bien faire. . . .

Si le corps législatif était un temps considérable sans être assemblé, il n'y aurait plus de liberté. Car il arriverait de deux choses l'une: ou qu'il n'y aurait plus de résolution législative,

[38] Algernon Sidney (1622–1683), English politician, author of *Discourses concerning Government*, 1698.

et l'état tomberait dans l'anarchie; ou que ces résolutions seraient prises par la puissance exécutrice, et elle deviendrait absolue.

Il serait inutile que le corps législatif fût toujours assemblé. Cela serait incommode pour les représentants, et d'ailleurs occuperait trop la puissance exécutrice, qui ne penserait point à exécuter, mais à défendre ses prérogatives et le droit qu'elle à d'exécuter.

De plus, si le corps législatif était continuellement assemblé, il pourrait arriver que l'on ne ferait que suppléer de nouveaux députés à la place de ceux qui mourraient; et dans ce cas, si le corps législatif était une fois corrompu, le mal serait sans remède. Lorsque divers corps législatifs se succèdent les uns aux autres, le peuple, qui a mauvaise opinion du corps législatif actuel, porte avec raison ses espérances sur celui qui viendra après; mais, si c'était toujours le même corps, le peuple, le voyant une fois corrompu, n'espérerait plus rien de ses lois: il deviendrait furieux, ou tomberait dans l'indolence.

Le corps législatif ne doit point s'assembler lui-même: car un corps n'est censé avoir de volonté que lorsqu'il est assemblé; et, s'il ne s'assemblait pas unanimement, on ne saurait dire quelle partie serait véritablement le corps législatif; celle qui serait assemblée, ou celle qui ne le serait pas. Que s'il avait droit de se proroger lui-même, il pourrait arriver qu'il ne se prorogerait jamais; ce qui serait dangereux dans le cas où il voudrait attenter contre la puissance exécutrice. D'ailleurs, il y a des temps plus convenables les uns que les autres pour l'assemblée du corps législatif: il faut donc que ce soit la puissance exécutrice qui règle le temps de la tenue et de la durée de ces assemblées, par rapport aux circonstances qu'elle connaît.

Si la puissance exécutrice n'a pas le droit d'arrêter les entreprises du corps législatif, celui-ci sera despotique; car, comme il pourra se donner tout le pouvoir qu'il peut imaginer, il anéantira toutes les autres puissances.

Mais il ne faut pas que la puissance législative ait réciproquement la faculté d'arrêter la puissance exécutrice; car l'exécution ayant ses limites par sa nature, il est inutile de la borner; outre que la puissance exécutrice s'exerce toujours sur des choses momentanées. Et la puissance des tribuns de Rome était vicieuse, en ce qu'elle arrêtait non seulement la législation, mais même l'exécution: ce qui causait de grands maux.

Mais si, dans un état libre, la puissance législative ne doit pas avoir le droit d'arrêter la puissance exécutrice, elle a droit et doit avoir la faculté d'examiner de quelle manière les lois qu'elle a faites ont été exécutées; et c'est l'avantage qu'a ce gouvernement sur celui de Crète et de Lacédémone, où les cosmes et les éphores ne rendaient point compte de leur administration.

Mais, quel que soit cet examen, le corps législatif ne doit point avoir le pouvoir de juger la personne et par conséquent la conduite de celui qui exécute. Sa personne doit être sacrée, parce qu'étant nécessaire à l'état pour que le corps législatif n'y devienne pas tyrannique, dès le moment qu'il serait accusé ou jugé, il n'y aurait plus de liberté. . . .

La puissance exécutrice, comme nous avons dit, doit prendre part à la législation par sa faculté d'empêcher; sans quoi, elle sera bientôt dépouillée de ses prérogatives. Mais si la puissance législative prend part à l'exécution, la puissance exécutrice sera également perdue.

Si le monarque prenait part à la législation par la faculté de statuer, il n'y aurait plus de liberté. Mais comme il faut pourtant qu'il ait part à la législation pour se défendre, il faut qu'il y prenne part par la faculté d'empêcher. . . .

Voici donc la constitution fondamentale du gouvernement dont nous parlons. Le corps législatif y étant composé de deux parties, l'une enchaînera l'autre par sa faculté mutuelle d'empêcher. Toutes les deux seront liées par la puissance exécutrice, qui le sera elle-même par la législative.

Ces trois puissances devraient former un repos ou une inaction. Mais, comme par le mouvement nécessaire des choses elles sont contraintes d'aller, elles seront forcées d'aller de concert.

La puissance exécutrice ne faisant partie de la législative que par sa faculté d'empêcher, elle ne saurait entrer dans le débat des affaires. Il n'est pas même nécessaire qu'elle propose, parce que, pouvant toujours désapprouver les résolutions, elle peut rejeter les décisions des propositions qu'elle aurait voulu qu'on n'eût pas faites.

Dans quelques républiques anciennes, où le peuple en corps

avait le débat des affaires, il était naturel que la puissance exécutrice les proposât et les débattît avec lui; sans quoi, il y aurait eu, dans les résolutions, une confusion étrange.

Si la puissance exécutrice statue sur la levée des deniers publics autrement que par son consentement, il n'y aura plus de liberté, parce qu'elle deviendra législative dans le point le plus important de la législation.

Si la puissance législative statue, non pas d'année en année, mais pour toujours, sur la levée des deniers publics, elle court risque de perdre sa liberté, parce que la puissance exécutrice ne dépendra plus d'elle, et quand on tient un pareil droit pour toujours, il est assez indifférent qu'on le tienne de soi ou d'un autre. Il en est de même si elle statue, non pas d'année en année, mais pour toujours, sur les forces de terre et de mer qu'elle doit confier à la puissance exécutrice. . . .

Si l'on veut lire l'admirable ouvrage de Tacite sur les mœurs des Germains, on verra que c'est d'eux que les Anglais ont tiré l'idée de leur gouvernement politique. Ce beau système a été trouvé dans les bois.

Comme toutes les choses humaines ont une fin, l'état dont nous parlons perdra sa liberté, il périra. Rome, Lacédémone et Carthage ont bien péri. Il périra lorsque la puissance législative sera plus corrompue que l'exécutrice.

Ce n'est point à moi à examiner si les Anglais jouissent actuellement de cette liberté, ou non. Il me suffit de dire qu'elle est établie par leurs lois, et je n'en cherche pas davantage.

Je ne prétends point par là ravaler les autres gouvernements, ni dire que cette liberté politique extrême doive mortifier ceux qui n'en ont qu'une modérée. Comment dirais-je cela, moi qui crois que l'excès même de la raison n'est pas toujours désirable, et que les hommes s'accommodent presque toujours mieux des milieux que des extrémités? . . .

LIVRE XIV

Des lois dans le rapport qu'elles ont avec la nature du climat

CHAPITRE I

Idée générale

S'il est vrai que le caractère de l'esprit et les passions du cœur soient extrêmement différents dans les divers climats, les lois doivent être relatives et à la différence de ces passions et à la différence de ces caractères.

CHAPITRE II

Combien les hommes sont différents dans les divers climats

L'air froid resserre les extrémités des fibres extérieures de notre corps; cela augmente leur ressort, et favorise le retour du sang des extrémités vers le cœur: il diminue la longueur de ces mêmes fibres; il augmente donc encore par là leur force. L'air chaud au contraire relâche les extrémités des fibres et les allonge; il diminue donc leur force et leur ressort.

On a donc plus de vigueur dans les climats froids. L'action du cœur et la réaction des extrémités des fibres s'y font mieux, les liqueurs sont mieux en équilibre, le sang est plus déterminé vers le cœur, et réciproquement le cœur a plus de puissance. Cette force plus grande doit produire bien des effets; par exemple, plus de confiance en soi-même, c'est-à-dire plus de courage; plus de connaissance de sa supériorité, c'est-à-dire moins de désir de la vengeance; plus d'opinion de sa sûreté, c'est-à-dire plus de franchise, moins de soupçons, de politique et de ruses: enfin cela doit faire des caractères bien différents. Mettez un homme dans un lieu chaud et enfermé; il souffrira par les raisons que je viens de dire, une défaillance de cœur très grande. Si dans cette circonstance on va lui proposer une action hardie, je crois qu'on l'y trouvera très peu disposé; sa faiblesse présente mettra un découragement dans son âme: il craindra tout, parce qu'il sentira qu'il ne peut rien. Les peuples des pays chauds sont timides comme les vieillards le sont; ceux des pays froids sont courageux comme le sont les jeunes gens. Si nous faisons attention aux dernières guerres,[39] qui sont celles que nous avons le plus sous nos yeux, et dans lesquelles nous pouvons mieux voir de certains effets légers, imperceptibles de loin, nous sentirons bien que les peuples du nord transportés dans les pays du midi,[40] n'y ont pas fait d'aussi belles actions que leurs compatriotes, qui, combattant dans leur propre climat, y jouissaient de tout leur courage.

La force des fibres des peuples du nord fait que les sucs les plus grossiers sont tirés des aliments. Il en résulte deux choses: l'une, que les parties du chyle ou de la lymphe sont plus propres par leur grande surface à être appliquées sur les fibres et à les nourrir; l'autre, qu'elles sont moins propres par leur grossièreté à donner une certaine subtilité au suc nerveux. Ces peuples auront donc de grands corps et peu de vivacité.

Les nerfs qui aboutissent de tous côtés au tissu de notre peau font chacun un faisceau de nerfs: ordinairement ce n'est pas tout le nerf qui est remué, c'en est une partie infiniment petite. Dans les pays chauds, où le tissu de la peau est relâché, les bouts des nerfs sont épanouis et exposés à la plus petite action des objets les plus faibles. Dans les pays froids le tissu de la peau est resserré, et les mamelons comprimés; les petites houppes sont en quelque façon paralytiques; la sensation ne passe guère au cerveau que lorsqu'elle est extrêmement forte, et qu'elle est de tout le nerf ensemble; mais c'est d'un nombre infini de petites sensations que dépendent l'imagination, le goût, la sensibilité, la vivacité.

J'ai observé le tissu extérieur d'une langue de mouton dans l'endroit où elle paraît à la simple vue couverte de mamelons de petits poils ou une espèce de duvet; entre les mamelons étaient des pyramides qui formaient par le bout comme de petits pinceaux. Il y a grande apparence que ces pyramides sont le principal organe du goût.

J'ai fait geler la moitié de cette langue, et j'ai trouvé à la simple vue les mamelons considérablement diminués; quelques rangs même de mamelons s'étaient enfoncés dans leur gaîne. J'en ai examiné le tissu avec le microscope, je n'ai plus vu de pyramide. A mesure que la langue s'est dégelée, les mamelons, à la simple vue, ont paru se relever; et au microscope les petites houppes ont commencé à reparaître.

[39] Wars of the Spanish Succession.

[40] In Spain, for example.

Cette observation confirme ce que j'ai dit, que dans les pays froids les houppes nerveuses sont moins épanouies; elles s'enfoncent dans leurs gaînes, où elles sont à couvert de l'action des objets extérieurs. Les sensations sont donc moins vives.

Dans les pays froids on aura peu de sensibilité pour les plaisirs; elle sera plus grande dans les pays tempérés; dans les pays chauds elle sera extrême. Comme on distingue les climats par les degrés de latitude, on pourrait les distinguer, pour ainsi dire, par les degrés de sensibilité. J'ai vu les opéras d'Angleterre et d'Italie; ce sont les mêmes pièces et les mêmes acteurs: mais la même musique produit des effets si différents sur les deux nations, l'une est si calme, et l'autre si transportée, que cela paraît inconcevable.

Il en sera de même de la douleur: elle est excitée en nous par le déchirement de quelque fibre de notre corps. L'Auteur de la nature a établi que cette douleur serait plus forte à mesure que le dérangement serait plus grand; or il est évident que les grands corps et les fibres grossières des peuples du nord sont moins capables de dérangement que les fibres délicates des peuples des pays chauds: l'âme y est donc moins sensible à la douleur. Il faut écorcher un Moscovite pour lui donner du sentiment.

Avec cette délicatesse d'organes que l'on a dans les pays chauds, l'âme est souverainement émue par tout ce qui a du rapport à l'union des deux sexes: tout conduit à cet objet.

Dans les climats du nord à peine le physique de l'amour a-t-il la force de se rendre bien sensible: dans les climats tempérés l'amour accompagné de mille accessoires se rend agréable par des choses qui d'abord semblent être lui-même, et ne sont pas encore lui: dans les climats plus chauds on aime l'amour pour lui-même; il est la cause unique du bonheur, il est la vie.

Dans les pays du midi une machine délicate, faible, mais sensible, se livre à un amour qui, dans un sérail naît et se calme sans cesse; ou bien à un amour qui laissant les femmes dans une plus grande indépendance, est exposé à mille troubles. Dans les pays du nord une machine saine et bien constituée, mais lourde, trouve ses plaisirs dans tout ce qui peut remettre les esprits en mouvement, la chasse, les voyages, la guerre, le vin. Vous trouverez dans les climats du nord des peuples qui ont peu de vices, assez de vertus, beaucoup de sincérité et de franchise.

Approchez des pays du midi, vous croirez vous éloigner de la morale même; des passions plus vives multiplieront les crimes; chacun cherchera à prendre sur les autres tous les avantages qui peuvent favoriser ces mêmes passions. Dans les pays tempérés vous verrez des peuples inconstants dans leurs manières, dans leurs vices même, et dans leurs vertus; le climat n'y a pas une qualité assez déterminée pour les fixer eux-mêmes.

La chaleur du climat peut être si excessive que le corps y sera absolument sans force. Pour lors l'abattement passera à l'esprit même; aucune curiosité, aucune noble entreprise, aucun sentiment généreux; les inclinations y seront toutes passives; la paresse y fera le bonheur; la plupart des châtiments y seront moins difficiles à soutenir que l'action de l'âme, et la servitude moins insupportable que la force d'esprit qui est nécessaire pour se conduire soi-même.

CHAPITRE V

Que les mauvais législateurs sont ceux qui ont favorisé les vices du climat, et les bons sont ceux qui s'y sont opposés

Les Indiens croient que le repos et le néant sont le fondement de toutes choses et la fin où elles aboutissent. Ils regardent donc l'entière inaction comme l'état le plus parfait et l'objet de leurs désirs. Ils donnent au souverain être [41] le surnom d'immobile. Les Siamois [42] croient que la félicité suprême consiste à n'être point obligé d'animer une machine et de faire agir un corps.

Dans ces pays, où la chaleur excessive énerve et accable, le repos est si délicieux et le mouvement si pénible que ce système de métaphysique paraît naturel; et Foé,[43] législateur des Indes, a suivi ce qu'il sentait lorsqu'il a mis les hommes dans un état

[41] Panamanak.

[42] cf. *Du royaume de Siam,* 1691, by Simon de la Loubère.

[43] Just before the Christian era the Chinese emperor Ming-ti introduced a new sect into China from India, that of Fo or Foe. With it came many Indian fables and tales of Fo's wonderful doings. The sect spread rapidly in China. Its influence is looked upon by Du Halde as bad. Among Fo's last words are said to be the following: "Learn then that the principle of all things is emptiness and nothing; from nothing all things proceeded, and into nothing all will return, and this is the end of all our hopes" (cf. the *Histoire générale de la Chine,* 1735, by Le P. du Halde).

extrêmement passif: mais sa doctrine, née de la paresse du climat, la favorisant à son tour, a causé mille maux.

Les législateurs de la Chine furent plus sensés lorsque, considérant les hommes non pas dans l'état paisible où ils seront quelque jour, mais dans l'action propre à leur faire remplir les devoirs de la vie, ils firent leur religion, leur philosophie, et leurs lois toutes pratiques. Plus les causes physiques portent les hommes au repos, plus les causes morales les en doivent éloigner.

LIVRE XIX

CHAPITRE IV

Ce que c'est que l'esprit général

Plusieurs choses gouvernent les hommes: le climat, la religion, les lois, les maximes du gouvernement, les exemples des choses passées, les mœurs, les manières; d'où il se forme un esprit général qui en résulte.

A mesure que dans chaque nation une de ces causes agit avec plus de force, les autres lui cèdent d'autant: la nature et le climat dominent presque seuls sur les sauvages; les manières gouvernent les Chinois; les lois tyrannisent le Japon; les mœurs donnaient autrefois le ton dans Lacédémone; les maximes du gouvernement et les mœurs anciennes le donnaient dans Rome.

CHAPITRE V

Combien il faut être attentif à ne point changer l'esprit général d'une nation

S'il y avait dans le monde une nation [44] qui eût une humeur sociable, une ouverture de cœur, une joie dans la vie, un goût, une facilité à communiquer ses pensées, qui fût vive, agréable, enjouée, quelquefois imprudente, souvent indiscrète, et qui eût avec cela du courage, de la générosité, de la franchise, un certain point d'honneur, il ne faudrait point chercher à gêner par des lois ses manières, pour ne point gêner ses vertus. Si en général le caractère est bon, qu'importe de quelques défauts qui s'y trouvent?

[44] The author seems to have the French nation in mind.

On y pourrait contenir les femmes, faire des lois pour corriger les mœurs, et borner leur luxe: mais qui sait si on n'y perdrait pas un certain goût qui serait la source des richesses de la nation, et une politesse qui attire chez elle les étrangers?

C'est au législateur à suivre l'esprit de la nation lorsqu'il n'est pas contraire aux principes du gouvernement; car nous ne faisons rien de mieux que ce que nous faisons librement et en suivant notre génie naturel.

Qu'on donne un esprit de pédanterie à une nation naturellement gaie, l'état n'y gagnera rien ni pour le dedans ni pour le dehors. Laissez-lui faire les choses frivoles sérieusement, et gaiement les choses sérieuses.

CHAPITRE VI

Qu'il ne faut pas tout corriger

Qu'on nous laisse comme nous sommes, disait un gentilhomme d'une nation qui ressemble beaucoup à celle dont nous venons de donner une idée. La nature répare tout: elle nous a donné une vivacité capable d'offenser et propre à nous faire manquer à tous les égards; cette même vivacité est corrigée par la politesse qu'elle nous procure, en nous inspirant du goût pour le monde, et surtout pour le commerce des femmes.

Qu'on nous laisse tels que nous sommes. Nos qualités indiscrètes, jointes à notre peu de malice, font que les lois qui gêneraient l'humeur sociable parmi nous ne seraient point convenables.

CHAPITRE XIV

Quels sont les moyens naturels de changer les mœurs et les manières d'une nation

Nous avons dit que les lois étaient des institutions particulières et précises du législateur, et les mœurs et les manières des institutions de la nation en général. De là il suit que, lorsqu'on veut changer les mœurs et les manières, il ne faut pas les changer par les lois, cela paraîtrait trop tyrannique; il vaut mieux les changer par d'autres mœurs et d'autres manières.

Ainsi, lorsqu'un prince veut faire de grands changements dans sa nation, il faut qu'il réforme par les lois ce qui est établi par les lois, et qu'il change par les manières ce qui est établi par les manières; et c'est une très mauvaise politique de changer par les lois ce qui doit être changé par les manières.

La loi qui obligeait les Moscovites à se faire couper la barbe et les habits, et la violence de Pierre Ier,[45] qui faisait tailler jusqu'aux genoux les longues robes de ceux qui entraient dans les villes, étaient tyranniques. Il y a des moyens pour empêcher les crimes; ce sont les peines: il y en a pour faire changer les manières; ce sont les exemples.

La facilité et la promptitude avec laquelle cette nation s'est policée a bien montré que ce prince avait trop mauvaise opinion d'elle; et que ces peuples n'étaient pas des bêtes, comme il le disait. Les moyens violents qu'il employait étaient inutiles; il serait arrivé tout de même à son but par la douceur.

Il éprouva lui-même la facilité de ces changements. Les femmes étaient renfermées et en quelque façon esclaves; il les appela à la cour, il les fit habiller à l'allemande, il leur envoyait des étoffes. Ce sexe goûta d'abord une façon de vivre qui flattait si fort son goût, sa vanité et ses passions, et la fit goûter aux hommes.

Ce qui rendit le changement plus aisé, c'est que les mœurs d'alors étaient étrangères au climat, et y avaient été apportées par le mélange des nations et par les conquêtes. Pierre Ier, donnant les mœurs et les manières de l'Europe à une nation d'Europe, trouva des facilités qu'il n'attendait pas lui-même. L'empire du climat est le premier de tous les empires. Il n'avait donc pas besoin de lois pour changer les mœurs et les manières de sa nation: il lui eût suffi d'inspirer d'autres mœurs et d'autres manières.

En général, les peuples sont très attachés à leurs coutumes; les leur ôter violemment, c'est les rendre malheureux: il ne faut donc pas les changer, mais les engager à les changer eux-mêmes.

Toute peine qui ne dérive pas de la nécessité est tyrannique. La loi n'est pas un pur acte de puissance; les choses indifférentes par leur nature ne sont pas de son ressort.

[45] Peter I, "The Great" (1672–1725), czar of Russia (1696–1725), introduced western customs into Russia and made her one of the great powers.

DENIS DIDEROT

1713–1784

PENSÉES PHILOSOPHIQUES [1]

I

On déclame sans fin contre les passions; on leur impute toutes les peines de l'homme, et l'on oublie qu'elles sont aussi la source de tous ses plaisirs. C'est dans sa constitution un élément dont on ne peut dire ni trop de bien ni trop de mal. Mais ce qui me donne de l'humeur, c'est qu'on ne les regarde jamais que du mauvais côté. On croirait faire injure à la raison, si l'on disait un mot en faveur de ses rivales; cependant il n'y a que les passions, et les grandes passions, qui puissent élever l'âme aux grandes choses. Sans elles, plus de sublime, soit dans les mœurs, soit dans les ouvrages; les beaux-arts retournent en enfance, et la vertu devient minutieuse.

IV

Ce serait donc un bonheur, me dira-t-on, d'avoir les passions fortes. Oui, sans doute, si toutes sont à l'unisson. Établissez entre elles une juste harmonie, et n'en appréhendez point de désordres. Si l'espérance est balancée par la crainte, le point d'honneur par l'amour de la vie, le penchant au plaisir par l'intérêt de la santé, vous ne verrez ni libertins, ni téméraires, ni lâches.

V

C'est le comble de la folie, que de se proposer la ruine des passions. Le beau projet que celui d'un dévot qui se tourmente

[1] One of the numerous anonymous pamphlets of the eighteenth century, inspired by a vigorous detestation of "prejudices." The *Pensées* were written by Diderot between Good Friday and Easter Monday, 1746, mainly for the purpose of helping Mme de Puisieux, a lady possessed of greater charm than riches, whose acquaintance he had made during a visit of his wife to the provinces. It was to her that Diderot turned over the entire fifty louis paid to him by his publisher. The work was condemned and burned. It excited a controversy that lasted for years.

comme un forcené, pour ne rien désirer, ne rien aimer, ne rien sentir, et qui finirait par devenir un vrai monstre s'il réussissait!

IX

Sur le portrait qu'on me fait de l'Être suprême, sur son penchant à la colère, sur la rigueur de ses vengeances, sur certaines comparaisons qui nous expriment en nombre le rapport de ceux qu'il laisse périr à ceux à qui il daigne tendre la main, l'âme la plus droite serait tentée de souhaiter qu'il n'existât pas. L'on serait assez tranquille en ce monde, si l'on était assez assuré que l'on n'a rien à craindre dans l'autre: la pensée qu'il n'y a point de Dieu n'a jamais effrayé personne, mais bien celle qu'il y en a un tel que celui qu'on me peint.

XXV

Qu'est-ce que Dieu? question qu'on fait aux enfants, et à laquelle les philosophes ont bien de la peine à répondre.

On sait à quel âge un enfant doit apprendre à lire, à chanter, à danser, le latin, la géométrie. Ce n'est qu'en matière de religion qu'on ne consulte point sa portée; à peine entend-il, qu'on lui demande: Qu'est-ce que Dieu? C'est dans le même instant, c'est de la même bouche qu'il apprend qu'il y a des esprits follets, des revenants, des loups-garous, et un Dieu. On lui inculque une des plus importantes vérités d'une manière capable de la décrier un jour au tribunal de sa raison. En effet, qu'y aura-t-il de surprenant, si, trouvant à l'âge de vingt ans l'existence de Dieu confondue dans sa tête avec une foule de préjugés ridicules, il vient à la méconnaître et à la traiter ainsi que nos juges traitent un honnête homme qui se trouve engagé par accident dans une troupe de coquins.

XXXV

J'entends crier de toute part à l'impiété. Le chrétien est impie en Asie, le musulman en Europe, le papiste à Londres, le calviniste à Paris, le janséniste au haut de la rue Saint-Jacques, le moliniste au fond du faubourg Saint-Médard.[2] Qu'est-ce donc qu'un impie? Tout le monde l'est-il, ou personne?

[2] As will be seen from the following note, the Faubourg Saint-Médard, at the bottom of the southeasterly slope of the Montagne Sainte-Geneviève, may be considered to have been the Jansenist stronghold. That of the fol-

LIII

Un faubourg [3] retentit d'acclamations: la cendre d'un prédestiné y fait, en un jour, plus de prodiges que Jésus-Christ n'en fit en toute sa vie. On y court; on s'y porte; j'y suis la foule. J'arrive à peine, que j'entends crier: miracle! miracle! J'approche, je regarde, et je vois un petit boiteux qui se promène à l'aide de trois ou quatre personnes charitables qui le soutiennent; et le peuple qui s'en émerveille, de répéter: miracle! miracle! Où donc est le miracle, peuple imbécile? Ne vois-tu pas que ce fourbe n'a fait que changer de béquilles? Il en était, dans cette occasion, des miracles, comme il en est toujours des esprits. Je jurerais bien que tous ceux qui ont vu des esprits, les craignaient d'avance, et que tous ceux qui voyaient là des miracles, étaient bien résolus d'en voir.

LETTRE SUR LES AVEUGLES [4]

. . . Lorsqu'il [5] fut sur le point de mourir, on appela auprès de lui un ministre fort habile, M. Gervaise Holmes; ils eurent en-

lowers of Molina was the neighborhood of the Jesuit Collège Louis-le-Grand, as well as the establishment of the Dominicans, or Jacobins, situated on opposite sides of the Rue Saint-Jacques at approximately the high point of the western slope of the Montagne Sainte-Geneviève, up which this street runs southward from the Seine.

[3] The Faubourg Saint-Médard. The "prédestiné" was the Diacre François Pâris, a pious Jansenist, before whose grave in the cemetery of the Church of Saint-Médard it was claimed by Jansenists that miracles occurred, especially the healing of the lame.

[4] As a result of this work, written like the *Pensées philosophiques* for Mme de Puisieux, Diderot suffered an imprisonment of several months in the fortress of Vincennes.

[5] Nicholas Saunderson (1682–1739), professor of mathematics and physics at the University of Cambridge, in spite of the fact that he had been blind from birth. In the year following his death appeared his *Elements of Algebra*, with a Memoir on his life and character composed by several of his friends. Diderot's procedure in "philosophical" propaganda will be appreciated if one keeps in mind the fact that the sole authority for the statements attributed by him to Saunderson is contained in the following passage from the Memoir: "It would be thought an omission in these Memoirs of the Life of Dr. Saunderson, if no notice were taken of the manner in which he resigned it. The Reverend Mr. Gervas Holmes informed him that the mortification gained so much ground that his best friends could entertain no hopes of his recovery. He received the notice of his approaching death with great calmness and

semble un entretien sur l'existence de Dieu, dont il nous reste quelques fragments que je vous traduirai de mon mieux; car ils en valent la peine. Le ministre commença par lui objecter les merveilles de la nature: "Eh, monsieur! lui disait le philosophe aveugle, laissez là tout ce beau spectacle qui n'a jamais été fait pour moi! J'ai été condamné à passer ma vie dans les ténèbres; et vous me citez des prodiges que je n'entends point, et qui ne prouvent que pour vous et que pour ceux qui voient comme vous. Si vous voulez que je croie en Dieu, il faut que vous me le fassiez toucher.

— Monsieur, reprit habilement le ministre, portez les mains sur vous-même, et vous rencontrerez la divinité dans le mécanisme admirable de vos organes.

— Monsieur Holmes, reprit Saunderson, je vous le répète, tout cela n'est pas aussi beau pour moi que pour vous. Mais le mécanisme animal fût-il aussi parfait que vous le prétendez, et que je veux bien le croire car vous êtes un honnête homme très incapable de m'en imposer, qu'a-t-il de commun avec un être souverainement intelligent? S'il vous étonne, c'est peut-être parce que vous êtes dans l'habitude de traiter de prodige tout ce qui vous paraît au-dessus de vos forces. J'ai été si souvent un objet d'admiration pour vous, que j'ai bien mauvaise opinion de ce qui vous surprend. J'ai attiré du fond de l'Angleterre des gens qui ne pouvaient concevoir comment je faisais de la géométrie: il faut que vous conveniez que ces gens-là n'avaient pas de notions bien exactes de la possibilité des choses. Un phénomène est-il, à notre avis, au-dessus de l'homme? nous disons aussitôt: *c'est l'ouvrage d'un Dieu;* notre vanité ne se contente pas à moins. Ne pourrions-nous pas mettre dans nos discours un peu moins d'orgueil, et un peu plus de philosophie? Si la nature nous offre un nœud difficile à délier, laissons-le pour ce qu'il est; et n'employons pas à le couper la main d'un être qui devient ensuite pour nous un nouveau nœud plus indissoluble que le premier. Demandez à un Indien pourquoi le monde reste suspendu dans

serenity, and after a short silence, resumed life and spirits, and talked with as much composure of mind as he had ever done in his most sedate hours of perfect health. He appointed the evening of the following day to receive the sacrament with Mr. Holmes; but before that came, he was seized with a delirium, which continued to his death."

les airs,[6] il vous répondra qu'il est porté sur le dos d'un éléphant; et l'éléphant sur quoi l'appuiera-t-il? sur une tortue; et la tortue, qui la soutiendra? . . . Cet Indien vous fait pitié; et l'on pourrait vous dire comme à lui: Monsieur Holmes, mon ami, confessez d'abord votre ignorance, et faites-moi grâce de l'éléphant et de la tortue."

Saunderson s'arrêta un moment: il attendait apparemment que le ministre lui répondît; mais par où attaquer un aveugle? M. Holmes se prévalut de la bonne opinion que Saunderson avait conçue de sa probité, et des lumières de Newton, de Leibnitz, de Clarke et de quelques-uns de ses compatriotes, les premiers génies du monde, qui tous avaient été frappés des merveilles de la nature, et reconnaissaient un être intelligent pour son auteur. C'était, sans contredit, ce que le ministre pouvait objecter de plus fort à Saunderson. Aussi le bon aveugle convint-il qu'il y aurait de la témérité à nier ce qu'un homme tel que Newton n'avait pas dédaigné d'admettre: il représenta toutefois au ministre que le témoignage de Newton n'était pas aussi fort pour lui, que celui de la nature entière pour Newton; et que Newton croyait sur la parole de Dieu, au lieu que lui il en était réduit à croire sur la parole de Newton.

"Considérez, monsieur Holmes, ajouta-t-il, combien il faut que j'aie de confiance en votre parole et dans celle de Newton. Je ne vois rien, cependant j'admets en tout un ordre admirable; mais je compte que vous n'en exigerez pas davantage. Je vous le cède sur l'état actuel de l'univers, pour obtenir de vous en revanche la liberté de penser ce qu'il me plaira de son ancien et premier état, sur lequel vous n'êtes pas moins aveugle que moi. Vous n'avez point ici des témoins à m'opposer; et vos yeux ne vous sont d'aucune ressource. Imaginez donc, si vous voulez, que l'ordre qui vous frappe a toujours subsisté; mais laissez-moi croire qu'il n'en est rien; et que si nous remontions à la naissance des choses et des temps, et que nous sentissions la matière se mouvoir et le chaos se débrouiller, nous rencontrerions une multitude

[6] This illustration of how philosophers and theologians explain what is obscure by what is still more obscure is a result of Diderot's reading of the English philosophers. It is used by Locke, *Essay concerning Human Understanding*, Book II, Chap. 13, par. 19, and by Shaftesbury, *Characteristics*, Vol. II, p. 15.

d'êtres informes pour quelques êtres bien organisés. Si je n'ai rien à vous objecter sur la condition présente des choses, je puis du moins vous interroger sur leur condition passée. Je puis vous demander, par exemple, qui vous a dit à vous, à Leibnitz, à Clarke et à Newton, que dans les premiers instants de la formation des animaux, les uns n'étaient pas sans tête et les autres sans pieds? Je puis vous soutenir que ceux-ci n'avaient point d'estomac, et ceux-là point d'intestins; que tels à qui un estomac, un palais et des dents semblaient promettre de la durée, ont cessé par quelque vice du cœur ou des poumons; que les monstres se sont anéantis successivement; que toutes les combinaisons vicieuses de la matière ont disparu, et qu'il n'est resté que celles où le mécanisme n'impliquait aucune contradiction importante, et qui pouvaient subsister par elles-mêmes et se perpétuer.[7]

"Cela supposé, si le premier homme eût eu le larynx fermé, eût manqué d'aliments convenables, eût péché par les parties de la génération, n'eût point rencontré sa compagne ou se fût répandu dans une autre espèce, M. Holmes, que devenait le genre humain? il eût été enveloppé dans la dépuration générale de l'univers; et cet être orgueilleux qui s'appelle homme, dissous et dispersé entre les molécules de la matière, serait resté, peut-être pour toujours, au nombre des possibles.

"S'il n'y avait jamais eu d'êtres informes, vous ne manqueriez pas de prétendre qu'il n'y en aura jamais, et que je me jette dans des hypothèses chimériques; mais l'ordre n'est pas si parfait, continua Saunderson, qu'il ne paraisse encore de temps en temps des productions monstrueuses." Puis, se tournant en face du ministre, il ajouta: "Voyez-moi bien, monsieur Holmes, je n'ai point d'yeux. Qu'avions-nous fait à Dieu, vous et moi, l'un pour avoir cet organe, l'autre pour en être privé?"

Saunderson avait l'air si vrai et si pénétré en prononçant ces mots, que le ministre et le reste de l'assemblée ne purent s'empêcher de partager sa douleur, et se mirent à pleurer amèrement sur lui. L'aveugle s'en aperçut. "Monsieur Holmes, dit-il au ministre, la bonté de votre cœur m'était bien connue, et je suis très sensible à la preuve que vous m'en donnez dans ces derniers

[7] This is substantially the theory of Lucretius, but it also foreshadows that of modern evolutionists. (See below, extracts from the *Rêve de d'Alembert.*)

moments: mais si je vous suis cher, ne m'enviez [8] pas en mourant la consolation de n'avoir jamais affligé personne."

Puis reprenant un ton un peu plus ferme, il ajouta: "Je conjecture donc que, dans le commencement où la matière en fermentation faisait éclore l'univers, mes semblables étaient fort communs. Mais pourquoi n'assurerais-je pas des mondes, ce que je crois des animaux? combien de mondes estropiés, manqués, se sont dissipés, se reforment et se dissipent peut-être à chaque instant dans des espaces éloignés, où je ne touche point, et où vous ne voyez pas, mais où le mouvement continue et continuera de combiner des amas de matière, jusqu'à ce qu'ils aient obtenu quelque arrangement dans lequel ils puissent persévérer? O philosophes! transportez-vous donc avec moi sur les confins de cet univers, au delà du point où je touche, et où vous voyez des êtres organisés; promenez-vous sur ce nouvel océan, et cherchez à travers ses agitations irrégulières quelques vestiges de cet être intelligent dont vous admirez ici la sagesse?

"Mais à quoi bon vous tirer de votre élément? Qu'est-ce que ce monde, monsieur Holmes? un composé sujet à des révolutions, qui toutes indiquent une tendance continuelle à la destruction; une succession rapide d'êtres qui s'entre-suivent, se poussent et disparaissent; une symétrie passagère; un ordre momentané. Je vous reprochais tout à l'heure d'estimer la perfection des choses par votre capacité; et je pourrais vous accuser ici d'en mesurer la durée sur celle de vos jours. Vous jugez de l'existence successive du monde, comme la mouche éphémère de la vôtre. Le monde est éternel pour vous, comme vous êtes éternel pour l'être qui ne vit qu'un instant: encore l'insecte est-il plus raisonnable que vous. Quelle suite prodigieuse de générations d'éphémères atteste votre éternité? quelle tradition immense? Cependant nous passerons tous, sans qu'on puisse assigner ni l'étendue réelle que nous occupions, ni le temps précis que nous aurons duré. Le temps, la matière et l'espace ne sont peut-être qu'un point."

Saunderson s'agita dans cet entretien un peu plus que son état ne le permettait; il lui survint un accès de délire qui dura quelques heures, et dont il ne sortit que pour s'écrier: "*O Dieu de Clarke et de Newton, prends pitié de moi!*" et mourir.

[8] The sense would seem to require "enlevez."

Ainsi finit Saunderson. Vous voyez, madame,[9] que tous les raisonnements qu'il venait d'objecter au ministre n'étaient pas même capables de rassurer un aveugle. Quelle honte pour des gens qui n'ont pas de meilleures raisons que lui, qui voient, et à qui le spectacle étonnant de la nature annonce, depuis le lever du soleil jusqu'au coucher des moindres étoiles, l'existence et la gloire de son auteur! Ils ont des yeux, dont Saunderson était privé; mais Saunderson avait une pureté de mœurs et une ingénuité de caractère qui leur manquent. Aussi ils vivent en aveugles, et Saunderson meurt comme s'il eût vu. La voix de la nature se fait entendre suffisamment à lui à travers les organes qui lui restent, et son témoignage n'en sera que plus fort contre ceux qui se ferment opiniâtrement les oreilles et les yeux. Je demanderais volontiers si le vrai Dieu n'était pas encore mieux voilé pour Socrate par les ténèbres du paganisme, que pour Saunderson par la privation de la vue et du spectacle de la nature. . . .

PENSÉES SUR L'INTERPRÉTATION DE LA NATURE [10]

Aux Jeunes Gens
qui se disposent à l'étude
de la philosophie naturelle

Jeune homme, prends et lis. Si tu peux aller jusqu'à la fin de cet ouvrage, tu ne seras pas incapable d'entendre un meilleur. Comme je me suis moins proposé de t'instruire que de t'exercer, il m'importe peu que tu adoptes mes idées ou que tu les rejettes, pourvu qu'elles emploient toute ton attention. Un plus habile t'apprendra à connaître les forces de la nature; il me suffira de t'avoir fait essayer les tiennes. Adieu.

P. S. *Encore un mot, et je te laisse. Aie toujours présent à*

[9] Mme de Puisieux.

[10] Published after four volumes of the *Encyclopédie* had appeared, this work, imperfectly conceived and badly written, is nevertheless perhaps the most successful effort on the part of an eighteenth century thinker to give expression to the spirit of modern scientific research. Contemporary attacks were directed less against the message it contained than against the pretentiousness of its tone and the obscurity of its style. Frederick the Great, upon reading the first lines of the exordium: "Jeune homme, prends et lis . . . ," is said to have remarked that here was a book he would not read, for it was not for men with beards on their chins. It was published in 1754.

l'esprit que la nature *n'est pas* Dieu: *qu'un* homme *n'est pas une* machine; *qu'une* hypothèse *n'est pas un* fait: *et sois assuré que tu ne m'auras pas compris partout où tu croiras apercevoir quelque chose de contraire à ces principes.*

IV

Nous touchons au moment d'une grande révolution dans les sciences. Au penchant que les esprits me paraissent avoir à la morale, aux belles-lettres, à l'histoire de la nature, et à la physique expérimentale, j'oserais presque assurer qu'avant qu'il soit cent ans, on ne comptera pas trois grands géomètres en Europe. Cette science s'arrêtera tout court, où l'auront laissée les Bernouilli, les Euler, les Maupertuis, les Clairaut, les Fontaine, les d'Alembert et les La Grange. Ils auront posé les colonnes d'Hercule. On n'ira point au-delà. Leurs ouvrages subsisteront dans les siècles à venir, comme ces pyramides d'Égypte, dont les masses chargées d'hiéroglyphes réveillent en nous une idée effrayante de la puissance et des ressources des hommes qui les ont élevées.

IX

Les hommes en sont à peine à sentir combien les lois de l'investigation de la vérité sont sévères, et combien le nombre de nos moyens est borné. Tout se réduit à revenir des sens à la réflexion, et de la réflexion aux sens: rentrer en soi et en sortir sans cesse, c'est le travail de l'abeille. On a battu bien du terrain en vain, si on ne rentre pas dans la ruche chargée de cire. On a fait bien des amas de cire inutile, si on ne sait pas en former des rayons.

XIV

Je me représente la vaste enceinte des sciences, comme un grand terrain parsemé de places obscures et de places éclairées. Nos travaux doivent avoir pour but, ou d'étendre les limites des places éclairées, ou de multiplier sur le terrain les centres de lumières. L'un appartient au génie qui crée; l'autre à la sagacité qui perfectionne.

XV

Nous avons trois moyens principaux: l'observation de la nature, la réflexion et l'expérience. L'observation recueille les faits; la réflexion les combine; l'expérience vérifie le résultat de la combinaison. Il faut que l'observation de la nature soit assidue, que la réflexion soit profonde, et que l'expérience soit exacte. On voit rarement ces moyens réunis. Aussi les génies créateurs ne sont-ils pas communs.

XVIII

La véritable manière de philosopher, c'eût été et ce serait d'appliquer l'entendement à l'entendement; l'entendement et l'expérience aux sens; les sens à la nature; la nature à l'investigation des instruments; les instruments à la recherche et à la perfection des arts, qu'on jetterait au peuple pour lui apprendre à respecter la philosophie.

XIX

Il n'y a qu'un seul moyen de rendre la philosophie vraiment recommandable aux yeux du vulgaire: c'est de la lui montrer accompagnée de l'utilité. Le vulgaire demande toujours: *à quoi cela sert-il?* et il ne faut jamais se trouver dans le cas de lui répondre: *à rien;* il ne sait pas que ce qui éclaire le philosophe et ce qui sert au vulgaire sont deux choses fort différentes, puisque l'entendement du philosophe est souvent éclairé par ce qui nuit, et obscurci par ce qui sert.

XXIII

Nous avons distingué deux sortes de philosophie, l'expérimentale et la rationnelle. L'une a les yeux bandés, marche toujours en tâtonnant, saisit tout ce qui lui tombe sous les mains, et rencontre à la fin des choses précieuses. L'autre recueille ces matières précieuses, et tâche de s'en former un flambeau: mais ce flambeau prétendu lui a, jusqu'à présent, moins servi que le tâtonnement à sa rivale, et cela devait être. L'expérience multiplie ses mouvements à l'infini; elle est sans cesse en action; elle emet à chercher des phénomènes tout le temps que la raison emploie à chercher des analogies. La philosophie expérimentale ne sait ni ce qui lui viendra, ni ce qui ne lui viendra pas de son travail; mais elle travaille sans relâche. Au contraire, la philosophie rationnelle pèse les possibilités, prononce et s'arrête tout court. Elle dit hardiment: *on ne peut décomposer la lumière*: la philosophie expérimentale l'écoute, et se tait devant elle pendant des siècles entiers; puis tout à coup elle montre le prisme, et dit: *la lumière se décompose.*

XXVI

La philosophie expérimentale est une étude innocente, qui ne demande presque aucune préparation de l'âme. On n'en peut pas dire autant des autres parties de la philosophie. La plupart augmente en nous la furie des conjectures. La philosophie expérimentale la réprime à la longue. On s'ennuie tôt ou tard de deviner maladroitement.

XXVIII

La physique expérimentale peut être comparée, dans ses bons effets, au conseil de ce père qui dit à ses enfants, en mourant, qu'il y avait un trésor caché dans son champ; mais qu'il ne savait point en quel endroit. Ses enfants se mirent à bêcher le champ; ils ne trouvèrent pas le trésor qu'ils cherchaient; mais ils firent dans la saison une récolte abondante à laquelle ils ne s'attendaient pas.

Quand je tourne mes regards sur les travaux des hommes et que je vois des villes bâties de toutes parts, tous les éléments employés, des langues fixées, des peuples policés, des ports construits, les mers traversées, la terre et les cieux mesurés; le monde me paraît bien vieux. Lorsque je trouve les hommes incertains sur les premiers principes de la médecine et de l'agriculture, sur les propriétés des substances les plus communes, sur la connaissance des maladies dont ils sont affligés, sur la taille des arbres, sur la forme de la charrue, la terre ne me paraît habitée que d'hier. Et si les hommes étaient sages, ils se livreraient enfin à des recherches relatives à leur bien-être, et ne répondraient à mes questions futiles que dans mille ans au plus tôt: ou peut-être même, considérant sans cesse le peu d'étendue qu'ils occupent dans l'espace et dans la durée, ils ne daigneraient jamais y répondre.

Prière [11]

J'ai commencé par la Nature, qu'ils ont appelée ton ouvrage; et je finirai par toi, dont le nom sur la terre est Dieu.

[11] This *Prière,* which is said to have appeared in three copies only of the original edition, is given here in the form assigned to it by Assézat, editor of the *Œuvres complètes,* 1875–1879, of Diderot.

O Dieu! je ne sais si tu es; mais je penserai comme si tu voyais dans mon âme, j'agirai comme si j'étais devant toi.

Si j'ai péché quelquefois contre ma raison, ou ta loi, j'en serai moins satisfait de ma vie passée; mais je n'en serai pas moins tranquille sur mon sort à venir, parce que tu as oublié ma faute aussitôt que je l'ai reconnue.

Je ne te demande rien dans ce monde; car le cours des choses est nécessaire par lui-même, si tu n'es pas; ou par ton décret, si tu es.

J'espère à tes récompenses dans l'autre monde, s'il y en a un; quoique tout ce que je fais dans celui-ci, je le fasse pour moi.

Si je suis le bien, c'est sans effort; si je laisse le mal, c'est sans penser à toi.

Je ne pourrais m'empêcher d'aimer la vérité et la vertu, et de haïr le mensonge et le vice, quand je saurais que tu n'es pas, ou quand je croirais que tu es et que tu t'en offenses.

Me voilà tel que je suis, portion nécessairement organisée d'une matière éternelle et nécessaire, ou, peut-être, ta créature.

Mais si je suis bienfaisant et bon, qu'importe à mes semblables que ce soit par un bonheur d'organisation, par des actes libres de ma volonté, ou par le secours de ta grâce?

Et toutes les fois, jeune homme, que tu réciteras ce symbole de notre philosophie, tu liras aussi ce qui suit:

Il n'appartient qu'à l'honnête homme d'être athée.

Le méchant qui nie l'existence de Dieu est juge et partie; c'est un homme qui craint, et qui sait qu'il doit craindre un vengeur à venir des mauvaises actions qu'il a commises.

L'homme de bien, au contraire, qui aimerait tant à se flatter d'un rémunérateur futur de ses vertus, lutte contre son propre intérêt.

L'un plaide pour lui-même, l'autre plaide contre lui. Le premier ne peut jamais être certain du vrai motif qui détermine sa façon de philosopher. L'autre ne peut douter qu'il ne soit entraîné par l'évidence dans une opinion si opposée aux espérances les plus douces et les plus flatteuses dont il pourrait se bercer.

Puisque Dieu a permis, ou que le mécanisme universel qu'on appelle Destin a voulu que nous fussions exposés, pendant la vie, à toutes sortes d'événements; si tu es homme sage, et meilleur père que moi, tu persuaderas de bonne heure à ton fils qu'il est le maître de son existence, afin qu'il ne se plaigne pas de toi qui la lui as donnée.

ENCYCLOPÉDIE [12]

ART, s.m. . . . *Distribution des arts en libéraux et en mécaniques.* En examinant les produits des *arts*, on s'est aperçu que les uns étaient plus l'ouvrage de l'esprit que de la main, et qu'au contraire d'autres étaient plus l'ouvrage de la main que de l'esprit. Telle est *en partie* l'origine de la prééminence que l'on a accordée à certains *arts* sur d'autres, et de la distribution qu'on a faite des *arts* en *arts libéraux* et en *arts mécaniques.* Cette distinction, quoique bien fondée, a produit un mauvais effet, en avilissant des gens très estimables et très utiles, et en fortifiant en nous je ne sais quelle paresse naturelle, qui ne nous portait déjà que trop à croire que donner une application constante et suivie à des expériences et à des objets particuliers, sensibles et matériels, c'était déroger à la dignité de l'esprit humain, et que de pratiquer, ou même d'étudier les *arts mécaniques*, c'était s'abaisser à des choses dont la recherche est laborieuse, la méditation ignoble, l'exposition difficile, le commerce déshonorant, le nombre inépuisable, et la valeur minutielle. *Minui majestatem mentis humanae, si in experimentis et rebus particularibus,*[13] *etc.* (Bacon, *Novum Organum.*) Préjugé qui tendait à remplir les villes d'orgueilleux raisonneurs et de contemplateurs inutiles, et les campagnes de petits tyrans ignorants, oisifs et dédaigneux. Ce n'est pas ainsi qu'ont pensé Bacon, un des premiers génies de l'Angleterre; Colbert, un des plus grands ministres de la France; enfin les bons esprits et les hommes sages de tous les temps. Bacon regardait l'histoire des *arts mécaniques* comme la branche la plus importante

[12] The following extracts from Diderot's contributions to the *Encyclopédie*, the editing of which was his great life work, while often inferior in style and giving evidence of fatigue, nevertheless illustrate the attitude of the Encyclopedists toward certain essential concepts and activities. The *Encyclopédie* appeared over the years 1751–1780.

[13] *Novum Organum*, Book I, Chap. LXXXIII: " . . . minui nempe mentis humanae majestatem, si experimentis, et rebus particularibus sensui subjectis, et in materia determinatis, diu ac multum versetur . . ." : [it is an error to think that] "the majesty of the human mind is certainly diminished, if it is directed for long toward experiments, and toward a consideration of particular objects perceptible to the senses and formed of matter."

de la vraie philosophie; il n'avait donc garde d'en mépriser la pratique. Colbert regardait l'industrie des peuples et l'établissement des manufactures comme la richesse la plus sûre d'un royaume. Au jugement de ceux qui ont aujourd'hui des idées saines de la valeur des choses, celui qui peupla la France de graveurs, de peintres, de sculpteurs et d'artistes en tout genre; qui surprit aux Anglais la machine à faire des bas, les velours aux Gênois, les glaces aux Vénitiens, ne fit guère moins pour l'état que ceux qui battirent ses ennemis, et leur enlevèrent leurs places fortes; et aux yeux du philosophe, il y a peut-être plus de mérite réel à avoir fait naître les Le Brun, les Le Sueur et les Audran, peindre et graver les batailles d'Alexandre, et exécuter en tapisserie les victoires de nos généraux, qu'il n'y en a à les avoir remportées. Mettez dans un des côtés de la balance les avantages réels des sciences les plus sublimes et des *arts* les plus honorés, et dans l'autre côté ceux des *arts mécaniques*, et vous trouverez que l'estime qu'on a faite des uns, et celle qu'on a faite des autres, n'ont pas été distribuées dans le juste rapport de ces avantages, et qu'on a bien plus loué les hommes occupés à faire croire que nous étions heureux, que les hommes occupés à faire que nous le fussions en effet. Quelle bizarrerie dans nos jugements! nous exigeons qu'on s'occupe utilement, et nous méprisons les hommes utiles. . . .

BIEN (*homme de*), *homme d'honneur*, *honnête homme* (*Gramm.*) Il me semble que l'*homme de bien* est celui qui satisfait exactement aux préceptes de sa religion; l'*homme d'honneur*, celui qui suit rigoureusement les lois et les usages de la société; et l'*honnête homme*, celui qui ne perd de vue dans aucune de ses actions les principes de l'équité naturelle: L'*homme de bien* fait des aumônes; l'*homme d'honneur* ne manque point à sa promesse; l'*honnête homme* rend la justice, même à son ennemi. L'*honnête homme* est de tout pays; l'*homme de bien* et l'*homme d'honneur* ne doivent point faire des choses que l'*honnête homme* ne se permet pas.

PHILOSOPHE, s.m.[14] Il n'y a rien qui coûte moins à acquérir

[14] This definition is based on an article entitled *Le Philosophe*, by César Chesneau Dumarsais, published in 1743. It was reproduced several times, with modifications, notably in 1773, by Voltaire. Diderot's version, here given, appeared in Vol. XIII of the *Encyclopédie*, in 1765.

aujourd'hui que le nom de *philosophe;* une vie obscure et retirée, quelques dehors de sagesse avec un peu de lecture, suffisent pour attirer ce nom à des personnes qui s'en honorent sans le mériter.

D'autres, en qui la liberté de penser tient lieu de raisonnement, se regardent comme les seuls véritables *philosophes*, parce qu'ils ont osé renverser les bornes sacrées posées par la religion, et qu'ils ont brisé les entraves où la foi mettait leur raison. Fiers de s'être défaits des préjugés de l'éducation en matière de religion, ils regardent avec mépris les autres comme des hommes faibles, des génies serviles, des esprits pusillanimes qui se laissent effrayer par les conséquences où conduit l'irréligion, et qui, n'osant sortir un instant du cercle des vérités établies, ni marcher dans des routes nouvelles, s'endorment sous le joug de la superstition.

Mais on doit avoir une idée plus juste du *philosophe*, et voici le caractère que nous lui donnons.

Les autres hommes sont déterminés à agir sans sentir ni connaître les causes qui les font mouvoir, sans même songer qu'il y en ait. Le *philosophe*, au contraire, démêle les causes autant qu'il est en lui, et souvent même les prévient, et se livre à elles avec connaissance: c'est une horloge qui se monte, pour ainsi dire, quelquefois elle-même. Ainsi, il évite les objets qui peuvent lui causer des sentiments qui ne conviennent ni au bien-être ni à l'être raisonnable, et cherche ceux qui peuvent exciter en lui des affections convenables à l'état où il se trouve. La raison est à l'égard du *philosophe* ce que la grâce est à l'égard du chrétien. La grâce détermine le chrétien à agir; la raison détermine le *philosophe*.

Les autres hommes sont emportés par leurs passions sans que les actions qu'ils font soient précédées de la réflexion; ce sont des hommes qui marchent dans les ténèbres; au lieu que le *philosophe* dans ses passions même, n'agit qu'après la réflexion; il marche la nuit, mais il est précédé d'un flambeau.[15]

Le *philosophe* forme ses principes sur une infinité d'observations particulières. Le peuple adopte le principe sans penser aux observations qui l'ont produit: il croit que la maxime existe, pour ainsi dire, par elle-même; mais le *philosophe* prend la maxime dès

[15] i.e., his reason. (cf. *Addition aux Pensées philosophiques*, No. VIII, in *Œuv. com.*, I, 159.)

sa source; il en examine l'origine; il en connaît la propre valeur, et n'en fait que l'usage qui lui convient.

La vérité n'est pas pour le *philosophe* une maîtresse qui corrompe son imagination, et qu'il croit trouver partout; il se contente de la pouvoir démêler où il peut l'apercevoir. Il ne la confond point avec la vraisemblance;[16] il prend pour vrai ce qui est vrai, pour faux ce qui est faux, pour douteux ce qui est douteux, et pour vraisemblable ce qui n'est que vraisemblable. Il fait plus, et c'est ici une grande perfection du *philosophe*, c'est que lorsqu'il n'a point de motif propre pour juger, il sait demeurer indéterminé.

Le monde est plein de personnes d'esprit et de beaucoup d'esprit, qui jugent toujours; toujours ils devinent, car c'est deviner que de juger sans sentir quand on a le motif propre du jugement. Ils ignorent la portée de l'esprit humain; ils croient qu'il peut tout connaître: ainsi ils trouvent de la honte à ne point prononcer de jugement, et s'imaginent que l'esprit consiste à juger. Le *philosophe* croit qu'il consiste à bien juger; il est plus content de lui-même quand il a suspendu la faculté de se déterminer, que s'il s'était déterminé avant d'avoir senti le motif propre à la décision. Ainsi il juge et parle moins, mais il juge plus sûrement et parle mieux; il n'évite point les traits vifs qui se présentent naturellement à l'esprit par un prompt assemblage d'idées qu'on est souvent étonné de voir unies. C'est dans cette prompte liaison que consiste ce que communément on appelle *esprit;* mais aussi c'est ce qu'il recherche le moins, et il préfère à ce brillant le soin de bien distinguer ses idées, d'en connaître la juste étendue et la liaison précise, et d'éviter de prendre le change en portant trop loin quelque rapport particulier que les idées ont entre elles. C'est dans ce discernement que consiste ce qu'on appelle *jugement* et *justesse d'esprit:* à cette justesse se joignent encore la *souplesse* et la *netteté*. Le *philosophe* n'est pas tellement attaché à un système qu'il ne sente toute la force des objections. La plupart des hommes sont si fort livrés à leurs opinions, qu'ils ne prennent pas seulement la peine de pénétrer celles des autres. Le *philosophe* comprend le sentiment qu'il rejette, avec la même étendue et la même netteté qu'il entend celui qu'il adopte.

[16] i.e., "probability," not "verisimilitude."

L'esprit philosophique est donc un esprit d'observation et de justesse, qui rapporte tout à ses véritables principes; mais ce n'est pas l'esprit seul que le *philosophe* cultive, il porte plus loin son attention et ses soins.

L'homme n'est point un monstre qui ne doive vivre que dans les abîmes de la mer ou dans le fond d'une forêt: les seules nécessités de la vie lui rendent le commerce des autres nécessaire; et dans quelque état où il puisse se trouver, ses besoins et le bien-être l'engagent à vivre en société. Ainsi, la raison exige de lui qu'il connaisse, qu'il étudie, et qu'il travaille à acquérir les qualités sociables.

Notre *philosophe* ne se croit pas en exil dans ce monde; il ne croit point être en pays ennemi; il veut jouir en sage économe des biens que la nature lui offre; il veut trouver du plaisir avec les autres; et pour en trouver, il faut en faire: ainsi il cherche à convenir à ceux avec qui le hasard ou son choix le font vivre; et il trouve en même temps ce qui lui convient: c'est un honnête homme qui veut plaire et se rendre utile.

La plupart des grands, à qui les dissipations ne laissent pas assez de temps pour méditer, sont féroces envers ceux qu'ils ne croient pas leurs égaux. Les *philosophes* ordinaires qui méditent trop, ou plutôt qui méditent mal, le sont envers tout le monde; ils fuient les hommes, et les hommes les évitent: mais notre *philosophe* qui sait se partager entre la retraite et le commerce des hommes est plein d'humanité. C'est le Chrémès de Térence qui sent qu'il est homme, et que la seule humanité intéresse à la mauvaise ou à la bonne fortune de son voisin. *Homo sum, humani a me nihil alienum puto.*[17]

Il serait inutile de remarquer ici combien le *philosophe* est jaloux de tout ce qui s'appelle *honneur* et *probité.* La société civile est, pour ainsi dire, une divinité pour lui sur la terre; il l'encense, il l'honore par la probité, par une attention exacte à ses devoirs, et par un désir sincère de n'en être pas un membre inutile ou embarrassant. Les sentiments de probité entrent autant dans la constitution mécanique du *philosophe* que les lumières de

[17] This should read: "Homo sum: humani nil a me alienum puto," Terence, *The Self-Tormentor* (*Heauton Timorumenos*), Act I, l. 77: "I am a man, and I consider that nothing human is foreign to me."

l'esprit. Plus vous trouverez de raison dans un homme, plus vous trouverez en lui de probité. Au contraire, où règnent le fanatisme et la superstition, règnent les passions et l'emportement. Le tempérament du *philosophe*, c'est d'agir par esprit d'ordre ou par raison; comme il aime extrêmement la société, il lui importe bien plus qu'au reste des hommes de disposer tous ses ressorts à ne produire que des effets conformes à l'idée de l'honnête homme. Ne craignez pas que parce que personne n'a les yeux sur lui, il s'abandonne à une action contraire à la probité. Non. Cette action n'est point conforme à la disposition mécanique du sage; il est pétri, pour ainsi dire, avec le levain de l'ordre et de la règle; il est rempli des idées du bien de la société civile; il en connaît les principes bien mieux que les autres hommes. Le crime trouverait en lui trop d'opposition, il aurait trop d'idées naturelles et trop d'idées acquises à détruire. Sa faculté d'agir est, pour ainsi dire, comme une corde d'instrument de musique montée sur un certain ton; elle n'en saurait produire un contraire. Il craint de se détonner, de se désaccorder avec lui-même; et ceci me fait souvenir de ce que Velléius [18] dit de Caton d'Utique. "Il n'a jamais, dit-il, fait de bonnes actions pour paraître les avoir faites, mais parce qu'il n'était pas en lui de faire autrement."

D'ailleurs, dans toutes les actions que les hommes font, ils ne cherchent que leur propre satisfaction actuelle: c'est le bien ou plutôt l'attrait présent, suivant la disposition mécanique où ils se trouvent, qui les fait agir. Or le *philosophe* est disposé plus que qui que ce soit par ses réflexions à trouver plus d'attrait et de plaisir à vivre avec vous, à s'attirer votre confiance et votre estime, à s'acquitter des devoirs de l'amitié et de la reconnaissance. Ces sentiments sont encore nourris dans le fond de son cœur par la religion, où l'ont conduit les lumières naturelles de sa raison. Encore un coup, l'idée de malhonnête homme est autant opposée à l'idée de *philosophe* que l'est l'idée de stupide; et l'expérience fait voir tous les jours que plus on a de raison et de lumière, plus on est sûr et propre pour le commerce de la vie. Un sot, dit La Rochefoucauld, n'a pas assez d'étoffe pour être bon: [19] on ne pèche que parce que les lumières sont moins fortes

[18] Velleius Paterculus, *Historiae Romanae*, etc., Book II, Chap. XXXV: "... nunquam recte fecit, ut facere videretur, sed quia aliter facere non poterat."

[19] La Rochefoucauld, Maxim 409.

que les passions; et c'est une maxime de théologie vraie en un certain sens, que tout pécheur est ignorant.

Cet amour de la société si essentiel au *philosophe* fait voir combien est véritable la remarque de l'empereur Antonin: "Que les peuples seront heureux quand les rois seront *philosophes*, ou quand les *philosophes* seront rois!" [20]

Le *philosophe* est donc un honnête homme qui agit en tout par raison, et qui joint à un esprit de réflexion et de justesse les mœurs et les qualités sociables. Entez un souverain sur un *philosophe* d'une telle trempe, et vous aurez un parfait souverain.

De cette idée il est aisé de conclure combien le sage insensible des anciens est éloigné de la perfection de notre *philosophe:* un tel *philosophe* est homme, et leur sage n'était qu'un fantôme. Ils rougissaient de l'humanité, et il en fait gloire; ils voulaient follement anéantir les passions, et nous élever au-dessus de notre nature par une insensibilité chimérique: pour lui, il ne prétend pas au chimérique honneur de détruire les passions, parce que cela est impossible; mais il travaille à n'en être pas tyrannisé, à les mettre à profit, et à en faire un usage raisonnable, parce que cela est possible, et que la raison le lui ordonne.

On voit encore, par tout ce que nous venons de dire, combien s'éloignent de la juste idée du *philosophe* ces indolents qui, livrés à une méditation paresseuse, négligent le soin de leurs affaires temporelles, et de tout ce qui s'appelle *fortune*. Le vrai *philosophe* n'est point tourmenté par l'ambition; mais il veut avoir les commodités de la vie; il lui faut, outre le nécessaire précis, un honnête superflu nécessaire à un honnête homme, et par lequel seul on est heureux; c'est le fond des bienséances et des agréments. Ce sont de faux *philosophes* qui ont fait naître ce préjugé, que le plus exact nécessaire lui suffit, par leur indolence et par des maximes éblouissantes.

TAPIS.[21] *Manufacture royale de* tapis *façon de Turquie, établie*

[20] The third saying of the Roman Emperor Marcus Aurelius Antoninus (Capit. XXVII, 7): "Sententia Platonis semper in ore illius fuit, 'Florere civitates, si aut philosophi imperarent aut imperantes philosopharentur.'" cf. Plato, *Republic*, 473 D.

[21] This passage is given as an example of the interest taken by the Encyclopedists in the trades. Cf. the sub-title *Dictionnaire raisonné des sciences, des arts et des métiers.*

à la Savonnerie au faubourg de Chaillot, près Paris. Les métiers pour fabriquer les *tapis* façon de Turquie, sont montés comme ceux qui servent à faire les tapisseries de haute lisse aux Gobelins, c'est-à-dire, que la chaîne est posée verticalement; savoir, le rouleau ou ensouple des fils en haut, et celui de l'étoffe fabriquée en bas.

La façon de travailler est totalement différente de celle de faire la tapisserie. Dans le travail des *tapis*, l'ouvrier voit devant lui l'endroit de son ouvrage, au lieu que dans la tapisserie, il ne voit que l'envers.

L'ourdissage des chaînes est différent aussi; dans celles qui sont destinées pour les *tapis*, l'ourdisseur ou l'ourdisseuse doit avoir soin de ranger les fils de façon que chaque portée de dix fils ait le dixième d'une couleur différente des neuf autres qui tous doivent être d'une même couleur, afin de former dans la longueur une espèce de dizaine.

Le dessin du *tapis* doit être peint sur un papier tel que celui qui sert aux dessins de fabrique, mais beaucoup moins serré, puisqu'il doit être de la largeur de l'ouvrage que l'on doit fabriquer. Chaque carreau du papier doit avoir 9 lignes verticales, et une dixième pour faire la distinction du quarré qui réponde au dixième fil de la chaîne ourdie.

Outre ces lignes verticales, le papier est encore composé de dix lignes horizontales chaque carreau, qui coupent les dix lignes verticales, et servent à conduire l'ouvrier dans le travail de son ouvrage.

Les lignes horizontales ne sont point distinguées sur la chaîne comme les verticales, mais l'ouvrier supplée à ce manquement par une petite baguette de fer, qu'il pose vis-à-vis la ligne horizontale du dessin lorsqu'il veut fabriquer l'ouvrage.

Le dessin est coupé par bandes dans sa longueur, pour que l'ouvrier ait moins d'embarras, et chaque bande contenant plus ou moins de carreaux est posée derrière la chaîne vis-à-vis l'ouvrier.

Lorsque l'ouvrier veut travailler, il pose sa baguette de fer vis-à-vis la ligne horizontale du dessin, et passant son fuseau sur lequel est la laine ou soie de la couleur indiquée par le dessin, il embrasse la baguette de fer et le fil de la chaîne un par un jusqu'à la dixième corde, après quoi il s'arrête, et prenant un fil il le passe au travers de la même dizaine, de façon qu'il y en ait un pris et un laissé, après quoi il en passe un second où il laisse ceux qu'il a pris, et prend ceux qu'il a laissés, ce qui forme une espèce de gros-de-tours ou taffetas, qui forme le corps de l'étoffe, ensuite avec un petit peigne de fer il serre les deux fils croisés qu'il a passés, de façon qu'ils retiennent le fil de couleur, qui forme la figure du *tapis* serré, de façon qu'il peut les couper sans craindre qu'ils sortent de la place où ils ont été posés.

La virgule de fer sur laquelle les fils de couleur sont passés est un peu plus longue que la largeur de la dizaine: elle est courbée du côté droit, afin que l'ouvrier puisse la tirer, et du côté opposé elle a un tranchant un peu large, ce qui fait que quand l'ouvrier la tire, elle coupe tous les fils dont elle était enveloppée; que si par hasard il se trouve quelques fils plus longs les uns que les autres après que la virgule est tirée, pour lors l'ouvrier avec des ciseaux a soin d'égaliser toutes les parties.

En continuant le travail, il faut que l'ouvrier passe dix fois la baguette dans le carreau, pour que son ouvrage soit parfait; quelquefois il n'en passe que huit, si la chaîne est trop serrée, parce que la chaîne doit être ourdie et serrée proportionnellement aux lignes verticales du dessin. Quoique toutes les couleurs différentes soient passées dans toute la largeur de l'ouvrage: néanmoins il est indispensable d'arrêter et de couper dizaine par dizaine, attendu que si avec une baguette plus longue, on voulait aller plus avant ou en prendre deux, la quantité de fils ou soie de couleur dont elle se trouverait enveloppée, empêcherait de la tirer, et c'est la raison qui fait que chaque dizaine on coupe, ce qui n'empêche pas néanmoins, que si la même couleur est continuée dans la dizaine suivante, on ne continue avec la même laine ou soie dont le fil n'est point coupé au fuseau.

Les jets de fils que l'ouvrier passe pour arrêter la laine ou soie qui forment la figure de l'ouvrage, doivent être passés et encroisés dans tous les travers où il se trouve de la laine ou soie arrêtée, il n'en faut pas moins de deux passées ou jetées bien croisées, et bien serrées, parce qu'elles forment ce qu'on appelle *trame* dans les velours ciselés, et composent, avec la croisée de la chaîne, ce que nous appelons ordinairement *le corps de l'étoffe*.

DORVAL ET MOI

Troisième Entretien [22]

DORVAL—Je demande dans quel genre est cette pièce?[23] Dans le genre comique? Il n'y a pas le mot pour rire. Dans le genre tragique? La terreur, la commisération et les autres grandes passions n'y sont point excitées. Cependant il y a de l'intérêt; et il y en aura, sans ridicule qui fasse rire, sans danger qui fasse frémir, dans toute composition dramatique où le sujet sera important, où le poète prendra le ton que nous avons dans les affaires sérieuses, et où l'action s'avancera par la perplexité et par les embarras. Or, il me semble que ces actions étant les plus communes de la vie, le genre qui les aura pour objet doit être le plus utile et le plus étendu. J'appellerai ce genre le genre sérieux.

Ce genre établi, il n'y aura point de condition dans la société, point d'actions importantes dans la vie, qu'on ne puisse rapporter à quelque partie du système dramatique.

Voulez-vous donner à ce système toute l'étendue possible; y comprendre la vérité et les chimères; le monde imaginaire et le monde réel? ajoutez le burlesque au-dessous du genre comique, et le merveilleux au-dessus du genre tragique.

MOI—Je vous entends: Le burlesque. . . . Le genre comique. . . . Le genre sérieux. . . . Le genre tragique. . . . Le genre merveilleux.

DORVAL—Une pièce ne se renferme jamais à la rigueur dans un genre. Il n'y a point d'ouvrage dans les genres tragique ou comique, où l'on ne trouvât des morceaux qui ne seraient point déplacés dans le genre sérieux; et il y en aura réciproquement dans celui-ci, qui porteront l'empreinte de l'un et l'autre genre.

C'est l'avantage du genre sérieux, que, placé entre les deux

[22] These dialogues between the author and the principal character of *Le Fils naturel* were printed after the play, in the same volume, in 1757. The play itself was a failure (it was put on only in 1771, by the Comédie Française, and then half-heartedly), but the dramatic theories contained in the *Entretiens* exercised a considerable influence, particularly in Germany, where Lessing was much impressed by them. The French dramatist François de Curel, shortly before his death in the spring of 1928, declared that his dramatic ideas were practically the same as those of Diderot.

[23] *The Mother-in-Law* (*Hecyra*) of Terence.

autres, il a des ressources, soit qu'il s'élève, soit qu'il descende. Il n'en est pas ainsi du genre comique et du genre tragique. Toutes les nuances du comique sont comprises entre ce genre même et le genre sérieux; et toutes celles du tragique entre le genre sérieux et la tragédie. Le burlesque et le merveilleux sont également hors de la nature; on n'en peut rien emprunter qui ne gâte. Les peintres et les poètes ont le droit de tout oser; mais ce droit ne s'étend pas jusqu'à la licence de fondre des espèces différentes dans un même individu. Pour un homme de goût, il y a la même absurdité dans Castor élevé au rang des dieux, et dans le bourgeois gentilhomme fait mamamouchi.

Le genre comique et le genre tragique sont les bornes réelles de la composition dramatique. Mais s'il est impossible au genre comique d'appeler à son aide le burlesque, sans se dégrader; au genre tragique, d'empiéter sur le genre merveilleux sans perdre de sa vérité, il s'ensuit que, placés dans les extrémités, ces genres sont les plus frappants et les plus difficiles. . . .

. . . Faites des comédies dans le genre sérieux, faites des tragédies domestiques, et soyez sûr qu'il y a des applaudissements et une immortalité qui vous sont réservés. Surtout, négligez les coups de théâtre; cherchez les tableaux; rapprochez-vous de la vie réelle, et ayez d'abord un espace qui permette l'exercice de la pantomime dans toute son étendue. On dit qu'il n'y a plus de grandes passions tragiques à émouvoir; qu'il est impossible de présenter les sentiments élevés d'une manière neuve et frappante. Cela peut être dans la tragédie, telle que les Grecs, les Romains, les Français, les Italiens, les Anglais et tous les peuples de la terre l'ont composée. Mais la tragédie domestique aura une autre action, un autre ton, et un sublime qui lui sera propre. Je le sens, ce sublime; il est dans ces mots d'un père, qui disait à son fils qui le nourrissait dans sa vieillesse: "Mon fils, nous sommes quittes. Je t'ai donné la vie; et tu me l'as rendue." Et dans ceux-ci d'un autre père qui disait au sien: "Dites toujours la vérité. Ne promettez rien à personne que vous ne vouliez tenir. Je vous en conjure par ces pieds que je réchauffais dans mes mains, quand vous étiez au berceau."

MOI—Mais cette tragédie nous intéressera-t-elle?

DORVAL—Je vous le demande. Elle est plus voisine de nous.

C'est le tableau des malheurs qui nous environnent. Quoi! vous ne concevez pas l'effet que produiraient sur vous une scène réelle, des habits vrais, des discours proportionnés aux actions, des actions simples, des dangers dont il est impossible que vous n'ayez tremblé pour vos parents, vos amis, pour vous-même? Un renversement de fortune, la crainte de l'ignominie, les suites de la misère, une passion qui conduit l'homme à sa ruine, de sa ruine au désespoir, du désespoir à une mort violente, ne sont pas des événements rares; et vous croyez qu'ils ne vous affecteraient pas autant que la mort fabuleuse d'un tyran, ou le sacrifice d'un enfant aux autels des dieux d'Athènes ou de Rome? . . .

MOI—Mais, quels seront les sujets de ce comique sérieux, que vous regardez comme une branche nouvelle du genre dramatique? Il n'y a, dans la nature humaine, qu'une douzaine, tout au plus, de caractères vraiment comiques et marqués de grands traits.

DORVAL—Je le pense.

MOI—Les petites différences qui se remarquent dans les caractères des hommes ne peuvent être maniées aussi heureusement que les caractères tranchés.

DORVAL—Je le pense. Mais savez-vous ce qui s'ensuit de là? . . . Que ce ne sont plus, à proprement parler, les caractères qu'il faut mettre sur la scène, mais les conditions. Jusqu'à présent, dans la comédie, le caractère a été l'objet principal, et la condition n'a été que l'accessoire; il faut que la condition devienne aujourd'hui l'objet principal, et que le caractère ne soit que l'accessoire. C'est du caractère qu'on tirait toute l'intrigue. On cherchait en général les circonstances qui le faisaient sortir, et l'on enchaînait ces circonstances. C'est la condition, ses devoirs, ses avantages, ses embarras, qui doivent servir de base à l'ouvrage. Il me semble que cette source est plus féconde, plus étendue et plus utile que celle des caractères. Pour peu que le caractère fût chargé, un spectateur pouvait se dire à lui-même, ce n'est pas moi. Mais il ne peut se cacher que l'état qu'on joue devant lui, ne soit le sien; il ne peut méconnaître ses devoirs. Il faut absolument qu'il s'applique ce qu'il entend.

MOI—Il me semble qu'on a déjà traité plusieurs de ces sujets.

DORVAL—Cela n'est pas. Ne vous y trompez point.

MOI—N'avons-nous pas des financiers dans nos pièces?

DORVAL—Sans doute, il y en a. Mais le financier n'est pas fait.

MOI—On aurait de la peine à en citer une sans un père de famille.

DORVAL—J'en conviens; mais le père de famille n'est pas fait. En un mot, je vous demanderai si les devoirs des conditions, leurs avantages, leurs inconvénients, leurs dangers ont été mis sur la scène. Si c'est la base de l'intrigue et de la morale de nos pièces. Ensuite, si ces devoirs, ces avantages, ces inconvénients, ces dangers ne nous montrent pas, tous les jours, les hommes dans des situations très embarrassantes.

MOI—Ainsi, vous voudriez qu'on jouât l'homme de lettres, le philosophe, le commerçant, le juge, l'avocat, le politique, le citoyen, le magistrat, le financier, le grand seigneur, l'intendant.

DORVAL—Ajoutez à cela, toutes les relations: le père de famille, l'époux, la sœur, les frères. Le père de famille! Quel sujet, dans un siècle tel que le nôtre, où il ne paraît pas qu'on ait la moindre idée de ce que c'est qu'un père de famille!

Songez qu'il se forme tous les jours des conditions nouvelles. Songez que rien, peut-être, ne nous est moins connu que les conditions, et ne doit nous intéresser davantage. Nous avons chacun notre état dans la société; mais nous avons affaire à des hommes de tous les états.

Les conditions! Combien de détails importants! d'actions politiques et domestiques! de vérités inconnues! de situations nouvelles à tirer de ce fonds! Et les conditions n'ont-elles pas entre elles les mêmes contrastes que les caractères? et le poète ne pourra-t-il pas les opposer?

Mais ces sujets n'appartiennent pas seulement au genre sérieux. Ils deviendront comiques ou tragiques, selon le génie de l'homme qui s'en saisira.

Telle est encore la vicissitude des ridicules et des vices, que je crois qu'on pourrait faire un *Misanthrope*[24] nouveau tous les cinquante ans. Et n'en est-il pas ainsi de beaucoup d'autres caractères? . . .

[24] Comedy of Molière.

DE LA POÉSIE DRAMATIQUE [25]

. . . En général, plus un peuple est civilisé, poli, moins ses mœurs sont poétiques; tout s'affaiblit en s'adoucissant. Quand est-ce que la nature prépare des modèles à l'art? C'est au temps où les enfants s'arrachent les cheveux autour du lit d'un père moribond; où une mère découvre son sein, et conjure son fils par les mamelles qui l'ont allaité; où un ami se coupe la chevelure, et la répand sur le cadavre de son ami; où c'est lui qui le soutient par la tête et qui le porte sur un bûcher, qui recueille sa cendre et qui la renferme dans une urne qu'il va, en certains jours, arroser de ses pleurs; où les veuves échevelées se déchirent le visage de leurs ongles si la mort leur a ravi un époux; où les chefs du peuple dans les calamités publiques, posent leur front humilié dans la poussière, ouvrent leurs vêtements dans la douleur, et se frappent la poitrine; où un père prend entre ses bras son fils nouveau-né, l'élève vers le ciel, et fait sur lui sa prière aux dieux; où le premier mouvement d'un enfant, s'il a quitté ses parents, et qu'il les revoie après une longue absence, c'est d'embrasser leurs genoux, et d'en attendre, prosterné, la bénédiction; où les repas sont des sacrifices qui commencent et finissent par des coupes remplies de vin, et versées sur la terre; où le peuple parle à ses maîtres, et où ses maîtres l'entendent et lui répondent; où l'on voit un homme le front ceint de bandelettes devant un autel, et une prêtresse qui étend les mains sur lui en invoquant le ciel et en exécutant les cérémonies expiatoires et lustratives; où des pythies écumantes par la présence d'un démon qui les tourmente, sont assises sur des trépieds, ont les yeux égarés, et font mugir de leurs cris prophétiques le fond obscur des antres; où les dieux, altérés du sang humain, ne sont apaisés que par son effusion; où des bacchantes, armées de thyrses, s'égarent dans les forêts et inspirent l'effroi au profane qui se rencontre sur leur passage; où d'autres femmes se dépouillent sans pudeur, ouvrent leurs bras au premier qui se présente, et se prostituent, etc.

Je ne dis pas que ces mœurs sont bonnes, mais qu'elles sont poétiques.

[25] This essay was printed with Diderot's second and more successful play, the *Père de famille*, in 1758. It is divided into twenty-two chapters, each containing a discussion of a dramatic genre or of some aspect of drama. The passage given is taken from the chapter entitled "Des Mœurs."

Qu'est-ce qu'il faut au poète? Est-ce une nature brute ou cultivée, paisible ou troublée? Préférera-t-il la beauté d'un jour pur et serein à l'horreur d'une nuit obscure, où le sifflement interrompu des vents se mêle par intervalles au murmure sourd et continu d'un tonnerre éloigné, et où il voit l'éclair allumer le ciel sur sa tête? Préférera-t-il le spectacle d'une mer tranquille à celui des flots agités? Le muet et froid aspect d'un palais, à la promenade parmi des ruines? Un édifice construit, un espace planté de la main des hommes, au touffu d'une antique forêt, au creux ignoré d'une roche déserte? Des nappes d'eau, des bassins, des cascades, à la vue d'une cataracte qui se brise en tombant à travers des rochers, et dont le bruit se fait entendre au loin du berger qui a conduit son troupeau dans la montagne, et qui l'écoute avec effroi?

La poésie veut quelque chose d'énorme, de barbare et de sauvage.

C'est lorsque la fureur de la guerre civile et du fanatisme arme les hommes de poignards, et que le sang coule à grands flots sur la terre, que le laurier d'Apollon s'agite et verdit. Il en veut être arrosé. Il se flétrit dans les temps de la paix et du loisir. Le siècle d'or eût produit une chanson peut-être ou une élégie. La poésie épique et la poésie dramatique demandent d'autres mœurs.

Quand verra-t-on naître des poètes? Ce sera après les temps de désastres et de grands malheurs; lorsque les peuples harassés commenceront à respirer. Alors les imaginations, ébranlées par des spectacles terribles, peindront des choses inconnues à ceux qui n'en ont pas été les témoins. N'avons-nous pas éprouvé, dans quelques circonstances, une sorte de terreur qui nous était étrangère? Pourquoi n'a-t-elle rien produit? N'avons-nous plus de génie?

Le génie est de tous les temps; mais les hommes qui le portent en eux demeurent engourdis, à moins que des événements extraordinaires n'échauffent la masse, et ne les fassent paraître. Alors les sentiments s'accumulent dans la poitrine, la travaillent; et ceux qui ont un organe, pressés de parler, le déploient et se soulagent.

Quelle sera donc la ressource d'un poète, chez un peuple dont les mœurs sont faibles, petites et maniérées;[26] où l'imitation

[26] As, for example, the French.

rigoureuse des conversations ne formerait qu'un tissu d'expressions fausses, insensées et basses; où il n'y a plus ni franchise, ni bonhomie; où un père appelle son fils monsieur, et où une mère appelle sa fille mademoiselle; où les cérémonies publiques n'ont rien d'auguste; la conduite domestique, rien de touchant et d'honnête; les actes solennels, rien de vrai? Il tâchera de les embellir; il choisira les circonstances qui prêtent le plus à son art; il négligera les autres, et il osera en supposer quelques-unes.

Mais quelle finesse de goût ne lui faudra-t-il pas, pour sentir jusqu'où les mœurs publiques et particulières peuvent être embellies? S'il passe la mesure, il sera faux et romanesque.

Si les mœurs qu'il supposera ont été autrefois, et que ce temps ne soit pas éloigné; si un usage est passé, mais qu'il en soit resté une expression métaphorique dans la langue; si cette expression porte un caractère d'honnêteté; si elle marque une piété antique, une simplicité qu'on regrette; si l'on y voit les péres plus respectés, les mères plus honorées, les rois populaires; qu'il ose. Loin de lui reprocher d'avoir failli contre la vérité, on supposera que ces vieilles et bonnes mœurs se sont apparemment conservées dans cette famille. Qu'il s'interdise seulement ce qui ne serait que dans les usages présents d'un peuple voisin.

Mais admirez la bizarrerie des peuples policés. La délicatesse y est quelquefois poussée au point, qu'elle interdit à leurs poètes l'emploi des circonstances même qui sont dans leurs mœurs, et qui ont de la simplicité, de la beauté et de la vérité. Qui oserait, parmi nous, étendre de la paille sur la scène, et y exposer un enfant nouveau-né? Si le poète y plaçait un berceau, quelque étourdi du parterre ne manquerait pas de contrefaire les cris de l'enfant; les loges et l'amphithéâtre de rire, et la pièce de tomber. O peuple plaisant et léger! quelles bornes vous donnez à l'art! quelle contrainte vous imposez à vos artistes! et de quels plaisirs votre délicatesse vous prive! A tout moment vous siffleriez sur la scène les seules choses qui vous plairaient, qui vous toucheraient en peinture. Malheur à l'homme né avec du génie, qui tentera quelque spectacle qui est dans la nature, mais qui n'est pas dans vos préjugés!

Térence a exposé l'enfant nouveau-né sur la scène.[27] Il a fait

[27] In Act IV of the *Lady of Andros* (*Andria*).

plus. Il a fait entendre du dedans de la maison, la plainte de la femme dans les douleurs qui le mettent au monde.[28] Cela est beau, et cela ne vous plairait pas.

Il faut que le goût d'un peuple soit incertain, lorsqu'il admettra dans la nature des choses dont il interdira l'imitation à ses artistes, ou lorsqu'il admirera dans l'art des effets qu'il dédaignerait dans la nature. Nous dirions, d'une femme qui ressemblerait à quelqu'une de ces statues qui enchantent nos regards aux Tuileries, qu'elle a la tête jolie mais le pied gros, la jambe forte et point de taille. La femme qui est belle pour le sculpteur sur un sofa, est laide dans son atelier. Nous sommes pleins de ces contradictions. . . .

SALON DE 1765 [29]

Greuze

La jeune Fille qui pleure son oiseau mort.[30]

La jolie élégie! le charmant poème! la belle idylle[31] que Gessner en ferait! C'est la vignette d'un morceau de ce poète. Tableau délicieux! le plus agréable et peut-être le plus intéressant du Salon. La pauvre petite est de face; sa tête est appuyée sur sa main gauche: l'oiseau mort est posé sur le bord supérieur de la cage, la tête pendante, les ailes traînantes, les pattes en l'air. Le joli catafalque que cette cage! que cette guirlande de verdure qui serpente autour a de grâces! la pauvre petite! ah! qu'elle est affligée! Comme elle est naturellement placée! que sa tête est

[28] In Act III of the *Mother-in-Law* (*Hecyra*).

[29] Beginning in 1759, Diderot wrote a series of criticisms of the Salons, or biennial exhibitions of painting and sculpture, in the form of letters to his friend Grimm, for insertion in the latter's *Correspondance littéraire.* They remained unpublished during Diderot's lifetime, and it is only from 1795 on that they begin to be found and printed. It was in 1795 that the *Salon* of 1765 first appeared.

[30] This picture, with the *Miroir brisé,* referred to below, and the famous *Cruche cassée,* each representing a beautiful girl sorrowing over an accident, are as admirable examples in colors of the sentimental perversity of the later eighteenth century as are, in words, the following pages of art criticism.

[31] The first *Idylls* of the Swiss poet Gessner appeared in 1756 and were extremely popular in France.

belle! qu'elle est élégamment coiffée! que son visage a d'expression! Sa douleur est profonde; elle est à son malheur, elle y est tout entière. O la belle main! la belle main! le beau bras! Voyez la vérité des détails de ces doigts; et ces fossettes, et cette mollesse, et cette teinte de rougeur dont la pression de la tête a coloré le bout de ces doigts délicats, et le charme de tout cela. On s'approcherait de cette main pour la baiser, si on ne respectait cette enfant et sa douleur. Tout enchante en elle, jusqu'à son ajustement. Ce mouchoir de cou est jeté d'une manière! il est d'une souplesse et d'une légèreté! Quand on aperçoit ce morceau, on dit: *Délicieux!* Si l'on s'y arrête, ou qu'on y revienne, on s'écrie: *Délicieux! délicieux!* Bientôt on se surprend conversant avec cette enfant, et la consolant. Cela est si vrai, que voici ce que je me souviens de lui avoir dit à différentes reprises.

"Mais, petite, votre douleur est bien profonde, bien réfléchie! Que signifie cet air rêveur et mélancolique! Quoi! pour un oiseau! Vous ne pleurez pas, vous êtes affligée; et la pensée accompagne votre affliction. Çà, petite, ouvrez-moi votre cœur: parlez-moi vrai; est-ce bien la mort de cet oiseau qui vous retire si fortement et si tristement en vous-même? . . . Vous baissez les yeux; vous ne me répondez pas. Vos pleurs sont prêts à couler. Je ne suis pas père; je ne suis ni indiscret ni sévère. . . . Eh bien, je le conçois, il vous aimait, il vous le jurait, et le jurait depuis longtemps. Il souffrait tant: le moyen de voir souffrir ce qu'on aime? . . . Eh! laissez-moi continuer; pourquoi me fermer la bouche de votre main? . . . Ce matin-là, par malheur votre mère était absente. Il vint; vous étiez seule; il était si beau, si passionné, si tendre, si charmant! il avait tant d'amour dans les yeux! tant de vérité dans les expressions! il disait de ces mots qui vont si droit à l'âme! et en les disant, il était à vos genoux: cela se conçoit encore. Il tenait une de vos mains; de temps en temps vous y sentiez la chaleur de quelques larmes qui tombaient de ses yeux, et qui coulaient le long de vos bras. Votre mère ne revenait toujours point. Ce n'est pas votre faute; c'est la faute de votre mère. . . . Mais voilà-t-il pas que vous pleurez de plus belle. . . . Mais ce que je vous en dis n'est pas pour vous faire pleurer. Et pourquoi pleurer? Il vous a promis; il ne manquera à rien de ce qu'il vous a promis. Quand on a été assez heureux pour rencontrer un enfant charmant comme vous, pour s'y attacher, pour lui plaire; c'est pour toute la vie. . . . —Et mon oiseau? . . . Vous souriez." (Ah! mon ami, qu'elle était belle! ah! si vous l'aviez vue sourire et pleurer!) Je continuai. "Eh bien, votre oiseau! Quand on s'oublie soi-même, se souvient-on de son oiseau? Lorsque l'heure du retour de votre mère approcha, celui que vous aimez s'en alla. Qu'il était heureux, content, transporté! qu'il eut de peine à s'arracher d'auprès de vous! . . . Comme vous me regardez! Je sais tout cela. Combien il se leva et se rassit de fois! combien il vous dit, redit adieu sans s'en aller! combien de fois il sortit et rentra! Je viens de le voir chez son père: il est d'une gaieté charmante, d'une gaieté qu'ils partagent tous, sans pouvoir s'en défendre. . . . —Et ma mère? . . . — Votre mère? à peine fut-il parti qu'elle rentra: elle vous trouva rêveuse, comme vous l'étiez tout à l'heure. On l'est toujours comme cela. Votre mère vous parlait, et vous n'entendiez pas ce qu'elle vous disait; elle vous commandait une chose et vous en faisiez une autre. Quelques pleurs se présentaient au bord de vos paupières; ou vous les reteniez, ou vous détourniez la tête pour les essuyer furtivement. Vos distractions continues impatientèrent votre mère; elle vous gronda; et ce vous fut une occasion de pleurer sans contrainte et de soulager votre cœur. . . . Continuerai-je, petite? Je crains que ce que je vais dire ne renouvelle votre peine. Vous le voulez?. . . Eh bien, votre bonne mère se reprocha de vous avoir contristée; elle s'approcha de vous, elle vous prit les mains, elle vous baisa le front et les joues, et vous en pleurâtes bien davantage. Votre tête se pencha sur elle; et votre visage, que la rougeur commençait à colorer, tenez, tout comme le voilà qui se colore, alla se cacher dans son sein. Combien cette bonne mère vous dit de choses douces! et combien ces choses douces vous faisaient de mal! Cependant votre serin avait beau s'égosiller, vous avertir, vous appeler, battre des ailes, se plaindre de votre oubli, vous ne le voyiez point, vous ne l'entendiez point: vous étiez à d'autres pensées. Son eau ni la graine ne furent point renouvelées; et ce matin l'oiseau n'était plus. . . . Vous me regardez encore; est-ce qu'il me reste encore quelque chose à dire? Ah! j'entends, petite; cet oiseau, c'est lui qui vous l'avait donné: eh bien, il en retrouvera un autre aussi beau. . . . Ce n'est pas tout encore: vos yeux se fixent sur moi, et se remplissent de nouveau de larmes; qu'y a-t-il donc encore? Parlez, je ne saurais vous deviner. . . . — Et si la mort de cet oiseau n'était que le présage! . . . Que ferais-je? que deviendrais-je? S'il était ingrat. . . . — Quelle folie! Ne craignez rien, pauvre petite: cela ne se peut, cela ne sera pas!"

Quoi! mon ami, vous me riez au nez! vous vous moquez d'un grave personnage qui s'occupe à consoler un enfant en peinture de la perte de son oiseau, de la perte de tout ce qu'il vous plaira? Mais voyez donc comme elle est belle! comme elle est intéressante! Je n'aime point à affliger; malgré cela, il ne me déplairait pas trop d'être la cause de sa peine.

Le sujet de ce petit poème est si fin, que beaucoup de personnes ne l'ont pas entendu; ils ont cru que cette jeune fille ne pleurait que son serin. Greuze a déjà peint une fois le même sujet, il a placé devant une glace fêlée une grande fille en satin blanc, pénétrée d'une profonde mélancolie. Ne pensez-vous pas qu'il y aurait autant de bêtise à attribuer les pleurs de la jeune fille de ce Salon à la perte d'un oiseau, que la mélancolie de la jeune fille du Salon précédent à son miroir cassé? Cette enfant pleure autre chose, vous dis-je. D'abord, vous l'avez entendue, elle en convient; et son affliction réfléchie le dit de reste. Cette douleur! à son âge! et pour un oiseau! . . . Mais quel âge a-t-elle donc? . . . Que vous répondrai-je; et quelle question m'avez-vous faite? Sa tête est de quinze à seize ans, et son bras et sa main de dix-huit à dix-neuf. C'est un défaut de cette composition qui devient d'autant plus sensible, que la tête étant appuyée contre la main, une des parties donne tout contre la mesure de l'autre. Placez la main autrement, et l'on ne s'apercevra plus qu'elle est un peu trop forte et trop caractérisée. C'est, mon ami, que la tête a été prise d'après un modèle, et la main d'après un autre. Du reste, elle est très vraie, cette main, très belle, très parfaitement coloriée et dessinée. Si vous voulez passer à ce tableau cette tache légère, avec un ton de couleur un peu violâtre, c'est une chose très belle. La tête est bien éclairée, de la couleur la plus agréable qu'on puisse donner à une blonde, car elle est blonde, notre petite: peut-être demanderait-on que cette tête fît un peu plus le rond de bosse.[32] Le mouchoir rayé est large, léger, du plus beau transparent; le tout fortement touché, sans nuire aux finesses de détail. Ce peintre peut avoir fait aussi bien, mais pas mieux. . . .

NEVEU DE RAMEAU [33]

Qu'il fasse beau, qu'il fasse laid, c'est mon habitude d'aller sur les cinq heures du soir me promener au Palais-Royal.[34] C'est moi qu'on voit toujours seul, rêvant sur le banc d'Argenson. Je m'entretiens avec moi-même de politique, d'amour, de goût ou de philosophie; j'abandonne mon esprit à tout son libertinage; je le laisse maître de suivre la première idée sage ou folle qui se présente, comme on voit, dans l'allée de Foi, nos jeunes dissolus marcher sur les pas d'une courtisane à l'air éventé, au visage riant, à l'œil vif, au nez retroussé, quitter celle-ci pour une autre, les attaquant toutes et ne s'attachant à aucune. Mes pensées ce sont mes catins.

Si le temps est trop froid ou trop pluvieux, je me réfugie au café de la *Régence*. Là, je m'amuse à voir jouer aux échecs. Paris est l'endroit du monde, et le café de la *Régence* est l'endroit de Paris où l'on joue le mieux à ce jeu; c'est chez Rey que font assaut le Légal profond, Philidor le subtil, le solide Mayot; qu'on voit les coups les plus surprenants et qu'on entend les plus mauvais propos; car si l'on peut être homme d'esprit et grand joueur

[32] More usually "ronde-bosse," n. f. The phrase might be translated: "should stand out more, be given greater relief."

[33] This work, written in 1762, revised in 1773, remained unpublished during Diderot's lifetime. A copy of the original manuscript finally came into the possession of the German poet Schiller, and at Schiller's suggestion Goethe made of it a translation into German, which appeared in 1805. In 1821, a translation into French from the German translation was published in France as the original, and it was not until 1823 that a French copy of the original was included in the *Œuvres complètes de Diderot*, edited by Brière. The original was published by Monval in 1891.

[34] The huge garden which formed the courtyard of the Palais-Royal was the favorite rendez-vous of the idlers and pleasure seekers of eighteenth century Paris. Under the arcades and in the buildings which surrounded it were shops, restaurants, cafés, clubs, gambling houses of every description. The *Régence* was then (and its successor in the Place du Théâtre Français still is) a resort of chess players.

d'échecs comme Légal, on peut être aussi un grand joueur d'échecs et un sot comme Foubert et Mayot.

Une après-dînée [35] j'étais là, regardant beaucoup, parlant peu et écoutant le moins que je pouvais, lorsque je fus abordé par un des plus bizarres personnages de ce pays où Dieu n'en a pas laissé manquer. C'est un composé de hauteur et de bassesse, de bon sens et de déraison; il faut que les notions de l'honnête et du déshonnête soient bien étrangement brouillées dans sa tête, car il montre ce que la nature lui a donné de bonnes qualités sans ostentation, et ce qu'il en a reçu de mauvaises sans pudeur. Au reste, il est doué d'une organisation forte, d'une chaleur d'imagination singulière, et d'une vigueur de poumons peu commune. Si vous le rencontrez jamais et que son originalité ne vous arrête pas, ou vous mettrez vos doigts dans vos oreilles, ou vous vous enfuirez. Dieux, quels terribles poumons! Rien ne dissemble plus de lui que lui-même. Quelquefois il est maigre et hâve comme un malade au dernier degré de la consomption; on compterait ses dents à travers ses joues, on dirait qu'il a passé plusieurs jours sans manger, ou qu'il sort de la Trappe. Le mois suivant, il est gras et replet comme s'il n'avait pas quitté la table d'un financier, ou qu'il eût été renfermé dans un couvent de Bernardins. Aujourd'hui en linge sale, en culotte déchirée, couvert de lambeaux, presque sans souliers, il va la tête basse, il se dérobe, on serait tenté de l'appeler pour lui donner l'aumône. Demain poudré, chaussé, frisé, bien vêtu, il marche la tête haute, il se montre, et vous le prendriez à peu près pour un honnête homme. Il vit au jour la journée; triste ou gai, selon les circonstances. Son premier soin, le matin, quand il est levé, est de savoir où il dînera; après dîner, il pense où il ira souper. La nuit amène aussi son inquiétude: ou il regagne à pied un petit grenier qu'il habite, à moins que l'hôtesse ennuyée d'attendre son loyer, ne lui en ait redemandé la clef; ou il se rabat dans une taverne du faubourg où il attend le jour entre un morceau de pain et un pot de bière. Quand il n'a pas six sous dans sa poche, ce qui lui arrive quelquefois, il a recours soit à un fiacre de ses amis, soit au cocher d'un grand seigneur qui lui donne un lit sur de la paille, à côté

[35] The dinner hour in 1762 being 2 o'clock, the events recounted below may be thought of as taking place from 3:30 or 4 o'clock on.

de ses chevaux. Le matin il a encore une partie de son matelas dans les cheveux. Si la saison est douce, il arpente toute la nuit le Cours [36] ou les Champs-Élysées. Il reparaît avec le jour à la ville, habillé de la veille pour le lendemain, et du lendemain quelquefois pour le reste de la semaine. Je n'estime pas ces originaux-là; d'autres en font leurs connaissances familières, même leurs amis. Ils m'arrêtent une fois l'an, quand je les rencontre, parce que leur caractère tranche avec celui des autres, et qu'ils rompent cette fastidieuse uniformité que notre éducation, nos conventions de société, nos bienséances d'usage, ont introduite. S'il en paraît un dans une compagnie, c'est un grain de levain qui fermente et qui restitue à chacun une portion de son individualité naturelle. Il secoue, il agite, il fait approuver ou blâmer; il fait sortir la vérité, il fait connaître les gens de bien, il démasque les coquins; c'est alors que l'homme de bon sens écoute et démêle son monde.

Je connaissais celui-ci de longue main. Il fréquentait dans une maison dont son talent lui avait ouvert la porte. Il y avait une fille unique; il jurait au père et à la mère qu'il épouserait leur fille. Ceux-ci haussaient les épaules, lui riaient au nez, lui disaient qu'il était fou; et je vis le moment que la chose était faite. Il m'empruntait quelques écus que je lui donnais. Il s'était introduit, je ne sais comment, dans quelques maisons honnêtes où il avait son couvert, mais à la condition qu'il ne parlerait pas sans en avoir obtenu la permission. Il se taisait et mangeait de rage; il était excellent à voir dans cette contrainte. S'il lui prenait envie de manquer au traité et qu'il ouvrît la bouche, au premier mot tous les convives s'écriaient: *O Rameau!* alors la fureur étincelait dans ses yeux et il se remettait à manger avec plus de rage. Vous étiez curieux de savoir le nom de l'homme et vous le savez. C'est le neveu de ce musicien célèbre qui nous a délivré du plain-chant de Lulli que nous psalmodiions depuis plus de cent ans,[37] qui a tant écrit de visions inintelligibles et de vérités apo-

[36] The Cours la Reine, between the Champs-Élysées and the Seine.

[37] The name of Jean-Philippe Rameau (1683–1764) was undoubtedly the greatest in French music of the eighteenth century, as had been the name of Jean-Baptiste Lulli (1633–1687) in that of the seventeenth century. Primarily a theorist and only secondarily a composer, Rameau's greatest contribution to the history of music was the elaboration of harmonic theory,

calyptiques sur la théorie de la musique, où ni lui ni personne n'entendit jamais rien et de qui nous avons un certain nombre d'opéras où il y a de l'harmonie, des bouts de chants, des idées décousues, du fracas, des vols, des triomphes, des lances, des gloires, des murmures, des victoires à perte d'haleine, des airs de danse qui dureront éternellement et qui, après avoir enterré le *Florentin*,[38] sera enterré par les virtuoses italiens, ce qu'il pressentait et qui le rendait sombre, triste, hargneux, car personne n'a autant d'humeur, pas même une jolie femme qui se lève avec un bouton sur le nez, qu'un auteur menacé de survivre à sa réputation, témoin Marivaux et Crébillon le fils.[39] . . .

MOI—A propos de cet oncle, le voyez-vous quelquefois?

LUI—Oui, passer dans la rue.

MOI—Est-ce qu'il ne vous fait aucun bien?

LUI—S'il en fait à quelqu'un, c'est sans s'en douter. C'est un philosophe dans son espèce; il ne pense qu'à lui, le reste de l'univers lui est comme d'un clou à soufflet.[40] Sa fille et sa femme n'ont qu'à mourir quand elles voudront, pourvu que les cloches

and it is by their emphasis on harmony that his compositions are in most striking contrast to those of Lulli, whose music is more purely melodic. Between 1733 and 1760 he wrote a large number of operas, the best known of which is *Castor et Pollux* (1737). From about 1744 to 1754 he enjoyed a very considerable popularity, but from then on the Italian operas with their emphasis on *bel canto* at the expense of drama and orchestration came more and more into favor. Diderot and indeed all the Encyclopedists were enthusiastic admirers of Italian music, and Rameau's last work, written in the same year as the *Neveu*, was a *Lettre aux Philosophes* in which he attempted to answer their arguments in favor of it. The nephew, Jean-François Rameau, was a real person, and Diderot's portrait of him seems, from the little that is known of him, not inaccurate. The hardness and avarice of the uncle are perhaps exaggerated. He was an absolutely upright man, but stern and uncompromising, who battled for a fortune, and died rich.

[38] Lulli, born in Florence.

[39] Marivaux died in 1763, Crébillon fils in 1777. In 1762, when these lines were written, public taste had already tired of the graceful comedies of the one and the licentious tales of the other, and was better pleased by bold ideas or high sentiment. It also may be said that Diderot had but little sympathy for either: his *Bijoux indiscrets* were composed to show how easy it was to write in the vein of Crébillon fils, and his dramatic ideal, which he took rather seriously, was in absolute contrast to everything which Marivaux had tried to do.

[40] i.e., "a thing of no value."

de la paroisse qu'on sonnera pour elles continuent de résonner la *douzième* et la *dix-septième*, tout sera bien.[41] Cela est heureux pour lui, et c'est ce que je prise particulièrement dans les gens de génie. Ils ne sont bons qu'à une chose, passé cela, rien; ils ne savent ce que c'est d'être citoyens, pères, mères, frères, parents, amis. Entre nous, il faut leur ressembler de tout point, mais ne pas désirer que la graine en soit commune. Il faut des hommes; mais pour des hommes de génie, point; non, ma foi, il n'en faut point. Ce sont eux qui changent la face du globe; et dans les plus petites choses, la sottise est si commune et si puissante qu'on ne la réforme pas sans charivari. Il s'établit partie de ce qu'ils ont imaginé, partie reste comme il était; de là deux évangiles, un habit d'harlequin. La sagesse du moine de Rabelais [42] est la vraie sagesse pour son repos et pour celui des autres. Faire son devoir tellement quellement, toujours dire du bien de M. le prieur et laisser aller le monde à sa fantaisie. Il va bien, puisque la multitude en est contente. Si je savais l'histoire, je vous montrerais que le mal est toujours venu ici-bas par quelque homme de génie; mais je ne sais pas l'histoire, parce que je ne sais rien. Le diable m'emporte si j'ai jamais rien appris, et si, pour n'avoir rien appris, je m'en trouve plus mal. J'étais un jour à la table d'un ministre du roi de France,[43] qui a de l'esprit comme quatre; eh bien, il nous démontra clair comme un et un font deux, que rien n'était plus utile aux peuples que le mensonge, rien de plus nuisible que la vérité. Je ne me rappelle pas bien ses preuves, mais il s'ensuivait évidemment que les gens de génie sont détestables, et que si un enfant apportait en naissant sur son front, la

[41] Rameau's study of harmony was based on a close attention to the secondary sounds of a chord. "On entend dans les longues cordes," he says, "outre le son principal, d'autres petits sons qui sont à la douzième ou à la dix-septième du son principal." (12th is octave of 5th, and 17th double octave of 3rd.)

[42] i.e., "Fay ce que vouldras," motto of the Abbey of Thelema, built by Gargantua for Friar John in accordance with the latter's ideas. (See Rabelais, *Gargantua*, Chap. LVII.)

[43] The remark here attributed to the "ministre" is quite in accord with the biting sarcasm of the Duc de Choiseul, who had become Secretary of War and Secretary of the Navy in 1761. He kept open house at Versailles and at Paris, often having eighty guests at his table.

caractéristique de ce dangereux présent de la nature, il faudrait ou l'étouffer, ou le jeter au cagniard.[44]

Moi—Cependant ces personnages-là, si ennemis du génie, prétendent tous en avoir.

Lui—Je crois bien qu'ils le pensent au dedans d'eux-mêmes, mais je ne crois pas qu'ils osassent l'avouer.

Moi—C'est par modestie. Vous conçûtes donc là une terrible haine contre le génie.

Lui—A n'en jamais revenir.

Moi—Mais j'ai vu un temps que vous vous désespériez de n'être qu'un homme commun. Vous ne serez jamais heureux si le pour et le contre vous affligent également; il faudrait prendre son parti, et y demeurer attaché. Tout en convenant avec vous que les hommes de génie sont communément singuliers, ou, comme dit le proverbe, qu'*il n'y a pas de grands esprits sans un grain de folie*,[45] on n'en reviendra pas; on méprisera les siècles qui n'en auront point produit. Ils feront l'honneur des peuples chez lesquels ils auront existé; tôt ou tard on leur élève des statues, et on les regarde comme les bienfaiteurs du genre humain. N'en déplaise à ce ministre sublime que vous m'avez cité, je crois que si le mensonge peut servir un moment, il est nécessairement nuisible à la longue, et qu'au contraire la vérité sert nécessairement à la longue, bien qu'il puisse arriver qu'elle nuise dans le moment. D'où je serais tenté de conclure que l'homme de génie qui décrie une erreur générale, ou qui accrédite une grande vérité, est toujours un être digne de notre vénération. Il peut arriver que cet être soit la victime du préjugé et des lois; mais il y a deux sortes de lois, les unes d'une équité, d'une généralité absolues, d'autres bizarres, qui ne doivent leur sanction qu'à l'aveuglement ou la nécessité des circonstances. Celles-ci ne couvrent le coupable qui les enfreint, que d'une ignominie passagère, ignominie que le temps reverse sur les juges et sur les nations, pour y rester

[44] The exact meaning of "cagniard" is uncertain. The root of the word is either "chien," in which case the phrase would mean "throw him to the dogs," or "coin" ("street-corner"), in which case it might be rendered "throw him in the rubbish-pile."

[45] cf. Seneca, *De Tranquillitate Animi*, Chap. XIV: "Nullum magnum ingenium sine mixtura dementiae fuit." The form of the French proverb seems to come from this.

à jamais. De Socrate ou du magistrat qui lui fit boire la ciguë, quel est aujourd'hui le déshonoré?

LUI—Le voilà bien avancé! en a-t-il été moins condamné? en a-t-il moins été mis à mort? en a-t-il moins été un citoyen turbulent? par le mépris d'une mauvaise loi, en a-t-il moins encouragé les fous au mépris des bonnes? en a-t-il moins été un particulier audacieux et bizarre? Vous n'étiez pas éloigné tout à l'heure d'un aveu peu favorable aux hommes de génie.

MOI—Écoutez-moi, cher homme. Une société ne devrait pas avoir de mauvaises lois, et si elle n'en avait que de bonnes, elle ne serait jamais dans le cas de persécuter un homme de génie. Je ne vous ai pas dit que le génie fût indivisiblement attaché à la méchanceté, ni la méchanceté au génie. Un sot sera plus souvent un méchant qu'un homme d'esprit. Quand un homme de génie serait communément d'un commerce dur, difficile, épineux, insupportable, quand même ce serait un méchant, qu'en concluriez vous?

LUI—Qu'il est bon à noyer.

MOI—Doucement, cher homme. Çà, dites-moi, je ne prendrai pas votre oncle pour exemple. C'est un homme dur, c'est un brutal; il est sans humanité, il est avare, il est mauvais père, mauvais époux, mauvais oncle; mais il n'est pas assez décidé que ce soit un homme de génie, qu'il ait poussé son art fort loin, et qu'il soit question de ses ouvrages dans dix ans. Mais Racine? celui-là certes avait du génie, et ne passait pas pour un trop bon homme.[46] Mais de Voltaire! . . .

LUI—Ne me pressez pas, car je suis conséquent.

MOI—Lequel des deux préféreriez-vous, ou qu'il eût été un bon homme, identifié avec son comptoir, comme Briasson,[47] ou avec son aune, comme Barbier,[48] faisant régulièrement tous les ans un enfant légitime à sa femme, bon mari, bon père, bon oncle,

[46] This judgment of Diderot on Racine seems harsh. The combination of extreme piety, delicate sensibility and middle-class carefulness which is found in Racine's character appealed as little to a wholly irreverent, bluff and forgiving, careless and generous bohemian like Diderot as did the piercing and pitiless irony with which both Racine and Voltaire overwhelmed those against whom they held a grievance.

[47] Diderot's first publisher, and one of the publishers of the *Encyclopédie.*

[48] A Parisian bookseller, and one of the publishers of the *Encyclopédie.*

bon voisin, honnête commerçant, mais rien de plus, ou qu'il eût été fourbe, traître, ambitieux, envieux, méchant, mais auteur d'*Andromaque*, de *Britannicus*, d'*Iphigénie*, de *Phèdre*, d'*Athalie*?

LUI—Pour lui, ma foi, peut-être que de ces deux hommes, il eût mieux valu qu'il eût été le premier.

MOI—Cela est même infiniment plus vrai que vous ne le sentez.

LUI—Oh! vous voilà, vous autres! Si nous disons quelque chose de bien, c'est comme des fous ou des inspirés, par hasard. Il n'y a que vous autres qui vous entendiez; oui, monsieur le philosophe, je m'entends et je m'entends ainsi que vous vous entendez.

MOI—Voyons; eh bien, pourquoi pour lui?

LUI—C'est que toutes ces belles choses-là qu'il a faites ne lui ont pas rendu vingt mille francs, et que s'il eût été un bon marchand en soie de la rue Saint-Denis ou Saint-Honoré, un bon épicier en gros, un apothicaire bien achalandé, il eût amassé une fortune immense, et qu'en l'amassant il n'y aurait eu sorte de plaisirs dont il n'eût joui; qu'il aurait donné de temps en temps la pistole à un pauvre diable de bouffon comme moi qui l'aurait fait rire, qui lui aurait procuré dans l'occasion une jeune fille qui l'aurait désennuyé de l'éternelle cohabitation avec sa femme; que nous aurions fait d'excellents repas chez lui, joué gros jeu, bu d'excellents vins, d'excellentes liqueurs, d'excellents cafés, fait des parties de campagne; et vous voyez que je m'entendais; vous riez? . . . mais laissez-moi dire: il eût été mieux pour ses entours.

MOI—Sans contredit. Pourvu qu'il n'eût pas employé d'une façon déshonnête l'opulence qu'il aurait acquise par un commerce légitime; qu'il eût éloigné de sa maison tous ces joueurs, tous ces parasites, tous ces fades complaisants, tous ces fainéants, tous ces pervers inutiles, et qu'il eût fait assommer à coups de bâton, par ses garçons de boutique, l'homme officieux qui soulage, par la variété, les maris du dégoût d'une cohabitation habituelle avec leurs femmes.

LUI—Assommer, monsieur, assommer! On n'assomme personne dans une ville bien policée. C'est un état honnête; beaucoup de gens, même titrés, s'en mêlent. Et à quoi diable voulez-vous donc qu'on emploie son argent, si ce n'est à avoir bonne table, bonne compagnie, bons vins. Belles femmes, plaisirs de toutes les couleurs, amusements de toutes les espèces? J'aimerais autant être gueux que de posséder une grande fortune sans aucune de ces jouissances. Mais revenons à Racine. Cet homme n'a été bon que pour des inconnus et que pour le temps où il n'était plus.

MOI—D'accord; mais pesez le mal et le bien. Dans mille ans d'ici il fera verser des larmes; il sera l'admiration des hommes dans toutes les contrées de la terre; il inspirera l'humanité, la commisération, la tendresse. On demandera qui il était, de quel pays, et on l'enviera à la France. Il a fait souffrir quelques êtres [49] qui ne sont plus, auxquels nous ne prenons presque aucun intérêt; nous n'avons rien à redouter ni de ses vices, ni de ses défauts. Il eût été mieux sans doute qu'il eût reçu de la nature les vertus d'un homme de bien avec les talents d'un grand homme. C'est un arbre qui a fait sécher quelques arbres plantés dans son voisinage, qui a étouffé les plantes qui croissaient à ses pieds;[49] mais il a porté sa cime jusque dans la nue, ses branches se sont étendues au loin; il a prêté son ombre à ceux qui venaient, qui viennent et qui viendront se reposer autour de son tronc majestueux; il a produit des fruits d'un goût exquis, et qui se renouvellent sans cesse. Il serait à souhaiter que de Voltaire eût encore la douceur de Duclos, l'ingénuité de l'abbé Trublet, la droiture de l'abbé d'Olivet; mais puisque cela ne se peut, regardons la chose du côté vraiment intéressant; oublions pour un moment le point que nous occupons dans l'espace et dans la durée, et étendons notre vue sur les siècles à venir, les régions les plus éloignées et les peuples à naître. Songeons au bien de notre espèce; si nous ne sommes pas assez généreux, pardonnons au moins à la nature d'avoir été plus sage que nous. Si vous jetez de l'eau froide sur la tête de Greuze, vous éteindrez peut-être son talent avec sa vanité. Si vous rendez de Voltaire moins sensible à la critique, il ne saura plus descendre dans l'âme de Mérope,[50] il ne vous touchera plus.

LUI—Mais si la nature était aussi puissante que sage, pourquoi ne les a-t-elle pas faits aussi bons qu'elle les a faits grands.

[49] According to Diderot (letter to Mlle Volland, July 31, 1762), Racine was "méchant époux, méchant père, ami faux, poète sublime."

[50] Title and chief character of one of Voltaire's tragedies.

Moi—Mais ne voyez-vous pas qu'avec un pareil raisonnement vous renversez l'ordre général, et que si tout ici-bas était excellent, il n'y aurait rien d'excellent?

Lui—Vous avez raison; le point important est que vous et moi nous soyons, et que nous soyons vous et moi; que tout aille d'ailleurs comme il pourra. Le meilleur ordre des choses, à mon avis, est celui où j'en devais être, et foin du plus parfait des mondes, si je n'en suis pas. J'aime mieux être, et même être impertinent raisonneur, que de n'être pas.

Moi—Il n'y a personne qui ne pense comme vous, et qui ne fasse le procès à l'ordre qui est, sans s'apercevoir qu'il renonce à sa propre existence.

Lui—Il est vrai.

Moi—Acceptons donc les choses comme elles sont. Voyons ce qu'elles nous coûtent, et ce qu'elles nous rendent, et laissons là le tout que nous ne connaissons pas assez pour le louer ou le blâmer, et qui n'est peut-être ni bien ni mal, s'il est nécessaire, comme beaucoup d'honnêtes gens l'imaginent. . . .

Lui—Voilà une espèce de félicité avec laquelle j'aurai de la peine à me familiariser, car on la rencontre rarement. Mais, à votre compte, il faudrait donc être d'honnêtes gens?

Moi—Pour être heureux, assurément.

Lui—Cependant je vois une infinité d'honnêtes gens qui ne sont pas heureux et une infinité de gens qui sont heureux sans être honnêtes.

Moi—Il vous semble.

Lui—Et n'est-ce pas pour avoir eu du sens commun et de la franchise un moment que je ne sais où aller souper ce soir?

Moi—Eh non! c'est pour n'en avoir pas toujours eu; c'est pour n'avoir pas senti de bonne heure qu'il fallait d'abord se faire une ressource indépendante de la servitude.

Lui—Indépendante ou non, celle que je me suis faite est au moins la plus aisée.

Moi—Et la moins sûre et la moins honnête.

Lui—Mais la plus conforme à mon caractère de fainéant, de sot, de vaurien.

Moi—D'accord.

Lui—Et puisque je puis faire mon bonheur par des vices qui me sont naturels, que j'ai acquis sans travail, que je conserve sans effort, qui cadrent avec les mœurs de ma nation, qui sont du goût de ceux qui me protègent, et plus analogues à leurs petits besoins particuliers, que des vertus qui les gêneraient en les accusant depuis le matin jusqu'au soir, il serait bien singulier que j'allasse me tourmenter comme une âme damnée pour me bistourner et me faire autre que je ne suis; pour me donner un caractère étranger au mien, des qualités très estimables, j'y consens pour ne pas disputer, mais qui me coûteraient beaucoup à acquérir, à pratiquer, ne me mèneraient à rien, peut-être à pis que rien, par la satire continuelle des riches auprès desquels les gueux comme moi ont à chercher leur vie. On loue la vertu, mais on la hait, mais on la fuit, mais elle gèle de froid, et dans ce monde il faut avoir les pieds chauds. Et puis cela me donnerait de l'humeur infailliblement; car pourquoi voyons-nous si fréquemment les dévots si durs, si fâcheux, si insociables? C'est qu'ils se sont imposé une tâche qui ne leur est pas naturelle; ils souffrent, et quand on souffre on fait souffrir les autres; ce n'est pas là mon compte ni celui de mes protecteurs; il faut que je sois gai, souple, plaisant, bouffon, drôle. La vertu se fait respecter, et le respect est incommode; la vertu se fait admirer, et l'admiration n'est pas amusante. J'ai affaire à des gens qui s'ennuient, et il faut que je les fasse rire. Or c'est le ridicule et la folie qui font rire, il faut donc que je sois ridicule et fou, et quand la nature ne m'aurait pas fait tel, le plus court serait de le paraître. Heureusement je n'ai pas besoin d'être hypocrite; il y en a déjà tant de toutes les couleurs, sans compter ceux qui le sont avec eux-mêmes. . . . Et l'ami Rameau, s'il se mettait un jour à marquer du mépris pour la fortune, les femmes, la bonne chère, l'oisiveté, à catoniser, que serait-il? un hypocrite. Il faut que Rameau soit ce qu'il est, un brigand heureux avec des brigands opulents et non un fanfaron de vertu ou même un homme vertueux, mangeant sa croûte de pain, seul ou à côté des gueux. Et pour le trancher net, je ne m'accommode point de votre félicité, ni du bonheur de quelques visionnaires comme vous. . . .

MOI—Il y a de la raison à peu près dans tout ce que vous venez de dire.[51]

[51] The Neveu has just delivered himself of a discourse the gist of which is that the new Italian operas and ballets, filled with action and passion, are

Lui—De la raison? tant mieux. Je veux que le diable m'emporte si j'y tâche. Cela va comme je te pousse. Je suis comme les musiciens de l'impasse quand mon oncle parut.[52] Si j'adresse,[53] à la bonne heure. C'est qu'un garçon charbonnier parlera toujours mieux de son métier que toute une académie et que tous les Duhamel du monde. . . .

Et puis le voilà qui se met à se promener, en murmurant dans son gosier quelques-uns des airs de l'*Ile des fous*, du *Peintre amoureux de son modèle*, du *Maréchal ferrant*, de *la Plaideuse*,[54] et de temps en temps il s'écriait, en levant les mains et les yeux au ciel: "Si cela est beau, mordieu! si cela est beau! comment peut-on porter à sa tête une paire d'oreilles et faire une pareille question?" Il commençait à entrer en passion et à chanter tout bas, il élevait le ton à mesure qu'il se passionnait davantage; vinrent ensuite les gestes, les grimaces du visage et les contorsions du corps; et je dis: "Bon, voilà la tête qui se perd et quelque scène nouvelle qui se prépare. . . ."

En effet, il part d'un éclat de voix: *Je suis un pauvre misérable. . . . Monseigneur, monseigneur, laissez-moi partir. . . . O terre, reçois mon or, conserve bien mon trésor, mon âme, mon âme, ma vie! O terre! . . . Le voilà le petit ami, le voilà le petit ami! Aspettare e non venire. . . . A Zerbina penserete. . . . Sempre in contrasti con te si sta. . . .* Il entassait et brouillait ensemble trente airs italiens, français, tragiques, comiques, de toutes sortes de caractères. Tantôt avec une voix de basse-taille il descendait jusqu'aux enfers, tantôt s'égosillant et contrefaisant le fausset, il déchirait le haut des airs; imitant de la démarche, du maintien, du geste, les différents personnages chantants; successivement furieux, radouci, impérieux, ricaneur. Ici c'est une jeune fille qui pleure,

driving from the stage the older French operas and ballets, such as those of Lulli and of Rameau.

[52] It is not clear whether a definite episode is referred to or not. The "musiciens de l'impasse" are those of the Opera, situated at that time in the Impasse de l'Opéra, in the Palais-Royal, who, accustomed to the simple melodies of Lulli, protested at the difficulties of Rameau's "learned music."

[53] i.e., "hit the mark." Duhamel, an Academician, was the author of a work entitled *L'Art du charbonnier*.

[54] Operas of the Italian composer Duni (1709–1775). Toward the end of his life he wrote exclusively operas in French, eighteen of which were successfully produced in Paris.

et il en rend toute la minauderie; là, il est prêtre, il est roi, il est tyran; il menace, il commande, il s'emporte; il est esclave, il obéit; il s'apaise, il se désole, il se plaint, il rit; jamais hors de ton, de mesure, du sens des paroles et du caractère de l'air.

Tous les pousse-bois avaient quitté leurs échiquiers et s'étaient rassemblés autour de lui; les fenêtres du café étaient occupées en dehors par les passants qui s'étaient arrêtés au bruit. On faisait des éclats de rire à entr'ouvrir le plafond. Lui n'apercevait rien, il continuait, saisi d'une aliénation d'esprit, d'un enthousiasme si voisin de la folie qu'il est incertain qu'il en revienne, s'il ne faudra pas le jeter dans un fiacre et le mener droit aux Petites-Maisons.[55] En chantant un lambeau des *Lamentations* de Jomelli, il répétait avec une précision, une vérité et une chaleur incroyable les plus beaux endroits de chaque morceau; ce beau récitatif obligé où le prophète peint la désolation de Jérusalem, il l'arrosa d'un torrent de larmes qui en arrachèrent de tous les yeux. Tout y était, et la délicatesse du chant, et la force de l'expression, et la douleur. Il insistait sur les endroits où le musicien s'était particulièrement montré un grand maître. S'il quittait la partie du chant, c'était pour prendre celle des instruments qu'il laissait subitement pour revenir à la voix, entrelaçant l'une à l'autre de manière à conserver les liaisons et l'unité du tout; s'emparant de nos âmes, et les tenant suspendues dans la situation la plus singulière que j'aie jamais éprouvée. Admirais-je? oui, j'admirais. Étais-je touché de pitié? j'étais touché de pitié; mais une teinte de ridicule était fondue dans ces sentiments et les dénaturait.

Mais vous vous seriez échappé en éclats de rire à la manière dont il contrefaisait les différents instruments; avec des joues renflées et bouffies, et un son rauque et sombre, il rendait les cors et les bassons; il prenait un son éclatant et nasillard pour les hautbois; précipitant sa voix avec une rapidité incroyable pour les instruments à corde dont il cherchait les sons les plus approchés; il sifflait les petites flûtes, il roucoulait les traversières; criant, chantant, se démenant comme un forcené, faisant lui seul les danseurs, les danseuses, les chanteurs, les chanteuses, tout un orchestre, tout un théâtre lyrique, et se divisant en vingt rôles divers; courant, s'arrêtant avec l'air d'un énergumène, étincelant des yeux, écumant de la bouche.

[55] The insane asylum.

Il faisait une chaleur à périr, et la sueur qui suivait les plis de son front et la longueur de ses joues, se mêlait à la poudre de ses cheveux, ruisselait et sillonnait le haut de son habit. Que ne lui vis-je pas faire? Il pleurait, il riait, il soupirait, il regardait ou attendri, ou tranquille, ou furieux; c'était une femme qui se pâme de douleur, c'était un malheureux livré à tout son désespoir; un temple qui s'élève; des oiseaux qui se taisent au soleil couchant; des eaux ou qui murmurent dans un lieu solitaire et frais, ou qui descendent en torrent du haut des montagnes; un orage, une tempête, la plainte de ceux qui vont périr, mêlée au sifflement des vents, au fracas du tonnerre. C'était la nuit avec ses ténèbres, c'était l'ombre et le silence, car le silence même se peint par des sons. Sa tête était tout à fait perdue.

Épuisé de fatigue, tel qu'un homme qui sort d'un profond sommeil ou d'une longue distraction, il resta immobile, stupide, étonné; il tournait ses regards autour de lui comme un homme égaré qui cherche à reconnaître le lieu où il se trouve; il attendait le retour de ses forces et de ses esprits; il essuyait machinalement son visage. Semblable à celui qui verrait à son réveil son lit environné d'un grand nombre de personnes, dans un entier oubli ou dans une profonde ignorance de ce qu'il a fait, il s'écria dans le premier moment: "Eh bien, messieurs, qu'est-ce qu'il y a? . . . D'où viennent vos ris et votre surprise? Qu'est-ce qu'il y a? . . ."

LE RÊVE DE D'ALEMBERT [56]

Entretien entre d'Alembert et Diderot

DIDEROT— . . . Supposez au clavecin de la sensibilité et de la mémoire, et dites-moi s'il ne répétera pas de lui-même les airs que vous aurez exécutés sur ses touches. Nous sommes des instru-

[56] This title belongs properly only to the second of three *Entretiens* or dialogues, in which Diderot gave expression to what we should call his biological theories. They were considered so shocking by his friends that he burned the original manuscript, and it is only through a copy that publication was possible in 1830. The scene of the first of the *Entretiens* is Diderot's lodgings. It is a discussion between him and his friend d'Alembert, a famous mathematician who was a collaborator in the *Encyclopédie*, at the end of which d'Alembert goes home to bed. The second *Entretien* takes place in d'Alembert's lodgings, which are over those of Mlle de l'Espinasse. It is early morning, d'Alembert is asleep, after a restless night which his neighbor

ments doués de sensibilités et de mémoire. Nos sens sont autant de touches qui sont pincées par la nature qui nous environne, et qui se pincent souvent elles-mêmes; et voici, à mon jugement, tout ce qui se passe dans un clavecin organisé comme vous et moi. Il y a une impression qui a sa cause au dedans ou au dehors de l'instrument, une sensation qui naît de cette impression, une sensation qui dure; car il est impossible d'imaginer qu'elle se fasse et qu'elle s'éteigne dans un instant indivisible; une autre impression qui lui succède, et qui a pareillement sa cause au dedans et au

has passed at his bedside, and she is talking with the physician Bordeu, whom she has called in. During the night d'Alembert had talked in his sleep, and Mlle de l'Espinasse, to pass the time away, had written down what he said. She reads this aloud, stopping occasionally to ask questions and to listen to the commentaries of Bordeu. The sleeping d'Alembert dreams again, then awakens to take part in the conversation, which ends with the departure of Bordeu at noon, Mlle de l'Espinasse insisting that he come back to her apartment for dinner at two. The third dialogue, on the possibility of a mingling of species, from which no extract is given, occurs between these two over the malaga and coffee-cups.

These dialogues comprise the boldest and cleverest exposition of Diderot's chemico-mechanical materialism contained in his writings (the word "biology" was first pronounced by Lamarck in 1802). He attacks the validity of all thought based on pure reasoning, particularly that resulting from a dualistic conception of the universe as spiritual and material. For him, the universe is composed solely of matter, and what is usually taken for the spiritual is merely a manifestation of a quality which he considers as inherent in matter, and which he calls "sensibilité." This notion of material unity, when applied to kingdoms (animal, vegetable and mineral) and to species, leads Diderot to wonder if there is any absolute difference between kingdoms and between species, and if the distinctions generally supposed to exist are not merely the result of a rational desire to divide according to "essences," a desire insufficiently controlled by observation of natural phenomena. Man is a product of nature not essentially different from animals or even from plants, and his activity may be explained by an examination of the material facts of his heredity and environment. Such abstractions as "free will," "vice" and "virtue" become meaningless. Only the interplay of material cause and material effect is observable, conceivable, and worthy of consideration. It will readily be seen that the influence of Epicurean conceptions as found in Lucretius is very evident in Diderot's thinking, as is also the similarity of his theories not only to those of later scientists such as Lamarck and Darwin, but also to those of men of letters like Balzac or literary historians like Taine.

The *Rêve* was written in 1769, seventy-three years before the *Avant-propos à la Comédie humaine.*

dehors de l'animal; une seconde sensation et des voix qui les désignent par des sons naturels et conventionnels.

D'ALEMBERT—J'entends. Ainsi donc, si ce clavecin sensible et animé était encore doué de la faculté de se nourrir et de se reproduire, il vivrait et engendrerait de lui-même, ou avec sa femelle, de petits clavecins vivants et résonnants.

DIDEROT—Sans doute. A votre avis, qu'est-ce autre chose qu'un pinson, un rossignol, un musicien, un homme? Et quelle autre différence trouvez-vous entre le serin et la serinette? Voyez-vous cet œuf? c'est avec cela qu'on renverse toutes les écoles de théologie et tous les temples de la terre. Qu'est-ce que cet œuf? une masse insensible avant que le germe y soit introduit; et après que le germe y est introduit, qu'est-ce encore? une masse insensible, car ce germe n'est lui-même qu'un fluide inerte et grossier. Comment cette masse passera-t-elle à une autre organisation, à la sensibilité, à la vie? par la chaleur. Qui produira la chaleur? le mouvement. Quels seront les effets successifs du mouvement? Au lieu de me répondre, asseyez-vous, et suivons-les de l'œil de moment en moment. D'abord c'est un point qui oscille, un filet qui s'étend et qui se colore; de la chair qui se forme; un bec, des bouts d'ailes, des yeux, des pattes qui paraissent; une matière jaunâtre qui se dévide et produit les intestins; c'est un animal. Cet animal se meut, s'agite, crie; j'entends ses cris à travers la coque; il se couvre de duvet; il voit. La pesanteur de sa tête, qui oscille, porte sans cesse son bec contre la paroi intérieure de sa prison; la voilà brisée; il en sort, il marche, il vole, il s'irrite, il fuit, il approche, il se plaint, il souffre, il aime, il désire, il jouit; il a toutes vos affections; toutes vos actions, il les fait. Prétendrez-vous, avec Descartes, que c'est une pure machine imitative? Mais les petits enfants se moqueront de vous, et les philosophes vous répliqueront que si c'est là une machine, vous en êtes une autre. Si vous avouez qu'entre l'animal et vous il n'y a de différence que dans l'organisation, vous montrerez du sens et de la raison, vous serez de bonne foi; mais on en conclura contre vous qu'avec une matière inerte, disposée d'une certaine manière, imprégnée d'une autre matière inerte, de la chaleur et du mouvement on obtient de la sensibilité, de la vie, de la mémoire, de la conscience, des passions, de la pensée.

Il ne vous reste qu'un de ces deux partis à prendre; c'est d'imaginer dans la masse inerte de l'œuf un élément caché [57] qui en attendait le développement pour manifester sa présence, ou de supposer que cet élément imperceptible s'y est insinué à travers la coque dans un instant déterminé du développement. Mais qu'est-ce que cet élément? Occupait-il de l'espace, ou n'en occupait-il point? Comment est-il venu, ou s'est-il échappé, sans se mouvoir? Où était-il? Que faisait-il là ou ailleurs? A-t-il été créé à l'instant du besoin? Existait-il? Attendait-il un domicile? Homogène, il était matériel; hétérogène, on ne conçoit ni son inertie avant le développement, ni son énergie dans l'animal développé. Écoutez-vous, et vous aurez pitié de vous-même; vous sentirez que, pour ne pas admettre une supposition simple qui explique tout, la sensibilité, propriété générale de la matière, ou produit de l'organisation, vous renoncez au sens commun, et vous précipitez dans un abîme de mystères, de contradictions et d'absurdités.

D'ALEMBERT—Une supposition! Cela vous plaît à dire. Mais si c'était une qualité essentiellement incompatible avec la matière?

DIDEROT—Et d'où savez-vous que la sensibilité est essentiellement incompatible avec la matière, vous qui ne connaissez l'essence de quoi que ce soit, ni de la matière, ni de la sensibilité? Entendez-vous mieux la nature du mouvement, son existence dans un corps, et sa communication d'un corps à un autre?

D'ALEMBERT—Sans concevoir la nature de la sensibilité, ni celle de la matière, je vois que la sensibilité est une qualité simple, une, indivisible et incompatible avec un sujet ou suppôt divisible.

DIDEROT—Galimatias métaphysico-théologique. Quoi? est-ce que vous ne voyez pas que toutes les qualités, toutes les formes sensibles dont la matière est revêtue, sont essentiellement indivisibles? Il n'y a plus ni moins d'impénétrabilité. Il y a la moitié d'un corps rond, mais il n'y a pas la moitié de la rondeur; il y a plus ou moins de mouvement, mais il n'y a ni plus ni moins mouvement; il n'y a ni la moitié, ni le tiers, ni le quart d'une tête, d'une oreille, d'un doigt, pas plus que la moitié, le tiers, le quart d'une pensée. Si dans l'univers il n'y a pas une molécule

[57] i.e., the life principle, considered as a spiritual phenomenon.

qui ressemble à une autre, dans une molécule pas un point qui ressemble à un autre point, convenez que l'atome même est doué d'une qualité, d'une forme indivisible; convenez que la division est incompatible avec l'essence des formes, puisqu'elle les détruit. Soyez physicien, et convenez de la production d'un effet lorsque vous le voyez produit, quoique vous ne puissiez expliquer la liaison de la cause à l'effet. Soyez logicien, et ne substituez pas à une cause qui est et qui explique tout, une autre cause qui ne se conçoit pas, dont la liaison avec l'effet se conçoit encore moins, qui engendre une multitude infinie de difficultés, et qui n'en résout aucune. . . .

Rêve de d'Alembert

Interlocuteurs

D'Alembert, Mademoiselle de l'Espinasse, le médecin Bordeu.

Mlle de l'ESPINASSE— . . . "Si lorsque Épicure assurait que la terre contenait les germes de tout,[58] et que l'espèce animale était le produit de la fermentation, il avait proposé de montrer une image en petit de ce qui s'était fait en grand à l'origine des temps, que lui aurait-on répondu? . . . Et vous l'avez sous vos yeux cette image, et elle ne vous apprend rien. . . . Qui sait si la fermentation et ses produits sont épuisés? Qui sait à quel instant de la succession de ces générations animales nous en sommes? Qui sait si ce bipède déformé, qui n'a que quatre pieds de hauteur, qu'on appelle encore dans le voisinage du pôle un homme,[59] et qui ne tarderait pas à perdre ce nom en se déformant un peu davantage, n'est pas l'image d'une espèce qui passe? Qui sait s'il n'en est pas ainsi de toutes les espèces d'animaux? Qui sait si tout ne tend pas à se réduire à un grand sédiment inerte et immobile? Qui sait quelle sera la durée de cette inertie? Qui sait quelle race nouvelle peut résulter derechef d'un amas aussi grand de points sensibles et vivants? Pourquoi pas un seul animal? Qu'était l'éléphant dans son origine? Peut-être l'animal énorme tel qu'il nous paraît, peut-être un atome, car tous les deux sont également possibles; ils ne supposent que le mouvement et les propriétés diverses de la matière. . . . L'élé-

[58] See Lucretius, *De Rerum Natura*, Book I.

[59] The Eskimo of Greenland.

phant, cette masse énorme, organisée, le produit subit de la fermentation! Pourquoi non? Le rapport de ce grand quadrupède à sa matrice première est moindre que celui du vermisseau à la molécule de farine qui l'a produit; mais le vermisseau n'est qu'un vermisseau. . . . C'est-à-dire que la petitesse qui vous dérobe son organisation lui ôte son merveilleux. . . . Le prodige, c'est la vie, c'est la sensibilité; et ce prodige n'en est plus un. . . . Lorsque j'ai vu la matière inerte passer à l'état sensible, rien ne doit plus m'étonner. . . . Quelle comparaison d'un petit nombre d'éléments mis en fermentation dans le creux de ma main, et de ce réservoir immense d'éléments divers épars dans les entrailles de la terre, à sa surface, au sein des mers, dans le vague des airs! . . . Cependant, puisque les mêmes causes subsistent, pourquoi les effets ont-ils cessé? Pourquoi ne voyons-nous plus le taureau percer la terre de sa corne, appuyer ses pieds contre le sol, et faire effort pour en dégager son corps pesant? [60] . . . Laissez passer la race présente des animaux subsistants; laissez agir le grand sédiment inerte quelques millions de siècles. Peut-être faut-il, pour renouveler les espèces, dix fois plus de temps qu'il n'en est accordé à leur durée. Attendez, et ne vous hâtez pas de prononcer sur le grand travail de nature. Vous avez deux grands phénoménes, le passage de l'état d'inertie à l'état de sensibilité, et les générations spontanées; qu'ils vous suffisent: tirez-en de justes conséquences; et dans un ordre de choses où il n'y a ni grand ni petit, ni durable, ni passager absolus, garantissez-vous du sophisme de l'éphémère. . . ." Docteur, qu'est-ce que c'est que le sophisme de l'éphémère?

BORDEU—C'est celui d'un être passager qui croit à l'immortalité des choses.

Mlle de l'ESPINASSE—La rose de Fontenelle qui disait que de mémoire de rose on n'avait vu mourir un jardinier?

BORDEU—Précisément; cela est léger et profond.

Mlle de l'ESPINASSE—Pourquoi vos philosophes ne s'expriment-ils pas avec la grâce de celui-là? nous les entendrions.

BORDEU—Franchement, je ne sais si ce ton frivole convient aux sujets graves.

Mlle de l'ESPINASSE—Qu'appelez-vous un sujet grave?

[60] See Lucretius, *De Rerum Natura*, Book V.

BORDEU—Mais la sensibilité générale, la formation de l'être sentant, son unité, l'origine des animaux, leur durée, et toutes les questions auxquelles cela tient. . . .

D'ALEMBERT—Qui est-ce qui est là? . . . Est-ce vous, mademoiselle de l'Espinasse?

Mlle de l'ESPINASSE—Paix, paix . . . (*Mademoiselle de l'Espinasse et le docteur gardent le silence pendant quelque temps, ensuite mademoiselle de l'Espinasse dit à voix basse:*) Je le crois rendormi.

BORDEU—Non, il me semble que j'entends quelque chose.

Mlle de l'ESPINASSE—Vous avez raison; est-ce qu'il reprendrait son rêve?

BORDEU—Écoutons.

D'ALEMBERT—Pourquoi suis-je tel? c'est qu'il a fallu que je fusse tel. . . . Ici, oui, mais ailleurs? au pôle? mais sous la ligne? mais dans Saturne? . . . Si une distance de quelques mille lieues change mon espèce, que ne fera point l'intervalle de quelques milliers de diamètres terrestres? . . . Et si tout est un flux général, comme le spectacle de l'univers me le montre partout, que ne produiront point ici et ailleurs la durée et les vicissitudes de quelques millions de siècles? Qui sait ce qu'est l'être pensant et sentant en Saturne? . . . Mais y a-t-il en Saturne du sentiment et de la pensée? . . . pourquoi non? . . . L'être sentant et pensant en Saturne aurait-il plus de sens que je n'en ai? . . . Si cela est, ah! qu'il est malheureux le Saturnien! . . . Plus de sens, plus de besoins.

BORDEU—Il a raison; les organes produisent les besoins, et réciproquement les besoins produisent les organes.

Mlle de l'ESPINASSE—Docteur, délirez-vous aussi?

BORDEU—Pourquoi non? J'ai vu deux moignons devenir à la longue deux bras.

Mlle de l'ESPINASSE—Vous mentez.

BORDEU—Il est vrai; mais au défaut de deux bras qui manquaient, j'ai vu deux omoplates s'allonger, se mouvoir en place, et devenir deux moignons.

Mlle de l'ESPINASSE—Quelle folie!

BORDEU—C'est un fait. Supposez une longue suite de générations manchotes, supposez des efforts continus, et vous verrez les deux côtés de cette pincette s'étendre, s'étendre de plus en plus, se croiser sur le dos, revenir par devant, peut-être se digiter à leurs extrémités, et refaire des bras et des mains. La conformité originelle s'altère ou se perfectionne par la nécessité et les fonctions habituelles. Nous marchons si peu, nous travaillons si peu et nous pensons tant, que je ne désespère pas que l'homme ne finisse par n'être qu'une tête.

Mlle de l'Espinasse—Une tête! une tête! c'est bien peu de chose; j'espère que la galanterie effrénée. . . . Vous me faites venir des idées bien ridicules.

Bordeu—Paix.

D'Alembert—Je suis donc tel, parce qu'il a fallu que je fusse tel. Changez le tout, vous me changez nécessairement; mais le tout change sans cesse. . . . L'homme n'est qu'un effet commun, le monstre qu'un effet rare; tous les deux également naturels, également nécessaires, également dans l'ordre universel et général. . . . Et qu'est-ce qu'il y a d'étonnant à cela? . . . Tous les êtres circulent les uns dans les autres, par conséquent toutes les espèces . . . tout est en un flux perpétuel. . . . Tout animal est plus ou moins homme; tout minéral est plus ou moins plante; toute plante est plus ou moins animal. Il n'y a plus rien de précis en nature. . . . Le ruban du père Castel.[61] . . . Oui, père Castel, c'est votre ruban et ce n'est que cela. Toute chose est plus ou moins une chose quelconque, plus ou moins terre, plus ou moins eau, plus ou moins air, plus ou moins feu;[62] plus ou moins d'un règne ou d'un autre . . . donc rien n'est de l'essence d'un être particulier. . . . Non, sans doute, puisqu'il n'y a aucune qualité dont aucun être ne soit participant . . . et que c'est le rapport plus ou moins grand de cette qualité qui nous la fait attribuer à un être exclusivement à un autre. . . . Et vous parlez d'individus, pauvres philosophes! laissez là vos individus; répondez-moi. Y a-t-il un atome en nature rigoureusement semblable à un autre atome? . . . Non. . . . Ne convenez-vous pas

[61] This Jesuit priest had imagined a machine for projecting colors on a series of fans, by the use of keys, which he called an "ocular harpsichord." In a description of such an instrument in Diderot's Encyclopedia article "clavecin," the colors are projected successively by quarter-tone shadings on a ribbon. In this way one color blended gradually into another.

[62] The four elements of the Greeks.

que tout tient en nature et qu'il est impossible qu'il y ait un vide dans la chaîne? Que voulez-vous donc dire avec vos individus? Il n'y en a point, non, il n'y en a point. . . . Il n'y a qu'un grand individu, c'est le tout. Dans ce tout, comme dans une machine, dans un animal quelconque, il y a une partie que vous appellerez telle ou telle; mais quand vous donnerez le nom d'individu à cette partie du tout, c'est par un concept aussi faux que si, dans un oiseau, vous donniez le nom d'individu à l'aile, à une plume de l'aile. . . . Et vous parlez d'essences, pauvres philosophes! laissez là vos essences. Voyez la masse générale, ou si, pour l'embrasser, vous avez l'imagination trop étroite, voyez votre première origine et votre fin dernière. . . . O Architas! [63] vous qui avez mesuré le globe, qu'êtes-vous? un peu de cendre. . . . Qu'est-ce qu'un être? . . . La somme d'un certain nombre de tendances. . . . Est-ce que je puis être autre chose qu'une tendance? . . . non, je vais à un terme. . . . Et les espèces? . . . Les espèces ne sont que des tendances à un terme commun qui leur est propre. . . . Et la vie? . . . La vie, une suite d'actions et de réactions. . . . vivant, j'agis et je réagis en masse . . . mort, j'agis et je réagis en molécules . . . Je ne meurs donc point? . . . Non, sans doute, je ne meurs point en ce sens, ni moi, ni quoi que ce soit. . . . Naître, vivre et passer, c'est changer de formes . . . Et qu'importe une forme ou une autre? Chaque forme a le bonheur et le malheur qui lui est propre. Depuis l'éléphant jusqu'au puceron . . . depuis le puceron jusqu'à la molécule sensible et vivante, l'origine de tout, pas un point dans la nature entière qui ne souffre ou qui ne jouisse. . . .

BORDEU— . . . Je gage, mademoiselle, que . . . vous avez pensé que vous aviez toujours été une femme sous la forme que vous avez, en sorte que les seuls accroissements successifs que vous avez pris ont fait toute la différence de vous à votre origine, et de vous telle que vous voilà.

Mlle de l'ESPINASSE—J'en conviens.

BORDEU—Rien cependant n'est plus faux que cette idée. D'abord vous n'étiez rien. Vous fûtes, en commençant, un point imperceptible, formé de molécules plus petites, éparses dans le

[63] Archytas of Tarentum, a Pythagorean philosopher and one of the masters of Plato. He is addressed as having "measured the globe" in Horace, Book I, Ode 28.

sang, la lymphe de votre père ou de votre mère; ce point devint un fil délié, puis un faisceau de fils. Jusque-là, pas le moindre vestige de cette forme agréable que vous avez: vos yeux, ces beaux yeux, ne ressemblaient non plus à des yeux que l'extrémité d'une griffe d'anémone ne ressemble à une anémone. Chacun des brins du faisceau de fils se transforma, par la seule nutrition et par sa conformation, en un organe particulier: abstraction faite des organes dans lesquels les brins du faisceau se métamorphosent, et auxquels ils donnent naissance. Le faisceau est un système purement sensible; s'il persistait sous cette forme, il serait susceptible de toutes les impressions relatives à la sensibilité pure, comme le froid, le chaud, le doux, le rude. Ces impressions successives, variées entre elles, et variées chacune dans leur intensité, y produiraient peut-être la mémoire, la conscience du soi, une raison très bornée. Mais cette sensibilité pure et simple, ce toucher, se diversifie par les organes émanés de chacun des brins; un brin formant une oreille, donne naissance à une espèce de toucher que nous appelons bruit ou son; un autre formant le palais, donne naissance à une seconde espèce de toucher que nous appelons saveur; un troisième formant le nez et le tapissant, donne naissance à une troisième espèce de toucher que nous appelons odeur; un quatrième formant un œil, donne naissance à une quatrième espèce de toucher que nous appelons couleur.

Mlle de l'ESPINASSE—Mais, si je vous ai bien compris, ceux qui nient la possibilité d'un sixième sens, un véritable hermaphrodite, sont des étourdis. Qui est-ce qui leur a dit que nature ne pourrait former un faisceau avec un brin singulier qui donnerait naissance à un organe qui nous est inconnu?

BORDEU—Ou avec deux brins qui caractérisent les deux sexes? Vous avez raison; il y a plaisir à causer avec vous: vous ne saisissez pas seulement ce qu'on vous dit, vous en tirez encore des conséquences d'une justesse qui m'étonne. . . .

. . . .

BORDEU— . . . Mais, s'il est impossible de discerner la veille du sommeil, qui est-ce qui en apprécie la durée? Tranquille, c'est un intervalle étouffé entre le moment du coucher et celui du lever: trouble, il dure quelquefois des années. Dans le premier cas, du moins, la conscience du soi cesse entièrement. Un rêve qu'on n'a jamais fait, et qu'on ne fera jamais, me le diriez-vous bien?

Mlle de l'ESPINASSE—Oui, c'est qu'on est un autre.

D'ALEMBERT—Et dans le second cas, on n'a pas seulement la conscience du soi, mais on a encore celle de sa volonté et de sa liberté. Qu'est-ce que cette liberté, qu'est-ce que cette volonté de l'homme qui rêve?

BORDEU—Qu'est-ce? c'est la même que celle de l'homme qui veille: la dernière impulsion du désir et de l'aversion, le dernier résultat de tout ce qu'on a été depuis sa naissance jusqu'au moment où l'on est; et je défie l'esprit le plus délié d'y apercevoir la moindre différence.

D'ALEMBERT—Vous croyez?

BORDEU—Et c'est vous qui me faites cette question! vous qui, livré à des spéculations profondes, avez passé les deux tiers de votre vie à rêver les yeux ouverts, et à agir sans vouloir; oui, sans vouloir, bien moins que dans votre rêve. Dans votre rêve vous commandiez, vous ordonniez, on vous obéissait; vous étiez mécontent ou satisfait, vous éprouviez de la contradiction, vous trouviez des obstacles, vous vous irritiez, vous aimiez, vous haïssiez, vous blâmiez, vous alliez, vous veniez. Dans le cours de vos méditations, à peine vos yeux s'ouvraient le matin que, ressaisi de l'idée qui vous avait occupé la veille, vous vous vêtiez, vous vous asseyiez à votre table, vous méditiez, vous traciez des figures, vous suiviez des calculs, vous dîniez, vous repreniez vos combinaisons, quelquefois vous quittiez la table pour les vérifier; vous parliez à d'autres, vous donniez des ordres à votre domestique, vous soupiez, vous vous couchiez, vous vous endormiez sans avoir fait le moindre acte de volonté. Vous n'avez été qu'un point; vous avez agi, mais vous n'avez pas voulu. Est-ce qu'on veut, de soi? La volonté naît toujours de quelque motif intérieur ou extérieur, de quelque impression présente, de quelque réminiscence du passé, de quelque passion, de quelque projet dans l'avenir. Après cela je ne vous dirai de la liberté qu'un mot, c'est que la dernière de nos actions est l'effet nécessaire d'une cause une: nous, très compliquée, mais une.[64]

[64] cf. the *Neveu de Rameau*: "le point important est que vous et moi nous soyons, et que nous soyons vous et moi."

Mlle de l'Espinasse—Nécessaire?

Bordeu—Sans doute. Tâchez de concevoir la production d'une autre action, en supposant que l'être agissant soit le même.

Mlle de l'Espinasse—Il a raison. Puisque j'agis ainsi, celui qui peut agir autrement n'est plus moi; et assurer qu'au moment où je fais ou dis une chose, j'en puis dire ou faire une autre, c'est assurer que je suis moi et que je suis un autre. Mais, docteur, et le vice et la vertu? La vertu, ce mot si saint dans toutes les langues, cette idée si sacrée chez toutes les nations!

Bordeu—Il faut le transformer en celui de bienfaisance, et son opposé en celui de malfaisance. On est heureusement ou malheureusement né; on est irrésistiblement entraîné par le torrent général qui conduit l'un à la gloire, l'autre à l'ignominie.

Mlle de l'Espinasse—Et l'estime de soi, et la honte, et le remords?

Bordeu—Puérilité fondée sur l'ignorance et la vanité d'un être qui s'impute à lui-même le mérite ou le démérite d'un instant nécessaire.

Mlle de l'Espinasse—Et les récompenses, et les châtiments?

Bordeu—Des moyens de corriger l'être modifiable qu'on appelle méchant, et d'encourager celui qu'on appelle bon.

Mlle de l'Espinasse—Et toute cette doctrine n'a-t-elle rien de dangereux?

Bordeu—Est-elle vraie ou est-elle fausse?

Mlle de l'Espinasse—Je la crois vraie.

Bordeu—C'est-à-dire que vous pensez que le mensonge a ses avantages, et la vérité ses inconvénients.

Mlle de l'Espinasse—Je le pense.

Bordeu—Et moi aussi: mais les avantages du mensonge sont d'un moment, et ceux de la vérité sont éternels; mais les suites fâcheuses de la vérité, quand elle en a, passent vite, et celles du mensonge ne finissent qu'avec lui. Examinez les effets du mensonge dans la tête de l'homme, et ses effets dans sa conduite; dans sa tête, où le mensonge s'est lié tellement quellement avec la vérité, et la tête est fausse; ou il est bien et conséquemment lié avec le mensonge, et la tête est erronée. Or, quelle conduite pouvez-vous attendre d'une tête ou inconséquente dans ses raisonnements, ou conséquente dans ses erreurs?

Mlle de l'Espinasse—Le dernier de ces vices, moins méprisable, est peut-être plus à redouter que le premier.

D'Alembert—Fort bien: voilà donc tout ramené à de la sensibilité, de la mémoire, des mouvements organiques; cela me convient assez. Mais l'imagination? mais les abstractions?

Bordeu—L'imagination. . . .

Mlle de l'Espinasse—Un moment, docteur: récapitulons. D'après vos principes, il me semble que, par une suite d'opérations purement mécaniques, je réduirais le premier génie de la terre à une masse de chair inorganisée, à laquelle on ne laisserait que de la sensibilité du moment, et que l'on ramènerait cette masse informe de l'état de stupidité le plus profond qu'on puisse imaginer à la condition de l'homme de génie. L'un de ces deux phénomènes consisterait à mutiler l'écheveau primitif d'un certain nombre de ses brins, et à bien brouiller le reste; et le phénomène inverse à restituer à l'écheveau les brins qu'on aurait détachés, et à abandonner le tout à un heureux développement. Exemple: j'ôte à Newton les deux brins auditifs, et plus de sensations de sons; les brins olfactifs, et plus de sensations d'odeurs; les brins optiques, et plus de sensations de couleurs; les brins palatins, et plus de sensations de saveurs; je supprime ou brouille les autres, et adieu l'organisation du cerveau, la mémoire, le jugement, les désirs, les aversions, les passions, la volonté, la conscience du soi, et voilà une masse informe qui n'a retenu que la vie et la sensibilité.

Bordeu—Deux qualités presque identiques; la vie est de l'agrégat, la sensibilité est de l'élément.

Mlle de l'Espinasse—Je reprends cette masse et je lui restitue les brins olfactifs, elle flaire; les brins auditifs, et elle entend; les brins optiques, et elle voit; les brins palatins, et elle goûte. En démêlant le reste de l'écheveau, je permets aux autres brins de se développer, et je vois renaître la mémoire, les comparaisons, le jugement, la raison, les désirs, les aversions, les passions, l'aptitude naturelle, le talent, et je retrouve mon homme de génie, et cela sans l'entremise d'aucun agent hétérogène et inintelligible.

Bordeu—A merveille: tenez-vous-en là, le reste n'est que du galimatias. . . . Mais les abstractions? mais l'imagination? L'imagination, c'est la mémoire des formes et des couleurs. Le spectacle d'une scène, d'un objet, monte nécessairement l'instrument sensible d'une certaine manière; il se remonte ou de lui-même, ou il est remonté par quelque cause étrangère. Alors il frémit au dedans ou il résonne au dehors; il se recorde en silence les impressions qu'il a reçues, ou il les fait éclater par des sons convenus. . . .

D'ALEMBERT—Et les abstractions?

BORDEU—Il n'y en a point; il n'y a que des réticences habituelles, des ellipses qui rendent les propositions plus générales et le langage plus rapide et plus commode. Ce sont les signes du langage qui ont donné naissance aux sciences abstraites. Une qualité commune à plusieurs actions a engendré les mots vice et vertu; une qualité commune à plusieurs êtres a engendré les mots laideur et beauté. On a dit un homme, un cheval, deux animaux; ensuite on a dit un, deux, trois, et toute la science des nombres a pris naissance. On n'a nulle idée d'un mot abstrait. On a remarqué dans tous les corps trois dimensions, la longueur, la largeur, la profondeur; on s'est occupé de chacune de ces dimensions, et de là toutes les sciences mathématiques. Toute abstraction n'est qu'un signe vide d'idée. On a exclu l'idée en séparant le signe de l'objet physique, et ce n'est qu'en rattachant le signe à l'objet physique que la science redevient une science d'idées; de là le besoin, si fréquent dans la conversation, dans les ouvrages, d'en venir aux exemples. Lorsque, après une longue combinaison de signes, vous demandez un exemple, vous n'exigez autre chose de celui qui parle, sinon de donner du corps, de la forme, de la réalité, de l'idée au bruit successif de ses accents, en y appliquant des sensations éprouvées.

D'ALEMBERT—Cela est-il bien clair pour vous, mademoiselle?

Mlle de l'ESPINASSE—Pas infiniment, mais le docteur va s'expliquer.

BORDEU—Cela vous plaît à dire. Ce n'est pas qu'il n'y ait peut-être quelque chose à rectifier et beaucoup à ajouter à ce que j'ai dit; mais il est onze heures et demie, et j'ai à midi une consultation au Marais. . . .

D'ALEMBERT

1717–1783

L'ENCYCLOPÉDIE

Discours Préliminaire

L'ouvrage que nous commençons (et que nous désirons de finir) a deux objets: comme *encyclopédie*, il doit exposer, autant qu'il est possible, l'ordre et l'enchaînement des connaissances humaines: comme *dictionnaire raisonné des sciences, des arts et des métiers*, il doit contenir sur chaque science et sur chaque art, soit libéral, soit mécanique, des principes généraux qui en sont la base, et les détails les plus essentiels, qui en font le corps et la substance. Ces deux points de vue, d'*encyclopédie* et de *dictionnaire raisonné*, formeront donc le plan et la division du discours préliminaire. Nous allons les envisager, les suivre l'un après l'autre, et rendre compte des moyens par lesquels on a tâché de satisfaire à ce double objet.

Pour peu qu'on ait réfléchi sur la liaison que les découvertes ont entre elles, il est facile de s'apercevoir que les sciences et les arts se prêtent mutuellement des secours, et qu'il y a par conséquent une chaîne qui les unit. Mais il est souvent difficile de réduire à un petit nombre de règles ou de notions générales, chaque science ou chaque art en particulier; il ne l'est pas moins de renfermer dans un système qui soit un, les branches infiniment variées de la science humaine.

Le premier pas que nous ayons à faire dans cette recherche, est d'examiner, qu'on nous permette ce terme, la généalogie et la filiation de nos connaissances, les causes qui ont dû les faire naître, et les caractères qui les distinguent; en un mot, de remonter jusqu'à l'origine et à la génération de nos idées. Indépendamment des secours que nous tirerons de cet examen pour l'énumération encyclopédique des sciences et des arts, il ne saurait être déplacé à la tête d'un dictionnaire raisonné des connaissances humaines.

On peut diviser toutes nos connaissances en directes et en réfléchies. Les directes sont celles que nous recevons immédiatement sans aucune opération de notre volonté, qui, trouvant ouvertes, si on peut parler ainsi, toutes les portes de notre âme, y entrent sans résistance et sans effort. Les connaissances réfléchies sont celles que l'esprit acquiert en opérant sur les directes, en les unissant et en les combinant.

Toutes nos connaissances directes se réduisent à celles que nous recevons par les sens; d'où il s'ensuit que c'est à nos sensations que nous devons toutes nos idées. Ce principe des premiers philosophes a été longtemps regardé comme axiome par les scolastiques; pour qu'ils lui fissent cet honneur, il suffisait qu'il fût ancien, et ils auraient défendu avec la même chaleur les formes substantielles ou les qualités occultes. Aussi cette vérité fut-elle traitée à la renaissance de la philosophie, comme les opinions absurdes dont on aurait dû la distinguer; on la proscrivit avec ces opinions, parce que rien n'est si dangereux pour le vrai, et ne l'expose tant à être méconnu, que l'alliage ou le voisinage de l'erreur. Le système des idées innées, séduisant à plusieurs égards, et plus frappant peut-être parce qu'il était moins connu, a succédé à l'axiome des scolastiques; et après avoir longtemps régné, il conserve encore quelques partisans; tant la vérité a de la peine à reprendre sa place, quand les préjugés ou le sophisme l'en ont chassée. Enfin, depuis assez peu de temps on convient presque généralement que les anciens avaient raison; et ce n'est pas la seule question sur laquelle nous commençons à nous rapprocher d'eux.

Rien n'est plus incontestable que l'existence de nos sensations; ainsi pour prouver qu'elles sont le principe de toutes nos connaissances, il suffit de démontrer qu'elles peuvent l'être: car en bonne philosophie, toute déduction qui a pour base des faits ou des vérités reconnues, est préférable à ce qui n'est appuyé que sur des hypothèses, même ingénieuses. Pourquoi supposer que nous ayons d'avance des notions purement intellectuelles, si nous n'avons besoin pour les former, que de réfléchir sur nos sensations? le détail où nous allons entrer fera voir que ces notions n'ont point en effet d'autre origine.

La première chose que nos sensations nous apprennent, et qui même n'est pas distinguée, c'est notre existence; d'où il s'ensuit que nos premières idées réfléchies doivent tomber sur nous, c'est-à-dire, sur ce principe pensant qui constitue notre nature, et qui n'est point différent de nous-mêmes. La seconde connaissance que nous devons à nos sensations, est l'existence des objets extérieurs, parmi lesquels notre propre corps doit être compris, puisqu'il nous est, pour ainsi dire, extérieur, même avant que nous ayons démêlé la nature du principe qui pense en nous. Ces objets innombrables produisent sur nous un effet si puissant, si continu, et qui nous unit tellement à eux, qu'après un premier instant où nos idées réfléchies nous rappellent en nous-mêmes, nous sommes forcés d'en sortir par les sensations qui nous assiègent de toutes parts, et qui nous arrachent à la solitude où nous resterions sans elles. La multiplicité de ces sensations, l'accord que nous remarquons dans leur témoignage, les nuances que nous y observons, les affections involontaires qu'elles nous font éprouver, comparées avec la détermination volontaire qui préside à nos idées réfléchies, et qui n'opère que sur nos sensations même; tout cela forme en nous un penchant insurmontable à assurer l'existence des objets auxquels nous rapportons ces sensations, et qui nous paraissent en être la cause; penchant que bien des philosophes ont regardé comme l'ouvrage d'un Être supérieur, et comme l'argument le plus convaincant de l'existence de ces objets. En effet, n'y ayant aucun rapport entre chaque sensation et l'objet qui l'occasionne, ou du moins auquel nous le rapportons, il ne paraît pas qu'on puisse trouver par le raisonnement de passage possible de l'un à l'autre: il n'y a qu'une espèce d'instinct, plus sûr que la raison même, qui puisse nous forcer à franchir un si grand intervalle; et cet instinct est si vif en nous, que quand on supposerait pour un moment qu'il subsistât pendant que les objets extérieurs seraient anéantis, ces mêmes objets reproduits tout à coup ne pourraient augmenter sa force. Jugeons donc, sans balancer, que nos sensations ont en effet hors de nous la cause que nous leur supposons, puisque l'effet qui peut résulter de l'existence réelle de cette cause ne saurait différer en aucune manière de celui que nous éprouvons; et n'imitons point ces philosophes dont parle Montaigne, qui, interrogés sur le principe des actions humaines, cherchent encore s'il y a des hommes. Loin de vouloir répandre des nuages sur une vérité reconnue des sceptiques même lorsqu'ils ne disputent pas, laissons aux métaphysiciens éclairés le soin d'en développer le principe: c'est à eux à déterminer, s'il est possible, quelle gradation observe notre âme dans ce premier pas qu'elle fait hors d'elle-même, poussée, pour ainsi dire, et retenue tout à la fois par une foule de perceptions, qui d'un côté l'entraînent vers les objets extérieurs, et qui de l'autre n'appartenant proprement qu'à elle, semblent lui circonscrire un espace étroit dont elles ne lui permettent pas de sortir.

De tous les objets qui nous affectent par leur présence, notre propre corps est celui dont l'existence nous frappe le plus, parce qu'elle nous appartient plus intimement: mais à peine sentons-nous l'existence de notre corps que nous nous apercevons de l'attention qu'il exige de nous, pour écarter les dangers qui l'environnent. Sujet à mille besoins, et sensible au dernier point à l'action des corps extérieurs, il serait bientôt détruit, si le soin de sa conservation ne nous occupait. Ce n'est pas que tous les corps extérieurs nous fassent éprouver des sensations désagréables; quelques-uns semblent nous dédommager par le plaisir que leur action nous procure. Mais tel est le malheur de la condition humaine, que la douleur est en nous le sentiment le plus vif; le plaisir nous touche moins qu'elle, et ne suffit presque jamais pour nous en consoler. En vain quelques philosophes soutenaient, en retenant leurs cris au milieu des souffrances, que la douleur n'était point un mal: en vain quelques autres plaçaient le bonheur suprême dans la volupté, à laquelle ils ne laissaient pas de se refuser par la crainte de ses suites: tous auraient mieux connu notre nature, s'ils s'étaient contentés de borner à l'exemption de la douleur le souverain bien de la vie présente, et de convenir que sans pouvoir atteindre à ce souverain bien, il nous était seulement permis d'en approcher plus ou moins, à proportion de nos soins et de notre vigilance. Des réflexions si naturelles frapperont infailliblement tout homme abandonné à lui-même, et libre de préjugés, soit d'éducation, soit d'étude: elles seront la suite de la première impression qu'il recevra des objets; et on peut les mettre au nombre de ces premiers mouvements de l'âme, précieux pour les vrais sages, et dignes d'être observés par eux, mais négligés ou rejetés par la philosophie ordinaire, dont ils démentent presque toujours les principes.

La nécessité de garantir notre propre corps de la douleur et de la destruction, nous fait examiner parmi les objets extérieurs, ceux qui peuvent nous être utiles ou nuisibles, pour rechercher les uns et fuir les autres. Mais à peine commençons-nous à parcourir ces objets, que nous découvrons parmi eux un grand nombre d'êtres qui nous paraissent entièrement semblables à nous, c'est-à-dire, dont la forme est toute pareille à la nôtre, et qui, autant que nous en pouvons juger au premier coup d'œil, semblent avoir les mêmes perceptions que nous: tout nous porte donc à penser qu'ils ont aussi les mêmes besoins que nous éprouvons, et par conséquent le même intérêt à les satisfaire; d'où il résulte que nous devons trouver beaucoup d'avantage à nous unir avec eux pour démêler dans la nature ce qui peut nous conserver ou nous nuire. La communication des idées est le principe et le soutien de cette union, et demande nécessairement l'invention des signes; telle est l'origine de la formation des sociétés avec laquelle les langues ont dû naître.

Ce commerce que tant de motifs puissants nous engagent à former avec les autres hommes, augmente bientôt l'étendue de nos idées, et nous en fait naître de très nouvelles pour nous, et de très éloignées, selon toute apparence, de celles que nous aurions eues par nous-mêmes sans un tel secours. C'est aux philosophes à juger si cette communication réciproque, jointe à la ressemblance que nous apercevons entre nos sensations et celles de nos semblables, ne contribue pas beaucoup à former ce penchant invincible que nous avons à supposer l'existence de tous les objets qui nous frappent. Pour me renfermer dans mon sujet, je remarquerai seulement que l'agrément et l'avantage que nous trouvons dans un pareil commerce, soit à faire part de nos idées aux autres hommes, soit à joindre les leurs aux nôtres, doit nous porter à resserrer de plus en plus les liens de la société commencée, et à la rendre la plus utile pour nous qu'il est possible. Mais chaque membre de la société cherchant ainsi à augmenter pour lui-même l'utilité qu'il en retire, et ayant à combattre dans chacun des autres membres un empressement égal, tous ne peuvent avoir la même part aux avantages, quoique tous y aient le même droit. Un droit si légitime est donc bientôt enfreint par ce droit barbare d'inégalité, appelé loi du plus fort, dont l'usage semble nous confondre avec les animaux, et dont il est pourtant si difficile de ne pas abuser. Ainsi la force, donnée par la nature à certains hommes, et qu'ils ne devraient sans doute employer qu'au soutien et à la protection des faibles, est au contraire l'origine de l'oppression de ces derniers. Mais plus l'oppression est violente, plus ils la souffrent impatiemment, parce qu'ils sentent que rien n'a dû les y assujettir. De là la notion de l'injuste, et par conséquent du bien et du mal moral, dont tant de philosophes ont cherché le principe, et que le cri de la nature, qui retentit dans tout homme, fait entendre chez les peuples même les plus sauvages. De là aussi cette loi naturelle que nous trouvons au-dedans de nous, source des premières lois que les hommes ont dû former: sans le secours même de ces lois elle est quelquefois assez forte, sinon pour anéantir l'oppression, au moins pour la contenir dans certaines bornes. C'est ainsi que le mal que nous éprouvons par les vices de nos semblables, produit en nous la connaissance réfléchie des vertus opposées à ces vices, connaissance précieuse, dont une union et une égalité parfaite nous auraient peut-être privés.

Par l'idée acquise du juste et de l'injuste, et conséquemment de la nature morale des actions, nous sommes naturellement amenés à examiner quel est en nous le principe qui agit, ou, ce qui est la même chose, la substance qui veut et qui conçoit. Il ne faut pas approfondir beaucoup la nature de notre corps et l'idée que nous en avons, pour reconnaître qu'il ne saurait être cette substance, puisque les propriétés que nous observons dans la matière n'ont rien de commun avec la faculté de vouloir et de penser: d'où il résulte que cet être appelé *nous*, est formé de deux principes de différente nature, tellement unis qu'il règne entre les mouvements de l'un et les affections de l'autre, une correspondance que nous ne saurions ni suspendre ni altérer, et qui les tient dans un assujettissement réciproque. Cet esclavage si indépendant de nous, joint aux réflexions que nous sommes forcés de faire sur la nature des deux principes et sur leur imperfection, nous élève à la contemplation d'une intelligence toute puissante à qui nous devons ce que nous sommes, et qui exige par conséquent notre culte:

son existence, pour être reconnue, n'aurait besoin que de notre sentiment intérieur, quand même le témoignage universel des autres hommes, et celui de la nature entière, ne s'y joindraient pas.

Il est donc évident que les notions purement intellectuelles du vice et de la vertu, le principe et la nécessité des lois, la spiritualité de l'âme, l'existence de Dieu et nos devoirs envers lui, en un mot, les vérités dont nous avons le besoin le plus prompt et le plus indispensable, sont le fruit des premières idées réfléchies que nos sensations occasionnent.

Quelque intéressantes que soient ces premières vérités pour la plus noble portion de nous-mêmes, le corps auquel elle est unie nous ramène bientôt à lui par la nécessité de pourvoir à des besoins qui se multiplient sans cesse. Sa conservation doit avoir pour objet, ou de prévenir les maux qui le menacent, ou de remédier à ceux dont il est atteint. C'est à quoi nous cherchons à satisfaire par deux moyens; savoir, par nos découvertes particulières, et par les recherches des autres hommes; recherches dont notre commerce avec eux nous met à portée de profiter. De là ont dû naître d'abord l'agriculture, la médecine, enfin tous les arts les plus absolument nécessaires. Ils ont été en même temps et nos connaissances primitives, et la source de toutes les autres, même de celles qui en paraissent très éloignées par leur nature: c'est ce qu'il faut développer plus en détail.

Les premiers hommes en s'aidant mutuellement de leurs lumières, c'est-à-dire de leurs efforts séparés ou réunis, sont parvenus, peut-être en assez peu de temps, à découvrir une partie des usages auxquels ils pouvaient employer les corps. Avides de connaissances utiles, ils ont dû écarter d'abord toute spéculation oisive, considérer rapidement les uns après les autres les différents êtres que la nature leur présentait, et les combiner, pour ainsi dire, matériellement, par leurs propriétés les plus frappantes et les plus palpables. A cette première combinaison, il a dû en succéder une autre plus recherchée, mais toujours relative à leurs besoins, et qui a principalement consisté dans une étude plus approfondie de quelques propriétés moins sensibles, dans l'altération et la décomposition des corps, et dans l'usage qu'on en pouvait tirer.

Cependant, quelque chemin que les hommes dont nous parlons et leurs successeurs aient été capables de faire, excités par un objet aussi intéressant que celui de leur propre conservation, l'expérience et l'observation de ce vaste univers leur ont fait rencontrer bientôt des obstacles que leurs plus grands efforts n'ont pu franchir. L'esprit accoutumé à la méditation, et avide d'en tirer quelque fruit, a dû trouver alors une espèce de ressource dans la découverte des propriétés des corps uniquement curieuse, découverte qui ne connaît point de bornes. En effet, si un grand nombre de connaissances agréables suffisait pour consoler de la privation d'une vérité utile, on pourrait dire que l'étude de la nature, quand elle nous refuse le nécessaire, fournit du moins avec profusion à nos plaisirs: c'est une espèce de superflu, qui supplée, quoique très imparfaitement, à ce qui nous manque. De plus, dans l'ordre de nos besoins et des objets de nos passions, le plaisir tient une des premières places, et la curiosité est un besoin pour qui sait penser, surtout lorsque ce désir inquiet est animé par une sorte de dépit de ne pouvoir entièrement se satisfaire. Nous devons donc un grand nombre de connaissances simplement agréables à l'impuissance malheureuse où nous sommes d'acquérir celles qui nous seraient d'une plus grande nécessité. Un autre motif sert à nous soutenir dans un pareil travail; si l'utilité n'en est pas l'objet, elle peut en être au moins le prétexte. Il nous suffit d'avoir trouvé quelquefois un avantage réel dans certaines connaissances, où d'abord nous ne l'avions pas soupçonné, pour nous autoriser à regarder toutes les recherches de pure curiosité, comme pouvant un jour nous être utiles. Voilà l'origine et la cause des progrès de cette vaste science, appelée en général *physique* ou *étude de la nature*, qui comprend tant de parties différentes: l'agriculture et la médecine, qui l'ont principalement fait naître, n'en sont plus aujourd'hui que des branches. Aussi, quoique les plus essentielles et les premières de toutes, elles ont été plus ou moins en honneur à proportion qu'elles ont été plus ou moins étouffées et obscurcies par les autres. . . .

Les objets dont notre âme s'occupe sont ou *spirituels* ou *matériels*, et notre âme s'occupe de ces objets ou par des idées directes ou par des idées réfléchies. Le système des connaissances directes ne peut consister que dans la collection purement passive et comme machinale de ces mêmes connaissances; c'est ce qu'on appelle *mémoire*. La réflexion est de deux sortes, nous l'avons déjà observé: ou elle raisonne sur les objets des idées directes, ou elle les imite.

Ainsi la *mémoire*, la *raison* proprement dite, et l'*imagination*, sont les trois manières différentes dont notre âme opère sur les objets de ses pensées. Nous ne prenons point ici l'imagination pour la faculté qu'on a de se représenter les objets, parce que cette faculté n'est autre chose que la mémoire même des objets sensibles, mémoire qui serait dans un continuel exercice si elle n'était soulagée par l'invention des signes. Nous prenons l'imagination dans un sens plus noble et plus précis, pour le talent de créer en imitant.

Ces trois facultés forment d'abord les trois divisions générales de notre système, et les trois objets généraux des connaissances humaines: l'*histoire*, qui se rapporte à la mémoire; la *philosophie*, qui est le fruit de la raison; et les *beaux-arts*, que l'imagination fait naître. Si nous plaçons la raison avant l'imagination, cet ordre nous paraît bien fondé et conforme au progrès naturel des opérations de l'esprit: l'imagination est une faculté créatrice, et l'esprit, avant de songer à créer, commence par raisonner sur ce qu'il voit et ce qu'il connaît. Un autre motif qui doit déterminer à placer la raison avant l'imagination, c'est que dans cette dernière faculté de l'âme les deux autres se trouvent réunies jusqu'à un certain point, et que la raison s'y joint à la mémoire. L'esprit ne crée et n'imagine des objets qu'en tant qu'ils sont semblables à ceux qu'il a connus par des idées directes et par des sensations: plus il s'éloigne de ces objets, plus les êtres qu'il forme sont bizarres et peu agréables. Ainsi, dans l'imitation de la nature, l'invention même est assujettie à certaines règles, et ce sont ces règles qui forment principalement la partie philosophique des beaux-arts, jusqu'à présent assez imparfaite, parce qu'elle ne peut être l'ouvrage que du génie, et que le génie aime créer mieux que discuter. . . .

La distribution générale des êtres en *spirituels* et en *matériels* fournit la sous-division de trois branches générales. L'histoire et la philosophie s'occupent également de ces deux espèces d'êtres, et l'imagination ne travaille que d'après les êtres purement matériels: nouvelle raison pour la placer la dernière dans l'ordre de nos facultés. A la tête des êtres spirituels est *Dieu*, qui doit tenir le premier rang par sa nature et par le besoin que nous avons de le connaître; au-dessous de cet Etre suprême sont les *esprits créés*, dont la révélation nous apprend l'existence; ensuite vient l'*homme*, qui, composé de deux principes, tient par son âme aux esprits, et par son corps au monde matériel; et enfin ce vaste *univers* que nous appelons *monde corporel* ou la *nature*. Nous ignorons pourquoi l'auteur célèbre[1] qui nous sert de guide dans cette distribution, a placé la nature avant l'homme dans son système: il semble, au contraire, que tout engage à placer l'homme sur le passage qui sépare Dieu et les esprits d'avec les corps.

L'histoire, en tant qu'elle se rapporte à Dieu, renferme ou la *révélation* ou la *tradition*, et se divise, sous ces deux points de vue, en *histoire sacrée* et en *histoire ecclésiastique*. L'histoire de l'homme a pour objet ou ses *actions* ou ses *connaissances*, et elle est par conséquent *civile* ou *littéraire*, c'est-à-dire se partage entre les grandes nations et les grands génies, entre les rois et les gens de lettres, entre les conquérants et les philosophes. Enfin, l'histoire de la nature est celle des productions innombrables qu'on y observe, et forme une quantité de branches presque égale au nombre de ces diverses productions. Parmi ces différentes branches doit être placée avec distinction l'*histoire des arts*, qui n'est autre chose que l'histoire des usages que les hommes ont faits des productions de la nature pour satisfaire à leurs besoins ou à leur curiosité.

Tels sont les objets principaux de la mémoire. Venons présentement à la faculté qui réfléchit et raisonne. Les êtres, tant spirituels que matériels, sur lesquels elle s'exerce, ayant quelques propriétés générales, comme l'existence, la possibilité, la durée, l'examen de ces propriétés forme d'abord cette branche de la philosophie dont toutes les autres empruntent en partie leurs principes: on la nomme l'*ontologie*, ou *science de l'être*, ou *métaphysique générale*. Nous descendons de là aux différents êtres particuliers, et les divisions que fournit la science de ces différents êtres sont formées sur le même plan que celle de l'histoire.

La science de Dieu, appelée *théologie*, a deux branches. La théologie naturelle n'a de connaissance de Dieu que celle que produit la raison seule, connaissance qui n'est pas d'une fort

[1] Francis Bacon.

grande étendue; la théologie révélée tire de l'histoire sacrée une connaissance beaucoup plus parfaite de cet Être. De cette même théologie révélée résulte la science des esprits créés. Nous avons cru encore ici devoir nous écarter de notre auteur. Il nous semble que la science, considérée comme appartenant à la raison, ne doit pas être divisée, comme elle l'a été par lui, en théologie et en philosophie; car la théologie révélée n'est autre chose que *la raison appliquée aux faits révélés:* on peut dire qu'elle tient à l'histoire par les dogmes qu'elle enseigne, et à la philosophie par les conséquences qu'elle tire de ces dogmes. Ainsi, séparer la théologie de la philosophie, ce serait arracher du tronc un rejeton qui de lui-même y est uni. Il semble aussi que la science des esprits appartient bien plus intimement à la théologie révélée qu'à la théologie naturelle.

La première partie de la science de l'homme est celle de l'âme, et cette science a pour but ou la connaissance spéculative de l'âme humaine, ou celle de ses opérations. La connaissance spéculative de l'âme dérive en partie de la théologie naturelle, et en partie de la théologie révélée, et s'appelle *pneumatologie* ou *métaphysique particulière.* La connaissance de ses opérations se subdivise en deux branches, ces opérations pouvant avoir pour objet ou la découverte de la vérité, ou la pratique de la vertu. La découverte de la vérité, qui est le but de la logique, produit l'art de la transmettre aux autres. Ainsi, l'usage que nous faisons de la logique est en partie pour notre propre avantage, en partie pour celui des êtres semblables à nous. Les règles de la morale se rapportent moins à l'homme isolé, et le supposent nécessairement en société avec les autres hommes.

La science de la nature n'est autre que celle du corps; mais les corps ayant des propriétés générales qui leur sont communes, telles que l'impénétrabilité, la mobilité et l'étendue, c'est encore par l'étude de ces propriétés que la science de la nature doit commencer. Elles ont, pour ainsi dire, un côté purement intellectuel par lequel elles ouvrent un champ immense aux spéculations de l'esprit, et un côté matériel et sensible par lequel on peut les mesurer. La spéculation intellectuelle appartient à la physique générale, qui n'est proprement que la métaphysique des corps; et la mesure est l'objet des mathématiques, dont les divisions s'étendent presque à l'infini.

Ces deux sciences conduisent à la physique particulière, qui étudie les corps en eux-mêmes, et qui n'a que les individus pour objet. Parmi les corps dont il nous importe de connaître les propriétés, le nôtre doit tenir le premier rang, et il est immédiatement suivi de ceux dont la connaissance est le plus nécessaire à notre conservation: d'où résulte l'anatomie, l'agriculture, la médecine et leurs différentes branches. Enfin, tous les corps naturels soumis à notre examen produisent les autres parties innombrables de la physique raisonnée.

La peinture, la sculpture, l'architecture, la poésie, la musique et leurs différentes divisions, composent la troisième distribution générale, qui naît de l'imagination, et dont les parties sont comprises sous le nom de *beaux-arts*. On pourrait aussi les renfermer sous le titre général de *peinture*, puisque tous les beaux-arts se réduisent à peindre, et ne diffèrent que par les moyens qu'ils emploient; enfin on pourrait les rapporter tous à la *poésie*, en prenant ce mot dans sa signification naturelle, qui n'est autre chose qu'*invention* ou *création*.

Telles sont les principales parties de notre arbre encyclopédique. On les trouvera plus en détail à la fin de ce discours préliminaire; nous en avons formé une espèce de carte, à laquelle nous avons joint une explication plus étendue que celle qui vient d'être donnée. . . .

Nous allons présentement considérer cet ouvrage comme *dictionnaire raisonné des sciences et des arts*. L'objet est d'autant plus important, que c'est sans doute celui qui peut intéresser davantage la plus grande partie de nos lecteurs, et qui, pour être rempli, a demandé le plus de soins et de travail. Mais avant que d'entrer sur ce sujet dans tout le détail qu'on est en droit d'exiger de nous, il ne sera pas inutile d'examiner avec quelque étendue l'état présent des sciences et des arts, et de montrer par quelle gradation on y est arrivé. L'exposition métaphysique de l'origine et de la liaison des sciences nous a été d'une grande utilité pour en former l'arbre encyclopédique; l'exposition historique de l'ordre dans lequel nos connaissances se sont succédées, ne sera pas moins avantageuse pour nous éclairer nous-mêmes sur la manière dont nous devons transmettre ces connaissances à nos lecteurs. D'ailleurs l'histoire des sciences est naturellement liée à celle du petit nombre de grands génies, dont les ouvrages ont contribué à répandre la lumière parmi les hommes, et ces ouvrages ayant fourni pour le nôtre les secours généraux, nous devons commencer à en parler avant que de rendre compte des secours particuliers que nous avons obtenus. Pour ne point remonter trop haut, fixons-nous à la renaissance des lettres.

Quand on considère les progrès de l'esprit depuis cette époque mémorable, on trouve que ces progrès se sont faits dans l'ordre qu'ils devaient naturellement suivre. On a commencé par l'érudition, continué par les belles-lettres, et fini par la philosophie. Cet ordre diffère à la vérité de celui que doit observer l'homme abandonné à ses propres lumières, ou borné au commerce de ses contemporains, tel que nous l'avons principalement considéré dans la première partie de ce discours: en effet, nous avons fait voir que l'esprit isolé doit rencontrer dans sa route la philosophie avant les belles-lettres. Mais en sortant d'un long intervalle d'ignorance que des siècles de lumière avaient précédé, la régénération des idées, si on peut parler ainsi, a dû nécessairement être différente de leur génération primitive. Nous allons tâcher de le faire sentir.

Les chefs-d'œuvre que les anciens nous avaient laissés dans presque tous les genres avaient été oubliés pendant douze siècles. Les principes des sciences et des arts étaient perdus, parce que le beau et le vrai qui semblent se montrer de toutes parts aux hommes, ne les frappent guère à moins qu'ils n'en soient avertis. Ce n'est pas que ces temps malheureux aient été plus stériles que d'autres en génies rares; la nature est toujours la même: mais que pouvaient faire ces grands hommes, semés de loin à loin comme ils le sont toujours, occupés d'objets différents, et abandonnés sans culture à leurs seules lumières? Les idées qu'on acquiert par la lecture et par la société, sont le germe de presque toutes les découvertes. C'est un air que l'on respire sans y penser, et auquel on doit la vie; et les hommes dont nous parlons étaient privés d'un tel secours. Ils ressemblaient aux premiers créateurs des sciences et des arts, que leurs illustres successeurs ont fait oublier, et qui précédés par ceux-ci les auraient fait oublier de même. Celui qui trouva le premier les roues et les pignons, eût inventé les montres dans un autre siècle; et Gerbert [2] placé au temps d'Archimède l'aurait peut-être égalé.

Cependant la plupart des beaux esprits de ces temps ténébreux se faisaient appeler *poètes* ou *philosophes*. Que leur en coûtait-il en effet pour usurper deux titres dont on se pare à si peu de frais, et qu'on se flatte toujours de ne guère devoir à des lumières empruntées? Ils croyaient qu'il était inutile de chercher les modèles de la poésie dans les ouvrages des Grecs et des Romains, dont la langue ne se parlait plus; et ils prenaient pour la véritable philosophie des anciens une tradition barbare qui la défigurait. La poésie se réduisait pour eux à un mécanisme puéril: l'examen approfondi de la nature, et la grande étude de l'homme, étaient remplacés par mille questions frivoles sur des êtres abstraits et métaphysiques; questions dont la solution, bonne ou mauvaise, demandait souvent beaucoup de subtilité, et par conséquent un grand abus de l'esprit. Qu'on joigne à ce désordre l'état d'esclavage où presque toute l'Europe était plongée, les ravages de la superstition qui naît de l'ignorance, et qui la reproduit à son tour: et on verra que rien ne manquait aux obstacles qui éloignaient le retour de la raison et du goût; car il n'y a que la liberté d'agir et de penser qui soit capable de produire de grandes choses, et elle n'a besoin que de lumières, pour se préserver des excès.

Aussi fallut-il au genre humain, pour sortir de la barbarie, une de ces révolutions qui font prendre à la terre une face nouvelle: l'empire grec est détruit, sa ruine fait refluer en Europe le peu de connaissances qui restaient encore au monde: l'invention de l'imprimerie, la protection des Médicis et de François Ier ranimment les esprits; et la lumière renaît de toutes parts.

L'étude des langues et de l'histoire abandonnée par nécessité durant les siècles d'ignorance, fut la première à laquelle on se livra. L'esprit humain se trouvait, au sortir de la barbarie, dans une espèce d'enfance, avide d'accumuler des idées, et incapable pourtant d'en acquérir d'abord d'un certain ordre par l'espèce d'engourdissement où les facultés de l'âme avaient été si longtemps. De toutes ces facultés, la mémoire fut celle que l'on cultiva d'abord, parce qu'elle est la plus facile à satisfaire, et

[2] Sylvester II (*ca.* 935–1003), considered the most learned man of his age. He assumed the name of Sylvester II when he became pope in 999.

que les connaissances qu'on obtient par son secours, sont celles qui peuvent le plus aisément être entassées. On ne commença donc point par étudier la nature, ainsi que les premiers hommes avaient dû faire: on jouissait d'un secours dont ils étaient dépourvus, celui des ouvrages des anciens, que la générosité des grands et l'impression commençaient à rendre communs: on croyait n'avoir qu'à lire pour devenir savant; et il est bien plus aisé de lire que de voir. Ainsi, on dévora sans distinction tout ce que les anciens nous avaient laissé dans chaque genre: on les traduisit, on les commenta; et par une espèce de reconnaissance on se mit à les adorer, sans connaître à beaucoup près ce qu'ils valaient.

De là cette foule d'érudits profonds dans les langues savantes, jusqu'à dédaigner la leur, qui, comme l'a dit un auteur célèbre, connaissaient tout dans les anciens, hors la grâce et la finesse, et qu'un vain étalage d'érudition rendait si orgueilleux; parce que les avantages qui coûtent le moins sont pour l'ordinaire ceux dont on aime le plus à se parer. C'était une espèce de grands seigneurs, qui sans ressembler par le mérite réel à ceux dont ils tenaient la vie, tiraient beaucoup de vanité de croire leur appartenir. D'ailleurs cette vanité n'était point sans quelque espèce de prétexte. Le pays de l'érudition et des faits est inépuisable; on croit, pour ainsi dire, voir tous les jours augmenter sa substance par les acquisitions que l'on y fait sans peine. Au contraire le pays de la raison et des découvertes est d'une assez petite étendue; et souvent au lieu d'y apprendre ce que l'on ignorait, on ne parvient à force d'étude qu'à désapprendre ce qu'on croyait savoir. C'est pourquoi, à mérite fort inégal, un érudit doit être beaucoup plus vain qu'un philosophe, et peut-être qu'un poète: car l'esprit qui invente est toujours mécontent de ses progrès, parce qu'il voit au-delà; et les plus grands génies trouvent souvent dans leur amour-propre même un juge secret, mais sévère, que l'approbation des autres fait taire pour quelques instants, mais qu'elle ne parvient jamais à corrompre. On ne doit donc pas s'étonner que les savants dont nous parlons missent tant de gloire à jouir d'une science hérissée, souvent ridicule, et quelquefois barbare.

Il est vrai que notre siècle qui se croit destiné à changer les lois en tout genre, et à faire justice, ne pense pas fort avantageusement de ces hommes autrefois si célèbres. C'est une espèce de mérite aujourd'hui que d'en faire peu de cas; et c'est même un mérite que bien des gens se contentent d'avoir. Il semble que par le mépris qu'on a pour les savants, on cherche à les punir de l'estime outrée qu'ils faisaient d'eux-mêmes, ou du suffrage peu éclairé de leurs contemporains, et qu'en foulant aux pieds ces idoles, on veuille en faire oublier jusqu'aux noms. Mais tout excès est injuste. Jouissons plutôt avec reconnaissance du travail de ces hommes laborieux. Pour nous mettre à portée d'extraire des ouvrages des anciens tout ce qui pouvait nous être utile, il a fallu qu'ils en tirassent aussi ce qui ne l'était pas; on ne saurait tirer l'or d'une mine sans en faire sortir en même temps beaucoup de matières viles ou moins précieuses; ils auraient fait comme nous la séparation, s'ils étaient venus plus tard. L'érudition était donc nécessaire pour nous conduire aux belles-lettres.

En effet, il ne fallut pas se livrer longtemps à la lecture des anciens, pour se convaincre que dans ces ouvrages même où l'on ne cherchait que des faits ou des mots, il y avait mieux à apprendre. On aperçut bientôt les beautés que leurs auteurs y avaient répandues; car si les hommes, comme nous l'avons dit plus haut, ont besoin d'être avertis du vrai, en récompense ils n'ont besoin que de l'être. L'admiration qu'on avait eue jusqu'alors pour les anciens ne pouvait être plus vive: mais elle commença à devenir plus juste. Cependant elle était encore bien loin d'être raisonnable. On crut qu'on ne pouvait les imiter qu'en les copiant servilement, et qu'il n'était possible de bien dire que dans leur langue. On ne pensait pas que l'étude des mots est une espèce d'inconvénient passager, nécessaire pour faciliter l'étude des choses, mais qu'elle devient un mal réel, quand elle retarde cette étude; qu'ainsi on aurait dû se borner à se rendre familiers les auteurs grecs et romains, pour profiter de ce qu'ils avaient pensé de meilleur; et que le travail auquel il fallait se livrer pour écrire leur langue, était autant de perdu pour l'avancement de la raison. On ne voyait pas d'ailleurs, que s'il y a dans les anciens un grand nombre de beautés de style perdues pour nous, il doit y avoir aussi, par la même raison, bien des défauts qui échappent, et que l'on court risque de copier comme des beautés; qu'enfin tout ce qu'on pourrait espérer par l'usage servile de la langue des anciens, ce serait de se faire un style bizarrement assorti d'une infinité de styles différents, très correct et admirable même pour nos modernes, mais que Cicéron ou Virgile auraient trouvé ridicule. C'est ainsi que nous ririons d'un ouvrage écrit en notre langue, et dans lequel l'auteur aurait rassemblé des phrases de Bossuet, de La Fontaine, de La Bruyère, et de Racine, persuadé avec raison que chacun de ces écrivains en particulier est un excellent modèle.

Ce préjugé des premiers savants a produit dans le seizième siècle une foule de poètes, d'orateurs et d'historiens latins, dont les ouvrages, il faut l'avouer, tirent trop souvent leur principal mérite d'une latinité dont nous ne pouvons guère juger. On peut en comparer quelques-uns aux harangues de la plupart de nos rhéteurs, qui, vides de choses, et semblables à des corps sans substance, n'auraient besoin que d'être mises en français pour n'être lues de personne.

Les gens de lettres sont enfin revenus peu à peu de cette espèce de manie. Il y a apparence qu'on doit leur changement, du moins en partie, à la protection des grands, qui sont bien aises d'être savants, à condition de le devenir sans peine, et qui veulent pouvoir juger sans étude d'un ouvrage d'esprit, pour prix des bienfaits qu'ils promettent à l'auteur, ou de l'amitié dont ils croient l'honorer. On commença à sentir que le beau, pour être en langue vulgaire, ne perdait rien de ses avantages; qu'il acquérait même celui d'être plus facilement saisi du commun des hommes; et qu'il n'y avait aucun mérite à dire des choses communes ou ridicules dans quelque langue que ce fût, et à plus forte raison dans celles qu'on devait parler le plus mal. Les gens de lettres pensèrent donc à perfectionner les langues vulgaires; ils cherchèrent d'abord à dire dans ces langues ce que les anciens avaient dit dans les leurs. Cependant par une suite du préjugé dont on avait eu tant de peine à se défaire, au lieu d'enrichir la langue française, on commença par la défigurer. Ronsard en fit un jargon barbare, hérissé de grec et de latin: mais heureusement il la rendit assez méconnaissable, pour qu'elle en devînt ridicule. Bientôt on sentit qu'il fallait transporter dans notre langue les beautés et non les mots des langues anciennes. Réglée et perfectionnée par le goût, elle acquit assez promptement une infinité de tours et d'expressions heureuses. Enfin on ne se borna plus à copier les Romains et les Grecs, ou même à les imiter; on tâcha de les surpasser, s'il était possible, et de penser d'après soi. Ainsi l'imagination des modernes renaquit peu à peu de celle des anciens; et on vit éclore presqu'en même temps tous les chefs-d'œuvre du dernier siècle, en éloquence, en histoire, en poésie, et dans les différents genres le littérature.

Malherbe, nourri de la lecture des excellents poètes de l'antiquité, et prenant comme eux la nature pour modèle, répandit le premier dans notre poésie une harmonie et des beautés auparavant inconnues. Balzac, aujourd'hui trop méprisé, donna à notre prose de la noblesse et du nombre. Les écrivains du Port-Royal continuèrent ce que Balzac avait commencé; ils y ajoutèrent cette précision, cet heureux choix des termes, et cette pureté qui ont conservé jusqu'à présent à la plupart de leurs ouvrages un air moderne, et qui les distinguent d'un grand nombre de livres surannés, écrits dans le même temps. Corneille, après avoir sacrifié pendant quelques années au mauvais goût dans la carrière dramatique, s'en affranchit enfin, découvrit par la force de son génie, bien plus que par la lecture, les lois du théâtre, et les exposa dans ses discours admirables sur la tragédie, dans ses réflexions sur chacune de ses pièces, mais principalement dans ses pièces mêmes. Racine s'ouvrant une autre route, fit paraître sur le théâtre une passion que les anciens n'y avaient guère connue, et développant les ressorts du cœur humain, joignit à une élégance et une vérité continues quelques traits de sublime. Despréaux, dans son art poétique, se rendit l'égal d'Horace en l'imitant. Molière par la peinture fine des ridicules et des mœurs de son temps, laissa loin derrière lui la comédie ancienne. La Fontaine fit presque oublier Ésope et Phèdre, et Bossuet alla se placer à côté de Démosthène.

Les beaux-arts sont tellement unis avec les belles-lettres, que le même goût qui cultive les unes, porte aussi à perfectionner les autres. Dans le même temps que notre littérature s'enrichissait par tant de beaux ouvrages, Poussin faisait ses tableaux, et Puget ses statues; Le Sueur peignait le cloître des Chartreux, et Lebrun les batailles d'Alexandre; enfin Quinault, créateur d'un nouveau genre, s'assurait l'immortalité par ses poèmes lyriques, et Lulli donnait à notre musique naissante ses premiers traits.

Il faut avouer pourtant que la renaissance de la peinture et de la sculpture avait été beaucoup plus rapide que celle de la poésie et de la musique; et la raison n'en est pas difficile à apercevoir. Dès qu'on commença à étudier les ouvrages des anciens en tout genre, les chefs-d'œuvre antiques qui avaient échappé en assez grand nombre à la superstition et à la barbarie, frappèrent bientôt les yeux des artistes éclairés; on ne pouvait imiter les Praxitèles et les Phidias, qu'en faisant exactement comme eux; et le talent n'avait besoin que de bien voir: aussi Raphaël et Michel-Ange ne furent pas longtemps sans porter leur art à un point de perfection, qu'on n'a point encore passé depuis. En général, l'objet de la peinture et de la sculpture étant plus du ressort des sens, ces arts ne pouvaient manquer de précéder la poésie, parce que les sens ont dû être plus promptement affectés des beautés sensibles et palpables des statues anciennes, que l'imagination n'a dû apercevoir les beautés intellectuelles et fugitives des anciens écrivains. D'ailleurs, quand elle a commencé à les découvrir, l'imitation de ces mêmes beautés, imparfaite par sa servitude et par la langue étrangère dont elle se servait, n'a pu manquer de nuire aux progrès de l'imagination même. Qu'on suppose pour un moment nos peintres et nos sculpteurs privés de l'avantage qu'ils avaient de mettre en œuvre la même matière que les anciens: s'ils eussent, comme nos littérateurs, perdu beaucoup de temps à rechercher et à imiter mal cette matière, au lieu de songer à en employer une autre, pour imiter les ouvrages même qui faisaient l'objet de leur admiration; ils auraient fait sans doute un chemin beaucoup moins rapide, et en seraient encore à trouver le marbre.

A l'égard de la musique, elle a dû arriver beaucoup plus tard à un certain degré de perfection, parce que c'est un art que les modernes ont été obligés de créer. Le temps à détruit tous les modèles que les anciens avaient pu nous laisser en ce genre, et leurs écrivains, du moins ceux qui nous restent, ne nous ont transmis sur ce sujet que des connaissances très obscures, ou des histoires plus propres à nous étonner qu'à nous instruire. Aussi plusieurs de nos savants, poussés peut-être par une espèce d'amour de propriété, ont prétendu que nous avons porté cet art beaucoup plus loin que les Grecs; prétention que le défaut de monuments rend aussi difficile à appuyer qu'à détruire, et qui ne peut être qu'assez faiblement combattue par les prodiges vrais ou supposés de la musique ancienne. Peut-être serait-il permis de conjecturer avec quelque vraisemblance, que cette musique était tout à fait différente de la nôtre; et que si l'ancienne était supérieure par la mélodie, l'harmonie donne à la moderne des avantages.

Nous serions injustes, si à l'occasion du détail où nous venons d'entrer, nous ne reconnaissions point ce que nous devons à l'Italie; c'est d'elle que nous avons reçu les sciences, qui, depuis, ont fructifié si abondamment dans toute l'Europe; c'est à elle surtout que nous devons les beaux-arts et le bon goût, dont elle nous a fourni un grand nombre de modèles inimitables.

Pendant que les arts et les belles-lettres étaient en honneur, il s'en fallait beaucoup que la philosophie fît le même progrès, du moins dans chaque nation prise en corps; elle n'a reparu que beaucoup plus tard. Ce n'est pas qu'au fond il soit plus aisé d'exceller dans les belles-lettres que dans la philosophie; la supériorité en tout genre est également difficile à atteindre. Mais la lecture des anciens devait contribuer plus promptement à l'avancement des belles-lettres et du bon goût, qu'à celui des sciences naturelles. Les beautés littéraires n'ont pas besoin d'être vues longtemps pour être senties; et comme les hommes sentent avant que de penser, ils doivent par la même raison juger ce qu'ils sentent avant de juger ce qu'ils pensent. D'ailleurs, les anciens n'étaient pas à beaucoup près aussi parfaits comme philosophes que comme écrivains. En effet, quoique dans l'ordre de nos idées les premières opérations de la raison précèdent les premiers efforts de l'imagination, celle-ci, quand elle a fait les premiers pas, va beaucoup plus vite que l'autre: elle a l'avantage de travailler sur des objets qu'elle enfante; au lieu que la raison forcée de se borner à ceux qu'elle a devant elle, et de s'arrêter à chaque instant, ne s'épuise que trop souvent en recherches infructueuses. L'univers et les réflexions sont le premier livre des vrais philosophes, et les anciens l'avaient sans doute étudié: il était donc nécessaire de faire comme eux; on ne pouvait suppléer à cette étude par celle de leurs ouvrages, dont la plupart avaient été détruits, et dont un petit nombre, mutilé par le temps, ne pouvait nous donner sur une matière si vaste que des notions fort incertaines et fort altérées.

LES GRANDS PHILOSOPHES

Bacon

Pendant que des adversaires peu instruits ou malintentionnés faisaient ouvertement la guerre à la philosophie, elle se réfugiait, pour ainsi dire, dans les ouvrages de quelques grands hommes qui, sans avoir l'ambition dangereuse d'arracher le bandeau des yeux de leurs contemporains, préparaient de loin, dans l'ombre et le silence, la lumière dont le monde devait être éclairé peu à peu et par degrés insensibles.

A la tête de ces illustres personnages doit être placé l'immortel chancelier d'Angleterre François Bacon, dont les ouvrages si justement estimés, et plus estimés pourtant qu'ils ne sont connus, méritent encore plus notre lecture que nos éloges. A considérer les vues saines et étendues de ce grand homme, la multitude d'objets sur lesquels son esprit s'est porté, la hardiesse de son style, qui réunit partout les plus sublimes images avec la précision la plus rigoureuse, on serait tenté de le regarder comme le plus grand, le plus universel et le plus éloquent des philosophes. Bacon, né dans le sein de la nuit la plus profonde, sentit que la philosophie n'était pas encore, quoique bien des gens, sans doute, se flattassent d'y exceller; car, plus un siècle est grossier, plus il se croit instruit de tout ce qu'il peut savoir. Il commença donc par envisager d'une vue générale les divers objets de toutes les sciences naturelles; il partagea ces sciences en différentes branches, dont il fit l'énumération la plus exacte qu'il lui fut possible; il examina ce que l'on savait déjà sur chacun de ces objets, et fit le catalogue immense de ce qui restait à découvrir. C'est le but de son admirable ouvrage *De la Dignité et de l'accroissement des connaissances humaines.* Dans son *Nouvel organe des sciences,* il perfectionne les vues qu'il avait données dans le premier ouvrage; il les porte plus loin, et fait connaître la nécessité de la physique expérimentale, à laquelle on ne pensait point encore. Ennemi des systèmes, il n'envisage la philosophie que comme cette partie de nos connaissances qui doit contribuer à nous rendre meilleurs ou plus heureux: il semble la borner à la science des choses utiles, et recommande partout l'étude de la nature. Ses autres écrits sont formés sur le même plan; tout, jusqu'à leurs titres, y annonce l'homme de génie, l'esprit qui voit en grand. Il y recueille des faits, il y compare des expériences, il en indique un grand nombre à faire; il invite les savants à étudier et à perfectionner les arts, qu'il regarde comme la partie la plus relevée et la plus essentielle de la science humaine: il expose avec une simplicité noble ses *conjectures et ses pensées* sur les différents objets dignes d'intéresser les hommes; et il eût pu dire, comme ce vieillard de Térence, que rien de ce qui touche l'humanité ne lui était étranger. Science de la nature, morale, politique, économique, tout semble avoir été du ressort de cet esprit lumineux et profond; et l'on ne sait ce qu'on doit le plus admirer, ou des richesses qu'il répand sur tous les sujets qu'il traite, ou de la dignité avec laquelle il en parle. Ses écrits ne peuvent être mieux comparés qu'à ceux d'Hippocrate sur la médecine; et ils ne seraient ni moins admirés ni moins lus, si la culture de l'esprit était aussi nécessaire au genre humain que la conservation de la santé. Mais il n'y a que les chefs de secte en tout genre dont les ouvrages puissent avoir un certain éclat; Bacon n'a pas été du nombre, et la forme de sa philosophie s'y opposait: elle était trop sage pour étonner personne. La scolastique, qui dominait de son temps, ne pouvait être renversée que par des opinions hardies et nouvelles; et il n'y a pas d'apparence qu'un philosophe qui se contente de dire aux hommes: "Voilà le peu que vous avez appris, voici ce qui vous reste à chercher," soit destiné à faire beaucoup de bruit parmi les contemporains.

Nous oserions même faire quelque reproche au chancelier Bacon d'avoir été peut-être trop timide, si nous ne savions avec quelle retenue, et pour ainsi dire avec quelle superstition on doit juger un génie si sublime. Quoiqu'il avoue que les scolastiques ont énervé les sciences par leurs questions minutieuses, et que l'esprit doit sacrifier l'étude des êtres généraux à celle des objets particuliers, il semble pourtant, par l'emploi fréquent qu'il fait des termes de l'école, quelquefois même par celui des principes scolastiques, et par des divisions et subdivisions dont l'usage était alors à la mode, avoir marqué un peu trop de ménagement ou de déférence pour le goût dominant de son siècle. Ce grand homme, après avoir brisé tant de fers, était encore retenu par quelques chaînes qu'il ne pouvait ou n'osait rompre. . . .

Descartes

Au chancelier Bacon succéda l'illustre Descartes. Cet homme rare, dont la fortune a tant varié en moins d'un siècle, avait tout ce qu'il fallait pour changer la face de la philosophie: une imagination forte, un esprit très conséquent, des connaissances puisées dans lui-même plus que dans les livres, beaucoup de courage pour combattre les préjugés les plus généralement reçus, et aucune espèce de dépendance qui le forçât à les ménager. Aussi éprouva-t-il, de son vivant même, ce qui arrive à tout homme qui prend un ascendant trop marqué sur les autres. Il fit quelques enthousiastes et eut beaucoup d'ennemis. Soit qu'il connût sa nation ou qu'il s'en défiât seulement, il s'était réfugié dans un pays entièrement libre pour y méditer plus à son aise.

Quoiqu'il pensât beaucoup moins à faire des disciples qu'à les mériter, la persécution alla le chercher dans sa retraite, et la vie cachée qu'il menait ne put l'y soustraire.

Malgré toute la sagacité qu'il avait employée pour prouver l'existence de Dieu, il fut accusé de la nier par des ministres qui peut-être ne le croyaient pas. Tourmenté et calomnié par des étrangers, et assez mal accueilli de ses compatriotes, il alla mourir en Suède, bien éloigné sans doute de s'attendre au succès brillant que ses opinions eurent un jour.

On peut considérer Descartes comme géomètre ou comme philosophe. Les mathématiques, dont il semble avoir fait assez peu de cas, font néanmoins aujourd'hui la partie la plus solide et la moins contestée de sa gloire.

L'algèbre, créée en quelque manière par les Italiens, prodigieusement augmentée par notre illustre Viète, a reçu entre les mains de Descartes de nouveaux accroissements. Un des plus considérables est sa "Méthode des indéterminées," artifice très ingénieux et très subtil, qu'on a su appliquer depuis à un grand nombre de recherches. Mais ce qui a surtout immortalisé le nom de ce grand homme, c'est l'application qu'il a su faire de l'algèbre à la géométrie, idée plus vaste et des plus heureuses que l'esprit humain ait jamais eues, et qui sera toujours la clef des plus profondes recherches, non seulement dans la géométrie, mais dans toutes les sciences physico-mathématiques.

Comme philosophe, il a peut-être été aussi grand, mais il n'a pas été si heureux. La géométrie, qui, par la nature de son objet, doit toujours gagner sans perdre, ne pouvait manquer, étant manié par un aussi grand génie, de faire des progrès très sensibles et apparents pour tout le monde. La philosophie se trouvait dans un état bien différent: tout y était à commencer; et que ne coûtent point les premiers pas en tout genre? Le mérite de les faire dispense de celui d'en faire de grands. Si Descartes, qui nous a ouvert la route, n'y a pas été aussi loin que ses sectateurs le croient, il s'en faut beaucoup que les sciences lui doivent aussi peu que le prétendent ses adversaires. Sa *Méthode* seule aurait suffi pour le rendre immortel; sa *Dioptrique* est la plus grande application qu'on eût faite encore de la géométrie à la physique; on voit enfin dans ses ouvrages, même les moins lus maintenant, briller partout le génie inventeur. Si on juge sans partialité ces *tourbillons* devenus aujourd'hui presque ridicules, on conviendra, j'ose le dire, qu'on ne pouvait alors imaginer mieux. Les observations astronomiques qui ont servi à les détruire étaient encore imparfaites ou peu constatées: rien n'était plus naturel que de supposer un fluide qui transportât les planètes. Il n'y avait qu'une longue suite de phénomènes, de raisonnements et de calculs, et par conséquent une longue suite d'années, qui pût faire renoncer à une théorie si séduisante. Elle avait d'ailleurs l'avantage singulier de rendre raison de la gravitation des corps par la force centrifuge du tourbillon même, et je ne crains point d'avancer que cette explication de la pesanteur est une des plus belles et des plus ingénieuses hypothèses que la philosophie ait jamais imaginées. Aussi a-t-il fallu, pour l'abandonner, que les physiciens aient été entraînés comme malgré eux par la théorie des forces centrales et par des expériences faites longtemps après. Reconnaissons donc que Descartes, forcé de créer une physique toute nouvelle, n'a pu la créer meilleure; qu'il a fallu, pour ainsi dire, passer par les tourbillons pour arriver au vrai système du monde, et que, s'il s'est trompé sur les lois du mouvement, il a du moins deviné le premier qu'il devait y en avoir.

Sa métaphysique, aussi ingénieuse et aussi nouvelle que sa physique, a eu le même sort à peu près; et c'est aussi à peu près par les mêmes raisons qu'on peut la justifier; car telle est aujourd'hui la fortune de ce grand homme, qu'après avoir eu des sectateurs sans nombre, il est presque réduit à des apologistes. Il se trompa sans doute en admettant les idées innées: mais s'il eût retenu de la secte péripatéticienne la seule vérité qu'elle enseignait sur l'origine des idées par les sens, peut-être les erreurs, qui déshonoraient cette vérité par leur alliage, auraient été plus difficiles à déraciner.

Descartes a osé du moins montrer aux bons esprits à secouer le joug de la scolastique, de l'opinion, de l'autorité, en un mot des préjugés et de la barbarie; et par cette révolte dont nous recueillons aujourd'hui les fruits, la philosophie a reçu de lui un service plus difficile peut-être à rendre que tous ceux qu'elle doit à ses illustres successeurs. On peut le regarder comme un chef de conjurés, qui a eu le courage de s'élever le premier contre une puissance despotique et arbitraire, et qui, en préparant une résolution éclatante, a jeté les fondements d'un gouvernement plus juste et plus heureux qu'il n'a pu voir établi. S'il a fini par croire tout expliquer, il a du moins commencé par douter de tout; et les armes dont nous nous servons pour le combattre ne lui en appartiennent pas moins, parce que nous les tournons contre lui. D'ailleurs, quand les opinions absurdes sont invétérées, on est quelquefois forcé, pour désabuser le genre humain, de les remplacer par d'autres erreurs, lorsqu'on ne peut mieux faire. L'incertitude et la vanité de l'esprit sont telles, qu'il a toujours besoin d'une opinion à laquelle il se fixe. C'est un enfant à qui il faut présenter un jouet pour lui enlever une arme dangereuse. Il quittera de lui-même ce jouet quand le temps de la raison sera venu. En donnant ainsi le change aux philosophes, ou à ceux qui croient l'être, on leur apprend du moins à se méfier de leurs lumières, et cette disposition est le premier pas vers la vérité. Aussi Descartes a-t-il été persécuté de son vivant, comme s'il fût venu l'apporter aux hommes.

Newton

Newton, à qui la route avait été préparée par Huyghens, parut enfin et donna à la philosophie une forme qu'elle semble devoir conserver. Ce grand génie vit qu'il était temps de bannir de la physique les conjectures et les hypothèses vagues, ou du moins de ne les donner que pour ce qu'elles valaient, et que cette science devait être uniquement soumise aux expériences de la géométrie.

C'est peut-être dans cette vue qu'il commença par inventer le calcul de l'infini et la méthode des suites, dont les usages si étendus dans la géométrie même, le sont encore davantage pour déterminer les effets compliqués que l'on observe dans la nature, où tout semble s'exécuter par des espèces de progressions infinies. Les expériences de la pesanteur et les observations de Kepler firent découvrir au philosophe anglais la force qui retient les planètes dans leurs orbites. Il enseigna tout ensemble et à distinguer les causes de leurs mouvements, et à les calculer avec une exactitude qu'on n'aurait pu exiger que du travail de plusieurs siècles. Créateur d'une optique toute nouvelle, il fit connaître la lumière aux hommes en la décomposant.

En enrichissant la philosophie par une quantité de biens réels, il a mérité sans doute toute sa reconnaissance; mais il a peut-être fait plus pour elle en lui apprenant à être sage, et à contenir dans de justes bornes cette espèce d'audace que les circonstances avaient forcé Descartes à lui donner. Sa "théorie du monde" (car je ne veux pas dire son système) est aujourd'hui si généralement reçue qu'on commence à disputer à l'auteur l'honneur de l'invention, parce qu'on accuse d'abord les grands hommes de se tromper, et qu'on finit par les traiter de plagiaires. Je laisse à ceux qui trouvent tout dans les ouvrages des anciens le plaisir de découvrir dans ces ouvrages la gravitation des planètes, quand elle n'y serait pas; mais en supposant même que les Grecs en aient eu l'idée, ce qui n'était chez eux qu'un système hasardé et romanesque est devenu une démonstration dans les mains de Newton: cette démonstration, qui n'appartient qu'à lui, fait le mérite réel de sa découverte; et l'attraction sans un tel appui serait une hypothèse comme tant d'autres.

Locke

On peut dire qu'il créa la métaphysique à peu près comme Newton avait créé la physique. Il conçut que les abstractions et les questions ridicules qu'on avait jusqu'alors agitées, et qui avaient fait comme la substance de la philosophie, étaient la partie qu'il fallait surtout proscrire. Il chercha dans ces abstractions et dans les abus des signes les causes principales de nos erreurs, et les y trouva. Pour connaître notre âme, ses idées et ses affections, il n'étudia point les livres, parce qu'ils l'auraient mal instruit: il se contenta de descendre profondément en lui-même; et, après s'être, pour ainsi dire, contemplé longtemps, il ne fit dans son traité *De l'Entendement humain* que présenter aux hommes le miroir dans lequel il s'était vu. En un mot, il réduisit la métaphysique à ce qu'elle doit être en effet, la physique expérimentale de l'âme: espèce de physique très différente de celle des corps, non seulement par son objet, mais par la manière de l'envisager. Dans celle-ci on peut découvrir, et on découvre souvent des phénomènes inconnus; dans l'autre, les faits aussi anciens que le monde existent également dans tous les hommes; tant pis pour qui croit en voir de nouveaux. La métaphysique raisonnable ne peut consister, comme la physique expérimentale, qu'à rassembler avec soin tous ces faits, à les réduire en un corps, à expliquer les uns par les autres, en distinguant ceux qui doivent tenir le premier rang et servir comme de base. En un mot, les principes de la métaphysique, aussi simples que les axiomes, sont les mêmes pour les philosophes et pour le peuple.

Leibnitz

Quand il n'aurait pour lui que la gloire, ou même que le soupçon d'avoir partagé avec Newton l'invention du calcul différentiel, il mériterait à ce titre une mention honorable. Mais c'est principalement par sa métaphysique que nous voulons l'envisager. Comme Descartes, il semble avoir reconnu l'insuffisance de toutes les solutions qui avaient été données jusqu'à lui des questions les plus élevées, sur l'union du corps et de l'âme, sur la Providence, sur la nature de la matière; il paraît même avoir eu l'avantage d'exposer avec plus de force que personne les difficultés qu'on peut proposer sur ces questions; mais, moins sage que Locke et Newton, il ne s'est pas contenté de former des doutes, il a cherché à les dissiper, et de ce côté-là il n'a peut-être pas été plus heureux que Descartes. Son principe de *la raison suffisante*, très beau et très vrai en lui-même, ne paraît pas devoir être fort utile à des êtres aussi peu éclairés que nous le sommes sur les raisons premières de toutes choses; ses *Monades* prouvent tout au plus qu'il a vu mieux que personne qu'on ne peut se former une idée nette de la matière, mais elles ne paraissent pas faites pour la donner;

son *Harmonie préétablie* semble n'ajouter qu'une difficulté de plus à l'opinion de Descartes sur l'union du corps et de l'âme; enfin son système de l'*optimisme* est peut-être dangereux par le prétendu avantage qu'il a d'expliquer tout. Ce grand homme paraît avoir porté dans la métaphysique plus de sagacité que de lumière; mais de quelque manière qu'on pense sur cet article, on ne peut lui refuser l'admiration que méritent la grandeur de ses vues en tout genre, l'étendue prodigieuse de ses connaissances, et surtout l'esprit philosophique par lequel il a su les éclairer.

ÉLOGE DES ACADÉMICIENS

L'Abbé de Saint-Pierre

Charles-Irénée-Castel de Saint-Pierre naquit en 1658 au château de Saint-Pierre en basse Normandie. Nous ne savons rien de ses premières études, et nous n'y avons pas de regret; car la première action par laquelle il nous est connu, est un trait de générosité peu commun, plus intéressant pour nous que les prix qu'il remporta ou ne remporta point dans ses classes. Le géomètre Varignon, qui depuis se fit connaître par ses ouvrages mathématiques, menait alors une vie obscure et pauvre dans la ville de Caen sa patrie; il allait souvent disputer à des thèses au collège de cette ville, où il avait acquis la réputation, qu'il méprisa bien dans la suite, d'un subtil et redoutable argumentateur. L'abbé de Saint-Pierre qui étudiait dans ce même collège, y connut Varignon, disputa beaucoup avec lui sur les questions creuses qui étaient l'unique et malheureuse philosophie de ce temps-là, et goûta tellement sa société, qu'il résolut de l'emmener à Paris, où ils devaient trouver l'un et l'autre plus de secours et de lumières. Il prit une petite maison au faubourg Saint-Jacques, et y logea avec lui le géomètre son compatriote. Mais comme ce savant, absolument sans fortune, avait besoin d'une subsistance assurée pour se consacrer à son étude favorite, l'abbé de Saint-Pierre, malgré l'extrême modicité de son revenu, qui n'était que de 1800 livres, en détacha trois cents qu'il donna à Varignon; il fit plus, il ajouta infiniment à ce don par la manière dont il l'assura à son ami. "Je ne vous donne pas, lui dit-il, une pension, mais un contrat, afin que vous ne soyez pas dans ma dépendance, et que vous puissiez me quitter pour aller vivre ailleurs, quand vous commencerez à vous ennuyer de moi." L'abbé de Saint-Pierre, qu'on accuse de n'avoir pas été fort sensible, mettait au moins, comme l'on voit, dans l'amitié et dans les bienfaits, une délicatesse qui n'est que trop rare, et qui seule a droit à la reconnaissance du cœur, comme les bienfaits à celle des procédés. Il avait mieux encore que cette délicatesse même, il avait cette simplicité qui ne la cherche pas, et le mérite si peu ordinaire aux bienfaiteurs, de n'attacher aucun prix ni à ses dons, ni à la forme si noble qu'il y savait mettre; sa générosité envers ses amis était pour son âme honnête un vrai besoin qu'il ne voulait que satisfaire; et s'il paraissait les obliger avec une sorte d'indifférence, c'est qu'avec eux il lui aurait été indifférent de recevoir ou de donner. Aussi goûtait-il beaucoup, et aimait-il à répéter ce trait charmant du bon La Fontaine, qui hors d'état par son indigence de payer ses dettes, et pressé par ses créanciers, se reposait sans scrupule sur la caution qu'un de ses amis [3] avait donnée pour lui, et disait avec la bonhomie la plus naïve, nous pourrions ajouter la plus touchante: "Il a répondu pour moi, il faudra qu'il paye; j'en ferais autant à sa place."

L'abbé de Saint-Pierre et Varignon, enfermés dans leur solitude et n'étant plus condamnés et réduits, comme dans leur collège, à l'étude d'une philosophie pire que l'ignorance, renoncèrent bientôt au pitoyable jeu de l'ergotisme scolastique, dès que leur esprit juste et solide eut connu et goûté des aliments plus substantiels; ils étaient occupés chacun de leur côté d'objets intéressants et utiles, Varignon de géométrie, et l'abbé de Saint-Pierre de politique et de morale. Fontenelle, leur compatriote et leur ami, allait quelquefois passer deux ou trois jours avec eux, et nous a peint lui-même, plus de quarante ans après, les douceurs qu'il goûtait dans cette petite société, si véritablement philosophique. "Nous nous rassemblions, dit-il, avec un extrême plaisir, jeunes, pleins de la première ardeur de savoir, fort unis, et ce que nous ne comptions peut-être pas alors pour un assez grand bien, peu connus." C'est ainsi, pour l'observer en passant, que le sage Fontenelle, un des hommes qui a le plus joui de la

[3] The friend in question is Maucroix, canon of Rheims.

célébrité littéraire, parlait à soixante ans, et dans le temps de sa plus brillante réputation, du bonheur si peu envié d'être ignoré, et se rappelait la douce et paisible obscurité de sa première jeunesse, avec un regret qui ne corrigera pourtant aucun homme de lettres de la dangereuse ambition de mériter la gloire et l'envie.

Quoique l'abbé de Saint-Pierre eût peu cultivé le talent d'écrire, la connaissance profonde qu'il avait de notre histoire, et surtout l'étude qu'il avait faite de la langue française, moins à la vérité en orateur et en homme de goût, qu'en grammairien philosophe, lui ouvrirent les portes de l'Académie le 3 mars 1695. Comme il n'avait pas même la prétention la plus légère à l'éloquence, il aurait eu volontiers recours à celle de quelqu'un de ses confrères pour l'aider dans son discours de réception, ce qui d'ailleurs n'était pas sans exemple; mais il se crut obligé par devoir de faire lui-même ce discours, sans emprunter l'esprit de personne. Fontenelle, à qui il le montra, lui proposa d'en retrancher quelques phrases trop négligées, et d'y mettre plus de style et d'intérêt. "Mon discours, lui dit l'abbé de Saint-Pierre, vous paraît donc bien médiocre? Tant mieux, il m'en ressemblera davantage," et il n'y changea rien. On lui représenta qu'il devait au moins y mettre plus de temps, car il n'y avait consacré que quatre heures de travail. "Ces sortes de discours, répondit-il, ne méritent pas, pour l'utilité dont ils sont à l'état, plus de deux heures de temps; j'y en ai mis quatre, et cela est fort honnête."

Devenu membre d'une compagnie dont l'objet principal est la perfection du style, il ne se crut pas obligé pour cela de donner plus de soin à sa manière d'écrire; il composa beaucoup d'ouvrages dans lesquels, uniquement occupé du fond, qu'il croyait excellent, il négligeait absolument la forme. Ce n'est pas qu'il n'en connût le prix, et qu'il n'en sentît même la nécessité pour se procurer plus de lecteurs: mais il ne se croyait pas le talent d'orner ce qu'il avait à dire; et il ne voulait pas forcer la nature, craignant que les efforts inutiles qu'il ferait pour la dompter, ne fussent autant de moments perdus pour ses spéculations morales et politiques. Entendant un jour une femme aimable s'exprimer avec beaucoup de grâces sur un sujet frivole, "Quel dommage, dit-il, qu'elle n'écrive pas ce que je pense!"

Il était persuadé que l'auteur zélé pour le bien, ne peut assez redire les choses importantes, et il ne s'est que trop conformé à ce principe. "Je trouve, lui disait quelqu'un, d'excellentes choses dans vos écrits, mais elles y sont trop répétées." Il priait qu'on lui en indiquât quelques-unes, et rien n'était plus facile. "Vous les avez donc retenues, ajoutait-il, voilà pourquoi je les ai répétées, et j'ai bien fait, sans cela vous ne vous en souviendriez plus." Il consentait même qu'on se moquât de ces redites, pourvu qu'en s'en moquant on les citât; il se consolait, ou plutôt il se félicitait des plaisanteries, par la satisfaction d'avoir forcé ses lecteurs à retenir une vérité utile. Car l'utilité était le seul but de ses travaux; jamais personne, même parmi les auteurs qui se donnent pour les plus indifférents sur la renommée, ne fut moins occupée de sa propre gloire, et moins susceptible des illusions les plus secrètes de l'amour-propre. Il ne ressemblait pas à ce dévot écrivain, qui aimant à parler du succès de ses ouvrages, ne manquait jamais d'ajouter aux éloges qu'il en faisait, cette formule édifiante, "Il faut en rendre gloire à Dieu," et croyait s'être bien humilié. La simplicité de l'abbé de Saint-Pierre n'était pas aussi pieuse, mais plus vraie; ce n'était ni humilité, ni modestie, c'était pur abandon de ses intérêts, sans prétendre même à l'honneur du sacrifice. On ne l'accusera pas d'avoir augmenté le nombre de ceux qui parlent de philosophie sans la pratiquer, et qui, comme il le disait dans son langage familier, mais expressif, "chantent l'office du couvent sans en observer la règle."

Inaccessible comme il l'était aux plaisirs et aux chagrins de la vanité, la plus chère affection de presque tous les hommes, on lui pardonnera peut-être de n'avoir pas été fort sensible aux peines que les affections du cœur peuvent faire éprouver. Bien opposé à ce stoïcien charlatan, qui au milieu de ses souffrances s'écriait, avec un visage altéré, que la douleur physique n'était point un mal, l'abbé de Saint-Pierre la regardait comme le plus réel de tous les maux, comme le seul que la raison ne puisse ni détourner, ni affaiblir; elle seule avait pour lui, disait-il, une valeur *intrinsèque*, et les autres maux une valeur purement *numéraire*. En un mot, le désir de voir heureux ses semblables et d'y contribuer de tout son faible pouvoir, dominait tellement en lui, que ce sentiment éteignait en quelque manière tous les autres. Si on lui a reproché de n'avoir tendrement aimé personne, c'est qu'il chérissait tous les hommes, sans distinction; il n'exceptait, ou plutôt il n'oublait que lui; et ceux qui accusaient sa bienveillance d'être froide et banale, ne pouvaient au moins la taxer d'être solitaire et personnelle. Il croyait de plus que la charité d'un sage à l'égard des autres ne devait pas se borner à soulager ceux qui souffrent, qu'elle devait s'étendre aussi jusqu'à l'indulgence dont leurs fautes, leurs travers, leurs ridicules ont si souvent besoin; que si un des plus tristes fruits de la vieillesse est de prendre de jour en jour plus mauvaise opinion des hommes, l'expérience doit apprendre en même temps à avoir pitié de leur faiblesse, et que la devise de l'homme vertueux est renfermé dans ces deux mots, *donner et pardonner*.

Peu jaloux de plaire à ses lecteurs, qu'il croyait suffisamment payés par l'utilité de ses ouvrages, il n'était guère plus empressé de se rendre agréable dans les sociétés où il était admis; il y portait peu d'agréments et de ressources, on l'y souffrait plutôt qu'on ne l'y recherchait. S'apercevant un jour qu'il était de trop dans un de ces cercles brillants que nous appelons bonne compagnie, et qui ne le sont pas toujours: "Je sens, dit-il, que je vous ennuie, et j'en suis bien fâché; mais moi, je m'amuse fort à vous entendre, et je vous prie de trouver bon que je continue."

S'il mettait peu dans la société, ce n'était ni par stérilité, ni par dédain, c'était par un principe de bonté qu'on n'y porte guère, par la crainte de fatiguer ses auditeurs. "Quand j'écris, disait-il, personne n'est forcé de me lire; mais ceux que je voudrais forcer à m'écouter, se contraindraient pour en faire au moins semblant, et c'est une gêne que je leur épargne autant que je puis." Il évitait au moins de déplaire, ne se flattant pas d'être plus heureux; et non seulement il attendait pour parler qu'on l'y invitât, mais il ne parlait jamais que sur les choses qu'il savait le mieux. Outre ses connaissances politiques qui étaient fort étendues, il avait dans la tête beaucoup de faits et d'anecdotes, les contait bien, quoique très simplement, et surtout avec la plus exacte vérité; car il se serait fait un scrupule d'en altérer la moindre circonstance, même pour y ajouter plus d'agrément ou d'intérêt. "On n'est pas, disait-il, obligé d'amuser, mais on l'est de ne tromper personne." Ceux qui avaient la patience et l'équité de l'entendre, ne s'en repentaient pas, et se trouvaient souvent payés, sans s'y être attendus, de l'effort de courage qu'ils croyaient avoir fait. Une femme de beaucoup d'esprit ayant eu avec lui un long entretien sur des matières sérieuses, en sortit si contente, qu'elle ne put s'empêcher de lui marquer tout le plaisir qu'elle venait d'avoir. "Je suis, répondit le modeste philosophe, un mauvais instrument, dont vous avez bien joué."

Il aimait et recherchait la société des femmes, quoique par modestie autant que par principes il fût bien éloigné de former aucune prétention à leur conquête. Il leur trouvait plus de patience qu'aux hommes pour le supporter, et plus d'indulgence pour l'importunité que ses visites leur causaient. Peut-être aussi ce fonds d'inclination si pardonnable qu'on a toujours pour elles, agissait en lui sans qu'il s'en aperçût, et le trompait lui-même sur les motifs de la préférence qu'il leur accordait.

Une place qu'il osa prendre à la cour [4] l'obligeait de s'y transporter quelquefois. Ses amis étaient convaincus qu'il ne pourrait s'accommoder d'un pareil séjour, et ses amis se trompèrent. Ce n'est pas qu'il ne fût content de la vie tranquille qu'il avait menée dans ce qu'il appelait sa cabane du faubourg Saint-Jacques, mais il se trouvait encore mieux d'une vie un peu dissipée; il avait augmenté son bonheur de quelque chose, du moins il le croyait, et après tout il lui suffisait de le croire. Avouons néanmoins, qu'en changeant ainsi de place sans nécessité, il s'exposa trop légèrement au risque d'un repentir. Pouvait-il ignorer que tout homme sage, qui sans trouver sa situation délicieuse, y trouve le calme et la paix, doit se croire mieux traité par le sort que la condition humaine ne lui permettait de l'espérer? Notre sage cessa donc un moment de l'être, en défiant, pour ainsi dire, sa destinée dont il n'avait point à se plaindre, et en jouant son bonheur dans l'espérance de l'augmenter.

Nous passerions les bornes de cet éloge, en donnant ici la simple liste des écrits de l'abbé de Saint-Pierre, dont le recueil forme vingt-cinq à trente volumes. Ces écrits, il faut en convenir, furent assez peu lus dans le temps où il les publia, et sont encore moins lus aujourd'hui. Tout a concouru à la disgrâce qu'ils ont éprouvée; des idées quelquefois singulières, quelquefois impraticables, quelquefois minutieuses; des vérités même, qui,

[4] This "place" was that of first almoner of the Duchesse d'Orléans. It required an occasional appearance at Versailles.

peu communes encore, lorsqu'il écrivait, sont maintenant usées et triviales, voilà pour le fond: la forme est moins attrayante encore; longueurs, défaut de méthode, négligence de style, et jusqu'à la singularité de l'orthographe, qui suffirait toute seule pour rendre cette lecture pénible. Mais la passion du bien public, qui partout inspire l'auteur, demande grâce pour lui aux âmes honnêtes. Quelquefois même cette passion si noble donne de l'énergie et de la chaleur à son style; et si sa plume n'est jamais élégante, au moins plus d'un endroit de ses ouvrages prouve que l'âme suffit pour être éloquent. Les étrangers, qui en le lisant ne sont pas frappés comme nous des défauts de l'écrivain, et qui n'en apprécient que mieux le citoyen et le sage, ont pour lui la plus grande estime, et nous reprochent le peu de justice que nous lui rendons. La langue française lui est redevable d'un mot précieux, celui de *bienfaisance*,[5] dont il était juste qu'il fût l'inventeur, tant il avait pratiqué la vertu que ce mot exprime. Il est aussi l'auteur d'une autre expression, qui d'abord n'avait pas fait la même fortune, parce qu'elle n'intéresse pas autant l'humanité, mais qui commence enfin à prendre faveur, parce qu'elle exprime d'une manière très heureuse un des principaux travers des hommes, et surtout de la nation française; c'est le mot de *gloriole*, si bien adapté à cette vanité puérile, qui excitée, nourrie, irritée même par les plus futiles objets, ne vit, si on peut parler de la sorte, que de la fumée la plus légère et la plus prompte à s'exhaler.

Occupé dans tous ses écrits à combattre sans ménagement, quoique sans humeur, tout ce qui peut nuire à ce bien public, le seul objet de ses désirs et de ses veilles, notre philosophe se déclare hautement l'ennemi de la guerre, de l'excès des impôts, des vexations exercées par la force contre la faiblesse; partout il exhorte les princes à préférer au vain éclat des conquêtes cet honneur solide qu'assurent les vertus utiles aux hommes, et qui est, à la funeste gloire des armes, ce qu'une santé inaltérable et pure est à l'ivresse meurtrière des plaisirs violents. Il était cependant persuadé, malgré son amour pour la paix, que les guerres civiles des Romains, tout horribles qu'elles furent, leur avaient été moins fatales que la tyrannie des Tibère et des Néron,

[5] If the word was already in the language it may have lacked real importance until used by Saint-Pierre. Its first appearance in the *Dictionnaire de l'Académie* was in the edition of 1762.

parce que du moins ces guerres donnèrent aux âmes une énergie que la tyrannie détruisit en elles, et parce que les coups qu'on sent le plus sont ceux qu'on ne peut pas rendre. On répétait un jour en sa présence cette phrase, si souvent appliquée par la bassesse à des souverains indignes du trône, que les rois sont les dieux de la terre: "Je ne sais pas, répondit-il, si Caligula, Domitien et leurs pareils étaient des dieux, je sais seulement que ce n'était pas des hommes." On lui parlait dans une autre occasion de ces actions de clémence et d'humanité qui sont quelquefois échappées aux tyrans, et qu'ils se sont en quelque sorte permises sans conséquence. "Je ne doute pas, dit-il, qu'on n'ait fort célébré de leur vivant tout le bien qu'ils ont fait; c'est dommage seulement que les peuples s'en soient si peu aperçus." Mais autant il détestait le pouvoir oppresseur et tyrannique, autant il respectait l'autorité légitime, éclairée par la sagesse et par la justice. Il avait souvent à la bouche cette belle maxime de François Ier, que "les souverains commandent aux peuples, et les lois aux souverains." Il aimait surtout à citer, comme la devise de tous les monarques équitables et vertueux, ces paroles admirables de l'empereur Théodose à la tête d'un de ses édits: "C'est un aveu bien digne de la majesté du prince, que se déclarer lui-même dépendant des lois, tant notre autorité est appuyée sur la leur; soumettre le pouvoir aux lois, est plus grand que le pouvoir même; et le présent édit sera comme un oracle émané de nous, qui fera connaître à tous ce que nous ne souffrons pas qu'on nous permette."

Plus l'abbé de Saint-Pierre avait en horreur l'adulation prodiguée à la méchanceté puissante, plus il lui paraissait juste, nécessaire même, de louer les princes humains et bienfaisants, surtout ceux qui, jeunes encore, ayant toute l'ingénuité d'une vertu neuve et sans faste, aussi ennemis des flatteurs que touchés de l'amour de leur peuple, peuvent être encouragés par les expressions de cet amour à en mériter de nouvelles. "Mais, disait l'abbé de Saint-Pierre, quelque plaisir que je puisse éprouver en voyant louer les bons princes, et dans les livres qui me sont toujours un peu suspects, et dans leur cour qui me l'est encore plus, je ne suis content de leur éloge, qu'après les avoir entendu louer dans les villages."

Celui de tous ses ouvrages qu'il affectionnait le plus, était son *Projet de paix perpétuelle* entre tous les monarques et d'une espèce de sénat de l'Europe destiné à conserver la paix, sénat qu'il appelait *diète européenne.* Il envoya ce projet de paix et de diète au cardinal de Fleury, avec cinq articles préliminaires; et le cardinal lui répondit: "Vous avez oublié un article essentiel, c'est d'envoyer une troupe de missionnaires pour disposer à cette paix et à cette diète le cœur des princes contractants." Un marchand hollandais répondit peut-être encore mieux à l'abbé de Saint-Pierre, en prenant pour enseigne un cimetière avec ces mots, "A la paix perpétuelle." Cependant un écrivain[6] connu par son éloquence, a essayé il y a quelques années de faire revivre ce projet, en l'ornant de tout l'éclat de son style. Mais l'ouvrage n'a guère produit plus d'effets sous cette éblouissante parure, qu'il n'en avait eu sous la livrée modeste du premier auteur. "Rien n'est beau que le vrai;" [7] et le malheur de ces projets métaphysiques pour le bien des peuples, c'est de supposer tous les princes équitables et modérés, c'est-à-dire, de supposer à des hommes tout-puissants, pleins du sentiment de leur force, souvent peu éclairés, et toujours assiégés par l'adulation et par le mensonge, des dispositions que la contrainte des lois et la crainte de la censure inspirent même si rarement aux simples particuliers. Quiconque en formant des entreprises pour le bonheur de l'humanité, ne fait pas entrer dans ses calculs les passions et les vices des hommes, n'a imaginé qu'une très louable chimère. C'est pour cela qu'un ministre[8] de beaucoup d'esprit appelait les projets de l'abbé de Saint-Pierre, "les rêves d'un homme de bien": plût à Dieu néanmoins que ceux qui gouvernent rêvassent quelquefois de la sorte! Un de ces rêves, par exemple, qui mériterait bien de n'en être pas un, c'est le désintéressement qu'il prêche partout aux hommes en place. Regrettons qu'il n'ait pas vu, comme nous le voyons en ce moment, son rêve se réaliser, et les finances confiées à un philosophe vertueux, d'une probité inaccessible à toutes les séductions de la fortune, et que l'élévation n'a pu ni enivrer, ni corrompre (M. Turgot).

[6] J.-J. Rousseau.
[7] Boileau, Epître IX.
[8] Cardinal du Bois.

On a demandé pourquoi un écrivain à qui les projets coûtaient si peu, et qui pour détruire à perpétuité la guerre entre les nations, avait imaginé cette *diète européenne*, que nous ne verrons jamais, n'avait pas imaginé de même, pour faire cesser la guerre entre les auteurs, une *diète littéraire*, qui ne se tiendrait pas davantage. Aurait-il cru un consistoire de beaux-esprits plus difficile à concilier qu'une assemblée de rois, et la vanité humaine plus chatouilleuse pour un peu de fumée, que la puissance suprême pour de grands intérêts?

Toujours de bonne foi, mais quelquefois peu mesuré dans ses projets et dans ses vues, il écrivit contre le célibat des prêtres; et quelque éloignés que nous soyons d'approuver ses assertions sur ce sujet, nous devons à sa mémoire de faire connaître au moins combien ses intentions étaient pures. Il craignait que cette loi, dont il respectait d'ailleurs les motifs, n'eût obligé plusieurs de ceux qu'elle enchaînait, et qui "après tout, disait-il, étaient des hommes," de suppléer par un commerce illicite à la privation forcée d'une union légitime. Il plaignait surtout les curés de la campagne, la plupart sans société et sans délassement dans leurs travaux, d'être frustrés de cette consolation. Nous n'examinerons pas jusqu'à quel point il a porté sur cet article délicat la sévérité de ses mœurs; il assurait au moins qu'il avait toujours respecté le nœud conjugal. "J'ai observé, disait-il, très exactement tous les préceptes du Décalogue, surtout le dernier; je n'ai jamais pris ni le bœuf, ni l'âne, ni la femme, ni la servante même de mon prochain."

Si son état ne lui permettait pas de jouir des douceurs du mariage, il pratiquait en récompense ce qu'il répétait souvent, que ceux à qui cet engagement si naturel est interdit, doivent au moins en bons citoyens, et pour dédommager l'état des sujets qu'ils ne lui donnent pas, se charger de l'éducation et de la subsistance de quelques enfants pauvres ou abandonnés, surtout de ceux qui sans parents dès leur naissance, n'ont de ressource que la charité publique. Il faisait élever avec intérêt quelques enfants de cette espèce; mais dans leur éducation il ne donnait rien à la vanité ni à l'opinion, et tout à l'avantage le plus sûr pour ces créatures infortunées; il négligeait de leur faire enseigner les langues, la danse, la musique, enfin toutes les choses qu'on peut regarder comme le luxe de l'éducation; il leur faisait apprendre un métier utile et solide, qui pût les mettre à l'abri de l'indigence; encore choisissait-il parmi ces métiers ceux qui étant d'une nécessité indispensable, doivent en conséquence subsister toujours, et que par cette raison il jugeait propres à faire vivre dans tous les temps ceux qui les embrassent; il se gardait bien de donner aux enfants dont il prenait soin, quelqu'un de ces métiers de mode ou de caprice, dont il prévoyait l'anéantissement d'après les calculs qu'il faisait sans cesse. Car semblable en quelque sorte à cet Anglais qui a poussé la finesse de l'arithmétique jusqu'à déterminer l'année précise de la fin du monde, l'abbé de Saint-Pierre avait aussi calculé à sa manière l'époque où chaque préjugé, chaque erreur, chaque sottise des hommes devait finir; et nous pouvons donner par un seul trait quelque idée de la certitude de ses spéculations. Il n'hésitait point à prédire qu'il viendrait un temps où, pour emprunter ses propres termes, "le capucin le plus simple en saurait autant que le plus habile jésuite."

Il regrettait seulement que ce temps heureux ne pût arriver qu'avec beaucoup de lenteur, grâce aux causes funestes qui conspiraient pour le retarder. En jetant les yeux avec douleur sur cette multitude de siècles que l'esprit a perdus pour son instruction depuis qu'il existe des hommes, il accusait surtout de ce malheur le despotisme sous lequel ont gémi tant de nations, et qu'il regardait comme l'ennemi né, comme l'ennemi nécessaire et vigilant des connaissances et des lumières. En effet, qu'on laisse voir le jour à un esclave enchaîné dans les ténèbres, son premier mouvement sera de regarder ses fers, et le second de voir par où il pourra les briser. L'abbé de Saint-Pierre ajoutait que si quelques tyrans avaient fait par vanité un léger accueil aux sciences, c'était à condition qu'elles n'arriveraient pas jusqu'à leurs peuples; et Denis de Syracuse,[9] caressant un moment quelques philosophes voyageurs, ne lui paraissait pas plus séduisant, que cette chartreuse dont un étranger trouvait la situation très agréable: "Oui, dit un chartreux, pour les passants."

L'abbé de Saint-Pierre indiquait encore une autre cause de la lenteur avec laquelle les nations s'éclairent; c'est d'abord parce que la plupart des hommes n'ont point d'avis à eux, et ne font que

[9] Dionysius the Elder (*ca.* 430–367 B.C.), tyrant of Syracuse.

suivre en troupeau les préjugés reçus; et ensuite parce que ceux même qui sont faits pour avoir un avis, ont rarement le courage de l'avoir. "Les sages, disait-il, se traînant à regret et par faiblesse dans les routes battues, répètent, en la méprisant, l'opinion de la multitude, qui s'y affermit ensuite elle-même en la répétant d'après eux, et qui devient à son tour leur écho, parce qu'ils ont été le sien." Notre philosophe prétendait que cette frayeur pusillanime de heurter les idées vulgaires, s'était étendue sur les matières même où il est le plus évidemment permis de penser d'après soi, sur les objets de littérature et de goût; il soutenait que la crainte de s'attirer des ennemis, ou tout au moins des injures, avait forcé des milliers d'écrivains de rendre humblement leurs hommages à des préjugés qu'ils savaient nuisibles au bien des lettres, d'adorer avec superstition ce qu'ils auraient dû honorer avec discernement, de louer, à force de prudence, des productions médiocres honorées de la protection publique, d'employer enfin à ne pas dire leur pensée tout l'esprit qu'ils auraient dû mettre à la dire. En déplorant cette faiblesse, l'abbé de Saint-Pierre aurait pu y trouver un remède. Ce serait que chaque homme de lettres laissât un *testament de mort*, où il s'expliquât librement sur les ouvrages, les opinions, les hommes, que sa conscience lui reprocherait d'avoir encensés, et demandât pardon à son siècle de n'avoir avec lui qu'une sincérité posthume. En usant de cette innocente ressource, les sages qui dirigent l'opinion par leurs écrits, n'auraient plus la douleur d'accréditer les erreurs qu'ils voudraient détruire; et leur réclamation, quoique timide et tardive, serait comme une porte secrète qu' ils ouvriraient à la vérité.

Cependant, malgré tant de causes réunies pour empêcher les hommes de s'éclairer, l'abbé de Saint-Pierre était persuadé du progrès plus ou moins tardif des lumières dans tous les genres et dans tous les états. Il ne craignait point d'annoncer aux orateurs et aux poètes un siècle futur de sévérité et de raison, où l'on ferait, disait-il, fort peu de cas de l'éloquence, et surtout de la poésie, et où l'on goûterait peu les ouvrages qui ne joindraient pas l'utilité de l'instruction aux charmes du style. On lisait un jour devant lui un de ces écrits qui n'ont de mérite que l'agrément, et qui, fort accueillis dans notre siècle, devaient obtenir, selon lui, peu de faveur chez nos arrière-neveux. Comme il paraissait beaucoup plus froid que le reste de l'auditoire, et même qu'il souriait de temps en temps, on lui demanda ce qu'il pensait de l'ouvrage: "Eh mais, répondit-il, cela est encore fort beau."

L'art oratoire ayant eu pour lui si peu de charmes, on ne sera point surpris que les sermons les plus vantés fussent à ses yeux de pures déclamations où, à l'en croire, le moindre intérêt du prédicateur avait été de convertir ceux qui l'écoutaient. Aussi, renchérissant sur le traité de Nicole, *De la manière de profiter des mauvais sermons*, et enveloppant tous les prédicateurs dans ses plans de réforme, il avait dressé un projet intitulé: *Moyen de rendre les sermons utiles*. Ce titre, bien plus piquant par sa simplicité naïve, que si l'auteur avait voulu faire une plaisanterie, n'a pas été trouvé assez fin par un de ces hommes qui s'amusent à faire des titres de livres, ce qui est plus aisé que de faire les livres même; il a transformé le projet sans malice de l'abbé de Saint-Pierre en "Projet pour rendre utiles les prédicateurs et les médecins, les traitants et les moines, les journaux et les marrons d'Inde."

L'Académie française, qui était pour l'abbé de Saint-Pierre une espèce de petite patrie adoptive, avait sa part aux projets d'amélioration d'un auteur si patriote. Il voulait que les harangues de nos récipiendaires, harangues vouées et condamnées de son temps à ne contenir que de froids éloges, fussent des discours pleins d'élévation et d'énergie, où la raison fût jointe à l'éloquence, la simplicité au bon goût, la dignité à la chaleur, et des louanges nobles à des vérités utiles; il voulait que les sujets de nos prix d'éloquence ne fussent plus, comme ils l'ont été durant près d'un siècle, des textes de sermons, mais qu'on les consacrât à l'éloge des hommes célèbres qui ont honoré la nation par leurs talents et par leurs vertus; et que ces éloges servissent de cadre, et comme de prétexte, à des leçons importantes, tracées ou par le succès, ou même par les fautes de ces grands hommes. Ce projet de l'abbé de Saint-Pierre n'a pas été un rêve comme les autres; il pourrait dire à ses confrères, s'il revenait parmi eux: "De tous mes concitoyens, vous seuls avez daigné m'entendre;" et il se féliciterait de voir ses vues si heureusement remplies par l'éloquent panégyriste des Daguesseau, des Sully, des Descartes, et par ses dignes successeurs.

Ennemi déclaré de toutes les erreurs qui avilissent et dévorent l'espèce humaine, il avait voué à la religion musulmane une aversion particulière, moins encore pour son absurdité, que pour l'appui déclaré qu'elle prête à l'ignorance, et à tous les moyens d'abrutir les peuples. Il déplorait en même temps, avec toute la candeur de son âme, l'aveuglement funeste qui a nui tant de fois au christianisme, en montrant un zèle indiscret ou barbare pour le servir ou pour le venger. Aussi plein d'horreur que de mépris pour les fanatiques persécuteurs, il proposait tout à la fois, et de les enfermer comme insensés, et de les jouer sur le théâtre comme ridicules. Il pensait que dans les controverses théologiques, quelquefois si futiles et toujours si dangereuses, qui troublent souvent l'église et l'état, un gouvernement sage doit fermer sévèrement la bouche à ceux qui les excitent ou les entretiennent pour avertir de leur existence ce même gouvernement, qui sans cela l'aurait ignorée; et l'exhortation de l'abbé de Saint-Pierre à ces turbulents argumentateurs, exhortation à la vérité fort inutile, se réduisait à ces deux mots, *grand silence*; c'était avec eux son cri de guerre, ou plutôt de paix.

Si parmi tant de vues estimables de notre zélé philosophe, on rencontre quelques opinions justement répréhensibles, si quelques autres supposent dans la nature humaine un degré de perfection qu'elle n'atteindra peut-être jamais, les écarts ou les méprises qu'on pourra reprocher à l'auteur, mais qu'il ne faut jamais lui reprocher avec amertume, doivent apprendre à ses pareils, qu'en vain l'homme vertueux aspire à faire le bien, s'il n'a pas cette patience éclairée qui sait en attendre les moments; et qu'avec les intentions les plus louables, on peut nuire en deux manières à la vérité, ou en mettant des erreurs à sa place, ou en se pressant de la montrer avant le temps. C'est aux hommes sages à juger sur ces deux points l'abbé de Saint-Pierre; mais c'est en même temps aux gens de bien à l'absoudre des fautes où son amour pour les hommes a pu l'entraîner. L'humanité, dont il a connu les titres et défendu les droits, peut lui dire, si nous osons nous permettre cette application, ce que le dieu de clémence dit à la pécheresse: "Beaucoup de péchés vous seront remis, parce que vous avez beaucoup aimé." [10] Puisse la religion, à qui l'humanité est si

[10] St. Luke, VII, 47.

chère, mettre le sceau à cette indulgence! puisse-t-elle ratifier en faveur de notre vertueux confrère l'espèce de devise qu'il a mise à la fin de la plupart de ses ouvrages: Paradis aux bienfaisants.

Ses principes de gouvernement, bons ou mauvais, l'avaient rendu peu favorable à ceux que Louis XIV avait suivis. Il eut l'imprudente franchise de s'en expliquer, non pas avec fiel, il en était incapable, mais peut-être avec trop peu de ménagement, dans un ouvrage qu'il publia trois ou quatre ans après la mort du roi. Il oubliait que la vérité, qui ne doit parler qu'avec respect aux princes vivants, ne doit aussi toucher qu'avec sagesse à la cendre d'un prince qui vient de disparaître. La liberté peu mesurée de l'auteur excita contre lui un violent orage. Un académicien[11] (le cardinal de Polignac) qui, exilé et disgracié par Louis XIV, n'avait pas à craindre qu'on lui reprochât trop de reconnaissance pour le monarque, crut faire un acte de générosité, ou de bienséance, ou de justice, en vengeant la mémoire d'un roi, dont il paraissait oublier la rigueur à son égard. Il apporta le livre à l'Académie, y lut en frémissant l'endroit où les mânes du souverain défunt étaient attaqués, communiqua ce frémissement à ses confrères, et insista sur la punition de l'auteur. L'abbé de Saint-Pierre écrivit de son côté à la compagnie, et demanda la permission de se défendre avant d'être condamné. Sa demande fut rejetée à la grande pluralité des voix, par la raison, que dans le cas où il viendrait pour se rétracter, la rétractation serait secrète et renfermée dans l'enceinte de la compagnie, tandis que l'offense avait été publique. Il eût sans doute été indécent à l'Académie, après avoir tant célébré Louis XIV vivant, de refuser justice à son ombre, et d'ensevelir avec son protecteur dans le même tombeau, sa reconnaissance et ses éloges. Mais il semble aussi qu'il eût été juste de joindre aux expressions de l'hommage que méritait son roi, les égards que réclamait un confrère plein de droiture et de vertus, et d'entendre de sa propre bouche, ou son apologie, ou ses regrets, ou sa condamnation. On ne pensa pas ainsi; de vingt-quatre académiciens dont l'assemblée était composée, quatre seulement furent d'avis qu'on écoutât le coupable; c'étaient le vertueux Sacy, les sages La Motte et Fontenelle, et le

[11] The Cardinal de Polignac (1661–1742) was in disgrace at court from 1698 until 1702, and again during the Regency in connection with the conspiracy of Cellamare.

respectable abbé Fleury, qui ayant écrit avec tant de vérité l'histoire de l'église, savait que les conciles n'avaient jamais refusé d'entendre les hérétiques, et ne croyait pas devoir se montrer plus difficile pour la gloire du roi, que l'église ne l'avait été pour la gloire de Dieu. Quoi qu'il en soit, la grâce ou la justice que l'abbé de Saint-Pierre désirait ne lui ayant pas été accordée, on opina par boules sur la punition qu'il avait encourue; toutes les boules, à l'exception d'une seule, furent pour l'exclure de nos séances. Cette boule courageuse fut donnée par Fontenelle, qui toujours sage et réservé dans ses écrits et dans ses discours, mais toujours ferme et décidé dans ses procédés et dans sa conduite, crut devoir réclamer, au moins tacitement, contre une rigueur qui lui paraissait précipitée. On accusa de cette réclamation secrète Sacy, fort lié avec l'abbé de Saint-Pierre: l'accusation obligea Fontenelle à déclarer qu'il était coupable; et personne n'osa s'élever contre un crime que plusieurs se reprochaient de n'avoir osé commettre. Un des académiciens (le duc de la Force) qui avaient assisté à la séance, avait apparemment oublié ce fait, lorsque se trouvant quelques années après avec Fontenelle et l'abbé de Saint-Pierre, il voulut persuader à ce dernier, qui fit semblant de le croire, que c'était lui qui avait donné cette boule unique et favorable. Fontenelle a dit plus d'une fois, avec toute la modération philosophique, qu'il avait été *un peu surpris* de n'avoir pas eu un seul complice en cette occasion. Mais l'animosité contre l'abbé de Saint-Pierre était si grande, et avait pour chefs des hommes si redoutables, que le peu de courage de ses amis semble demander quelque indulgence. Ceux qui la leur refuseraient le plus durement, sont peut-être ceux qui en auraient eux-mêmes le plus de besoin dans des circonstances pareilles.

Comme l'abbé de Saint-Pierre avait été seulement exclu de nos assemblées, sans que sa place fût déclarée vacante, le fauteuil qu'il occupait parmi nous demeura vide pendant le reste de sa vie. Peu corrigé par cette disgrâce académique, ou peut-être se croyant plus libre par sa disgrâce, il ne cessa de parler et d'écrire avec la même franchise sur l'administration présente et passée. Le gouvernement le laissa dire, se flattant qu'on ne le lisait pas; et le peu de charmes de son style servit de passe-port à la hardiesse de ses idées.

La saine et paisible raison qui avait toujours fait la règle de sa conduite, l'accompagna jusqu'au tombeau. Il mourut âgé de quatre-vingt-cinq ans, le 29 avril 1743, plein de confiance en l'Être suprême, et avec cette tranquillité d'un homme qui avait fidèlement accompli la grande loi de l'Évangile, l'amour de Dieu et de ses frères. Quelqu'un l'exhortant la veille de sa mort à dire un mot à ceux qui l'environnaient, il répondit comme avait fait Patru dans ses derniers moments: "Un mourant a bien peu de choses à dire quand il ne parle ni par faiblesse, ni par vanité."

L'Académie, qui ne regardait l'abbé de Saint-Pierre que comme un exilé, et non comme un proscrit, aurait désiré que son successeur payât à sa mémoire le tribut de louanges que tout récipiendaire doit parmi nous à celui qu'il vient remplacer. Des raisons qui ne subsistent plus, privèrent son tombeau de cet hommage, dont le refus aurait été une injure s'il eût été volontaire. Tous ses confrères y suppléèrent alors, en faisant dans leur cœur l'éloge de celui qu'ils avaient perdu, et que tous les gens de bien pleuraient avec eux. Nous joignons aujourd'hui notre voix à la leur, après plus de trente années; et quelle circonstance plus favorable pourrions-nous saisir pour célébrer un sage vertueux et patriote, que ce jour à jamais mémorable pour la philosophie et pour les lettres, où la nation semble avoir choisi l'Académie Française, qui n'a jamais été plus glorieuse de porter ce nom, pour offrir au sage Malesherbes, plus patriote encore, plus intéressant dans l'infortune, plus indulgent pour la faiblesse des hommes, et surtout à un citoyen plus éloquent et plus éclairé, une espèce de couronne civique, qui est en même temps pour lui celle des talents et des lumières. Jour heureux, où nous pouvons tous nous écrier comme ce philosophe qui venait d'entendre applaudir Aristide par les Athéniens: "Je rends grâce au ciel de voir enfin aujourd'hui la vertu courageuse et modeste obtenir sa récompense."

HELVÉTIUS

1715–1771

DE L'ESPRIT

La Sensibilité Physique et la Mémoire

Nous avons en nous deux facultés, ou, si je l'ose dire, deux puissances passives, dont l'existence est généralement et distinctement reconnue.

L'une est la faculté de recevoir les impressions différentes que font sur nous les objets extérieurs: on la nomme *sensibilité physique.*

L'autre est la faculté de conserver l'impression que ces objets ont faite sur nous: on l'appelle *mémoire,* et la mémoire n'est autre chose qu'une sensation continuée, mais affaiblie.

Ces facultés, que je regarde comme les causes productrices de nos pensées, et qui nous sont communes avec les animaux, ne nous fourniraient cependant qu'un très petit nombre d'idées, si elles n'étaient jointes en nous à une certaine organisation extérieure.

Si la nature, au lieu de mains et de doigts flexibles, eût terminé nos poignets par un pied de cheval, qui doute que les hommes sans arts, sans habitations, sans défense contre les animaux, tout occupés du soin de pourvoir à leur nourriture et d'éviter les bêtes féroces, ne fussent encore errants dans les forêts comme des troupeaux fugitifs?

Or, dans cette supposition, il est évident que la police n'eût, dans aucune société, été portée au degré de perfection où maintenant elle est parvenue. Il n'est aucune nation qui, en fait d'esprit, ne fût restée fort inférieure à certaines nations sauvages qui n'ont pas deux cents idées, deux cents mots pour exprimer leurs idées, et dont la langue, par conséquent, ne fût réduite, comme celle des animaux, à cinq ou six sons ou cris, si l'on retranchait de cette même langue les mots d'*arcs*, de *flèches*, de *filets*, etc., qui supposent l'usage de nos mains. D'où je conclus que, sans une certaine organisation extérieure, la sensibilité et la mémoire ne seraient en nous que des facultés stériles.

Je ne m'arrête donc pas davantage à cette question; je viens à mon sujet, et je dis que la sensibilité physique et la mémoire, ou, pour parler plus exactement, que la sensibilité seule produit toutes nos idées. En effet, la mémoire ne peut être qu'un des organes de la sensibilité physique: le principe qui sent en nous doit être nécessairement le principe qui se ressouvient, puisque *se ressouvenir*, comme je vais le prouver, n'est proprement que *sentir*. Lorsque, par une suite de mes idées ou par l'ébranlement que certains sons causent dans l'organe de mon oreille, je me rappelle l'image d'un chêne, alors mes organes intérieurs doivent nécessairement se trouver à peu près dans la même situation où ils étaient à la vue de ce chêne. Or, cette situation des organes doit incontestablement produire une sensation: il est donc évident que se ressouvenir, c'est sentir. Ce principe posé, je dis encore que c'est dans la capacité que nous avons d'apercevoir les ressemblances ou les différences, les convenances ou les disconvenances qu'ont entre eux les objets divers, que consistent toutes les opérations de l'esprit. Or, cette capacité n'est que la sensibilité physique même: tout se réduit donc à sentir.

. . . J'examinerai maintenant si *juger* n'est pas *sentir*. Quand je juge la grandeur ou la couleur des objets qu'on me présente, il est évident que le jugement porté sur les diverses impressions que ces objets ont faites sur mes sens n'est proprement qu'une sensation; que je puis dire également: je *juge* ou je *sens* que de deux objets, l'un, que j'appelle *toise*, fait sur moi une impression différente de celui que j'appelle *pied*; que la couleur que je nomme *rouge* agit sur moi différemment de celle que je nomme *jaune*; et j'en conclus qu'en pareil cas *juger* n'est jamais que *sentir*. Mais, dira-t-on, supposons qu'on veuille savoir si la force est préférable à la grandeur du corps, peut-on assurer qu'alors *juger* soit *sentir*? — Oui, répondrai-je: car, pour porter un jugement sur ce sujet, ma mémoire doit me tracer successivement les tableaux des situations différentes où je puis me trouver le plus communément dans le cours de ma vie. Or, *juger*, c'est voir dans ces divers tableaux, que la force me sera plus souvent utile que la grandeur du corps. — Mais, répliquera-t-on, lorsqu'il s'agit de juger si, dans un roi, la justice est préférable à la bonté, peut-on imaginer qu'un jugement ne soit alors qu'une sensation?

Cette opinion, sans doute, a d'abord l'air d'un paradoxe: cependant, pour en prouver la vérité, supposons dans un homme la connaissance de ce qu'on appelle le bien et le mal, et que cet homme sache encore qu'une action est plus ou moins mauvaise, selon qu'elle nuit plus ou moins au bonheur de la société. Dans cette supposition, quel art doit employer le poète ou l'orateur, pour faire plus vivement apercevoir que la justice, préférable, dans un roi, à la bonté, conserve à l'état plus de citoyens?

L'orateur présentera trois tableaux à l'imagination de ce même homme: dans l'un, il lui peindra le roi juste qui condamne et fait exécuter un criminel; dans le second, le roi bon qui fait ouvrir le cachot de ce même criminel, et lui détache ses fers; dans le troisième, il représentera ce même criminel, qui, s'armant de son poignard au sortir de son cachot, court massacrer cinquante citoyens: or, quel homme, à la vue de ces trois tableaux, ne sentira pas que la justice, qui, par la mort d'un seul, prévient la mort de cinquante hommes, est, dans un roi, préférable à la bonté? Cependant ce jugement n'est réellement qu'une sensation.

En effet, si, par l'habitude d'unir certaines idées à certains mots, on peut, comme l'expérience le prouve, en frappant l'oreille de certains sons, exciter en nous à peu près les mêmes sensations qu'on éprouverait à la présence même des objets; il est évident qu'à l'exposé de ces trois tableaux, juger que, dans un roi, la justice est préférable à la bonté, c'est sentir et voir que, dans le premier tableau, on n'immole qu'un citoyen, et que, dans le troisième, on en massacre cinquante: d'où je conclus que tout jugement n'est qu'une sensation.

De l'Ignorance

Nous nous trompons lorsque, nous établissant juges sur une matière, notre mémoire n'est point chargée de tous les faits de la comparaison desquels dépend, en ce genre, la justesse de nos décisions. Ce n'est pas que chacun n'ait l'esprit juste: chacun voit bien ce qu'il voit; mais personne ne se défiant assez de son ignorance, on croit trop facilement que ce que l'on voit dans un objet est tout ce que l'on y peut voir.

Dans les questions un peu difficiles, l'ignorance doit être regardée comme la principale cause de nos erreurs.

De la Liberté

Quelles disputes n'a point occasionnées le mot de *liberté*, disputes qu'on eût facilement terminées, si tous les hommes, aussi amis de la liberté que le Père Malebranche, fussent convenus, comme cet habile théologien dans sa *Prémonition physique*, que la liberté était un mystère. "Lorsqu'on me pousse sur cette question, dit-il, je suis forcé de m'arrêter tout court."

Ce n'est pas qu'on ne puisse se former une idée nette du mot de *liberté*, pris dans une signification commune. L'homme libre est l'homme qui n'est ni chargé de fers, ni détenu dans les prisons, ni intimidé, comme l'esclave, par la crainte des châtiments: en ce sens, la liberté de l'homme consiste dans l'exercice libre de sa puissance: je dis de sa puissance, parce qu'il serait ridicule de prendre pour une *non-liberté* l'impuissance où nous sommes de percer la nue comme l'aigle, de vivre sous les eaux comme la baleine, et de nous faire roi, pape ou empereur.

On a donc une idée bien nette de ce mot de *liberté*, pris dans une signification commune. Il n'en est pas ainsi lorsqu'on applique ce mot de *liberté* à la volonté. Que serait-ce alors que la *liberté?* On ne pourrait entendre, par ce mot, que le pouvoir libre de vouloir ou de ne pas vouloir une chose; mais ce pouvoir supposerait qu'il peut y avoir des volontés sans motifs, et par conséquent des effets sans cause. Il faudrait donc que nous pussions également nous vouloir du bien et du mal; supposition absolument impossible. En effet, si le désir de plaire est le principe de toutes nos pensées et de toutes nos actions, si tous les hommes tendent continuellement vers leur bonheur réel ou apparent, toutes nos volontés ne sont donc que l'effet de cette tendance. Or, tout effet est nécessaire. En ce sens, on ne peut donc attacher une idée nette à ce mot de *liberté*. Mais, dira-t-on, si l'on est nécessité à poursuivre le bonheur partout où on l'aperçoit, du moins sommes-nous libres sur le choix des moyens que nous employons pour nous rendre heureux? Oui, répondrai-je, mais *libre* n'est alors qu'un synonyme d'*éclairé*, et l'on ne fait que confondre ces deux notions: selon qu'un homme saura plus ou moins de procédure et de jurisprudence, qu'il sera conduit dans ses affaires par un avocat plus ou moins habile, il prendra un parti meilleur ou moins bon; mais, quelque parti qu'il prenne, le désir de son bonheur le forcera toujours de choisir le parti qui lui paraîtra le plus convenable à ses intérêts, ses goûts, ses passions, et enfin à ce qu'il regarde comme son bonheur.

Comment pourrait-on philosophiquement expliquer le problème de sa liberté? Si, comme Locke l'a prouvé, nous sommes disciples des amis, des parents, des lectures, et enfin de tous les objets qui nous environnent, il faut que toutes nos pensées et nos volontés soient des effets immédiats, ou des suites nécessaires des impressions que nous avons reçues.

On ne peut donc se former aucune idée de ce mot de *liberté*, appliqué à la volonté; il faut la considérer comme un mystère, s'écrier avec saint Paul: *O altitudo!* convenir que la théologie seule peut discourir sur une pareille matière, et qu'un traité philosophique de la liberté ne serait qu'un traité des effets sans cause.

De la Morale

Si la morale a, jusqu'à présent, peu contribué au bonheur de l'humanité, ce n'est pas qu'à d'heureuses expressions, à beaucoup d'élégance et de netteté, plusieurs moralistes n'aient joint beaucoup de profondeur d'esprit et d'élévation d'âme: mais, quelque supérieurs qu'aient été ces moralistes, il faut convenir qu'ils n'ont pas assez souvent regardé les différents vices des nations comme des dépendances nécessaires de la différente forme de leur gouvernement: ce n'est cependant qu'en considérant la morale de ce point de vue qu'elle peut devenir réellement utile aux hommes. Qu'ont produit, jusqu'aujourd'hui, les plus belles maximes de morale? Elles ont corrigé quelques particuliers des défauts que, peut-être, ils se reprochaient; d'ailleurs, elles n'ont produit aucun changement dans les mœurs des nations. Quelle en est la cause? C'est que les vices d'un peuple sont, si j'ose le dire, toujours cachés au fond de sa législation: c'est là qu'il faut fouiller, pour arracher la racine productrice de ses vices. Qui n'est doué ni des lumières ni du courage nécessaires pour l'entreprendre, n'est, en ce genre, de presque aucune utilité à l'univers. Vouloir détruire des vices attachés à la législation d'un peuple, sans faire aucun changement dans cette législation, c'est prétendre à l'impossible, c'est rejeter les conséquences justes des principes qu'on admet.

Qu'espérer de tant de déclamations contre la fausseté des femmes, si ce vice est l'effet nécessaire d'une contradiction entre les désirs de la nature et les sentiments que, par les lois et la décence, les femmes sont contraintes d'affecter?

Dans le Malabar, à Madagascar, si toutes les femmes sont vraies c'est qu'elles y satisfont, sans scandale, toutes leurs fantaisies, qu'elles ont mille galants, et ne se déterminent au choix d'un époux qu'après des essais répétés. Il en est de même des sauvages de la Nouvelle-Orléans, de ces peuples où les parentes du grand soleil, les princesses du sang, peuvent, lorsqu'elles se dégoûtent de leurs maris, les répudier pour en épouser d'autres. En de tels pays, on ne trouve point de femmes fausses, parce qu'elles n'ont aucun intérêt de l'être.

Je ne prétends pas inférer de ces exemples qu'on doive introduire chez nous de pareilles mœurs. Je dis seulement qu'on ne peut raisonnablement reprocher aux femmes une fausseté dont la décence et les lois leur font, pour ainsi dire, une nécessité; et qu'enfin l'on ne change point les effets en laissant subsister les causes.

Prenons la médisance pour second exemple. La médisance est, sans doute, un vice: mais c'est un vice nécessaire; parce qu'en tous pays où les citoyens n'auront point de part au maniement des affaires publiques, ces citoyens, peu intéressés à s'instruire, doivent croupir dans une honteuse paresse. Or, s'il est, dans ce pays, de mode et d'usage de se jeter dans le monde, et du bon air d'y parler beaucoup, l'ignorant, ne pouvant parler de choses, doit nécessairement parler des personnes. Tout panégyrique est ennuyeux, et toute satire agréable; sous peine d'être ennuyeux, l'ignorant est donc forcé d'être médisant. On ne peut donc détruire ce vice sans anéantir la cause qui le produit, sans arracher les citoyens à la paresse, et, par conséquent, sans changer la forme du gouvernement.

Pourquoi l'homme d'esprit est-il ordinairement moins tracassier, dans les sociétés particulières, que l'homme du monde? C'est que le premier, occupé de plus grands objets, ne parle communément des personnes qu'autant qu'elles ont, comme les grands hommes, un rapport immédiat avec les grandes choses; c'est que l'homme d'esprit, qui ne médit jamais que pour se venger, médit très rarement, lorsque l'homme du monde, au contraire, est presque toujours obligé de médire pour parler.

Ce que je dis de la médisance, je le dis du libertinage, contre lequel les moralistes se sont toujours si violemment déchaînés. Le libertinage est trop généralement reconnu pour être une suite nécessaire du luxe, pour que je m'arrête à le prouver. Or, si le luxe, comme je suis fort éloigné de le penser, mais comme on le croit communément, est très utile à l'État; si, comme il est facile de le montrer, l'on ne peut étouffer le goût, et réduire les citoyens à la pratique des lois somptuaires, sans changer la forme du gouvernement; ce ne serait donc qu'après quelques réformes en ce genre qu'on pourrait se flatter d'éteindre ce goût du libertinage.

Toute déclamation sur ce sujet est, théologiquement, mais non politiquement, bonne. L'objet que se proposent la politique et la législation est la grandeur et la félicité temporelle des peuples: or, relativement à cet objet, je dis que, si le luxe est réellement utile à la France, il serait ridicule d'y vouloir introduire une rigidité de mœurs incompatible avec le goût du luxe. Nulle proportion entre les avantages que le commerce et le luxe procurent à l'État, constitué comme il l'est (avantages auxquels il faudrait renoncer pour en bannir le libertinage), et le mal infiniment petit qu'occasionne l'amour des femmes. C'est se plaindre de trouver dans une mine riche quelques paillettes de cuivre mêlées à des veines d'or. Partout où le luxe est nécessaire, c'est une inconséquence politique que de regarder la galanterie comme un vice moral: et si l'on veut lui conserver le nom de vice, il faut alors convenir qu'il en est d'utiles dans certains siècles et certains pays, et que c'est au limon du Nil que l'Égypte doit sa fertilité.

En effet, qu'on examine politiquement la conduite des femmes galantes, on verra que, blâmables à certains égards, elles sont, à d'autres, fort utiles au public; qu'elles font, par exemple, de leurs richesses un usage communément plus avantageux à l'état que les femmes les plus sages. Le désir de plaire, qui conduit la femme galante chez le rubanier, chez le marchand d'étoffes ou de modes, lui fait non seulement arracher une infinité d'ouvriers à l'indigence, où les réduirait la pratique des lois somptuaires, mais lui inspire encore les actes de la charité la plus éclairée. Dans la supposition que le luxe soit utile à une nation, ne sont-ce pas les femmes galantes qui, en excitant l'industrie des artisans du luxe, les rendent de jour en jour plus utiles à l'État? Les femmes sages, en faisant des largesses à des mendiants ou à des criminels, sont donc moins bien conseillées par leurs directeurs que les femmes galantes par le désir de plaire; celles-ci nourrissent des citoyens utiles; et celles-là des hommes inutiles, ou même les ennemis de cette nation.

Il suit de ce que je viens de dire qu'on ne peut se flatter de faire aucun changement dans les idées d'un peuple, qu'après en avoir fait dans sa législation; que c'est par la réforme des lois qu'il faut commencer la réforme des mœurs; que des déclamations contre un vice utile, dans la forme actuelle d'un gouvernement, seraient politiquement nuisibles, si elles n'étaient vaines; mais elles le seront toujours, parce que la masse d'une nation n'est jamais remuée que par la force des lois.

Je dis que tous les hommes ne tendent qu'à leur bonheur; qu'on ne peut les soustraire à cette tendance; qu'il serait inutile de l'entreprendre, et dangereux d'y réussir; que, par conséquent, l'on ne peut les rendre vertueux qu'en unissant l'intérêt personnel à l'intérêt général. Ce principe posé, il est évident que la morale n'est qu'une science frivole, si l'on ne la confond avec la politique et la législation: d'où je conclus que, pour se rendre utile à l'univers, les philosophes doivent considérer les objets du point de vue d'où le législateur les contemple. Sans être armés du même pouvoir, ils doivent être animés du même esprit. C'est au moraliste d'indiquer les lois, dont le législateur assure l'exécution par l'apposition du sceau de sa puissance.

Parmi les moralistes, il en est peu, sans doute, qui soient assez fortement frappés de cette vérité; parmi ceux même dont l'esprit est fait pour atteindre aux plus hautes idées, il en est qui, dans l'étude de la morale et les portraits qu'ils font des vices, ne sont animés que par des intérêts personnels et des haines particulières. Ils ne s'attachent, en conséquence, qu'à la peinture des vices incommodes dans la société; et leur esprit qui, peu à peu, se resserre dans le cercle de leur intérêt, n'a bientôt plus la force nécessaire pour s'élever jusqu'aux grandes idées. Dans la science de la morale, souvent l'élévation de l'esprit tient à l'élévation de l'âme. Pour saisir en ce genre les vérités réellement utiles aux hommes, il faut être échauffé de la passion du bien en général; et malheureusement, en morale comme en religion, il est beaucoup d'hypocrites.

Du Despotisme

Je distinguerai d'abord deux espèces de despotisme: l'un qui s'établit tout à coup par la force des armes sur une nation vertueuse, qui le souffre impatiemment. Cette nation est comparable au chêne plié avec effort, et dont l'élasticité brise bientôt les câbles qui le courbaient. La Grèce en fournit mille exemples.

L'autre est fondé par le temps, le luxe et la mollesse. La nation chez laquelle il s'établit est comparable à ce même chêne, qui, peu à peu courbé, perd insensiblement le ressort nécessaire pour se redresser. C'est de cette dernière espèce de despotisme dont il s'agit dans ce chapitre.

Chez les peuples soumis à cette forme de gouvernement, les hommes en place ne peuvent avoir aucune idée nette de la justice; ils sont, à cet égard, plongés dans la plus profonde ignorance. En effet, quelle idée de justice pourrait se former un visir? Il ignore qu'il est un bien public: sans cette connaissance, cependant, on erre çà et là sans guide; les idées du juste et de l'injuste, reçues dans la première jeunesse, s'obscurcissent insensiblement, et disparaissent enfin entièrement.

Mais, dira-t-on, qui peut dérober cette connaissance aux visirs? Et comment, répondrai-je, l'acquerraient-ils dans ces pays despotiques où les citoyens n'ont nulle part au maniement des affaires publiques; où l'on voit avec chagrin quiconque tourne ses regards sur les malheurs de la patrie; où l'intérêt mal entendu du sultan se trouve en opposition avec l'intérêt de ses sujets; où, servir le prince, c'est trahir sa nation? Pour être juste et vertueux, il faut savoir quels sont les devoirs du prince et des sujets;

étudier les engagements réciproques qui lient ensemble tous les membres de la société. La justice n'est autre chose que la connaissance profonde de ces engagements. Pour s'élever à cette connaissance, il faut penser: or, quel homme ose penser, chez un peuple soumis au pouvoir arbitraire? La paresse, l'inutilité, l'inhabitude, et même le danger de penser en entraîne bientôt l'impuissance. L'on pense peu dans les pays où l'on tait ses pensées. En vain dirait-on qu'on s'y tait par prudence, pour faire accroire qu'on n'en pense pas moins: il est certain qu'on n'en pense pas plus, et que jamais les idées nobles et courageuses ne s'engendrent dans les têtes soumises au despotisme.

Dans ces gouvernements, l'on n'est jamais animé que de cet esprit d'égoïsme et de vertige qui annonce la destruction des empires. Chacun, tenant les yeux fixés sur son intérêt particulier, ne les détourne jamais sur l'intérêt général. Les peuples n'ont donc, en ces pays, aucune idée ni du bien public, ni des devoirs des citoyens. Les visirs, tirés du corps de cette même nation, n'ont donc, en entrant en place, aucun principe d'administration ni de justice; c'est donc pour faire leur cour, pour partager la puissance du souverain, et non pour faire le bien, qu'ils recherchent les grandes places.

Mais, en les supposant même animés du désir du bien, pour le faire, il faut s'éclairer: et les visirs, nécessairement emportés par les intrigues du sérail, n'ont pas le loisir de méditer.

D'ailleurs, pour s'éclairer, il faut s'exposer à la fatigue de l'étude et de la méditation: et quel motif les y pourrait engager? Ils n'y sont pas même excités par la crainte de la censure.

Si l'on peut comparer les petites choses aux grandes, qu'on se représente l'état de la république des lettres. Si l'on en bannissait les critiques, ne sent-on pas qu'affranchi de la crainte salutaire de la censure, qui force maintenant un auteur à soigner, à perfectionner ses talents, ce même auteur ne présenterait plus au public que des ouvrages négligés et imparfaits? Voilà précisément le cas où se trouvent les visirs; c'est la raison pour laquelle ils ne donnent aucune attention à l'administration des affaires, et ne doivent, en général, jamais consulter les gens éclairés.

De la Tolérance

Une religion intolérante, une religion dont le culte exige une dépense considérable, est, sans contredit, une religion nuisible. Il faut qu'à la longue son intolérance dépeuple l'empire, et que son culte trop coûteux le ruine. Il est des royaumes catholiques où l'on compte à peu près quinze mille couvents, douze mille prieurés, quinze mille chapelles, treize cents abbayes, quatre-vingt-dix mille prêtres employés à desservir quarante-cinq mille paroisses; où l'on compte, en outre, une infinité d'abbés, de séminaristes et d'ecclésiastiques de toute espèce. Leur nombre total compose au moins celui de trois cent mille hommes. Leur dépense suffirait à l'entretien d'une marine et d'une armée de terre formidable. Une religion, aussi à charge à un état, ne peut être longtemps la religion d'un empire éclairé et policé. Un peuple qui s'y soumet ne travaille plus que pour l'entretien du luxe et de l'aisance des prêtres, et chacun des citoyens n'est qu'un serf du sacerdoce.

Pour être bonne, il faut qu'une religion soit et peu coûteuse et tolérante. Il faut que son clergé ne puisse rien sur le citoyen. La crainte du prêtre dégrade l'esprit et l'âme, abrutit l'un, avilit l'autre. Armera-t-on toujours d'un glaive les ministres des autels? ignore-t-on les barbaries commises par leur intolérance? que de sang répandu par elle! la terre en est encore abreuvée. Pour assurer la paix des nations, ce n'est point assez de la tolérance civile. L'ecclésiastique doit concourir au même but. Tout dogme est un germe de discorde et de crime jeté entre les hommes. Quelle est la religion vraiment tolérante? celle, ou qui n'a, comme la païenne, aucun dogme, ou qui se réduit, comme celle des philosophes, à une morale saine et élevée, qui, sans doute, sera un jour la religion de l'univers.

Il faut, de plus, qu'une religion soit douce et humaine; que ses cérémonies n'aient rien de triste et de sévère; qu'elle présente partout des spectacles pompeux et des fêtes agréables; que son culte excite des passions, mais des passions dirigées au bien général; la religion qui les étouffe produit des Talapoins, des Bonzes, des Bramines, et jamais de héros, d'hommes illustres et de grands citoyens.

Une religion est-elle gaie? sa gaieté suppose une noble confiance dans la bonté de l'Être suprême. Pourquoi en faire un tyran oriental, lui faire punir des fautes légères par des châtiments éternels? Pourquoi mettre ainsi le nom de la divinité au bas du portrait du diable? Pourquoi comprimer les âmes sous le poids de la crainte, briser leurs ressorts, et d'un adorateur de Jésus faire un esclave vil et pusillanime? Ce sont les méchants qui peignent Dieu méchant. Qu'est-ce que leur dévotion? un voile à leurs crimes.

Une religion s'écarte du but politique qu'elle se propose, lorsque l'homme juste, humain envers ses semblables; lorsque l'homme distingué par ses talents et ses vertus n'est point assuré de la faveur du ciel; lorsqu'un désir momentané, un mouvement de colère, ou l'omission d'une messe peut à jamais l'en priver.

L'Esprit

L'esprit n'est autre chose qu'un assemblage d'idées et de combinaisons nouvelles. Si l'on avait fait, en un genre, toutes les combinaisons possibles, l'on n'y pourrait plus porter ni invention ni esprit; l'on pourrait être savant en ce genre, mais non pas spirituel. Il est donc évident que, s'il ne restait plus de découvertes à faire en aucun genre, alors tout serait science, et l'esprit serait impossible; on aurait remonté jusqu'aux principes des choses. Une fois parvenus à des principes généraux et simples, la science des faits qui nous y auraient élevés ne serait plus qu'une science futile, et toutes les bibliothèques, où ces faits sont renfermés, deviendraient inutiles. Alors, de tous les matériaux de la politique et de la législation, c'est-à-dire de toutes les histoires, on aurait extrait, par exemple, le petit nombre de principes qui, propres à maintenir entre les hommes le plus d'égalité possible, donneraient un jour naissance à la meilleure forme du gouvernement. Il en serait de même de la physique, et généralement de toutes les sciences. Alors l'esprit humain, épars dans une infinité d'ouvrages divers, serait, par une main habile, concentré dans un petit volume de principes; à peu près comme les esprits des fleurs, qui couvrent de vastes plaines, sont, par l'art du chimiste, facilement concentrés dans un vase d'essence.

L'esprit humain, à la vérité, est, en tout genre, fort loin du terme que je suppose. Je conviens que nous ne serons pas sitôt réduits à la triste nécessité de n'être que savants; et qu'enfin, grâce à l'ignorance humaine, il nous sera longtemps permis d'avoir de l'esprit.

CONDILLAC

1715–1780

EXTRAIT RAISONNÉ DU TRAITÉ DES SENSATIONS

Le principal objet de cet ouvrage est de faire voir comment toutes nos connaissances et toutes nos facultés viennent des sens, ou, pour parler plus exactement, des sensations: car dans le vrai, les sens ne sont que cause occasionnelle. Ils ne sentent pas, c'est l'âme seule qui sent à l'occasion des organes; et c'est des sensations qui la modifient, qu'elle tire toutes ses connaissances et toutes ses facultés.

Cette recherche peut infiniment contribuer aux progrès de l'art de raisonner; elle le peut seule développer jusque dans ses premiers principes. En effet, nous ne découvrirons pas une manière sûre de conduire constamment nos pensées, si nous ne savons pas comment elles se sont formées. Qu'attend-on de ces philosophes qui ont continuellement recours à un instinct qu'ils ne sauraient définir? Se flattera-t-on de tarir la source de nos erreurs, tant que notre âme agira aussi mystérieusement? Il faut donc nous observer dès les premières sensations que nous éprouvons; il faut démêler la raison de nos premières opérations, remonter à l'origine de nos idées, en développer la génération, les suivre jusqu'aux limites que la nature nous a prescrites: en un mot il faut, comme le dit Bacon, renouveler tout l'entendement humain. . . .

Le *Traité des sensations* est le seul ouvrage où l'on ait dépouillé l'homme de toutes ses habitudes. En observant le sentiment dans sa naissance, on y démontre comment nous acquérons l'usage de nos facultés; et ceux qui auront bien saisi le système de nos sensations, conviendront qu'il n'est plus nécessaire d'avoir recours aux mots vagues d'instinct, de mouvement machinal, et autres semblables, ou que du moins, si on les emploie, on pourra s'en faire des idées précises.

Mais, pour remplir l'objet de cet ouvrage, il fallait absolument mettre sous les yeux le principe de toutes nos opérations: aussi ne les perd-on jamais de vue. Il suffira de l'indiquer dans cet extrait.

Si l'homme n'avait aucun intérêt à s'occuper de ses sensations, les impressions que les objets feraient sur lui, passeraient comme des ombres et ne laisseraient point de traces. Après plusieurs années, il serait comme le premier instant, sans avoir acquis aucune connaissance et sans avoir d'autres facultés que le sentiment. Mais la nature de ses sensations ne lui permet pas de rester enseveli dans cette léthargie. Comme elles sont nécessairement agréables ou désagréables, il est intéressé à chercher les unes et à se dérober aux autres; et plus le contraste des plaisirs et des peines a de vivacité, plus il occasionne d'action dans l'âme.

Alors la privation d'un objet que nous jugeons nécessaire à notre bonheur, nous donne ce malaise, cette inquiétude que nous nommons *besoin*, et d'où naissent les désirs. Ces besoins se répètent suivant les circonstances, souvent même il s'en forme de nouveaux, et c'est là ce qui développe nos connaissances et nos facultés.

Locke est le premier qui ait remarqué que l'inquiétude causée par la privation d'un objet est le principe de nos déterminations. Mais il fait naître l'inquiétude du désir, et c'est précisément le contraire: il met d'ailleurs entre le désir et la volonté plus de différence qu'il n'y en a en effet; enfin il ne considère l'influence de l'inquiétude que dans un homme qui a l'usage de tous ses sens et l'exercice de toutes ses facultés.

Il restait donc à démontrer que cette inquiétude est le premier principe qui nous donne les habitudes de toucher, de voir, d'entendre, de sentir, de goûter, de comparer, de juger, de réfléchir, de désirer, d'aimer, de haïr, de craindre, d'espérer, de vouloir; que c'est par elle, en un mot, que naissent toutes les habitudes de l'âme et du corps. . . .

C'est donc des sensations que naît tout le système de l'homme: système complet dont toutes les parties sont liées, et se soutiennent mutuellement. C'est un enchaînement de vérités: les premières observations préparent celles qui les doivent suivre, les dernières confirment celles qui les ont précédées. Si, par exemple, en lisant la première partie on commence à penser que l'œil pourrait bien ne point juger par lui-même des grandeurs, des figures, des situations et des distances, on est tout à fait convaincu, lorsqu'on apprend dans la troisième comment le toucher lui donne toutes ces idées.

Si ce système porte sur des suppositions, toutes les conséquences qu'on en tire sont attestées par notre expérience. Il n'y a point d'homme, par exemple, borné à l'odorat: un pareil animal ne saurait veiller à sa conservation; mais pour la vérité des raisonnements que nous avons faits en l'observant, il suffit qu'un peu de réflexion sur nous-mêmes nous fasse reconnaître que nous pourrions devoir à l'odorat toutes les idées et toutes les facultés que nous découvrons dans cet homme, et qu'avec ce seul sens il ne nous serait pas possible d'en acquérir d'autres. On aurait pu se contenter de considérer l'odorat en faisant abstraction de la vue, de l'ouïe, du goût et du toucher: si on a imaginé des suppositions, c'est parce qu'elles rendent cette abstraction plus facile. . . .

Si une multitude de sensations se font à la fois avec le même degré de vivacité, ou à peu près, l'homme n'est encore qu'un animal qui sent: l'expérience seule suffit pour nous convaincre qu'alors la multitude des impressions ôte toute action à l'esprit.

Mais ne laissons subsister qu'une seule sensation, ou même, sans retrancher entièrement les autres, diminuons-en seulement la force: aussitôt l'esprit est occupé plus particulièrement de la sensation qui conserve toute sa vivacité, et cette sensation devient attention, sans qu'il soit nécessaire de supposer rien de plus dans l'âme.

Je suis, par exemple, peu attentif à ce que je vois, je ne le suis même point du tout, si tous mes sens assaillissent mon âme de toutes parts; mais les sensations de la vue deviennent attention, dès que mes yeux s'offrent seuls à l'action des objets. Cependant les impressions que j'éprouve peuvent être alors, et sont quelquefois si étendues, si variées et en si grand nombre, que j'aperçois une infinité de choses, sans être attentif à aucune; mais à peine j'arrête la vue sur un objet, que les sensations particulières que j'en reçois, sont l'attention même que je lui donne. Ainsi une sensation est attention, soit parce qu'elle est seule, soit parce qu'elle est plus vive que toutes les autres.

Qu'une nouvelle sensation acquière plus de vivacité que la première, elle deviendra à son tour attention.

Mais plus la première a eu de force, plus l'impression qu'elle a faite se conserve. L'expérience le prouve.

Notre capacité de sentir se partage donc entre la sensation que nous avons eue et celle que nous avons, nous les apercevons à la fois toutes deux; mais nous les apercevons différemment: l'une nous paraît passée, l'autre nous paraît actuelle.

Apercevoir ou sentir ces deux sensations, c'est la même chose: or ce sentiment prend le nom de *sensation*, lorsque l'impression se fait actuellement sur les sens, et il prend celui de *mémoire*, lorsque cette sensation, qui ne se fait pas actuellement, s'offre à nous comme une sensation qui s'est faite. La mémoire n'est donc que la sensation transformée.

Par là nous sommes capables de deux attentions: l'une s'exerce par la mémoire, et l'autre par les sens.

Dès qu'il y a double attention, il y a comparaison; car être attentif à deux idées ou les comparer, c'est la même chose. Or on ne peut les comparer, sans apercevoir entre elles quelque différence ou quelque ressemblance: apercevoir de pareils rapports, c'est *juger*. Les actions de comparer et de juger ne sont donc que l'attention même: c'est ainsi que la sensation devient successivement attention, comparaison, jugement.

Les objets que nous comparons ont une multitude de rapports, soit parce que les impressions qu'ils font sur nous sont tout à fait différentes, soit parce qu'elles diffèrent seulement du plus au moins, soit parce qu'étant semblables elles se combinent différemment dans chacun. En pareil cas l'attention que nous leur donnons, enveloppe d'abord toutes les sensations qu'ils occasionnent. Mais cette attention étant aussi partagée, nos comparaisons sont vagues, nous ne saisissons que des rapports confus, nos jugements sont imparfaits ou mal assurés: nous sommes donc obligés de porter notre attention d'un objet sur l'autre, en considérant séparément leurs qualités. Après avoir, par exemple, jugé de leur couleur, nous jugeons de leur figure, pour juger ensuite de leur grandeur; et parcourant de la sorte toutes les sensations qu'ils font sur nous, nous découvrons par une suite de comparaisons et de jugements les rapports qui sont entre eux, et le résultat de ces jugements est l'idée que nous nous formons de chacun. L'attention ainsi conduite est comme une lumière, qui réfléchit d'un corps sur un autre pour les éclairer tous deux, et je l'appelle *réflexion*. La sensation, après avoir été attention, comparaison, jugement, devient donc encore la réflexion même. . . .

Il n'y a de sensations indifférentes que par comparaison: chacune est en elle-même agréable ou désagréable: sentir et ne pas se sentir bien ou mal, sont des expressions tout à fait contradictoires.

Par conséquent, c'est le plaisir ou la peine qui, occupant notre capacité de sentir, produit cette attention d'où se forment la mémoire et le jugement.

Nous ne saurions donc être mal ou moins bien que nous avons été, que nous ne comparions l'état où nous sommes avec ceux par où nous avons passé. Plus nous faisons cette comparaison, plus nous ressentons cette inquiétude qui nous fait juger qu'il est important pour nous de changer de situation: nous sentons le besoin de quelque chose de mieux. Bientôt la mémoire nous rappelle l'objet que nous croyons pouvoir contribuer à notre bonheur, et dans l'instant l'action de toutes nos facultés se détermine vers cet objet. Or cette action des facultés est ce que nous nommons *désir*.

Que faisons-nous en effet lorsque nous désirons? Nous jugeons que la jouissance d'un bien nous est nécessaire. Aussitôt notre réflexion s'en occupe uniquement. S'il est présent, nous fixons les yeux sur lui, nous tendons les bras pour le saisir. S'il est absent, l'imagination le retrace, et peint vivement le plaisir d'en jouir. Le désir n'est donc que l'action des mêmes facultés qu'on attribue à l'entendement, et qui, étant déterminée vers un objet par l'inquiétude que cause sa privation, y détermine aussi l'action des facultés du corps. Or du désir naissent les passions, l'amour, la haine, l'espérance, la crainte, la volonté. Tout cela n'est donc encore que la sensation transformée. . . .

Le mot *idée* exprime une chose que personne, j'ose le dire, n'a encore bien expliquée. C'est pourquoi on dispute sur leur origine.

Une sensation n'est point encore une idée, tant qu'on ne la considère que comme un sentiment, qui se borne à modifier l'âme. Si j'éprouve actuellement de la douleur, je ne dirai pas que j'ai l'idée de la douleur, je dirai que je la sens.

Mais si je me rappelle une douleur que j'ai eue, le souvenir et l'idée sont alors une même chose; et si je dis que je me fais l'idée d'une douleur dont on me parle et que je n'ai jamais ressentie, c'est que j'en juge d'après une douleur que j'ai éprouvée, ou d'après une douleur que je souffre actuellement. Dans le premier cas, l'idée et le souvenir ne diffèrent encore point. Dans le second, l'idée est le sentiment d'une douleur actuelle, modifié par les jugements que je porte, pour me représenter la douleur d'un autre.

Les sensations actuelles de l'ouïe, du goût, de la vue et de l'odorat ne sont que des sentiments, lorsque ces sens n'ont point encore été instruits par le toucher, parce que l'âme ne peut alors les prendre que pour des modifications d'elle-même. Mais si ces sentiments n'existent que dans la mémoire qui les rappelle, ils deviennent des idées. On ne dit pas alors: *J'ai le sentiment de ce que j'ai été*, on dit: *J'en ai le souvenir, ou l'idée.*

La sensation actuelle comme passée de solidité est seule par elle-même tout à la fois sentiment et idée. Elle est sentiment par le rapport qu'elle a à l'âme qu'elle modifie; elle est idée par le rapport qu'elle a à quelque chose d'extérieur.

Cette sensation nous force bientôt à juger hors de nous toutes les modifications que l'âme reçoit par le toucher, c'est pourquoi chaque sensation du tact se trouve représentative des objets que la main saisit.

Le toucher accoutumé à rapporter ses sensations au dehors, fait contracter la même habitude aux autres sens. Toutes nos sensations nous paraissent les qualités des objets qui nous environnent: elles les représentent donc, elles sont des idées.

Mais il est évident que ces idées ne nous font point connaître ce que les êtres sont en eux-mêmes; elles ne les peignent que par les rapports qu'ils ont à nous, et cela seul démontre combien sont superflus les efforts des philosophes, qui prétendent pénétrer dans la nature des choses.

Nos sensations se rassemblent hors de nous, et forment autant de collections que nous distinguons d'objets sensibles. De là deux sortes d'idées: idées simples, idées complexes.

Chaque sensation, prise séparément, peut être regardée comme une idée simple; mais une idée complexe est formée de plusieurs sensations, que nous réunissons hors de nous. La blancheur de ce papier, par exemple, est une idée simple; et la collection de plusieurs sensations, telles que solidité, forme, blancheur, etc., est une idée complexe.

Les idées complexes sont complètes ou incomplètes: les premières comprennent toutes les qualités de la chose qu'elles représentent, les dernières n'en comprennent qu'une partie. Ne connaissant pas la nature des êtres, il n'y en a point dont nous puissions nous former une idée complète, et nous devons nous borner à découvrir les qualités qu'ils ont par rapport à nous. Nous n'avons des idées complètes qu'en mathématiques, parce que ces sciences n'ont pour objet que des notions abstraites.

Si l'on me demande donc ce que c'est qu'un corps, il faut répondre: *C'est cette collection de qualités que vous touchez, voyez, etc., quand l'objet est présent; et quand l'objet est absent, c'est le souvenir des qualités que vous avez touchées, vues, etc.*

Ici les idées se divisent encore en deux espèces: j'appelle les unes sensibles, les autres intellectuelles. Les idées sensibles nous représentent les objets qui agissent actuellement sur nos sens; les idées intellectuelles nous représentent ceux qui ont disparu après avoir fait leur impression: ces idées ne diffèrent les unes des autres que comme le souvenir diffère de la sensation.

Plus on a de mémoire, plus par conséquent on est capable d'acquérir d'idées intellectuelles. Ces idées sont le fond de nos connaissances, comme les idées sensibles en sont l'origine.

Ce fond devient l'objet de notre réflexion, nous pouvons par intervalles nous en occuper uniquement, et ne faire aucun usage de nos sens. C'est pourquoi il paraît en nous comme s'il y avait toujours été: on dirait qu'il a précédé toute espèce de sensations, et nous ne savons plus le considérer dans son principe: de là l'erreur des idées innées.

Les idées intellectuelles, si elles nous sont familières, se retracent presque toutes les fois que nous le voulons. C'est par elles que nous sommes capables de mieux juger des objets que nous rencontrons. Continuellement elles se comparent avec les idées sensibles, et elles font découvrir des rapports qui sont de nouvelles idées intellectuelles, dont le fond de nos connaissances s'enrichit.

En considérant les rapports de ressemblance, nous mettons dans une même classe tous les individus où nous remarquons les mêmes qualités: en considérant les rapports de différence, nous multiplions les classes, nous les subordonnons les unes aux autres, ou nous les distinguons à tous égards. De là les espèces, les genres, les idées abstraites et générales.

Mais nous n'avons point d'idée générale qui n'ait été particulière. Un premier objet que nous avons occasion de remarquer, est un modèle auquel nous rapportons tout ce qui lui ressemble; et cette idée, qui n'a d'abord été que singulière, devient d'autant plus générale que notre discernement est moins formé.

Nous passons donc tout à coup des idées particulières à de très générales, et nous ne descendons à des idées subordonnées qu'à mesure que nous laissons moins échapper les différences des choses.

Toutes ces idées ne forment qu'une chaîne: les sensibles se lient à la notion de l'étendue; en sorte que tous les corps ne nous paraissent que de l'étendue différemment modifiée; les intellectuelles se lient aux sensibles, d'où elles tirent leur origine: aussi se renouvellent-elles souvent à l'occasion de la plus légère impression qui se fait sur les sens. Le besoin qui nous les a données, est le principe qui nous les rend; et si elles passent et repassent sans cesse devant l'esprit, c'est que nos besoins se répètent et se succèdent continuellement.

Tel est, en général, le système de nos idées. Pour le rendre aussi simple et aussi clair, il fallait avoir analysé les opérations des sens. Les philosophes n'ont pas connu cette analyse, et c'est pourquoi ils ont mal raisonné sur cette matière.

BUFFON

1707–1788

HISTOIRE NATURELLE

Premier Discours

De la manière d'étudier et de traiter l'Histoire Naturelle.

. . . Mais sans insister plus longtemps sur l'utilité qu'on doit tirer de l'Histoire Naturelle, soit par rapport aux autres sciences, soit par rapport aux arts, revenons à notre objet principal, à la manière de l'étudier et de la traiter. La description exacte et l'histoire fidèle de chaque chose est, comme nous l'avons dit, le seul but qu'on doive se proposer d'abord. Dans la description l'on doit faire entrer la forme, la grandeur, le poids, les couleurs, les situations de repos et de mouvements, la position des parties, leurs rapports, leur figure, leur action et toutes les fonctions extérieures: si l'on peut joindre à tout cela l'exposition des parties intérieures, la description n'en sera que plus complète; seulement on doit prendre garde de tomber dans de trop petits détails, ou de s'appesantir sur la description de quelque partie peu importante, et de traiter trop légèrement les choses essentielles et principales. L'histoire doit suivre la description, et doit uniquement rouler sur des rapports que les choses naturelles ont entr'elles et avec nous; l'histoire d'un animal doit être non pas l'histoire de l'individu, mais celle de l'espèce entière de ces animaux; elle doit comprendre leur génération, le temps de la pregnation, celui de l'accouchement, le nombre des petits, les soins des pères et des mères, leur espèce d'éducation, leur instinct, les lieux de leur habitation, leur nourriture, la manière dont ils se la procurent, leurs mœurs, leurs ruses, leur chasse, ensuite les services qu'ils peuvent nous rendre, et toutes les utilités ou les commodités que nous pouvons en tirer; et lorsque dans l'intérieur du corps de l'animal il y a des choses remarquables, soit par la conformation, soit pour les usages qu'on en peut faire, on doit les ajouter ou à la description ou à l'histoire; mais ce serait un objet étranger à l'Histoire Naturelle, que d'entrer dans un examen anatomique trop circonstancié, ou du moins ce n'est pas son objet principal, et il faut réserver ces détails pour servir de mémoires sur l'anatomie comparée.

Ce plan général doit être suivi et rempli avec toute l'exactitude possible, et pour ne pas tomber dans une répétition trop fréquente du même ordre, pour éviter la monotonie du style, il faut varier la forme des descriptions et changer le fil de l'histoire, selon qu'on le jugera nécessaire; de même pour rendre les descriptions moins sèches, y mêler quelques faits, quelques comparaisons, quelques réflexions sur les usages des différentes parties, en un mot, faire en sorte qu'on puisse vous lire sans ennui aussi bien que sans contention.

A l'égard de l'ordre général et de la méthode de distribution des différents sujets de l'Histoire Naturelle, on pourrait dire qu'il est purement arbitraire, et dès lors on est assez le maître de choisir celui qu'on regarde comme le plus commode ou le plus communément reçu; mais avant que de donner les raisons qui pourraient déterminer à adopter un ordre plutôt qu'un autre, il est nécessaire de faire encore quelques réflexions, par lesquelles nous tâcherons de faire sentir ce qu'il peut y avoir de réel dans les divisions que l'on a faites des productions naturelles.

Pour le reconnaître il faut nous défaire un instant de tous nos préjugés, et même nous dépouiller de nos idées. Imaginons un homme qui a en effet tout oublié ou qui s'éveille tout neuf pour les objets qui l'environnent; plaçons cet homme dans une campagne où les animaux, les oiseaux, les poissons, les plantes, les pierres se présentent successivement à ses yeux. Dans les premiers instants cet homme ne distinguera rien et confondra tout; mais laissons ses idées s'affermir peu à peu par des sensations réitérées des mêmes objets; bientôt il se formera une idée générale de la matière animée, il la distinguera aisément de la matière inanimée, et peu de temps après il distinguera très bien la matière animée de la matière végétative, et naturellement il arrivera à cette première grande division, *Animal*, *Végétal* et *Minéral;* et comme il aura pris en même temps une idée nette de ces grands objets si différents, la *Terre*, l'*Air* et l'*Eau*, il viendra en peu de temps à se former une idée particulière des animaux qui habitent la terre, de ceux qui demeurent dans l'eau, et de ceux qui s'élèvent dans l'air, et par conséquent il se fera aisément à lui-même cette seconde division, *Animaux quadrupèdes, Oiseaux, Poissons;* il en est de même dans le règne végétal, des arbres et des plantes, il les distinguera très bien, soit par leur grandeur, soit par leur substance, soit par leur figure. Voilà ce que la simple inspection doit nécessairement lui donner, et ce qu'avec une très légère attention il ne peut manquer de reconnaître; c'est là aussi ce que nous devons regarder comme réel, et ce que nous devons respecter comme une division donnée par la Nature même. Ensuite mettons-nous à la place de cet homme, ou supposons qu'il ait acquis autant de connaissances, et qu'il ait autant d'expérience que nous en avons, il viendra à juger les objets de l'Histoire Naturelle par les rapports qu'ils auront avec lui; ceux qui lui seront les plus nécessaires, les plus utiles, tiendront le premier rang, par exemple, il donnera la préférence dans l'ordre des animaux au cheval, au chien, au bœuf, etc., et il connaîtra toujours mieux ceux qui lui seront les plus familiers; ensuite il s'occupera de ceux qui, sans être familiers, ne laissent pas que d'habiter les mêmes lieux, les mêmes climats, comme les cerfs, les lièvres, et tous les animaux sauvages, et ce ne sera qu'après toutes ces connaissances acquises que sa curiosité le portera à rechercher ce que peuvent être les animaux des climats étrangers, comme les éléphants, les dromadaires, etc. Il en sera de même pour les poissons, pour les oiseaux, pour les insectes, pour les coquillages, pour les plantes, pour les minéraux, et pour toutes les autres productions de la Nature; il les étudiera à proportion de l'utilité qu'il en pourra tirer, il les considérera à mesure qu'ils se présenteront plus familièrement, et il les rangera dans sa tête relativement à cet ordre de ses connaissances, parce que c'est en effet l'ordre selon lequel il les a acquises, et selon lequel il lui importe de les conserver.

Cet ordre le plus naturel de tous, est celui que nous avons cru devoir suivre. Notre méthode de distribution n'est pas plus mystérieuse que ce qu'on vient de voir, nous partons des divisions générales telles qu'on vient de les indiquer, et que personne ne peut contester, ensuite nous prenons les objets qui nous intéressent le plus par les rapports qu'ils ont avec nous, de là nous passons peu à peu jusqu'à ceux qui sont les plus éloignés, et qui nous sont étrangers, et nous croyons que cette façon simple et naturelle de considérer les choses, est préférable aux méthodes les plus recherchées et les plus composées, parce qu'il n'y en a pas une, et de celles qui sont faites, et de toutes celles que l'on peut faire, où il n'y ait plus d'arbitraire que dans celle-ci, et qu'à tout prendre il nous est plus facile, plus agréable et plus utile de considérer les choses par rapport à nous, que sous un autre point de vue. . . .

Dans ce siècle même où les Sciences paraissent être cultivées avec soin, je crois qu'il est aisé de s'apercevoir que la Philosophie est négligée, et peut-être plus que dans aucun autre siècle; les arts qu'on veut appeler scientifiques, ont pris sa place; les méthodes de Calcul et de Géométrie, celles de Botanique et d'Histoire Naturelle, les formules, en un mot, et les dictionnaires occupent presque tout le monde; on s'imagine savoir davantage, parce qu'on a augmenté le nombre des expressions symboliques et des phrases savantes, et on ne fait point attention que tous ces arts ne sont que des échafaudages pour arriver à la science, et non pas la science elle-même, qu'il ne faut s'en servir que lorsqu'on ne peut s'en passer, et qu'on doit toujours se défier qu'ils ne viennent à nous manquer lorsque nous voudrons les appliquer à l'édifice.

La Vérité

La vérité, cet être métaphysique dont tout le monde croit avoir une idée claire, me paraît confondue dans un si grand nombre d'objets étrangers auxquels on donne son nom, que je ne suis pas surpris qu'on ait de la peine à la reconnaître. Les préjugés et les fausses applications se sont multipliées à mesure que nos hypothèses ont été plus savantes, plus abstraites et plus perfectionnées; il est donc plus difficile que jamais de reconnaître ce que nous pouvons savoir, et de le distinguer nettement de ce que nous devons ignorer. Les réflexions suivantes serviront au moins d'avis sur ce sujet important.

Le mot de vérité ne fait naître qu'une idée vague, il n'a jamais eu de définition précise, et la définition elle-même prise dans un sens général et absolu, n'est qu'une abstraction qui n'existe qu'en vertu de quelque supposition; au lieu de chercher à faire une définition de la vérité, cherchons donc à faire une énumération, voyons de près ce qu'on appelle communément vérités, et tâchons de nous en former des idées nettes.

Il y a plusieurs espèces de vérités, et on a coutume de mettre dans le premier ordre les vérités mathématiques, ce ne sont cependant que des vérités de définition; ces définitions portent sur des suppositions simples, mais abstraites, et toutes les vérités en ce genre ne sont que des conséquences composées, mais toujours abstraites, de ces définitions. Nous avons fait les suppositions, nous les avons combinées de toutes les façons, ce corps de combinaisons est la science mathématique; il n'y a donc rien dans cette science que ce que nous y avons mis, et les vérités qu'on en tire ne peuvent être que des expressions différentes sous lesquelles se présentent les suppositions que nous avons employées; ainsi les vérités mathématiques ne sont que les répétitions exactes des définitions ou suppositions. La dernière conséquence n'est vraie que parce qu'elle est identique avec celle qui la précède, et que celle-ci l'est avec la précédente, et ainsi de suite en remontant jusqu'à la première supposition; et comme les définitions sont les seuls principes sur lesquels tout est établi, et qu'elles sont arbitraires et relatives, toutes les conséquences qu'on en peut tirer sont également arbitraires et relatives. Ce qu'on appelle vérités mathématiques se réduit donc à des identités d'idées et n'a aucune réalité; nous supposons, nous raisonnons sur nos suppositions, nous en tirons des conséquences, nous concluons, la conclusion ou dernière conséquence est une proposition vraie, relativement à notre supposition, mais cette vérité n'est pas plus réelle que la supposition elle-même. Ce n'est point ici le lieu de nous étendre sur les usages des sciences mathématiques, non plus que sur l'abus qu'on en peut faire, il nous suffit d'avoir prouvé que les vérités mathématiques ne sont que des vérités de définition, ou, si l'on veut, des expressions différentes de la même chose, et qu'elles ne sont vérités que relativement à ces mêmes définitions que nous avons faites; c'est par cette raison qu'elles ont l'avantage d'être toujours exactes et démonstratives, mais abstraites, intellectuelles et arbitraires.

Les vérités physiques, au contraire, ne sont nullement arbitraires et ne dépendent point de nous, au lieu d'être fondées sur des suppositions que nous ayons faites, elles ne sont appuyées que sur des faits; une suite de faits semblables, ou, si l'on veut, une répétition fréquente et une succession non interrompue des mêmes événements, fait l'essence de la vérité physique; ce qu'on appelle vérité physique n'est donc qu'une probabilité, mais une probabilité si grande qu'elle équivaut à une certitude. En Mathématique on suppose, en Physique on pose et on établit; là ce sont des définitions, ici ce sont des faits, on va de définitions en définitions dans les sciences abstraites, on marche d'observations en observations dans les sciences réelles; dans les premières on arrive à l'évidence, dans les dernières à la certitude. Le mot de vérité comprend l'une et l'autre, et répond par conséquent à deux idées différentes, sa signification est vague et composée, il n'était donc pas possible de la définir généralement; il fallait, comme nous venons de le faire, en distinguer les genres afin de s'en former une idée nette.

Je ne parlerai pas des autres ordres de vérités; celles de la Morale, par exemple, qui sont en parties réelles et en parties arbitraires, demanderaient une longue discussion qui nous éloignerait de notre but, et cela d'autant plus qu'elles n'ont pour objet et pour fin que des convenances et des probabilités.

L'évidence mathématique et la certitude physique sont donc les deux seuls points sous lesquels nous devons considérer la vérité; dès qu'elle s'éloignera de l'une ou de l'autre, ce n'est plus que vraisemblance et probabilité. Examinons donc ce que nous pouvons savoir de science évidente ou certaine, après quoi nous verrons ce que nous ne pouvons connaître que par conjecture, et enfin ce que nous devons ignorer.

Influence du climat sur le physique

La couleur de la peau, des cheveux et des yeux, varie par la seule influence du climat; les autres changements tels que ceux de la taille, de la forme des traits et de la qualité des cheveux, ne me paraissent pas dépendre de cette seule cause; car, dans la race des Nègres, lesquels, comme l'on sait, ont pour la plupart la tête couverte d'une laine crépue, le nez épaté, les lèvres épaisses, on trouve des nations entières avec de longs et vrais cheveux, avec des traits réguliers; et si l'on comparait dans la race des blancs le Danois au Calmouque,[1] ou seulement le Finlandais au Lapon dont il est si voisin, on trouverait entre eux autant de différence pour les traits et la taille, qu'il y en a dans la race des Noirs: par conséquent il faut admettre pour ces altérations qui sont plus profondes que les premières, quelques autres causes réunies avec celle du climat: la plus générale et la plus directe est la qualité de la nourriture; c'est principalement par les aliments que l'homme reçoit l'influence de la terre qu'il habite, celle de l'air et du ciel agit plus superficiellement; et tandis qu'elle altère la surface la plus extérieure en changeant la couleur de la peau, la nourriture agit sur la forme intérieure par ses propriétés qui sont constamment relatives à celles de la terre qui la produit. On voit dans le même pays des différences marquées entre les hommes qui en occupent les hauteurs, et ceux qui demeurent dans les lieux bas; les habitants de la montagne sont toujours mieux faits, plus vifs et plus beaux que ceux de la vallée; à plus forte raison dans des climats éloignés du climat primitif, dans des climats où les herbes, les fruits, les grains et la chair des animaux sont de qualité et même de substance différentes, les hommes qui s'en nourrissent doivent devenir différents. Ces impressions ne se font pas subitement, ni même dans l'espace de quelques années; il faut du temps pour que l'homme reçoive la teinture du ciel, il en faut encore plus pour que la terre lui transmette ses qualités; et il a fallu des siècles joints à un usage toujours constant des mêmes nourritures, pour influer sur la forme des traits, sur la grandeur du corps, sur la substance des cheveux, et produire ces altérations intérieures, qui, s'étant ensuite perpétuées par la génération, sont devenues les caractères généraux et constants auxquels on reconnaît les races et même les nations différentes qui composent le genre humain.

La Nature et l'homme

La nature est le trône extérieur de la magnificence divine; l'homme qui la contemple, qui l'étudie, s'élève par degrés au trône intérieur de la toute-puissance; fait pour adorer le Créateur, il commande à toutes les créatures; vassal du ciel, roi de la terre, il l'anoblit, la peuple et l'enrichit; il établit entre les êtres vivants

[1] Kalmouk.

l'ordre, la subordination, l'harmonie; il embellit la nature même, il la cultive, l'étend et la polit; en élague le chardon et la ronce, y multiplie le raisin et la rose. Voyez ces plages désertes, ces tristes contrées où l'homme n'a jamais résidé, couvertes ou plutôt hérissées de bois épais et noirs dans toutes les parties élevées; des arbres sans écorce et sans cime, courbés, rompus, tombant de vétusté, d'autres en plus grand nombre, gisant auprès des premiers, pour pourrir sur des monceaux déjà pourris, étouffent, ensevelissent les germes prêts à éclore. La nature qui partout ailleurs brille par sa jeunesse, paraît ici dans la décrépitude; la terre surchargée par le poids, surmontée par les débris de ses productions, n'offre au lieu d'une verdure florissante, qu'un espace encombré, traversé de vieux arbres chargés de plantes parasites, de lichens, d'agarics, fruits impurs de la corruption: dans toutes les parties basses, des eaux mortes et croupissantes faute d'être conduites et dirigées; des terrains fangeux, qui n'étant ni solides ni liquides, sont inabordables, et demeurent également inutiles aux habitants de la terre et des eaux; des marécages qui, couverts de plantes aquatiques et fétides, ne nourrissent que des insectes vénéneux, et servent de repaires aux animaux immondes. Entre ces marais infects qui occupent les lieux bas, et les forêts décrépites qui couvrent les terres élevées, s'étendent des espèces de landes, des savanes qui n'ont rien de commun avec nos prairies; les mauvaises herbes y surmontent, y étouffent les bonnes; ce n'est point ce gazon fin qui semble faire le duvet de la terre, ce n'est point cette pelouse émaillée qui annonce sa brillante fécondité; ce sont des végétaux agrestes, des herbes dures, épineuses, entrelacées les unes dans les autres, qui semblent moins tenir à la terre qu'elles ne tiennent entre elles, et qui, se desséchant et repoussant successivement les unes sur les autres, forment une bourre grossière épaisse de plusieurs pieds. Nulle route, nulle communication, nul vestige d'intelligence dans ces lieux sauvages; l'homme obligé de suivre les sentiers de la bête farouche, s'il veut les parcourir; contraint de veiller sans cesse pour éviter d'en devenir la proie; effrayé de leurs rugissements, saisi du silence même de ces profondes solitudes, il rebrousse chemin, et dit: La nature brute est hideuse et mourante; c'est moi, moi seul qui peux la rendre agréable et vivante: desséchons ces marais, animons ces eaux mortes en les faisant couler, formons-en des ruisseaux, des canaux; employons cet élément actif et dévorant qu'on nous avait caché et que nous ne devons qu'à nous-mêmes; mettons le feu à cette bourre superflue, à ces vieilles forêts déjà à demi consommées; achevons de détruire avec le fer ce que le feu n'aura pu consumer: bientôt au lieu du jonc, du nénuphar, dont le crapaud composait son venin, nous verrons paraître la renoncule, le trèfle, les herbes douces et salutaires; des troupeaux d'animaux bondissants fouleront cette terre jadis impraticable; ils y trouveront une subsistance abondante, une pâture toujours renaissante; ils se multiplieront pour se multiplier encore: servons-nous de ces nouveaux aides pour achever notre ouvrage; que le bœuf soumis au joug, emploie ses forces et le poids de sa masse à sillonner la terre, qu'elle rajeunisse par la culture; une nature nouvelle va sortir de nos mains.

Qu'elle est belle, cette nature cultivée! que par les soins de l'homme elle est brillante et pompeusement parée! Il en fait lui-même le principal ornement, il en est la production la plus noble; en se multipliant, il en multiplie le germe le plus précieux, elle-même aussi semble se multiplier avec lui; il met au jour, par son art, tout ce qu'elle recélait dans son sein; que de trésors ignorés, que de richesses nouvelles! Les fleurs, les fruits, les grains perfectionnés, multipliés à l'infini; les espèces utiles d'animaux transportées, propagées, augmentées sans nombre; les espèces nuisibles réduites, confinées, reléguées: l'or, et le fer plus nécessaire que l'or, tirés des entrailles de la terre: les torrents contenus, les fleuves dirigés, resserrés; la mer même soumise, reconnue, traversée d'un hémisphère à l'autre; la terre accessible partout, partout rendue aussi vivante que féconde; dans les vallées de riantes prairies, dans les plaines de riches pâturages ou des moissons encore plus riches; les collines chargées de vignes et de fruits, leurs sommets couronnés d'arbres utiles et de jeunes forêts; les déserts devenus des cités habitées par un peuple immense qui, circulant sans cesse, se répand de ces centres jusqu'aux extrémités; des routes ouvertes et fréquentées, des communications établies partout comme autant de témoins de la force et de l'union de la société; mille autres monuments de puissance et de gloire démontrent assez que l'homme, maître du domaine de la terre, en a changé, renouvelé la surface entière, et que de tout temps il en partage l'empire avec la nature.

Cependant il ne règne que par droit de conquête; il jouit plutôt qu'il ne possède, il ne conserve que par des soins toujours renouvelés; s'ils cessent, tout languit, tout s'altère, tout change, tout rentre sous la main de la nature: elle reprend ses droits, efface les ouvrages de l'homme, couvre de poussière et de mousse ses plus fastueux monuments, les détruit avec le temps, et ne lui laisse que le regret d'avoir perdu par sa faute ce que ses ancêtres avaient conquis par leurs travaux. Ces temps où l'homme perd son domaine, ces siècles de barbarie pendant lesquels tout périt, sont toujours préparés par la guerre, et arrivent avec la disette et la dépopulation. L'homme qui ne peut que par le nombre, qui n'est fort que par sa réunion, qui n'est heureux que par la paix, a la fureur de s'armer pour son malheur et de combattre pour sa ruine: excité par l'insatiable avidité, aveuglé par l'ambition encore plus insatiable, il renonce aux sentiments d'humanité, tourne toutes ses forces contre lui-même, cherche à s'entre-détruire, se détruit en effet; et après ces jours de sang et de carnage, lorsque la fumée de la gloire s'est dissipée, il voit d'un œil triste la terre dévastée, les arts ensevelis, les nations dispersées, les peuples affaiblis, son propre bonheur ruiné et sa puissance réelle anéantie.

Grand Dieu! dont la seule présence soutient la nature et maintient l'harmonie des lois de l'univers; vous qui du trône immobile de l'empyrée, voyez rouler sous vos pieds toutes les sphères célestes sans choc et sans confusion; qui du sein du repos, reproduisez à chaque instant leurs mouvements immenses, et seul régissez dans une paix profonde ce nombre infini de cieux et de mondes; rendez, rendez enfin le calme à la terre agitée! Qu'elle soit dans le silence! qu'à votre voix la discorde et la guerre cessent de faire retentir leurs clameurs orgueilleuses! Dieu de bonté! auteur de tous les êtres, vos regards paternels embrassent tous les objets de la création; mais l'homme est votre être de choix; vous avez éclairé son âme d'un rayon de votre lumière immortelle; comblez vos bienfaits en pénétrant son cœur d'un trait de votre amour: ce sentiment divin se répandant partout, réunira les natures ennemies; l'homme ne craindra plus l'aspect de l'homme, le fer homicide n'armera plus sa main; le feu dévorant de la guerre ne fera plus tarir la source des générations; l'espèce humaine, maintenant affaiblie, mutilée, moissonnée dans sa fleur, germera de nouveau et se multipliera sans nombre; la nature accablée sous le poids des fléaux, stérile, abandonnée, reprendra bientôt avec une nouvelle vie son ancienne fécondité; et nous, Dieu bienfaiteur, nous la seconderons, nous la cultiverons, nous l'observerons sans cesse pour vous offrir à chaque instant un nouveau tribut de reconnaissance et d'admiration.

Le premier homme raconte ses premières impressions

Je me souviens de cet instant plein de joie et de trouble, où je sentis pour la première fois ma singulière existence; je ne savais ce que j'étais, où j'étais, d'où je venais, J'ouvris les yeux, quel surcroît de sensations! la lumière, la voûte céleste, la verdure de la terre, le cristal des eaux, tout m'occupait, m'animait et me donnait un sentiment inexprimable de plaisir: je crus d'abord que tous ces objets étaient en moi, et faisaient partie de moi-même.

Je m'affermissais dans cette pensée naissante lorsque je tournai les yeux vers l'astre de la lumière, son éclat me blessa; je fermai involontairement la paupière, et je sentis une légère douleur. Dans ce moment d'obscurité, je crus avoir perdu presque tout mon être.

Affligé, saisi d'étonnement, je pensais à ce grand changement, quand tout à coup j'entendis des sons; le chant des oiseaux, le murmure des airs, formaient un concert dont la douce impression me remuait jusqu'au fond de l'âme; j'écoutai longtemps, et je me persuadai bientôt que cette harmonie était moi.

Attentif, occupé tout entier de ce nouveau genre d'existence, j'oubliais déjà la lumière, cette autre partie de mon être que j'avais connue la première, lorsque je rouvris les yeux. Quelle joie de me retrouver en possession de tant d'objets brillants! mon plaisir surpassa tout ce que j'avais senti la première fois, et suspendit pour un temps le charmant effet des sons.

Je fixai mes regards sur mille objets divers, je m'aperçus bientôt que je pouvais perdre et retrouver ces objets, et que j'avais la puissance de détruire et de reproduire à mon gré cette belle partie de moi-même; et quoiqu'elle me parût immense en grandeur par la quantité des accidents de lumière et par la variété des couleurs, je crus reconnaître que tout était contenu dans une portion de mon être.

Je commençais à voir sans émotion et à entendre sans trouble, lorsqu'un air léger dont je sentis la fraîcheur, m'apporta des parfums qui me causèrent un épanouissement intime, et me donnèrent un sentiment d'amour pour moi-même.

Agité par toutes ces sensations, pressé par les plaisirs d'une si belle et si grande existence, je me levai tout d'un coup, et je me sentis transporté par une force inconnue.

Je ne fis qu'un pas, la nouveauté de ma situation me rendit immobile, ma surprise fut extrême; je crus que mon existence fuyait, le mouvement que j'avais fait avait confondu les objets; je m'imaginais que tout était en désordre.

Je portai la main sur ma tête, je touchai mon front et mes yeux, je parcourus mon corps, ma main me parut être alors le principal organe de mon existence; ce que je sentais dans cette partie était si distinct et si complet, la jouissance m'en paraissait si parfaite en comparaison du plaisir que m'avaient causé la lumière et les sons, que je m'attachai tout entier à cette partie solide de mon être, et je sentis que mes idées prenaient de la profondeur et de la réalité.

Tout ce que je touchais sur moi semblait rendre à ma main sentiment pour sentiment, et chaque attouchement produisait dans mon âme une double idée.

Je ne fus pas longtemps sans m'apercevoir que cette faculté de sentir était répandue dans toutes les parties de mon être; je reconnus bientôt les limites de mon existence qui m'avait d'abord paru immense en étendue.

J'avais jeté les yeux sur mon corps, je le jugeais d'un volume énorme et si grand, que tous les objets qui avaient frappé mes yeux ne me paraissaient être en comparaison que des points lumineux.

Je m'examinai longtemps, je me regardais avec plaisir, je suivais ma main de l'œil et j'observais ses mouvements; j'eus sur tout cela les idées les plus étranges, je croyais que le mouvement de ma main n'était qu'une espèce d'existence fugitive, une succession de choses semblables, je l'approchai de mes yeux; elle me parut alors plus grande que tout mon corps, et elle fit disparaître à ma vue un nombre infini d'objets.

Je commençai à soupçonner qu'il y avait de l'illusion dans cette sensation qui me venait par les yeux; j'avais vu distinctement que ma main n'était qu'une petite partie de mon corps, et je ne pouvais comprendre qu'elle fût augmentée au point de me paraître d'une grandeur démesurée, je résolus donc de ne me fier qu'au toucher qui ne m'avait pas encore trompé, et d'être en garde sur toutes les autres façons de sentir et d'être.

Cette précaution me fut utile, je m'étais remis en mouvement et je marchais la tête haute et levée vers le ciel, je me heurtai légèrement contre un palmier: saisi d'effroi, je portai ma main sur ce corps étranger, je le jugeai tel, parce qu'il ne me rendit pas sentiment pour sentiment; je me détournai avec une espèce d'horreur, et je connus pour la première fois qu'il y avait quelque chose hors de moi.

Plus agité par cette nouvelle découverte que je ne l'avais été par toutes les autres, j'eus peine à me rassurer, et, après avoir médité sur cet événement, je conclus que je devais juger des objets extérieurs comme j'avais jugé des parties de mon corps, et qu'il n'y avait que le toucher qui pût m'assurer de leur existence.

Je cherchai donc à toucher tout ce que je voyais, je voulais toucher le soleil, j'étendais les bras pour embrasser l'horizon, et je ne trouvais que le vide des airs.

A chaque expérience que je tentais, je tombais de surprise en surprise, car tous les objets me paraissaient être également près de moi, et ce ne fut qu'après une infinité d'épreuves que j'appris à me servir de mes yeux pour guider ma main, et, comme elle me donnait des idées toutes différentes des impressions que je recevais par le sens de la vue, mes sensations n'étant pas d'accord entre elles, mes jugements n'en étaient que plus imparfaits, et le total de mon être n'était encore pour moi-même qu'une existence en confusion.

Profondément occupé de moi, de ce que j'étais, de ce que je pouvais être, les contrariétés que je venais d'éprouver m'humilièrent, plus je réfléchissais, plus il se présentait de doutes; lassé de tant d'incertitudes, fatigué des mouvements de mon âme, mes genous fléchirent et je me trouvai dans une situation de repos.

Cet état de tranquillité donna de nouvelles forces à mes sens, j'étais assis à l'ombre d'un bel arbre, des fruits d'une couleur vermeille descendaient en forme de grappe à la portée de ma main, je les touchai légèrement, aussitôt ils se séparèrent de la branche, comme la figue s'en sépare dans le temps de sa maturité.

J'avais saisi un de ces fruits, je m'imaginais avoir fait une conquête, et je me glorifiais de la faculté que je sentais, de pouvoir contenir dans ma main un autre être tout entier; sa pesanteur, quoique peu sensible, me parut une résistance animée que je me faisais un plaisir de vaincre.

J'avais approché ce fruit de mes yeux, j'en considérais la forme et les couleurs, une odeur délicieuse me le fit approcher davantage, il se trouva près de mes lèvres; je tirais à longues inspirations le parfum, et goûtais à longs traits les plaisirs de l'odorat; j'étais intérieurement rempli de cet air embaumé, ma bouche s'ouvrit pour l'exhaler, elle se rouvrit pour en reprendre, je sentis que je possédais un odorat intérieur plus fin, plus délicat encore que le premier, enfin je goûtai.

Quelle saveur! quelle nouveauté de sensation! Jusque là je n'avais eu que des plaisirs; le goût me donna le sentiment de la volupté, l'intimité de la jouissance fit naître l'idée de la possession, je crus que la substance de ce fruit était devenue la mienne, et que j'étais le maître de transformer les êtres.

Flatté de cette idée de puissance, incité par le plaisir que j'avais senti, je cueillis un second et un troisième fruit, et je ne me lassais pas d'exercer ma main pour satisfaire mon goût; mais une langueur agréable s'emparant peu à peu de tous mes sens, appesantit mes membres et suspendit l'activité de mon âme; je jugeais de son inaction par la mollesse de mes pensées, mes sensations émoussées arrondissaient tous les objets et ne me présentaient que des images faibles et mal terminées; dans cet instant mes yeux devenus inutiles se fermèrent, et ma tête n'étant plus soutenue par la force des muscles, pencha pour trouver un appui sur le gazon.

Tout fut effacé, tout disparut, la trace de mes pensées fut interrompue, je perdis le sentiment de mon existence: ce sommeil fut profond, mais je ne sais s'il fut de longue durée, n'ayant point encore l'idée du temps et ne pouvant le mesurer; mon réveil ne fut qu'une seconde naissance, et je sentis seulement que j'avais cessé d'être.

Cet anéantissement que je venais d'éprouver, me donna quelque idée de crainte, et me fit sentir que je ne devais pas exister toujours.

J'eus une autre inquiétude, je ne savais si je n'avais pas laissé dans le sommeil quelques parties de mon être, j'essayais mes sens, je cherchai à me reconnaître.

Le Lion

Dans l'espèce humaine, l'influence du climat ne se marque que par des variétés assez légères, parce que cette espèce est une, et qu'elle est très distinctement séparée de toutes les autres espèces; l'homme, blanc en Europe, noir en Afrique, jaune en Asie, et rouge en Amérique, n'est que le même homme teint de la couleur du climat: comme il est fait pour règner sur la terre, que le globe entier est son domaine, il semble que sa nature se soit prêtée à toutes les situations; sous les feux du midi, dans les glaces du nord, il vit, il multiplie, il se trouve partout si anciennement répandu, qu'il ne paraît affecter aucun climat particulier. Dans les animaux, au contraire, l'influence du climat est plus forte et se marque par des caractères plus sensibles, parce que les espèces sont diverses et que leur nature est infiniment moins perfectionnée, moins étendue que celle de l'homme. Non seulement les variétés dans chaque espèce sont plus nombreuses et plus marquées que dans l'espèce humaine, mais les différences même des espèces semblent dépendre des différents climats; les unes ne peuvent se propager que dans les pays chauds, les autres ne peuvent subsister que dans les climats froids; le lion n'a jamais habité les régions du nord, le renne ne s'est jamais trouvé dans les contrées du midi, et il n'y a peut-être aucun animal dont l'espèce soit, comme celle de l'homme, généralement répandue sur toute la surface de la terre; chacun a son pays, sa patrie naturelle, dans laquelle chacun est retenu par nécessité physique; chacun est fils de la terre qu'il habite, et c'est dans ce sens qu'on doit dire que tel animal est originaire de tel ou tel climat.

Dans les pays chauds, les animaux terrestres sont plus grands et plus forts que dans les pays froids ou tempérés, ils sont aussi plus hardis, plus féroces; toutes leurs qualités naturelles semblent tenir de l'ardeur du climat. Le lion né sous le soleil brûlant de l'Afrique et des Indes, est le plus fort, le plus fier, le plus terrible de tous: nos loups, nos autres animaux carnassiers, loin d'être ses rivaux, seraient à peine dignes d'être ses pourvoyeurs. Les lions d'Amérique, s'ils méritent ce nom, sont, comme le climat, infiniment plus doux que ceux de l'Afrique; et, ce qui prouve évidemment que l'excès de leur férocité vient de l'excès de la chaleur, c'est que, dans le même pays, ceux qui habitent les hautes montagnes, où l'air est plus tempéré, sont d'un naturel différent de ceux qui demeurent dans les plaines où la chaleur est extrême. Les lions du mont Atlas, dont la cime est quelquefois couverte de neige, n'ont ni la hardiesse, ni la force, ni la férocité des lions du Biledulgerid [2] ou du Zaara, dont les plaines sont couvertes de sables brûlants. C'est surtout dans ces déserts ardents que se trouvent ces lions terribles, qui sont l'effroi des voyageurs et le fléau des provinces voisines; heureusement l'espèce n'en est pas très nombreuse, il paraît même qu'elle diminue tous les jours; car, de l'aveu de ceux qui ont parcouru cette partie de l'Afrique, il ne s'y trouve pas actuellement autant de lions, à beaucoup près, qu'il y en avait autrefois. Les Romains, dit M. Shaw,[3] tiraient de la Libye, pour l'usage des spectacles, cinquante fois plus de lions qu'on ne pourrait y en trouver aujourd'hui. On a remarqué de même qu'en Turquie, en Perse et dans l'Inde, les lions sont maintenant beaucoup moins communs qu'ils ne l'étaient anciennement; et comme ce puissant et courageux animal fait sa proie de tous les autres animaux, et n'est lui-même la proie d'aucun, on ne peut attribuer la diminution de quantité dans son espèce qu'à l'augmentation du nombre dans celle de l'homme; car il faut avouer que la force de ce roi des animaux ne tient pas contre l'adresse d'un Hottentot ou d'un Nègre, qui souvent osent l'attaquer tête à tête avec des armes assez légères. Le lion n'ayant d'autres ennemis que l'homme, et son espèce se trouvant aujourd'hui réduite à la cinquantième, ou, si l'on veut, à la dixième partie de ce qu'elle était autrefois, il en

[2] The southern part of Tunis.

[3] Probably Dr. Thomas Shaw (1692?–1751), regius professor of Greek in Oxford University and principal of St. Edmund Hall, who spent a number of years in Algiers and was the author of *Travels and Observations relating to Several Parts of Barbary and the Levant* (1738), translated into French and Dutch.

résulte que l'espèce humaine, au lieu d'avoir souffert une diminution considérable depuis le temps des Romains (comme bien des gens le prétendent), s'est au contraire augmentée, étendue et plus nombreusement répandue, même dans les contrées, comme la Libye, où la puissance de l'homme paraît avoir été plus grande dans ce temps, qui était à peu près le siècle de Carthage, qu'elle ne l'est dans le siècle présent de Tunis et d'Alger.

L'industrie de l'homme augmente avec le nombre; celle des animaux reste toujours la même: toutes les espèces nuisibles, comme celle du lion, paraissent être reléguées et réduites à un petit nombre, non seulement parce que l'homme est partout devenu plus nombreux, mais aussi parce qu'il est devenu plus habile, et qu'il a su fabriquer des armes terribles auxquelles rien ne peut résister: heureux s'il n'eût jamais combiné le fer et le feu que pour la destruction des lions ou des tigres!

Cette supériorité de nombre et d'industrie dans l'homme, qui brise la force du lion, en énerve aussi le courage: cette qualité, quoique naturelle, s'exalte ou se tempère dans l'animal, suivant l'usage heureux ou malheureux qu'il a fait de sa force. Dans les vastes déserts du Zaara, dans ceux qui semblent séparer deux races d'hommes très différentes, les Nègres et les Maures, entre le Sénégal et les extrémités de la Mauritanie, dans les terres inhabitées qui sont au-dessus du pays des Hottentots, et, en général, dans toutes les parties méridionales de l'Afrique et de l'Asie, où l'homme a dédaigné d'habiter, les lions sont encore en assez grand nombre, et sont tels que la nature les produit: accoutumés à mesurer leurs forces avec tous les animaux qu'ils rencontrent, l'habitude de vaincre les rend intrépides et terribles; ne connaissant pas la puissance de l'homme, ils n'en ont nulle crainte; n'ayant pas éprouvé la force de ses armes, ils semblent les braver; les blessures les irritent, mais sans les effrayer; ils ne sont pas même déconcertés à l'aspect du grand nombre; un seul de ces lions du désert attaque souvent une caravane entière, et lorsqu'après un combat opiniâtre et violent il se sent affaibli, au lieu de fuir, il continue de se battre en retraite, en faisant toujours face et sans jamais tourner le dos. Les lions, au contraire, qui habitent aux environs des villes et des bourgades de l'Inde et de la Barbarie, ayant connu l'homme et la force de ses armes ont perdu leur courage, au point d'obéir à sa voix menaçante, de n'oser l'attaquer, de ne se jeter que sur le menu bétail, et enfin de s'enfuir, en se laissant poursuivre par des femmes ou par des enfants, qui leur font à coups de bâton quitter prise et lâcher indignement leur proie.

Ce changement, cet adoucissement dans le naturel du lion, indique assez qu'il est susceptible des impressions qu'on lui donne, et qu'il doit avoir assez de docilité pour s'apprivoiser jusqu'à un certain point et pour recevoir une espèce d'éducation: aussi l'histoire nous parle de lions attelés à des chars de triomphe, de lions conduits à la guerre ou menés à la chasse, et qui, fidèles à leur maître, ne déployaient leur force et leur courage que contre ses ennemis. Ce qu'il y a de très sûr, c'est que le lion, pris jeune, et élevé parmi les animaux domestiques, s'accoutume aisément à vivre et même à jouer innocemment avec eux; qu'il est doux pour ses maîtres et même caressant, surtout dans le premier âge, et que si sa férocité naturelle reparaît quelquefois, il la tourne rarement contre ceux qui lui ont fait du bien. Comme ses mouvements sont très impétueux et ses appétits fort véhéments, on ne doit pas présumer que les impressions de l'éducation puissent toujours les balancer; aussi y aurait-il quelque danger à lui laisser souffrir trop longtemps la faim, ou à le contrarier en le tourmentant hors de propos: non seulement il s'irrite des mauvais traitements, mais il en garde le souvenir et paraît en méditer la vengeance, comme il conserve aussi la mémoire et la reconnaissance des bienfaits. Je pourrais citer ici un grand nombre de faits particuliers, dans lesquels j'avoue que j'ai trouvé quelque exagération, mais qui, cependant, sont assez fondés pour prouver au moins, par leur réunion, que sa colère est noble, son courage magnanime, son naturel sensible. On l'a vu souvent dédaigner de petits ennemis, mépriser leurs insultes, et leur pardonner des libertés offensantes; on l'a vu réduite en captivité, s'ennuyer sans s'aigrir, prendre au contraire des habitudes douces, obéir à son maître, flatter la main qui le nourrit, donner quelquefois la vie à ceux qu'on avait dévoués à la mort en les lui jetant pour proie, et comme s'il se fût attaché par cet acte généreux, leur continuer ensuite la même protection, vivre tranquillement avec eux, leur faire part de sa subsistance, se la laisser même quelquefois enlever tout entière, et souffrir plutôt la faim que de perdre le fruit de son premier bienfait.

On pourrait aussi dire que le lion n'est pas cruel, puisqu'il ne l'est que par nécessité, qu'il ne détruit qu'autant qu'il consomme, et que dès qu'il est repu, il est en pleine paix; tandis que le tigre, le loup, et tant d'autres animaux d'espèce inférieure, tels que le renard, la fouine, le putois, le furet, etc., donnent la mort pour le seul plaisir de la donner, et que, dans leurs massacres nombreux, ils semblent plutôt vouloir assouvir leur rage que leur faim.

L'extérieur du lion ne dément point ses grandes qualités intérieures: il a la figure imposante, le regard assuré, la démarche fière, la voix terrible; sa taille n'est point excessive comme celle de l'éléphant ou du rhinocéros; elle n'est ni lourde comme celle de l'hippopotame ou du bœuf, ni trop ramassée comme celle de l'hyène ou de l'ours, ni trop allongée, ni déformée par des inégalités comme celle du chameau; mais elle est au contraire si bien prise et si bien proportionnée, que le corps du lion paraît être le modèle de la force jointe à l'agilité: aussi solide que nerveux, n'étant chargé ni de chair ni de graisse, et ne contenant rien de surabondant, il est tout nerfs et muscles. Cette grande force musculaire se marque au dehors par les sauts et les bonds prodigieux que le lion fait aisément; par le mouvement brusque de sa queue, qui est assez fort pour terrasser un homme; par la facilité avec laquelle il fait mouvoir la peau de sa face et surtout celle de son front, ce qui ajoute beaucoup à sa physionomie ou plutôt à l'expression de la fureur; et enfin par la faculté qu'il a de remuer sa crinière, laquelle non seulement se hérisse, mais se meut et s'agite en tous sens, lorsqu'il est en colère.

Le lion, lorsqu'il a faim, attaque de face tous les animaux qui se présentent; mais comme il est très redouté, et que tous cherchent à éviter sa rencontre, il est souvent obligé de se cacher et de les attendre au passage; il se tapit sur le ventre dans un endroit fourré, d'où il s'élance avec tant de force, qu'il les saisit souvent du premier bond: dans les déserts et les forêts, sa nourriture la plus ordinaire sont les gazelles et les singes, quoiqu'il ne prenne ceux-ci que lorsqu'ils sont à terre, car il ne grimpe pas sur les arbres comme le tigre et le puma; il mange beaucoup à la fois et se remplit pour deux ou trois jours; il a les dents si fortes, qu'il brise aisément les os, et il les avale avec la chair.

Le rugissement du lion est si fort, que, quand il se fait entendre, par échos, la nuit dans les déserts, il ressemble au bruit du tonnerre; ce rugissement est sa voix ordinaire, car, quand il est en colère, il a un autre cri, qui est court et réitéré subitement; au lieu que le rugissement est un cri prolongé, une espèce de grondement d'un ton grave, mêlé d'un frémissement plus aigu: il rugit cinq ou six fois par jour, et plus souvent lorsqu'il doit tomber de la pluie. Le cri qu'il fait lorsqu'il est en colère est encore plus terrible que le rugissement; alors, il se bat les flancs de sa queue, il en bat la terre, il agite sa crinière, fait mouvoir la peau de sa face, remue ses gros sourcils, montre des dents menaçantes, et tire une langue armée de pointes si dures, qu'elle suffit seule pour écorcher la peau et entamer la chair sans le secours des dents ni des ongles, qui sont, après les dents, ses armes les plus cruelles. Il est beaucoup plus fort par la tête, les mâchoires et les jambes de devant, que par les parties postérieures du corps; il voit la nuit comme les chats; il ne dort pas longtemps et s'éveille aisément; mais c'est mal à propos que l'on a prétendu qu'il dormait les yeux ouverts.

La démarche ordinaire du lion est fière, grave et lente, quoique toujours oblique; sa course ne se fait pas par des mouvements égaux, mais par sauts et par bonds, et ses mouvements sont si brusques qu'il ne peut s'arrêter à l'instant et qu'il passe presque toujours son but: lorsqu'il saute sur sa proie, il fait un bond de douze ou quinze pieds, tombe dessus, la saisit avec les pattes de devant, la déchire avec les ongles, et ensuite la dévore avec les dents. Tant qu'il est jeune et qu'il a de la légèreté, il vit du produit de sa chasse, et quitte rarement ses déserts et ses forêts, où il trouve assez d'animaux sauvages pour subsister aisément; mais lorsqu'il devient vieux, pesant, et moins propre à l'exercice de la chasse, il s'approche des lieux fréquentés et devient plus dangereux pour l'homme et pour les animaux domestiques; seulement on a remarqué que, lorsqu'il voit des hommes et des animaux ensemble, c'est toujours sur les animaux qu'il se jette et jamais sur les hommes, à moins qu'ils ne le frappent; car alors il reconnaît à merveille celui qui vient de l'offenser, et il quitte sa proie pour se venger. On prétend qu'il préfère la chair du chameau à celle de tous les autres animaux; il aime aussi beaucoup celle des jeunes éléphants; ils ne peuvent lui résister lorsque leurs défenses n'ont pas encore poussé, et il en vient aisément à bout, à moins que la mère n'arrive à leur secours. L'éléphant, le rhinocéros, le tigre et l'hippopotame, sont les seuls animaux qui puissent résister au lion.

Quelque terrible que soit cet animal, on ne laisse pas de lui donner la chasse avec des chiens de grande taille et bien appuyés par des hommes à cheval; on le déloge, on le fait retirer; mais il faut que les chiens et même les chevaux soient aguerris auparavant, car presque tous les animaux frémissent et s'enfuient à la seule odeur du lion. Sa peau, quoique d'un tissu ferme et serré, ne résiste point à la balle ni même au javelot; néanmoins on ne le tue presque jamais d'un seul coup: on le prend souvent par adresse comme nous prenons les loups, en le faisant tomber dans une fosse profonde qu'on recouvre avec des matières légères, au-dessus desquelles on attache un animal vivant. Le lion devient doux dès qu'il est pris, et, si l'on profite des premiers moments de sa surprise ou de sa honte, on peut l'attacher, le museler et le conduire où l'on veut.

Dans ces animaux, toutes les passions, même les plus douces, sont excessives, et l'amour maternel est extrême. La lionne, naturellement moins forte, moins courageuse et plus tranquille que le lion, devient terrible dès qu'elle a des petits; elle se montre alors avec encore plus de hardiesse que le lion, elle ne connaît point le danger, elle se jette indifféremment sur les hommes et sur les animaux qu'elle rencontre, elle les met à mort, se charge ensuite de sa proie, la porte et la partage à ses lionceaux, auxquels elle apprend de bonne heure à sucer le sang et à déchirer la chair.

Le Cheval

La plus noble conquête que l'homme ait jamais faite est celle de ce fier et fougueux animal, qui partage avec lui les fatigues de la guerre et la gloire des combats; aussi intrépide que son maître, le cheval voit le péril et l'affronte; il se fait au bruit des armes, il l'aime, il le cherche et s'anime de la même ardeur; il partage aussi ses plaisirs; à la chasse, aux tournois, à la course, il brille, il étincelle; mais docile autant que courageux, il ne se laisse point emporter à son feu, il sait réprimer ses mouvements; non seulement il fléchit sous la main de celui qui le guide, mais il semble consulter ses désirs, et obéissant toujours aux impressions qu'il en reçoit, il se précipite, se modère ou s'arrête, et n'agit que pour y satisfaire; c'est une créature qui renonce à son être pour n'exister que par la volonté d'un autre, qui sait même la prévenir; qui, par la promptitude et la précision de ses mouvements, l'exprime et l'exécute; qui sent autant qu'on le désire, et ne rend qu'autant qu'on veut; qui, se livrant sans réserve, ne se refuse à rien, sert de toutes ses forces, s'excède et même meurt pour mieux obéir.

Voilà le cheval dont les talents sont développés, dont l'art a perfectionné les qualités naturelles, qui dès le premier âge a été soigné et ensuite exercé, dressé au service de l'homme; c'est par la perte de sa liberté que commence son éducation, et c'est par la contrainte qu'elle s'achève: l'esclavage ou la domesticité de ces animaux est même si universelle, si ancienne, que nous ne les voyons que rarement dans leur état naturel; ils sont toujours couverts de harnais dans leurs travaux; on ne les délivre jamais de tous leurs liens, même dans les temps du repos; et si on les laisse quelquefois errer en liberté dans les pâturages, ils y portent toujours les marques de la servitude, et souvent les empreintes cruelles du travail et de la douleur: la bouche est déformée par les plis que le mors a produits; les flancs sont entamés par des plaies, ou sillonnés de cicatrices faites par l'éperon: la corne des pieds est traversée par des clous; l'attitude du corps est encore gênée par l'impression subsistante des entraves habituelles; on les en délivrerait en vain, ils n'en seraient pas plus libres; ceux même dont l'esclavage est le plus doux, qu'on ne nourrit, qu'on n'entretient que pour le luxe et la magnificence, et dont les chaînes dorées servent moins à leur parure qu'à la vanité de leur maître, sont encore plus déshonorés par l'élégance de leur toupet, par les tresses de leurs crins, par l'or et la soie dont on les couvre, que par les fers qui sont sous leurs pieds.

La nature est plus belle que l'art; et, dans un être animé, la liberté des mouvements fait la belle nature: voyez ces chevaux qui se sont multipliés dans les contrées de l'Amérique espagnole, et qui vivent en chevaux libres: leur démarche, leur course, leurs sauts, ne sont ni gênés, ni mesurés; fiers de leur indépendance, ils fuient la présence de l'homme, ils dédaignent ses soins, ils cherchent et trouvent eux-mêmes la nourriture qui leur convient; ils errent, ils bondissent en liberté dans des prairies immenses où ils cueillent les productions nouvelles d'un printemps toujours nouveau; sans habitation fixe, sans autre abri que celui d'un ciel serein, ils respirent un air plus pur que celui de ces palais voûtés où nous les renfermons en pressant les espaces qu'ils doivent occuper; aussi ces chevaux sauvages sont-ils beaucoup plus forts, plus légers, plus nerveux, que la plupart des chevaux domestiques; ils ont ce que donne la nature, la force et la noblesse; les autres n'ont que ce que l'art peut donner, l'adresse et l'agrément.

Le naturel de ces animaux n'est point féroce; ils sont seulement fiers et sauvages: quoique supérieurs par la force à la plupart des autres animaux, jamais ils ne les attaquent; et s'ils en sont attaqués, ils les dédaignent, les écartent ou les écrasent; ils vont aussi par troupes et se réunissent pour le seul plaisir d'être ensemble, car ils n'ont aucune crainte, mais ils prennent de l'attachement les uns pour les autres: comme l'herbe et les végétaux suffisent à leur nourriture, qu'ils ont abondamment de quoi satisfaire leur appétit, et qu'ils n'ont aucun goût pour la chair des animaux, ils ne leur font point la guerre, ils ne se la font point entre eux, ils ne se disputent pas leur subsistance, ils n'ont jamais occasion de ravir une proie ou de s'arracher un bien, sources ordinaires de querelles et de combats parmi les autres animaux carnassiers; ils vivent donc en paix, parce que leurs appétits sont simples et modérés, et qu'ils ont assez pour ne se rien envier.

Tout cela peut se remarquer dans les jeunes chevaux qu'on élève ensemble et qu'on mène en troupeaux; ils ont les mœurs douces et les qualités sociales, leur force, leur ardeur ne se marquent ordinairement que par des signes d'émulation; ils cherchent à se devancer à la course, à se faire et même s'animer au péril en se défiant à traverser une rivière, sauter un fossé; et ceux qui dans ces exercices naturels donnent l'exemple, ceux qui d'eux-mêmes vont les premiers, sont les plus généreux, les meilleurs, et souvent les plus dociles et les plus souples lorsqu'ils sont une fois domptés.

Ces animaux sont naturellement doux, et très disposés à se familiariser avec l'homme et à s'attacher à lui; aussi n'arrive-t-il jamais qu'aucun d'eux quitte nos maisons pour se retirer dans les forêts ou dans les déserts; ils marquent au contraire beaucoup d'empressement pour revenir au gîte, où cependant ils ne trouvent qu'une nourriture grossière, toujours la même, et ordinairement mesurée sur l'économie beaucoup plus que sur leur appétit; mais la douceur de l'habitude leur tient lieu de ce qu'ils perdent d'ailleurs; après avoir été excédés de fatigue, le lieu du repos est un lieu de délices, ils le sentent de loin, ils savent le reconnaître au milieu des plus grandes villes, et semblent préférer en tout l'esclavage à la liberté; ils se font même une seconde nature des habitudes auxquelles on les a forcés ou soumis, puisqu'on a vu des chevaux, abandonnés dans les bois, hennir continuellement pour se faire entendre, accourir à la voix des hommes, et en même temps maigrir et dépérir en peu de temps, quoiqu'ils eussent abondamment de quoi varier leur nourriture et satisfaire leur appétit.

Le cheval est de tous les animaux celui qui, avec une grande taille, a le plus de proportion et d'élégance dans les parties de son corps; car en lui comparant les animaux qui sont immédiatement au-dessus et au-dessous, on verra que l'âne est mal fait, que le lion a la tête trop grosse, que le bœuf a les jambes trop minces et trop courtes pour la grosseur de son corps, que le chameau est difforme, et que les plus gros animaux, le rhinocéros et l'éléphant, ne sont, pour ainsi dire, que des masses informes. Le grand allongement des mâchoires est la principale cause de la différence entre la tête des quadrupèdes et celle de l'homme, c'est aussi le caractère le plus ignoble de tous; cependant, quoique les mâchoires du cheval soient fort allongées, il n'a pas, comme l'âne, un air d'imbécillité, ou de stupidité comme le bœuf; la régularité des proportions de sa tête lui donne au contraire un air de légèreté qui est bien soutenu par la beauté de son encolure. Le cheval semble vouloir se mettre au-dessus de son état de quadrupède en élevant sa tête; dans cette noble attitude il regarde l'homme face à face; ses yeux sont vifs et bien ouverts, ses oreilles sont bien faites et d'une juste grandeur, sans être courtes comme celles de l'âne; sa crinière accompagne bien sa tête, orne son cou, et lui donne un air de force et de fierté; sa queue traînante et touffue couvre et termine avantageusement l'extrémité de son corps: bien différente de la courte queue du cerf, de l'éléphant, etc., et de la queue nue de l'âne, du chameau, du rhinocéros, etc., la queue du cheval est formée par des crins épais et longs qui semblent sortir de la croupe, parce que le tronçon dont ils sortent est fort court: il ne peut relever sa queue comme le lion, mais elle lui sied mieux quoique abaissée; et comme il peut la mouvoir de côté, il s'en sert utilement pour chasser les mouches qui l'incommodent; car quoique sa peau soit très ferme, et qu'elle soit garnie partout d'un poil épais et serré, elle est cependant très sensible.

Le Cygne

Dans toute société, soit des animaux, soit des hommes, la violence fit les tyrans, la douce autorité fait les rois: le lion et le tigre sur la terre, l'aigle et le vautour dans les airs, ne règnent que par la guerre, ne dominent que par l'abus de la force et par la cruauté; au lieu que le cygne règne sur les eaux à tous les titres qui fondent un empire de paix, la grandeur, la majesté, la douceur; avec des puissances, des forces, du courage et la volonté de n'en pas abuser, et de ne les employer que pour la défense, il sait combattre et vaincre sans jamais attaquer; roi paisible des oiseaux d'eau, il brave les tyrans de l'air; il attend l'aigle sans le provoquer, sans le craindre; il repousse ses assauts en opposant à ses armes la résistance de ses plumes et les coups précipités d'une aile vigoureuse qui lui sert d'égide, et souvent la victoire couronne ses efforts. Au reste, il n'a que ce fier ennemi; tous les autres oiseaux de guerre le respectent, et il est en paix avec toute la nature; il vit en ami plutôt qu'en roi au milieu des nombreuses peuplades des oiseaux aquatiques, qui toutes semblent se ranger sous sa loi; il n'est que le chef, le premier habitant d'une république tranquille, où les citoyens n'ont rien à craindre d'un maître qui ne demande qu'autant qu'il leur accorde, et ne veut que calme et liberté.

Les grâces de la figure, la beauté de la forme, répondent dans le cygne à la douceur du naturel; il plaît à tous les yeux, il décore, embellit tous les lieux qu'il fréquente; on l'aime, on l'applaudit, on l'admire; nulle espèce ne le mérite mieux; la nature en effet n'a répandu sur aucune autant de ces grâces nobles et douces qui nous rappellent l'idée de ses plus charmants ouvrages: coupe de corps élégante, formes arrondies, gracieux contours, blancheur éclatante et pure, mouvements flexibles et ressentis, attitudes tantôt animées, tantôt laissées dans un mol abandon; tout dans le cygne respire la volupté, l'enchantement que nous font éprouver les grâces et la beauté, tout nous l'annonce, tout le peint comme l'oiseau de l'amour, tout justifie la spirituelle et riante mythologie d'avoir donné ce charmant oiseau pour père à la plus belle des mortelles.

A sa noble aisance, à la facilité, la liberté de ses mouvements sur l'eau, on doit le reconnaître non seulement comme le premier des navigateurs ailés, mais comme le plus beau modèle que la nature nous ait offert pour l'art de la navigation. Son cou élevé et sa poitrine relevée et arrondie semblent en effet figurer la proue du navire fendant l'onde, son large estomac en représente la carène, son corps penché en avant pour cingler, se redresse à l'arrière, et se relève en poupe; la queue est un vrai gouvernail; les pieds sont de larges rames, et ses grandes ailes demi-ouvertes au vent et doucement enflées, sont les voiles qui poussent le vaisseau vivant, navire et pilote à la fois.

Fier de sa noblesse, jaloux de sa beauté, le cygne semble faire parade de tous ses avantages; il a l'air de chercher à recueillir des suffrages, à captiver les regards; et il les captive en effet, soit que voguant en troupe on voie de loin, au milieu des grandes eaux, cingler la flotte ailée, soit que, s'en détachant et s'approchant du rivage aux signaux qui l'appellent, il vienne se faire admirer de plus près en étalant ses beautés, et développant ses grâces par mille mouvements doux, ondulants et suaves.

Aux avantages de la nature le cygne réunit ceux de la liberté; il n'est pas du nombre de ces esclaves que nous puissions contraindre ou renfermer; libre sur nos eaux, il n'y séjourne, ne s'établit qu'en y jouissant d'assez d'indépendance pour exclure tout sentiment de servitude et de captivité; il veut à son gré parcourir les eaux, débarquer au rivage, s'éloigner au large ou venir, longeant la rive, s'abriter sous les bords, se cacher dans les joncs, s'enfoncer dans les anses les plus écartées, puis quittant sa solitude, revenir à la société et jouir du plaisir qu'il paraît prendre et goûter en s'approchant de l'homme, pourvu qu'il trouve en nous ses hôtes et ses amis, et non ses maîtres et ses tyrans.

Chez nos ancêtres, trop simples ou trop sages pour remplir leurs jardins des beautés froides de l'art, en place des beautés vives de la nature, les cygnes étaient en possession de faire l'ornement de toutes les pièces d'eau; ils animaient, égayaient les tristes fossés des châteaux, ils décoraient la plupart des rivières, et même celle de la capitale, et l'on vit l'un des plus sensibles et des plus aimables de nos princes mettre au nombre de ses plaisirs celui de peupler de ces beaux oiseaux les bassins de ses maisons royales; on peut encore jouir aujourd'hui du même spectacle sur les belles eaux de Chantilly, où les cygnes font un des ornements de ce lieu vraiment délicieux, dans lequel tout respire le noble goût du maître.

Les anciens ne s'étaient pas contentés de faire du cygne un chantre merveilleux: seul entre tous les êtres qui frémissent à l'approche de leur destruction, il chantait encore au moment de son agonie, et préludait par des sons harmonieux à son dernier soupir: c'était, disaient-ils, près d'expirer, et faisant à la vie un adieu triste et tendre, que le cygne rendait ces accents si doux et si touchants, et qui, pareils à un léger et douloureux murmure, d'une voix basse, plaintive et lugubre, formaient son chant funèbre; on entendait ce chant lorsqu'au lever de l'aurore les vents et les flots étaient calmés; on avait même vu des cygnes expirant en musique, et chantant leurs hymnes funéraires. Nulle fiction en histoire naturelle, nulle fable chez les anciens, n'a été plus célébrée, plus répétée, plus accréditée; elle s'était emparée de l'imagination vive et sensible des Grecs; poètes, orateurs, philosophes même l'ont adoptée comme une vérité trop agréable pour vouloir en douter. Il faut bien leur pardonner leurs fables; elles étaient aimables et touchantes; elles valaient bien de tristes, d'arides vérités, c'étaient de doux emblèmes pour les âmes sensibles. Les cygnes, sans doute, ne chantent point leur mort; mais toujours, en parlant du dernier essor et des derniers élans d'un beau génie prêt à s'éteindre, on rappellera avec sentiment cette expression touchante: *c'est le chant du cygne!*

DISCOURS SUR LE STYLE [4]

. . . Le style n'est que l'ordre et le mouvement qu'on met dans ses pensées. Si on les enchaîne étroitement, si on les serre, le style devient ferme, nerveux et concis; si on les laisse se succéder

[4] This *Discours* was read before the French Academy in 1753.

lentement, et ne se joindre qu'à la faveur des mots, quelque élégants qu'ils soient, le style sera diffus, lâche et traînant.

Mais, avant de chercher l'ordre dans lequel on présentera ses pensées, il faut s'en être fait un autre plus général et plus fixe, où ne doivent entrer que les premières vues et les principales idées: c'est en marquant leur place sur ce premier plan qu'un sujet sera circonscrit, et que l'on en connaîtra l'étendue; c'est en se rappelant sans cesse ces premiers linéaments qu'on déterminera les justes intervalles qui séparent les idées principales, et qu'il naîtra des idées accessoires et moyennes qui serviront à les remplir. Par la force du génie, on se représentera toutes les idées générales et particulières sous leur véritable point de vue; par une grande finesse de discernement, on distinguera les pensées stériles des idées fécondes; par la sagacité que donne la grande habitude d'écrire, on sentira d'avance quel sera le produit de toutes ces opérations de l'esprit. Pour peu que le sujet soit vaste ou compliqué, il est bien rare qu'on puisse l'embrasser d'un coup d'œil ou le pénétrer en entier d'un seul et premier effort de génie; et il est rare encore qu'après bien des réflexions on en saisisse tous les rapports. On ne peut donc s'en occuper; c'est même le seul moyen d'affermir, d'étendre et d'élever ses pensées: plus on leur donnera de substance et de force par la méditation, plus il sera facile ensuite de les réaliser par l'expression.

Ce plan n'est pas encore le style, mais il en est la base; il le soutient, il le dirige, il règle son mouvement et le soumet à des lois; sans cela, le meilleur écrivain s'égare, sa plume marche sans guide et jette à l'aventure des traits irréguliers et des figures discordantes. Quelque brillantes que soient les couleurs qu'il emploie, quelques beautés qu'il sème dans les détails, comme l'ensemble choquera ou ne se fera pas assez sentir, l'ouvrage ne sera point construit; et, en admirant l'esprit de l'auteur, on pourra soupçonner qu'il manque de génie. C'est par cette raison que ceux qui écrivent comme ils parlent, quoiqu'ils parlent très bien, écrivent mal; que ceux qui s'abandonnent au premier feu de leur imagination, prennent un ton qu'ils ne peuvent soutenir; que ceux qui craignent de perdre des pensées isolées, fugitives, et qui écrivent en différents temps des morceaux détachés, ne les réunissent jamais sans transitions forcées; qu'en un mot, il y a tant d'ouvrages faits de pièces de rapport, et si peu qui soient fondus d'un seul jet.

Cependant, tout sujet est un; et, quelque vaste qu'il soit, il peut être renfermé dans un seul discours. Les interruptions, les repos, les sections, ne devraient être d'usage que quand on traite des sujets différents, ou lorsque, ayant à parler de choses grandes, épineuses et disparates, la marche du génie se trouve interrompue par la multiplicité des obstacles, et contrainte par la nécessité des circonstances: autrement, le grand nombre des divisions, loin de rendre un ouvrage plus solide, en détruit l'assemblage; le livre paraît plus clair aux yeux, mais le dessein de l'auteur demeure obscur; il ne peut faire impression sur l'esprit du lecteur, il ne peut même se faire sentir que par la continuité du fil, par la dépendance harmonique des idées, par un développement successif, une gradation soutenue, un mouvement uniforme que toute interruption détruit ou fait languir.

Pourquoi les ouvrages de la Nature sont-ils si parfaits? C'est que chaque ouvrage est un tout, et qu'elle travaille sur un plan éternel dont elle ne s'écarte jamais; elle prépare en silence les germes de ses productions; elle ébauche par un acte unique la forme primitive de tout être vivant; elle la développe, elle la perfectionne par un mouvement continu et dans un temps prescrit. L'ouvrage étonne; mais c'est l'empreinte divine dont il porte les traits qui doit nous frapper. L'esprit humain ne peut rien créer; il ne produira qu'après avoir été fécondé par l'expérience et la méditation; ses connaissances sont les germes de ses productions: mais, s'il imite la Nature dans sa marche et dans son travail, s'il s'élève par la contemplation aux vérités les plus sublimes; s'il les réunit, s'il les enchaîne, s'il en forme un tout, un système par la réflexion, il établira sur des fondements inébranlables des monuments immortels.

C'est faute de plan, c'est pour n'avoir pas assez réfléchi sur son objet, qu'un homme d'esprit se trouve embarrassé et ne sait par où commencer à écrire. Il aperçoit à la fois un grand nombre d'idées; et, comme il ne les a ni comparées, ni subordonnées, rien ne le détermine à préférer les unes aux autres; il demeure donc dans la perplexité.

Mais lorsqu'il se sera fait un plan, lorsqu'une fois il aura rassemblé et mis en ordre toutes les pensées essentielles à son sujet, il s'apercevra aisément de l'instant auquel il doit prendre la plume, il sentira le point de maturité de la production de l'esprit, il sera pressé de la faire éclore, il n'aura même que du plaisir à écrire: les idées se succéderont aisément, et le style sera naturel et facile; la chaleur naîtra de ce plaisir, se répandra partout et donnera de la vie à chaque expression; tout s'animera de plus en plus; le ton s'élèvera, les objets prendront de la couleur; et le sentiment, se joignant à la lumière, l'augmentera, la portera plus loin, la fera passer de ce que l'on dit à ce que l'on va dire, et le style deviendra intéressant et lumineux.

Rien ne s'oppose plus à la chaleur que le désir de mettre partout des traits saillants; rien n'est plus contraire à la lumière qui doit faire un corps et se répandre uniformément dans un écrit, que ces étincelles qu'on ne tire que par force en choquant les mots les uns contre les autres, et qui ne nous éblouissent pendant quelques instants, que pour nous laisser ensuite dans les ténèbres. Ce sont des pensées qui ne brillent que par l'opposition: l'on ne présente qu'un côté de l'objet, on met dans l'ombre toutes les autres faces: et ordinairement ce côté qu'on choisit est une pointe, un angle sur lequel on fait jouer l'esprit avec d'autant plus de facilité, qu'on l'éloigne davantage des grandes faces sous lesquelles le bon sens a coutume de considérer les choses.

Rien n'est encore plus opposé à la véritable éloquence que l'emploi de ces pensées fines et la recherche de ces idées légères, déliées, sans consistance, et qui, comme la feuille du métal battu, ne prennent de l'éclat qu'en perdant de la solidité. Aussi, plus on mettra de cet esprit mince et brillant dans un écrit, moins il aura de nerf, de lumière, de chaleur et de style; à moins que cet esprit ne soit lui-même le fond du sujet, et que l'écrivain n'ait pas eu d'autre objet que la plaisanterie: alors l'art de dire de petites choses devient peut-être plus difficile que l'art d'en dire de grandes.

Rien n'est plus opposé au beau naturel que la peine qu'on se donne pour exprimer des choses ordinaires ou communes d'une manière singulière ou pompeuse; rien ne dégrade plus l'écrivain. Loin de l'admirer, on le plaint d'avoir passé tant de temps à faire de nouvelles combinaisons de syllabes, pour ne dire que ce que tout le monde dit. Ce défaut est celui des esprits cultivés, mais stériles; ils ont des mots en abondance, point d'idées; ils travaillent donc sur les mots, et s'imaginent avoir combiné des idées parce qu'ils ont arrangé des phrases, et avoir épuré le langage quand ils l'ont corrompu en détournant les acceptions. Ces écrivains n'ont point de style, ou, si l'on veut, ils n'en ont que l'ombre. Le style doit graver des pensées; ils ne savent que tracer des paroles.

Pour bien écrire, il faut donc posséder pleinement son sujet; il faut y réfléchir assez pour voir clairement l'ordre de ses pensées, et en former une suite, une chaîne continue, dont chaque point représente une idée; et, lorsqu'on aura pris la plume, il faudra la conduire successivement sur ce premier trait, sans lui permettre de s'en écarter, sans l'appuyer trop inégalement, sans lui donner d'autre mouvement que celui qui sera déterminé par l'espace qu'elle doit parcourir. C'est en cela que consiste la sévérité du style, c'est aussi ce qui en fera l'unité et ce qui en réglera la rapidité; et cela seul aussi suffira pour le rendre précis et simple, égal et clair, vif et suivi. A cette première règle, dictée par le génie, si l'on joint de la délicatesse et du goût, du scrupule sur le choix des expressions, de l'attention à ne nommer les choses que par les termes les plus généraux, le style aura de la noblesse. Si l'on y joint encore de la défiance pour son premier mouvement, du mépris pour tout ce qui n'est que brillant, et une répugnance constante pour l'équivoque et la plaisanterie, le style aura de la gravité, il aura même de la majesté. Enfin, si l'on écrit comme l'on pense, si l'on est convaincu de ce que l'on veut persuader, cette bonne foi avec soi-même, qui fait la bienséance pour les autres et la vérité du style, lui fera produire tout son effet, pourvu que cette persuasion intérieure ne se marque pas par un enthousiasme trop fort, et qu'il y ait partout plus de candeur que de confiance, plus de raison que de chaleur.

C'est ainsi, Messieurs, qu'il me semblait, en vous lisant, que vous me parliez, que vous m'instruisiez. Mon âme, qui recueillait avec avidité ces oracles de la sagesse, voulait prendre l'essor et s'élever jusqu'à vous; vains efforts! Les règles, disiez-vous encore, ne peuvent suppléer au génie; s'il manque, elles seront inutiles. Bien écrire, c'est tout à la fois bien penser, bien sentir et bien rendre; c'est avoir en même temps de l'esprit, de l'âme et du goût. Le style suppose la réunion et l'exercice de toutes les facultés intellectuelles; les idées seules forment le fond du style, l'harmonie des paroles n'en est que l'accessoire, et ne dépend que de la sensibilité des organes: il suffit d'avoir un peu d'oreille pour éviter les dissonances, et de l'avoir exercée, perfectionnée par la lecture des poètes et des orateurs, pour que mécaniquement on soit porté à l'imitation de la cadence poétique et des tours oratoires. Or jamais l'imitation n'a rien créé; aussi cette harmonie des mots ne fait ni le fond ni le ton du style, et se trouve souvent dans des écrits vides d'idées.

Le ton n'est que la convenance du style à la nature du sujet, il ne doit jamais être forcé; il naîtra naturellement du fond même de la chose, et dépendra beaucoup du point de généralité auquel on aura porté ses pensées. Si l'on s'est élevé aux idées les plus générales, et si l'objet en lui-même est grand, le ton paraîtra s'élever à la même hauteur; et si, en le soutenant à cette élévation, le génie fournit assez pour donner à chaque objet une forte lumière, si l'on peut ajouter la beauté du coloris à l'énergie du dessin, si l'on peut, en un mot, représenter chaque idée par une image vive et bien terminée, et former de chaque suite d'idées un tableau harmonieux et mouvant, le ton sera non seulement élevé, mais sublime.

Ici, Messieurs, l'application ferait plus que la règle; les exemples instruiraient mieux que les préceptes; mais, comme il ne m'est pas permis de citer les morceaux sublimes qui m'ont si souvent transporté en lisant vos ouvrages, je suis contraint de me borner à des réflexions. Les ouvrages bien écrits seront les seuls qui passeront à la postérité: la quantité des connaissances, la singularité des faits, la nouveauté même des découvertes ne sont pas de sûrs garants de l'immortalité; si les ouvrages qui les contiennent ne roulent que sur de petits objets, s'ils sont écrits sans goût, sans noblesse et sans génie, ils périront, parce que les connaissances, les faits et les découvertes s'enlèvent aisément, se transportent et gagnent même à être mis en œuvre par des mains plus habiles. Ces choses sont hors de l'homme, le style est l'homme même. Le style ne peut donc ni s'enlever, ni se transporter, ni s'altérer: s'il est élevé, noble, sublime, l'auteur sera également admiré dans tous les temps; car il n'y a que la vérité qui soit durable et même éternelle. Or un beau style n'est tel en effet que par le nombre infini des vérités qu'il présente. Toutes les beautés intellectuelles qui s'y trouvent, tous les rapports dont il est composé, sont autant de vérités aussi utiles et peut-être plus précieuses pour l'esprit humain que celles qui peuvent faire le fond du sujet.

VOLTAIRE

1694–1778

L'ÉPÎTRE À URANIE [1]

Tu veux donc, belle Uranie,
Qu'érigé par ton ordre en Lucrèce nouveau,
Devant toi, d'une main hardie,
Aux superstitions j'arrache le bandeau;
Que j'expose à tes yeux le dangereux tableau
Des mensonges sacrés dont la terre est remplie,
Et que ma philosophie
T'apprenne à mépriser les horreurs du tombeau
Et les terreurs de l'autre vie.
Ne crois point qu'enivré des erreurs de mes sens,
De ma religion blasphémateur profane,
Je veuille avec dépit dans mes égarements
Détruire en libertin la loi qui les condamne.
Viens, pénètre avec moi, d'un pas respectueux,
Les profondeurs du sanctuaire
Du Dieu qu'on nous annonce, et qu'on cache à nos yeux.
Je veux aimer ce Dieu, je cherche en lui mon père:
On me montre un tyran que nous devons haïr.
Il créa des humains à lui-même semblables,
Afin de les mieux avilir;
Il nous donna des cœurs coupables,
Pour avoir droit de nous punir;
Il nous fit aimer le plaisir,
Pour nous mieux tourmenter par des maux effroyables,
Qu'un miracle éternel empêche de finir.
Il venait de créer un homme à son image;
On l'en voit soudain repentir,

[1] In 1722 Voltaire took a short trip to Holland in the company of a certain Mme de Rupelmonde. It is probable that the Epistle was written in the same year, and that "Uranie" is this lady.

Comme si l'ouvrier n'avait pas dû sentir
  Les défauts de son propre ouvrage.
Aveugle en ses bienfaits, aveugle en son courroux,
A peine il nous fit naître, il va nous perdre tous.
Il ordonne à la mer de submerger le monde,
Ce monde qu'en six jours il forma du néant.
Peut-être qu'on verra sa sagesse profonde
Faire un autre univers plus pur, plus innocent;
  Non; il tire de la poussière
  Une race d'affreux brigands,
D'esclaves sans honneur, et de cruels tyrans,
  Plus méchante que la première.
Que fera-t-il enfin, quels foudres dévorants
Vont sur ces malheureux lancer ses mains sévères?
Va-t-il dans le chaos plonger les éléments?
Écoutez; ô prodige! ô tendresse! ô mystères!
  Il venait de noyer les pères,
  Il va mourir pour les enfants.

Il est un peuple obscur, imbécile, volage,
Amateur insensé des superstitions,
Vaincu par ses voisins, rampant dans l'esclavage,
Et l'éternel mépris des autres nations:
Le Fils de Dieu, Dieu même, oubliant sa puissance,
Se fait concitoyen de ce peuple odieux;
Dans les flancs d'une Juive il vient prendre naissance;
Il rampe sous sa mère, il souffre sous ses yeux
  Les infirmités de l'enfance.
Longtemps, vil ouvrier, le rabot à la main,
Ses beaux jours sont perdus dans ce lâche exercice;
Il prêche enfin trois ans le peuple induméen,
  Et périt du dernier supplice.
Son sang du moins, le sang d'un Dieu mourant pour nous,
N'était-il pas d'un prix assez noble, assez rare,
  Pour suffire à parer les coups
  Que l'enfer jaloux nous prépare?
Quoi! Dieu voulut mourir pour le salut de tous,
  Et son trépas est inutile!

Quoi! l'on me vantera sa clémence facile,
Quand remontant au ciel il reprend son courroux,
Quand sa main nous replonge aux éternels abîmes,
Et quand, par sa fureur effaçant ses bienfaits,
Ayant versé son sang pour expier nos crimes,
Il nous punit de ceux que nous n'avons point faits!
Ce Dieu poursuit encore, aveugle en sa colère,
Sur ses derniers enfants l'erreur d'un premier père:
Il en demande compte à cent peuples divers
   Assis dans la nuit du mensonge;
   Il punit au fond des enfers
L'ignorance invincible où lui-même il les plonge,
Lui qui veut éclairer et sauver l'univers!
   Amérique, vastes contrées,
Peuples que Dieu fit naître aux portes du soleil,
   Vous, nations hyperborées,
Que l'erreur entretient dans un si long sommeil,
Serez-vous pour jamais à sa fureur livrées
   Pour n'avoir pas su qu'autrefois,
Dans un autre hémisphère, au fond de la Syrie,
Le fils d'un charpentier, enfanté par Marie,
Renié par Céphas, expira sur la croix?
Je ne reconnais point à cette indigne image
   Le Dieu que je dois adorer;
   Je croirais le déshonorer
Par une telle insulte et un tel hommage.

Entends, Dieu que j'implore, entends du haut des cieux
   Une voix plaintive et sincère.
Mon incrédulité ne doit pas te déplaire;
   Mon cœur est ouvert à tes yeux;
L'insensé te blasphème, et moi, je te révère;
Je ne suis pas chrétien; mais c'est pour t'aimer mieux.

Cependant quel objet se présente a ma vue!
Le voilà, c'est le Christ, puissant et glorieux.
   Auprès de lui dans une nue
L'étendard de sa mort, la croix brille à mes yeux.

Sous ses pieds triomphants la mort est abattue;
Des portes de l'enfer il sort victorieux:
Son règne est annoncé par la voix des oracles;
Son trône est cimenté par le sang des martyrs;
Tous les pas de ses saints sont autant de miracles;
Il leur promet des biens plus grands que leurs désirs;
Ses exemples sont saints, sa morale est divine;
Il console en secret les cœurs qu'il illumine;
Dans les plus grands malheurs il leur offre un appui;
Et si sur l'imposture il fonde sa doctrine,
C'est un bonheur encor d'être trompé par lui.

Entre ces deux portraits, incertaine Uranie,
C'est à toi de chercher l'obscure vérité,
A toi, que la nature honora d'un génie
  Qui seul égale ta beauté.
Songe que du Très-Haut la sagesse éternelle
A gravé de sa main dans le fond de ton cœur
  La religion naturelle;
Crois que de ton esprit la naïve candeur
Ne sera point l'objet de sa haine immortelle;
Crois que devant son trône, en tout temps, en tous lieux,
  Le cœur du juste est précieux;
Crois qu'un bonze modeste, un dervis charitable,
  Trouvent plutôt grâce à ses yeux
Qu'un janséniste impitoyable,
  Ou qu'un pontife ambitieux.
Eh! qu'importe en effet sous quel titre on l'implore?
Tout hommage est reçu, mais aucun ne l'honore.
Un Dieu n'a pas besoin de nos soins assidus:
Si l'on peut l'offenser, c'est par des injustices;
  Il nous juge sur nos vertus,
  Et non pas sur nos sacrifices.

LA HENRIADE

La Saint-Barthélemy [2]

Le signal est donné sans tumulte et sans bruit:
C'était à la faveur des ombres de la nuit.

[2] The Massacre of Saint-Bartholomew, here described, took place on the night of August 23, 1572.

De ce mois malheureux l'inégale courrière
Semblait cacher d'effroi sa tremblante lumière.
Coligny languissait dans les bras du repos,
Et le sommeil trompeur lui versait ses pavots.
Soudain de mille cris le bruit épouvantable
Vient arracher ses sens à ce calme agréable:
Il se lève, il regarde, il voit de tous côtés
Courir des assassins à pas précipités:
Il voit briller partout les flambeaux et les armes,
Son palais embrasé, tout un peuple en alarmes,
Ses serviteurs sanglants dans la flamme étouffés,
Les meurtriers en foule au carnage échauffés,
Criant à haute voix: "Qu'on n'épargne personne:
"C'est Dieu, c'est Médicis, c'est le roi qui l'ordonne!"
Il entend retentir le nom de Coligny.
Il aperçoit de loin le jeune Téligny,
Téligny, dont l'amour a mérité sa fille,
L'espoir de son parti, l'honneur de sa famille.
Qui, sanglant, déchiré, traîné par des soldats,
Lui demandait vengeance, et lui tendait les bras.
Le héros malheureux, sans armes, sans défense,
Voyant qu'il faut périr, et périr sans vengeance,
Voulut mourir du moins, comme il avait vécu,
Avec toute sa gloire et toute sa vertu.
Déjà des assassins la nombreuse cohorte
Du salon qui l'enferme allait briser la porte;
Il leur ouvre lui-même et se montre à leurs yeux
Avec cet œil serein, ce front majestueux,
Tel que dans les combats, maître de son courage,
Tranquille, il arrêtait ou pressait le carnage.
A cet air vénérable, à cet auguste aspect,
Les meurtriers surpris sont saisis de respect;
Une force inconnue a suspendu leur rage.
"Compagnons, leur dit-il, achevez votre ouvrage,
Et de mon sang glacé souillez ces cheveux blancs
Que le sort des combats respecta quarante ans;
Frappez, ne craignez rien: Coligny vous pardonne;
Ma vie est peu de chose, et je vous l'abandonne. . . .

J'eusse aimé mieux la perdre en combattant pour vous. . . ."
Ces tigres, à ces mots, tombent à ses genoux:
L'un, saisi d'épouvante, abandonne ses armes;
L'autre embrasse ses pieds, qu'il trempe de ses larmes;
Et de ses assassins ce grand homme entouré
Semblait un roi puissant par son peuple adoré.
Besme, qui dans la cour attendait sa victime,
Monte, accourt, indigné qu'on diffère son crime,
Des assassins trop lents il veut hâter les coups:
Aux pieds de ce héros il les voit trembler tous.
A cet objet touchant lui seul est inflexible;
Lui seul, à la pitié toujours inaccessible,
Aurait cru faire un crime et trahir Médicis,
Si du moindre remords il se sentait surpris.
A travers les soldats, il court d'un pas rapide:
Coligny l'attendait d'un visage intrépide:
Et bientôt dans le flanc ce monstre furieux
Lui plonge son épée, en détournant les yeux,
De peur que d'un coup d'œil cet auguste visage
Ne fît trembler son bras, et glaçât son courage.
Du plus grand des Français tel fut le triste sort.
On l'insulte, on l'outrage encore après sa mort.
Son corps, percé de coups, privé de sépulture,
Des oiseaux dévorants fut l'indigne pâture;
Et l'on porta sa tête aux pieds de Médicis,
Conquête digne d'elle, et digne de son fils.
Médicis la reçut avec indifférence,
Sans paraître jouir du fruit de sa vengeance,
Sans remords, sans plaisir, maîtresse de ses sens,
Et comme accoutumée à de pareils présents.
Qui pourrait cependant exprimer les ravages
Dont cette nuit cruelle étala les images?
La mort de Coligny, prémices des horreurs,
N'était qu'un faible essai de toutes leurs fureurs.
D'un peuple d'assassins les troupes effrénées,
Par devoir et par zèle au carnage acharnées,
Marchaient, le fer en main, les yeux étincelants,
Sur les corps étendus de nos frères sanglants.

Guise était à leur tête, et, bouillant de colère,
Vengeait sur tous les miens les mânes de son père:
Nevers, Gondi, Tavanne, un poignard à la main,
Échauffaient les transports de leur zèle inhumain;
Et, portant devant eux la liste de leurs crimes,
Les conduisaient au meurtre, et marquaient les victimes.

Je [3] ne vous peindrai point le tumulte et les cris,
Le sang de tous côtés ruisselant dans Paris,
Le fils assassiné sur le corps de son père,
Le frère avec la sœur, la fille avec la mère,
Les époux expirant sous leurs toits embrasés,
Les enfants au berceau sur la pierre écrasés:
Des fureurs des humains c'est ce qu'on doit attendre;
Mais ce que l'avenir aura peine à comprendre,
Ce que vous-même encore à peine vous croirez,
Ces monstres furieux, de carnage altérés,
Excités par la voix des prêtres sanguinaires,
Invoquaient le Seigneur en égorgeant leurs frères,
Et, le bras tout souillé du sang des innocents,
Osaient offrir à Dieu cet exécrable encens.

O combien de héros indignement périrent!
Resnel et Pardaillan chez les morts descendirent;
Et vous, brave Guerchy; vous, sage Lavardin,
Digne de plus de vie et d'un autre destin.
Parmi les malheureux que cette nuit cruelle
Plongea dans les horreurs d'une nuit éternelle,
Marsillac et Soubise, au trépas condamnés,
Défendent quelque temps leurs jours infortunés.
Sanglants, percés de coups, et respirant à peine,
Jusqu'aux portes du Louvre on les pousse, on les traîne;
Ils teignent de leur sang ce palais odieux,
En implorant leur roi, qui les trahit tous deux.

Du haut de ce palais, excitant la tempête,
Médicis à loisir contemplait cette fête:
Ses cruels favoris, d'un regard curieux,
Voyaient les flots de sang regorger sous leurs yeux;

[3] Voltaire assumes that Henri de Navarre, later Henri IV, has been describing the massacre to Queen Elizabeth.

Et de Paris en feu les ruines fatales
Étaient de ces héros les pompes triomphales.
Que dis-je! ô crime! ô honte! ô comble de nos maux!
Le roi, le roi lui-même, au milieu des bourreaux,
Poursuivant des proscrits les troupes égarées,
Du sang de ses sujets souillait ses mains sacrées:
Et ce même Valois que je sers aujourd'hui,
Ce roi qui par ma bouche implore votre appui,
Partageant les forfaits de son barbare frère,
A ce honteux carnage excitait sa colère.
Non qu'après tout Valois ait un cœur inhumain;
Rarement dans le sang il a trempé sa main:
Mais l'exemple du crime assiégeait sa jeunesse;
Et sa cruauté même était une faiblesse.
Quelques-uns, il est vrai, dans la foule des morts,
Du fer des assassins trompèrent les efforts.
De Caumont, jeune enfant, l'étonnante aventure
Ira de bouche en bouche à la race future.
Son vieux père, accablé sous le fardeau des ans,
Se livrait au sommeil entre ses deux enfants;
Un lit seul enfermait et les fils et le père.
Les meurtriers ardents, qu'aveuglait la colère,
Sur eux à coups pressés enfoncent le poignard:
Sur ce lit malheureux, la mort vole au hasard.
L'Éternel en ses mains tient seul nos destinées:
Il sait, quand il lui plaît, veiller sur nos années,
Tandis qu'en ses fureurs l'homicide est trompé.
D'aucun coup, d'aucun trait, Caumont ne fut frappé,
Un invisible bras, armé pour sa défense,
Aux mains des meurtriers dérobait son enfance;
Son père, à son côté, sous mille coups mourant,
Le couvrait tout entier de son corps expirant;
Et, du peuple et du roi trompant la barbarie,
Une seconde fois il lui donna la vie.
Cependant, que faisais-je en ces affreux moments?
Hélas! trop assuré sur la foi des serments,
Tranquille au fond du Louvre, et loin du bruit des armes,
Mes sens d'un doux repos goûtaient encor les charmes.

O nuit! nuit effroyable! ô funeste sommeil!
L'appareil de la mort éclaira mon réveil.
On avait massacré mes plus chers domestiques:
Le sang de tous côtés inondait mes portiques;
Et je n'ouvris les yeux que pour envisager
Les miens que sur le marbre on venait d'égorger.
Les assassins sanglants vers mon lit s'avancèrent,
Leurs parricides mains devant moi se levèrent;
Je touchais au moment qui terminait mon sort;
Je présentai ma tête, et j'attendis la mort.
Mais, soit qu'un vieux respect pour le sang de leurs maîtres
Parlât encor pour moi dans le cœur de ces traîtres;
Soit que de Médicis l'ingénieux courroux
Trouvât pour moi la mort un supplice trop doux;
Soit qu'enfin, s'assurant d'un port durant l'orage,
Sa prudente fureur me gardât pour otage;
On réserva ma vie à de nouveaux revers;
Et bientôt de sa part on m'apporta des fers.
Coligny, plus heureux et plus digne d'envie,
Du moins, en succombant, ne perdit que la vie;
Sa liberté, sa gloire au tombeau le suivit. . . .
Vous frémissez, madame, à cet affreux récit:
Tant d'horreur vous surprend; mais de leur barbarie
Je ne vous ai conté que la moindre partie.
On eût dit que du haut de son Louvre fatal,
Médicis à la France eût donné le signal.
Tout imita Paris; la mort sans résistance
Couvrit en un moment la face de la France.
Quand un roi veut le crime, il est trop obéi:
Par cent mille assassins son courroux fut servi;
Et des fleuves français les eaux ensanglantées
Ne portaient que des morts aux mers épouvantées.

(*La Henriade*, II, 175–359.)

Charles XII à Bender [4]

On ne fut pas longtemps sans voir l'armée des Turcs et des Tartares, qui venaient attaquer le petit retranchement avec dix pièces de canon et deux mortiers. Les queues de cheval flottaient en l'air, les clairons sonnaient, les cris de *Allah! Allah!* se faisaient entendre de tous côtés. Le baron de Grothusen remarqua que les Turcs ne mêlaient dans leurs cris aucune injure contre le roi, et qu'ils l'appelaient simplement *Demirbash*, tête de fer. Aussitôt il prend le parti de sortir seul sans armes des retranchements; il s'avança dans les rangs des janissaires, qui presque tous avaient reçu de l'argent de lui. "Eh quoi! mes amis, leur dit-il en propres mots, venez-vous massacrer trois cents Suédois sans défense? Vous, braves janissaires, qui avez pardonné à cinquante mille Russes quand ils vous ont crié *amman* (pardon), avez-vous oublié les bienfaits que vous avez reçus de nous? et voulez-vous assassiner ce grand roi de Suède que vous aimez tant, et qui vous a fait tant de libéralités? Mes amis, il ne demande que trois jours, et les ordres du sultan ne sont pas si sévères qu'on vous le fait croire."

Ces paroles firent un effet que Grothusen n'attendait pas lui-même. Les janissaires jurèrent sur leurs barbes qu'ils n'attaqueraient point le roi, et qu'ils lui donneraient les trois jours qu'il demandait. En vain on donna le signal de l'assaut: les janissaires, loin d'obéir, menacèrent de se jeter sur leurs chefs, si l'on n'accordait pas trois jours au roi de Suède; ils vinrent en tumulte à la tente du bacha de Bender, criant que les ordres du sultan étaient supposés; à cette sédition inopinée, le bacha n'eut à opposer que la patience.

Il feignit d'être content de la généreuse résolution des janissaires, et leur ordonna de se retirer à Bender. Le kan des Tartares, homme violent, voulait donner immédiatement l'assaut avec ses troupes; mais le bacha, qui ne prétendait pas que les Tartares eussent seuls l'honneur de prendre le roi, tandis qu'il

[4] After being defeated by the Russians at Pultava (1709), Charles XII (1682–1718), King of Sweden, with a few followers, among them his faithful lieutenants, Hord, Dardoff, and Axel Sparre, took refuge at Bender in Turkey. The Sultan, however, having signed a treaty with Russia, was forced to ask Charles to leave his states, and, on his refusal to do so, to send against him a small army.

serait puni peut-être de la désobéissance de ses janissaires, persuada au kan d'attendre jusqu'au lendemain.

Le bacha, de retour à Bender, assembla tous les officiers des janissaires et les plus vieux soldats; il leur lut et leur fit voir l'ordre positif du sultan et le fetfa [5] du mufti. Soixante des plus vieux, qui avaient des barbes blanches vénérables, et qui avaient reçu mille présents des mains du roi, proposèrent d'aller eux-mêmes le supplier de se remettre entre leurs mains, et de souffrir qu'ils lui servissent de gardes.

Le bacha le permit; il n'y avait point d'expédient qu'il n'eût pris, plutôt que d'être réduit à faire tuer ce prince. Ces soixante vieillards allèrent donc le lendemain matin à Varnitza, n'ayant dans leurs mains que de longs bâtons blancs, seules armes des janissaires quand ils ne vont point au combat; car les Turcs regardent comme barbare la coutume des chrétiens de porter des épées en temps de paix, et d'entrer armés chez leurs amis et dans leurs églises.

Ils s'adressèrent au baron de Grothusen et au chancelier Muller; ils leur dirent qu'ils venaient dans le dessein de servir de fidèles gardes au roi; et que, s'il voulait, ils le conduiraient à Andrinople, où il pourrait parler lui-même au Grand Seigneur. Dans le temps qu'ils faisaient cette proposition, le roi lisait des lettres qui arrivaient de Constantinople, et que Fabrice, qui ne pouvait plus le voir, lui avait fait tenir secrètement par un janissaire. Elles étaient du comte Poniatowski, qui ne pouvait le servir à Bender ni à Andrinople, étant retenu à Constantinople par ordre de la Porte, depuis l'indiscrète demande des mille bourses. Il mandait au roi que les ordres du sultan pour saisir ou massacrer sa personne royale, en cas de résistance, n'étaient que trop réels; qu'à la vérité le sultan était trompé par ses ministres, mais que plus l'empereur était trompé dans cette affaire, plus il voulait être obéi; qu'il fallait céder au temps et plier sous la nécessité; qu'il prenait la liberté de lui conseiller de tout tenter auprès des ministres par la voie des négociations; de ne point mettre de l'inflexibilité où il ne fallait que de la douceur, et d'attendre de la politique et du temps le remède à un mal que la violence aigrirait sans ressource.

[5] The "fetfa" or "fetwa" is a decision given by a Moslem judicial authority.

Mais ni les propositions de ces vieux janissaires, ni les lettres de Poniatowski, ne purent donner seulement au roi l'idée qu'il pouvait fléchir sans déshonneur. Il aimait mieux mourir de la main des Turcs que d'être en quelque sorte leur prisonnier: il renvoya ces janissaires sans les vouloir voir, et leur fit dire que, s'ils ne se retiraient, il leur ferait couper la barbe, ce qui est dans l'Orient le plus outrageant de tous les affronts.

Les vieillards, remplis de l'indignation la plus vive, s'en retournèrent en criant: "Ah! la tête de fer! puisqu'il veut périr, qu'il périsse." Ils vinrent rendre compte au bacha de leur commission, et apprendre à leurs camarades de Bender l'étrange réception qu'on leur avait faite. Tous jurèrent alors d'obéir aux ordres du bacha sans délai, et eurent autant d'impatience d'aller à l'assaut qu'ils en avaient eu peu le jour précédent. L'ordre est donné dans le moment: les Turcs marchent aux retranchements: les Tartares les attendaient déjà, et les canons commençaient à tirer.

Les janissaires d'un côté, et les Tartares de l'autre, forcent en un instant ce petit camp; à peine vingt Suédois tirèrent l'épée; les trois cents soldats furent enveloppés et faits prisonniers sans résistance. Le roi était alors à cheval, entre sa maison et son camp, avec les généraux Hord, Dahldorf et Sparre: voyant que tous les soldats s'étaient laissé prendre en sa présence, il dit de sang-froid à ces trois officiers: "Allons défendre la maison; nous combattrons, ajouta-t-il en souriant, *pro aris et focis*."

Aussitôt il galope avec eux vers cette maison, où il avait mis environ quarante domestiques en sentinelle, et qu'on avait fortifiée du mieux qu'on avait pu.

Ces généraux, tout accoutumés qu'ils étaient à l'opiniâtre intrépidité de leur maître, ne pouvaient se lasser d'admirer qu'il voulût de sang-froid, et en plaisantant, se défendre contre dix canons et toute une armée; ils le suivirent avec quelques gardes et quelques domestiques, qui faisaient en tout vingt personnes.

Mais quand ils furent à la porte, ils la trouvèrent assiégée de janissaires; déjà même près de deux cents Turcs ou Tartares étaient entrés par une fenêtre, et s'étaient rendus maîtres de tous les appartements, à la réserve d'une grande salle où les domestiques du roi s'étaient retirés. Cette salle était heureusement près de la porte par où le roi voulait entrer avec sa petite troupe de vingt personnes; il s'était jeté en bas de son cheval, le pistolet et l'épée à la main, et sa suite en avait fait autant.

Les janissaires tombent sur lui de tous côtés; ils étaient animés par la promesse qu'avait faite le bacha de huit ducats d'or à chacun de ceux qui auraient seulement touché son habit, en cas qu'on pût le prendre. Il blessait et il tuait tous ceux qui s'approchaient de sa personne. Un janissaire qu'il avait blessé lui appuya son mousqueton sur le visage: si le bras du Turc n'avait fait un mouvement causé par la foule qui allait et qui venait comme des vagues, le roi était mort; la balle glissa sur son nez, lui emporta un bout de l'oreille, et alla casser le bras au général Hord, dont la destinée était d'être toujours blessé à côté de son maître.

Le roi enfonça son épée dans l'estomac du janissaire; en même temps ses domestiques, qui étaient enfermés dans la grande salle, en ouvrent la porte: le roi entre comme un trait, suivi de sa petite troupe; on referme la porte dans l'instant, et on la barricade avec tout ce qu'on peut trouver. Voilà Charles XII dans cette salle, enfermé avec toute sa suite, qui consistait en près de soixante hommes, officiers, gardes, secrétaires, valets de chambre, domestiques de toute espèce.

Les janissaires et les Tartares pillaient le reste de la maison, et remplissaient les appartements. "Allons un peu chasser de chez moi ces barbares," dit-il; et, se mettant à la tête de son monde, il ouvrit lui-même la porte de la salle, qui donnait dans son appartement à coucher; il entre, et fait feu sur ceux qui pillaient.

Les Turcs, chargés de butin, épouvantés de la subite apparition de ce roi qu'ils étaient accoutumés à respecter, jettent leurs armes, sautent par la fenêtre, ou se retirent jusque dans les caves: le roi, profitant de leur désordre, et les siens animés par le succès, poursuivent les Turcs de chambre en chambre, tuent ou blessent ceux qui ne fuient point, et en un quart d'heure, nettoient la maison d'ennemis.

Le roi aperçut, dans la chaleur du combat, deux janissaires qui se cachaient sous son lit: il en tua un d'un coup d'épée; l'autre lui demanda pardon en criant *amman*. "Je te donne la vie, dit le roi au Turc, à condition que tu iras faire au bacha un fidèle récit de ce que tu as vu." Le Turc promit aisément ce qu'on voulut, et on lui permit de sauter par la fenêtre comme les autres.

Les Suédois, étant enfin maîtres de la maison, refermèrent et barricadèrent encore les fenêtres. Ils ne manquaient point d'armes: une chambre basse, pleine de mousquets et de poudre, avait échappé à la recherche tumultueuse des janissaires; on s'en servit à propos; les Suédois tiraient à travers les fenêtres, presque à bout portant, sur cette multitude de Turcs, dont ils tuèrent deux cents en moins d'un demi-quart d'heure.

Le canon tirait contre la maison; mais les pierres étant fort molles, il ne faisait que des trous, et ne renversait rien.

Le kan des Tartares et le bacha, qui voulaient prendre le roi en vie, honteux de perdre du monde et d'occuper une armée entière contre soixante personnes, jugèrent à propos de mettre le feu à la maison, pour obliger le roi de se rendre. Ils firent lancer sur le toit, contre les portes et contre les fenêtres, des flèches entortillées de mèches allumées: la maison fut en flammes en un moment. Le toit tout embrasé était prêt à fondre sur les Suédois. Le roi donna tranquillement ses ordres pour éteindre le feu. Trouvant un petit baril plein de liqueur, il prend le baril lui-même, et, aidé de deux Suédois, il le jette à l'endroit où le feu était le plus violent. Il se trouva que ce baril était rempli d'eau-de-vie; mais la précipitation, inséparable d'un tel embarras, empêcha d'y penser. L'embrasement redoubla avec plus de rage: l'appartement du roi était consumé; la grande salle, où les Suédois se tenaient, était remplie d'une fumée affreuse, mêlée de tourbillons de feu qui entraient par les portes des appartements voisins; la moitié du toit était abîmée dans la maison même, l'autre tombait en dehors en éclatant dans les flammes.

Un garde, nommé Walberg, osa, dans cette extrémité, crier qu'il fallait se rendre. "Voilà un étrange homme, dit le roi, qui s'imagine qu'il n'est pas plus beau d'être brûlé que d'être prisonnier." Un autre garde, nommé Rosen, s'avisa de dire que la maison de la chancellerie, qui n'était qu'à cinquante pas, avait un toit de pierre, et était à l'épreuve du feu; qu'il fallait faire une sortie, gagner cette maison, et s'y défendre. "Voilà un vrai Suédois!" s'écria le roi; il embrassa ce garde, et le créa colonel sur-le-champ. "Allons, mes amis, dit-il, prenez avec vous le plus de poudre et de plomb que vous pourrez, et gagnons la chancellerie, l'épée à la main."

Les Turcs, qui cependant entouraient cette maison tout embrasée, voyaient avec une admiration mêlée d'épouvante que les Suédois n'en sortaient point; mais leur étonnement fut encore plus grand lorsqu'ils virent ouvrir les portes, et le roi et les siens fondre sur eux en désespérés. Charles et ses principaux officiers étaient armés d'épées et de pistolets; chacun tira deux coups à la fois à l'instant que la porte s'ouvrit; et dans le même clin d'œil, jetant leurs pistolets et s'armant de leurs épées, ils firent reculer les Turcs plus de cinquante pas. Mais, le moment d'après, cette petite troupe fut entourée: le roi, qui était en bottes, selon sa coutume, s'embarrassa dans ses éperons et tomba: vingt et un janissaires se jettent aussitôt sur lui; il jette en l'air son épée, pour s'épargner la douleur de la rendre: les Turcs l'emmènent au quartier du bacha; les uns le tenant sous les jambes, les autres sous les bras, comme on porte un malade que l'on craint d'incommoder.

Au moment que le roi se vit saisi, la violence de son tempérament, et la fureur où un combat si long et si terrible avait dû le mettre, firent place tout à coup à la douceur et à la tranquillité. Il ne lui échappa pas un mot d'impatience, pas un coup d'œil de colère. Il regardait les janissaires en souriant, et ceux-ci le portaient en criant *Allah!* avec une indignation mêlée de respect. Ses officiers furent pris au même temps, et dépouillés par les Turcs et par les Tartares. Ce fut le 12 février de l'an 1713 qu'arriva cet étrange événement, qui eut encore des suites singulières.

(*Histoire de Charles XII*, Book VI.)

LETTRES PHILOSOPHIQUES

Sur le parlement

Les membres du parlement d'Angleterre aiment à se comparer aux anciens Romains autant qu'ils le peuvent.

Il n'y a pas longtemps que M. Shipping, dans la chambre des communes, commença son discours par ces mots: "La majesté du peuple anglais serait blessée, etc." La singularité de l'expression causa un grand éclat de rire; mais, sans se déconcerter, il répéta les mêmes paroles d'un air ferme, et on ne rit plus. J'avoue que je ne vois rien de commun entre la majesté du peuple anglais et celle du peuple romain, encore moins entre leurs gouvernements; il y a un sénat à Londres dont quelques membres sont soupçonnés, quoique à tort sans doute, de vendre leurs voix dans l'occasion, comme on faisait à Rome: voilà toute la ressemblance. D'ailleurs les deux nations me paraissent entièrement différentes, soit en bien, soit en mal. On n'a jamais connu chez les Romains la folie horrible des guerres de religion; cette abomination était réservée à des dévots prêcheurs d'humilité et de patience. Marius et Sylla, Pompée et César, Antoine et Auguste, ne se battaient point pour décider si le *flamen* [6] devait porter sa chemise par-dessus sa robe, ou sa robe par-dessus sa chemise, et si les poulets sacrés devaient manger et boire, ou bien manger seulement, pour qu'on prît les augures. Les Anglais se sont fait pendre autrefois réciproquement à leurs assises, et se sont détruits en bataille rangée pour des querelles de pareille espèce; la secte des épiscopaux et le presbytérianisme ont tourné pour un temps ces têtes mélancoliques. Je m'imagine que pareille sottise ne leur arrivera plus; ils me paraissent devenir sages à leurs dépens, et je ne leur vois nulle envie de s'égorger dorénavant pour des syllogismes. Toutefois, qui peut répondre des hommes?

Voici une différence plus essentielle entre Rome et l'Angleterre, qui met tout l'avantage du côté de la dernière: c'est que le fruit des guerres civiles de Rome a été l'esclavage, et celui des troubles d'Angleterre, la liberté. La nation anglaise est la seule de la terre qui soit parvenue à régler le pouvoir des rois en leur résistant, et qui d'efforts en efforts ait enfin établi ce gouvernement sage où le prince, tout-puissant pour faire du bien, a les mains liées pour faire le mal; où les seigneurs sont grands sans insolence et sans vassaux, et où le peuple partage le gouvernement sans confusion.

La chambre des pairs et celle des communes sont les arbitres de la nation, le roi est le surarbitre. Cette balance manquait aux Romains: les grands et le peuple étaient toujours en division à Rome, sans qu'il y eût un pouvoir mitoyen qui pût les accorder.

[6] Flamen, a Roman priest.

Le sénat de Rome, qui avait l'injuste et punissable orgueil de ne vouloir rien partager avec les plébéiens, ne connaissait d'autre secret, pour les éloigner du gouvernement, que de les occuper toujours dans les guerres étrangères. Il regardait le peuple comme une bête féroce qu'il fallait lâcher sur leurs voisins de peur qu'elle ne dévorât ses maîtres; ainsi le plus grand défaut du gouvernement des Romains en fit des conquérants; c'est parce qu'ils étaient malheureux chez eux qu'ils devinrent les maîtres du monde, jusqu'à ce qu'enfin leurs divisions les rendirent esclaves.

Le gouvernement d'Angleterre n'est point fait pour un si grand éclat, ni pour une fin si funeste; son but n'est point la brillante folie de faire des conquêtes, mais d'empêcher que ses voisins n'en fassent; ce peuple n'est pas seulement jaloux de sa liberté, il l'est encore de celle des autres. Les Anglais étaient acharnés contre Louis XIV, uniquement parce qu'ils lui croyaient de l'ambition.

Il en a coûté sans doute pour établir la liberté en Angleterre; c'est dans des mers de sang qu'on a noyé l'idole du pouvoir despotique; mais les Anglais ne croient point avoir acheté trop cher leurs lois. Les autres nations n'ont pas eu moins de troubles, n'ont pas versé moins de sang qu'eux; mais ce sang qu'elles ont répandu pour la cause de leur liberté n'a fait que cimenter leur servitude.

Ce qui devient une révolution en Angleterre n'est qu'une sédition dans les autres pays. Une ville prend les armes pour défendre ses privilèges, soit en Espagne, soit en Barbarie, soit en Turquie; aussitôt des soldats mercenaires la subjuguent, des bourreaux la punissent, et le reste de la nation baise ses chaînes. Les Français pensent que le gouvernement de cette île est plus orageux que la mer qui l'environne, et cela est vrai; mais c'est quand le roi commence la tempête, c'est quand il veut se rendre le maître du vaisseau dont il n'est que le premier pilote. Les guerres civiles de France ont été plus longues, plus cruelles, plus fécondes en crimes, que celles d'Angleterre; mais de toutes ces guerres civiles aucune n'a eu une liberté sage pour objet.

Dans les temps détestables de Charles IX et de Henri III, il s'agissait seulement de savoir si on serait l'esclave des Guises. Pour la dernière guerre de Paris, elle ne mérite que des sifflets; il me semble que je vois des écoliers qui se mutinent contre le préfet d'un collège, et qui finissent par être fouettés; le cardinal de Retz, avec beaucoup d'esprit et de courage mal employés, rebelle sans aucun sujet, factieux sans dessein, chef de parti sans armée, cabalait pour cabaler, et semblait faire la guerre civile pour son plaisir. Le parlement ne savait ce qu'il voulait, ni ce qu'il ne voulait pas; il levait des troupes par arrêt, il les cassait; il menaçait, et demandait pardon; il mettait à prix la tête du cardinal Mazarin, et ensuite venait le complimenter en cérémonie: nos guerres civiles sous Charles VI avaient été cruelles, celles de la Ligue furent abominables, celle de la Fronde fut ridicule.

Ce qu'on reproche le plus en France aux Anglais, c'est le supplice de Charles Ier, monarque digne d'un meilleur sort, qui fut traité par ses vainqueurs comme il les eût traités s'il eût été heureux.

Après tout, regardez d'un côté Charles Ier vaincu en bataille rangée, prisonnier, jugé, condamné dans Westminster, et décapité; et de l'autre l'empereur Henri VII empoisonné par son chapelain en communiant, Henri III assassiné par un moine, trente assassinats médités contre Henri IV, plusieurs exécutés, et le dernier privant enfin la France de ce grand roi. Pesez ces attentats, et jugez.

(*Lettre VIII.*)

Sur M. Locke

Jamais il ne fut peut-être un esprit plus sage, plus méthodique, un logicien plus exact que Locke; cependant il n'était pas grand mathématicien. Il n'avait jamais pu se soumettre à la fatigue des calculs ni à la sécheresse des vérités mathématiques, qui ne présentent d'abord rien de sensible à l'esprit; et personne n'a mieux prouvé que lui que l'on pouvait avoir l'esprit géomètre sans le secours de la géométrie. Avant lui de grands philosophes avaient décidé positivement ce que c'est que l'âme de l'homme; mais, puisqu'ils n'en savaient rien du tout, il est bien juste qu'ils aient tous été d'avis différents.

Dans la Grèce, berceau des arts et des erreurs, et où l'on poussa si loin la grandeur et la sottise de l'esprit humain, on raisonnait comme chez nous sur l'âme. Le divin Anaxagoras, à qui on dressa un autel pour avoir appris aux hommes que le soleil était plus grand que le Péloponèse, que la neige était noire, que les cieux étaient de pierre, affirma que l'âme était un esprit aérien, mais cependant immortel. Diogène, un autre que celui qui devint cynique après avoir été faux-monnayeur, assurait que l'âme était une portion de la substance même de Dieu; et cette idée au moins était brillante. Épicure la composait de parties comme le corps. Aristote, qu'on a expliqué de mille façons, parce qu'il était inintelligible, croyait, si l'on s'en rapporte à quelques-uns de ses disciples, que l'entendement de tous les hommes était une seule et même substance. Le divin Platon, maître du divin Aristote, et le divin Socrate, maître du divin Platon, disaient l'âme corporelle et éternelle. Le démon de Socrate lui avait appris sans doute ce qui en était. Il y a des gens, à la vérité, qui prétendent qu'un homme qui se vantait d'avoir un génie familier était indubitablement un peu fou ou un peu fripon; mais ces gens-là sont trop difficiles.

Quant à nos Pères de l'Église, plusieurs, dans les premiers siècles, ont cru l'âme humaine, les anges et Dieu, corporels.

Le monde se raffine toujours. Saint Bernard, selon l'aveu du P. Mabillon, enseigna, à propos de l'âme, qu'après la mort elle ne voyait point Dieu dans le ciel, mais qu'elle conversait seulement avec l'humanité de Jésus-Christ. On ne le crut pas cette fois sur sa parole; l'aventure de la croisade avait un peu décrédité ses oracles. Mille scolastiques sont venus ensuite, comme le docteur irréfragable, le docteur subtil, le docteur angélique, le docteur séraphique, le docteur chérubique, qui tous ont été bien sûrs de connaître l'âme très clairement, mais qui n'ont pas laissé d'en parler comme s'ils avaient voulu que personne n'y entendît rien.

Notre Descartes, né pour découvrir les erreurs de l'antiquité, mais pour y substituer les siennes, et entraîné par cet esprit systématique qui aveugle les plus grands hommes, s'imagina avoir démontré que l'âme était la même chose que la pensée, comme la matière, selon lui, est la même chose que l'étendue. Il assura bien que l'on pense toujours, et que l'âme arrive dans le corps pourvue de toutes les notions métaphysiques, connaissant Dieu, l'espace, l'infini, ayant toutes les idées abstraites, remplie enfin de belles connaissances, qu'elle oublie malheureusement en sortant du ventre de sa mère.

Le P. Malebranche de l'Oratoire, dans ses illusions sublimes, non seulement n'admet point les idées innées, mais il ne doutait pas que nous ne vissions tout en Dieu, et que Dieu, pour ainsi dire, ne fût notre âme.

Tant de raisonneurs ayant fait le roman de l'âme, un sage est venu qui en a fait modestement l'histoire. Locke a développé à l'homme la raison humaine, comme un excellent anatomiste explique les ressorts du corps humain. Il s'aide partout du flambeau de la physique; il ose quelquefois parler affirmativement, mais il ose aussi douter. Au lieu de définir tout d'un coup ce que nous ne connaissons pas, il examine par degrés ce que nous voulons connaître. Il prend un enfant au moment de sa naissance, il suit pas à pas les progrès de son entendement; il voit ce qu'il a de commun avec les bêtes, et ce qu'il a au-dessus d'elles; il consulte surtout son propre témoignage, la conscience de sa pensée.

"Je laisse, dit-il, à discuter à ceux qui en savent plus que moi, si notre âme existe avant ou après l'organisation de notre corps; mais j'avoue qu'il m'est tombé en partage une de ces âmes grossières qui ne pensent pas toujours, et j'ai même le malheur de ne pas concevoir qu'il soit plus nécessaire à l'âme de penser toujours, qu'au corps d'être toujours en mouvement."

Pour moi, je me vante de l'honneur d'être en ce point aussi simple que Locke. Personne ne me fera jamais croire que je pense toujours; et je ne me sens pas plus disposé que lui à imaginer que quelques secondes après ma conception j'étais une fort savante âme, sachant alors mille choses que j'ai oubliées en naissant, et ayant fort inutilement possédé dans l'*uterus* des connaissances qui m'ont échappé dès que j'ai pu en avoir besoin, et que je n'ai jamais bien pu reprendre depuis.

Locke, après avoir ruiné les idées innées, après avoir bien renoncé à la vanité de croire qu'on pense toujours, ayant bien établi que toutes nos idées nous viennent par les sens, ayant examiné nos idées simples, celles qui sont composées, ayant suivi l'esprit de l'homme dans toutes ses opérations, ayant fait voir combien les langues que les hommes parlent sont imparfaites et quel abus nous faisons des termes à tout moment; Locke, dis-je, considère enfin l'étendue, ou plutôt le néant des connaissances humaines. C'est dans ce chapitre qu'il ose avancer modestement ces paroles: *Nous ne serons peut-être jamais capables de connaître si un être purement matériel pense ou non.*

Ce discours sage parut à plus d'un théologien une déclaration scandaleuse que l'âme est matérielle et mortelle. Quelques Anglais, dévots à leur manière, sonnèrent l'alarme. Les superstitieux sont dans la société ce que les poltrons sont dans une armée; ils ont et donnent des terreurs paniques. On cria que Locke voulait renverser la religion: il ne s'agissait pourtant point de religion dans cette affaire; c'était une question purement philosophique, très indépendante de la foi et de la révélation; il ne fallait qu'examiner sans aigreur s'il y a de la contradiction à dire: *La matière peut penser*, et Dieu peut communiquer la pensée à la matière. Mais les théologiens commencent trop souvent par dire que Dieu est outragé quand on n'est pas de leur avis. C'est trop ressembler aux mauvais poètes, qui croyaient que Despréaux parlait mal du roi parce qu'il se moquait d'eux.

Le docteur Stillingfleet [7] s'est fait une réputation de théologien modéré, pour n'avoir pas dit positivement des injures à Locke. Il entra en lice contre lui, mais il fut battu, car il raisonnait en docteur, et Locke en philosophe instruit de la force et de la faiblesse de l'esprit humain, et qui se battait avec des armes dont il connaissait la trempe.

Si j'osais parler après M. Locke sur un sujet si délicat, je dirais: Les hommes disputent depuis longtemps sur la nature et sur l'immortalité de l'âme; à l'égard de son immortalité, il est impossible de la démontrer, puisqu'on dispute encore sur sa nature, et qu'assurément il faut connaître à fond un être créé, pour décider s'il est immortel ou non. La raison humaine est si peu capable de démontrer par elle-même l'immortalité de l'âme, que la religion a été obligée de nous la révéler. Le bien commun de tous les hommes demande qu'on croie l'âme immortelle: la foi nous l'ordonne; il n'en faut pas davantage, et la chose est presque décidée. Il n'en est pas de même de sa nature; il importe peu à la religion de quelle substance soit l'âme, pourvu qu'elle soit vertueuse. C'est une horloge qu'on nous a donnée à gouverner; mais l'ouvrier ne nous a pas dit de quoi le ressort de cette horloge est composé.

[7] Stillingfleet, E. (1635–1699), Bishop of Worcester. He opposed Locke because he thought the latter impugned the doctrine of the Trinity.

Je suis corps et je pense, je n'en sais pas davantage. Si je ne consulte que mes faibles lumières, irai-je attribuer à une cause inconnue ce que je puis si aisément attribuer à la seule cause seconde que je connais un peu? Ici tous les philosophes de l'école m'arrêtent en argumentant, et disent: "Il n'y a dans le corps que de l'étendue et de la solidité, et il ne peut avoir que du mouvement et de la figure. Or, du mouvement, de la figure, de l'étendue et de la solidité, ne peuvent faire une pensée; donc l'âme ne peut pas être matière." Tout ce grand raisonnement répété tant de fois se réduit uniquement à ceci: "Je ne connais que très peu de chose de la matière, j'en devine imparfaitement quelques propriétés: or je ne sais point du tout si ces propriétés peuvent être jointes à la pensée; donc, parce que je ne sais rien du tout, j'assure positivement que la matière ne saurait penser." Voilà nettement la manière de raisonner de l'école.

M. Locke dirait avec simplicité à ces messieurs: "Confessez du moins que vous êtes aussi ignorants que moi: votre imagination ni la mienne ne peuvent concevoir comment un corps a des idées; et comprenez-vous mieux comment une substance, telle qu'elle soit, a des idées? Vous ne concevez ni la matière ni l'esprit, comment osez-vous assurer quelque chose? Que vous importe que l'âme soit un de ces êtres incompréhensibles qu'on appelle esprit? Quoi! Dieu, le créateur de tout, ne peut-il pas éterniser ou anéantir votre âme à son gré, quelle que soit sa substance?"

Le superstitieux vient à son tour, et dit qu'il faut brûler pour le bien de leurs âmes ceux qui soupçonnent qu'on peut penser avec la seule aide du corps; mais que dirait-il si c'était lui-même qui fût coupable d'irréligion? En effet, quel est l'homme qui osera assurer, sans une impiété absurde, qu'il est impossible au Créateur de donner à la matière la pensée et le sentiment? Voyez, je vous prie, à quel embarras vous êtes réduits, vous qui bornez ainsi la puissance du Créateur. Les bêtes ont les mêmes organes que nous, les mêmes perceptions; elles ont de la mémoire, elles combinent quelques idées. Si Dieu n'a pas pu animer la matière, et lui donner le sentiment, il faut de deux choses l'une, ou que les bêtes soient de pures machines, ou qu'elles aient une âme spirituelle.

Il me paraît démontré que les bêtes ne peuvent être de simples machines; voici ma preuve: Dieu leur a fait précisément les mêmes organes de sentiment que les nôtres; donc si elles ne sentent point, Dieu a fait un ouvrage inutile; or Dieu, de votre aveu même, ne fait rien en vain; donc il n'a point fabriqué tant d'organes de sentiment, pour qu'il n'y eût point de sentiment; donc les bêtes ne sont point de pures machines. Les bêtes, selon vous, ne peuvent pas avoir une âme spirituelle; donc malgré vous il ne reste autre chose à dire, sinon que Dieu a donné aux organes des bêtes, qui sont matière, la faculté de sentir et d'apercevoir, que vous appelez instinct dans elles. Et qui peut empêcher Dieu de communiquer à nos organes plus déliés cette faculté de sentir, d'apercevoir, et de penser, que nous appelons raison humaine? De quelque côté que vous vous tourniez, vous êtes obligés d'avouer votre ignorance, et la puissance immense du Créateur. Ne vous révoltez donc plus contre la sage et modeste philosophie de Locke: loin d'être contraire à la religion, elle lui servirait de preuve, si la religion en avait besoin; car quelle philosophie plus religieuse, que celle qui, n'affirmant que ce qu'elle conçoit clairement, et sachant avouer sa faiblesse, vous dit qu'il faut recourir à Dieu, dès qu'on examine les premiers principes?

D'ailleurs, il ne faut jamais craindre qu'aucun sentiment philosophique puisse nuire à la religion d'un pays. Nos mystères ont beau être contraires à nos démonstrations, ils n'en sont pas moins révérés par nos philosophes chrétiens, qui savent que les objets de la raison et de la foi sont de différente nature. Jamais les philosophes ne feront une secte de religion; pourquoi? c'est qu'ils n'écrivent point pour le peuple, et qu'ils sont sans enthousiasme. Divisez le genre humain en vingt parts, il y en a dix-neuf composées de ceux qui travaillent de leurs mains, et qui ne sauront jamais s'il y a eu un M. Locke au monde; dans la vingtième partie qui reste, combien trouve-t-on peu d'hommes qui lisent? et parmi ceux qui lisent, il y en a vingt qui lisent des romans, contre un qui étudie en philosophie. Le nombre de ceux qui pensent est excessivement petit, et ceux-là ne s'avisent pas de troubler le monde.

Ce n'est ni Montaigne, ni Locke, ni Bayle, ni Spinosa, ni Hobbes, ni milord Shaftesbury, ni M. Collins,[8] ni M. Toland, ni

[8] English deists or those who took a part in the deistic controversy.

Flud, ni Becker, ni M. le comte de Boulainvilliers, etc., qui ont porté le flambeau de la discorde dans leur patrie; ce sont, pour la plupart, des théologiens, qui, ayant eu d'abord l'ambition d'être chefs de sectes, ont eu bientôt celle d'être chefs de partis. Que dis-je? tous ces livres des philosophes modernes mis ensemble ne feront jamais dans le monde autant de bruit seulement qu'en a fait autrefois la dispute des cordeliers sur la forme de leurs manches et de leur capuchon.

(*Lettre XIII.*)

Sur la tragédie

Les Anglais avaient déjà un théâtre aussi bien que les Espagnols, quand les Français n'avaient encore que des tréteaux. Shakspeare, que les Anglais prennent pour un Sophocle, florissait à peu près dans le temps de Lope de Véga; il créa le théâtre; il avait un génie plein de force et de fécondité, de naturel et de sublime, sans la moindre étincelle de bon goût et sans la moindre connaissance des règles. Je vais vous dire une chose hasardée, mais vraie; c'est que le mérite de cet auteur a perdu le théâtre anglais: il y a de si belles scènes, des morceaux si grands et si terribles répandus dans ses farces monstrueuses qu'on appelle tragédies, que ses pièces ont toujours été jouées avec un grand succès. Le temps, qui fait seul la réputation des hommes, rend à la fin leurs défauts respectables. La plupart des idées bizarres et gigantesques de cet auteur ont acquis au bout de deux cents ans le droit de passer pour sublimes. Les auteurs modernes l'ont presque tous copié; mais ce qui réussissait dans Shakspeare est sifflé chez eux, et vous croyez bien que la vénération qu'on a pour cet ancien augmente à mesure que l'on méprise les modernes. On ne fait pas réflexion qu'il ne faudrait pas l'imiter, et le mauvais succès de ses copistes fait seulement qu'on le croit inimitable.

Vous savez que dans la tragédie du *More de Venise*, pièce très touchante, un mari étrangle sa femme sur le théâtre; et que, quand la pauvre femme est étranglée, elle s'écrie qu'elle meurt très injustement. Vous n'ignorez pas que, dans *Hamlet*, des fossoyeurs creusent une fosse en buvant, en chantant des vaudevilles, et en faisant sur les têtes des morts qu'ils rencontrent des plaisanteries convenables à gens de leur métier; mais, ce qui vous surprendra, c'est qu'on a imité ces sottises. Sous le règne de

Charles II, qui était celui de la politesse et l'âge des beaux-arts, Otway,[9] dans sa *Venise sauvée*, introduit le sénateur Antonio et sa courtisane Naki au milieu des horreurs de la conspiration du marquis de Bedmar. Le vieux sénateur Antonio fait auprès de sa courtisane toutes les singeries d'un vieux débauché impuissant et hors du bon sens; il contrefait le taureau et le chien, il mord les jambes de sa maîtresse qui lui donne des coups de pied et des coups de fouet. On a retranché de la pièce d'Otway ces bouffonneries faites pour la plus vile canaille; mais on a laissé dans le *Jules César* de Shakspeare les plaisanteries des cordonniers et des savetiers romains introduits sur la scène avec Brutus et Cassius.

Vous vous plaindrez sans doute que ceux qui, jusqu'à présent, vous ont parlé du théâtre anglais, et surtout de ce fameux Shakspeare, ne vous aient encore fait voir que ses erreurs, et que personne n'ait traduit aucun de ces endroits frappants qui demandent grâce pour toutes ses fautes. Je vous répondrai qu'il est bien aisé de rapporter en prose les sottises d'un poète, mais très difficile de traduire ses beaux vers. Tous ceux qui s'érigent en critiques des écrivains célèbres compilent des volumes. J'aimerais mieux deux pages qui nous fissent connaître quelques beautés; car je maintiendrai toujours, avec tous les gens de bon goût, qu'il y a plus à profiter dans douze vers d'Homère et de Virgile que dans toutes les critiques qu'on a faites de ces deux grands hommes.

J'ai hasardé de traduire quelques morceaux des meilleurs poètes anglais: en voici un de Shakspeare. Faites grâce à la copie en faveur de l'original; et souvenez-vous toujours, quand vous voyez une traduction, que vous ne voyez qu'une faible estampe d'un beau tableau.

J'ai choisi le monologue de la tragédie d'*Hamlet*, qui est su de tout le monde et qui commence par ces vers:

To be, or not to be, that is the question.

C'est Hamlet, prince de Danemark, qui parle:

Demeure, il faut choisir, et passer à l'instant
De la vie à la mort, et de l'être au néant.
Dieux justes! s'il en est, éclairez mon courage.
Faut-il vieillir courbé sous la main qui m'outrage,

[9] Otway, T. (1652–1685), author of the *Venice Preserved*.

Supporter ou finir mon malheur et mon sort?
Qui suis-je? qui m'arrête? et qu'est-ce que la mort?
C'est la fin de nos maux, c'est mon unique asile;
Après de longs transports, c'est un sommeil tranquille;
On s'endort, et tout meurt. Mais un affreux réveil
Doit succéder peut-être aux douceurs du sommeil.
On nous menace, on dit que cette courte vie
De tourments éternels est aussitôt suivie.
O mort! moment fatal! affreuse éternité!
Tout cœur à ton seul nom se glace épouvanté.
Eh! qui pourrait sans toi supporter cette vie,
De nos fourbes puissants bénir l'hypocrisie,
D'une indigne maîtresse encenser les erreurs.
Ramper sous un ministre, adorer ses hauteurs,
Et montrer les langueurs de son âme abattue
A des amis ingrats qui détournent la vue?
La mort serait trop douce en ces extrémités;
Mais le scrupule parle, et nous crie: "Arrêtez."
Il défend à nos mains cet heureux homicide,
Et d'un héros guerrier fait un chrétien timide, etc. . . .

Ne croyez pas que j'aie rendu ici l'anglais mot pour mot; malheur aux faiseurs de traductions littérales, qui, traduisant chaque parole, énervent le sens! C'est bien là qu'on peut dire que la lettre tue, et que l'esprit vivifie.

C'est dans ces morceaux détachés que les tragiques anglais ont jusqu'ici excellé; leurs pièces, presque toutes barbares, dépourvues de bienséance, d'ordre, de vraisemblance, ont des lueurs étonnantes au milieu de cette nuit. Le style est trop ampoulé, trop hors de la nature, trop copié des écrivains hébreux si remplis de l'enflure asiatique; mais aussi les échasses du style figuré, sur lesquelles la langue anglaise est guindée, élèvent l'esprit bien haut, quoique par une marche irrégulière.

M. Addison est le premier Anglais qui ait fait une tragédie raisonnable. Je le plaindrais s'il n'y avait mis que de la raison. Sa tragédie de *Caton* est écrite d'un bout à l'autre avec cette élégance mâle et énergique dont Corneille le premier donna chez nous de si beaux exemples dans son style inégal. Il me semble que cette pièce est faite pour un auditoire un peu philosophe et très républicain. Je doute que nos jeunes dames et nos petits-maîtres eussent aimé Caton en robe de chambre, lisant les dialogues de Platon, et faisant ses réflexions sur l'immortalité de l'âme. Mais ceux qui s'élèvent au-dessus des usages, des préjugés, des faiblesses de leur nation, ceux qui sont de tous les temps et de tous les pays, ceux qui préfèrent la grandeur philosophique à des déclarations d'amour, seront bien aises de trouver ici une copie, quoique imparfaite, de ce morceau sublime: il semble qu' Addison, dans ce beau monologue de Caton, ait voulu lutter contre Shakspeare. Je traduirai l'un comme l'autre, c'est-à-dire avec cette liberté sans laquelle on s'écarterait trop de son original à force de vouloir lui ressembler. Le fond est très fidèle; j'y ajoute peu de détails. Il m'a fallu enchérir sur lui, ne pouvant l'égaler.

> Oui, Platon, tu dis vrai; notre âme est immortelle,
> C'est un dieu qui lui parle, un dieu qui vit en elle.
> Eh! d'où viendrait sans lui ce grand pressentiment,
> Ce dégoût des faux biens, cette horreur du néant?
> Vers des siècles sans fin je sens que tu m'entraînes.
> Du monde et de mes sens je vais briser les chaînes
> Et m'ouvrir, loin d'un corps dans la fange arrêté,
> Les portes de la vie et de l'éternité.

Dans cette tragédie d'un patriote et d'un philosophe, le rôle de Caton me paraît surtout un des plus beaux personnages qui soient sur aucun théâtre. Le Caton d'Addison est, je crois, fort au-dessus de la Cornélie de Pierre Corneille; car il est continuellement grand sans enflure; et le rôle de Cornélie, qui d'ailleurs n'est pas un personnage nécessaire, sent trop la déclamation en quelques endroits. Elle veut toujours être héroïne, et Caton ne s'aperçoit jamais qu'il est un héros.

Il est bien triste que quelque chose de si beau ne soit pas une belle tragédie. Des scènes décousues, qui laissent souvent le théâtre vide, des *aparté* trop longs et sans art, des amours froids et insipides, une conspiration inutile à la pièce, un certain Sempronius déguisé et tué sur le théâtre; tout cela fait de la fameuse tragédie de *Caton* une pièce que nos comédiens n'oseraient jamais jouer, quand même nous penserions à la romaine ou à l'anglaise. La barbarie et l'irrégularité du théâtre de Londres ont percé jusque dans la sagesse d'Addison. Il me semble que je vois le czar Pierre, qui, en réformant les Russes, tenait encore quelque chose de son éducation et des mœurs de son pays.

La coutume d'introduire de l'amour à tort et à travers dans les ouvrages dramatiques passa de Paris à Londres, vers l'an 1660, avec nos rubans et nos perruques. Les femmes, qui y parent les spectacles, comme ici, ne veulent plus souffrir qu'on leur parle d'autre chose que d'amour. Le sage Addison eut la molle complaisance de plier la sévérité de son caractère aux mœurs de son temps, et gâta un chef-d'œuvre pour avoir voulu plaire.

Depuis lui les pièces sont devenues plus régulières, le peuple plus difficile, les auteurs plus corrects et moins hardis. J'ai vu des pièces nouvelles fort sages, mais froides. Il semble que les Anglais n'aient été faits jusqu'ici que pour produire des beautés irrégulières. Les monstres brillants de Shakspeare plaisent mille fois plus que la sagesse moderne. Le génie poétique des Anglais ressemble, jusqu'à présent, à un arbre touffu planté par la nature, jetant au hasard mille rameaux, et croissant inégalement avec force. Il meurt si vous voulez forcer sa nature, et le tailler en arbre des jardins de Marly.

(*Lettre XVIII.*)

NOUVELLES CONSIDÉRATIONS SUR L'HISTOIRE

Peut-être arrivera-t-il bientôt dans la manière d'écrire l'histoire ce qui est arrivé dans la physique. Les nouvelles découvertes ont fait proscrire les anciens systèmes. On voudra connaître le genre humain dans ce détail intéressant qui fait aujourd'hui la base de la philosophie naturelle.

On commence à respecter très peu l'aventure de Curtius, qui referma un gouffre en se précipitant au fond, lui et son cheval. On se moque des boucliers descendus du ciel, et de tous les beaux talismans dont les dieux faisaient présent si libéralement aux hommes, et des vestales qui mettaient un vaisseau à flot avec leur ceinture, et de toute cette foule de sottises célèbres dont les anciens historiens regorgent. On n'est guère plus content que, dans son *Histoire ancienne*, M. Rollin nous parle sérieusement du roi Nabis, qui faisait embrasser sa femme par ceux qui lui apportaient de l'argent, et qui mettait ceux qui lui en refusaient dans les bras d'une belle poupée toute semblable à la reine, et armée de pointes de fer sous son corps de jupe. On rit quand on voit tant d'auteurs répéter, les uns après les autres, que le fameux Othon, archevêque de Mayence, fut assiégé et mangé par une armée de rats, en 698; que des pluies de sang inondèrent la Gascogne, en 1017; que deux armées de serpents se battirent près de Tournai, en 1059. Les prodiges, les prédictions, les épreuves par le feu, etc., sont à présent dans le même rang que les contes d'Hérodote.

Je veux parler ici de l'histoire moderne, dans laquelle on ne trouve ni poupées qui embrassent les courtisans, ni évêques mangés par les rats.

On a grand soin de dire quel jour s'est donnée une bataille, et on a raison. On imprime les traités, on décrit la pompe d'un couronnement, la cérémonie de la réception d'une barrette, et même l'entrée d'un ambassadeur, dans laquelle on n'oublie ni son suisse ni ses laquais. Il est bon qu'il y ait des archives de tout, afin qu'on puisse les consulter dans le besoin; et je regarde à présent tous les gros livres comme des dictionnaires. Mais, après avoir lu trois ou quatre mille descriptions de batailles, et la teneur de quelques centaines de traités, j'ai trouvé que je n'étais guère plus instruit au fond. Je n'apprenais là que des événements. Je ne connais pas plus les Français et les Sarrasins par la bataille de Charles Martel, que je ne connais les Tartares et les Turcs par la victoire que Tamerlan remporta sur Bajazet. J'avoue que quand j'ai lu les mémoires du cardinal de Retz et de Mme de Motteville, je sais ce que la reine mère a dit mot pour mot à M. de Jersai; j'apprends comment le coadjuteur a contribué aux barricades; je peux me faire un précis des longs discours qu'il tenait à Mme de Bouillon: c'est beaucoup pour ma curiosité; c'est pour mon instruction très peu de chose. Il y a des livres qui m'apprennent les anecdotes vraies ou fausses d'une cour. Quiconque a vu les cours, ou a eu envie de les voir, est aussi avide de ces illustres bagatelles qu'une femme de province aime à savoir les nouvelles de sa petite ville: c'est au fond la même chose et le même mérite. On s'entretenait sous Henri IV des anecdotes de

Charles IX. On parlait encore de M. le duc de Bellegarde dans les premières années de Louis XIV. Toutes ces petites miniatures se conservent une génération ou deux, et périssent ensuite pour jamais.

On néglige cependant pour elles des connaissances d'une utilité plus sensible et plus durable. Je voudrais apprendre quelles étaient les forces d'un pays avant une guerre, et si cette guerre les a augmentées ou diminuées. L'Espagne a-t-elle été plus riche avant la conquête du Nouveau-Monde qu'aujourd'hui? De combien était-elle plus peuplée du temps de Charles-Quint que sous Philippe IV? Pourquoi Amsterdam contenait-elle à peine vingt mille âmes il y a deux cents ans? pourquoi a-t-elle aujourd'hui deux cent quarante mille habitants? et comment le sait-on positivement? De combien l'Angleterre est-elle plus peuplée qu'elle ne l'était sous Henri VIII? Serait-il vrai, ce qu'on dit dans les *Lettres persanes*, que les hommes manquent à la terre, et qu'elle est dépeuplée en comparaison de ce qu'elle était il y a deux mille ans? Rome, il est vrai, avait alors plus de citoyens qu'aujourd'hui. J'avoue qu'Alexandrie et Carthage étaient de grandes villes; mais Paris, Londres, Constantinople, le grand Caire, Amsterdam, Hambourg, n'existaient pas. Il y avait trois cents nations dans les Gaules; mais ces trois cents nations ne valaient la nôtre ni en nombre d'hommes ni en industrie. L'Allemagne était une forêt: elle est couverte de cent villes opulentes. Il semble que l'esprit de critique, lassé de ne persécuter que des particuliers, ait pris pour objet l'univers. On crie toujours que ce monde dégénère; et on veut encore qu'il se dépeuple. [10] Quoi donc! nous faudra-t-il regretter les temps où il n'y avait pas de grand chemin de Bordeaux à Orléans, et où Paris était une petite ville dans laquelle on s'égorgeait? On a beau dire, l'Europe a plus d'hommes qu'alors, et les hommes valent mieux. On pourra savoir dans quelques années combien l'Europe est en effet peuplée; car, dans presque toutes les grandes villes, on rend public le nombre des naissances au bout de l'année, et sur la règle exacte et sûre que vient de donner un Hollandais aussi habile qu'infatigable, on sait le nombre des habitants par celui des naissances.

[10] The question of depopulation was also taken up by Montesquieu in the *Lettres persanes*.

Voilà déjà un des objets de la curiosité de quiconque veut lire l'histoire en citoyen et en philosophe. Il sera bien loin de s'en tenir à cette connaissance; il recherchera quel a été le vice radical et la vertu dominante d'une nation; pourquoi elle a été puissante ou faible sur la mer; comment et jusqu'à quel point elle s'est enrichie depuis un siècle; les registres des exportations peuvent l'apprendre. Il voudra savoir comment les arts, les manufactures se sont établis; il suivra leur passage et leur retour d'un pays dans un autre. Les changements dans les mœurs et dans les lois seront enfin son grand objet. On saurait ainsi l'histoire des hommes, au lieu de savoir une faible partie de l'histoire des rois et des cours.

En vain je lis les annales de France; nos historiens se taisent tous sur ces détails. Aucun n'a eu pour devise: *Homo sum, humani nil a me alienum puto.*[11] Il faudrait donc, il me semble, incorporer avec art ces connaissances utiles dans le tissu des événements. Je crois que c'est la seule manière d'écrire l'histoire moderne en vrai politique et en vrai philosophe. Traiter l'histoire ancienne, c'est compiler, me semble, quelques vérités avec mille mensonges. Cette histoire n'est peut-être utile que de la même manière dont l'est la fable: par de grands événements qui font le sujet perpétuel de nos tableaux, de nos poèmes, de nos conversations, et dont on tire des traits de morale. Il faut savoir les exploits d'Alexandre, comme on sait les travaux d'Hercule. Enfin cette histoire ancienne me paraît, à l'égard de la moderne, ce que sont les vieilles médailles en comparaison des monnaies courantes: les premières restent dans les cabinets; les secondes circulent dans l'univers pour le commerce des hommes.

Mais, pour entreprendre un tel ouvrage, il faut des hommes qui connaissent autre chose que les livres; il faut qu'ils soient encouragés par le gouvernement, autant au moins, pour ce qu'ils feront, que le furent les Boileau, les Racine, les Valincour,[12] pour ce qu'ils ne firent point; et qu'on ne dise pas d'eux ce que

[11] "I am a man, and I consider nothing human foreign to me." Terence, *The Self-Tormentor*, I, 1, 77. This quotation represented so admirably the eighteenth century point of view that it was often used.

[12] Boileau, Racine, and Valincour were former historiographers of the king.

disait de ces messieurs un commis du trésor royal, homme d'esprit: "Nous n'avons vu encore d'eux que leurs signatures."

(*Histoire de Charles XII.*)

DE LA VERTU ET DU VICE

Pour qu'une société subsistât, il fallait des lois, comme il faut des règles à chaque jeu. La plupart de ces lois semblent arbitraires: elles dépendent des intérêts, des passions, et des opinions de ceux qui les ont inventées, et de la nature du climat où les hommes se sont assemblés en société. Dans un pays chaud, où le vin rendrait furieux, on a jugé à propos de faire un crime d'en boire; en d'autres climats plus froids, il y a de l'honneur à s' enivrer. Ici un homme doit se contenter d'une femme; là il lui est permis d'en avoir autant qu'il peut en nourrir. A Sparte on encourageait l'adultère; à Athènes il était puni de mort. Chez les Romains, les pères eurent droit de vie et de mort sur leurs enfants. En Normandie, un père ne peut ôter seulement une obole de son bien au fils le plus désobéissant. Le nom de roi est sacré chez beaucoup de nations, et en abomination dans d'autres.

Mais tous ces peuples, qui se conduisent si différemment, se réunissent tous en ce point, qu'ils appellent *vertueux* ce qui est conforme aux lois qu'ils ont établies, et *criminel* ce qui leur est contraire. Ainsi, un homme qui s'opposera en Hollande au pouvoir arbitraire, sera un homme très vertueux; et celui qui voudra établir en France un gouvernement républicain, sera condamné au dernier supplice. Le même Juif qui à Metz serait envoyé aux galères s'il avait deux femmes, en aura quatre à Constantinople, et en sera plus estimé des musulmans.

La plupart des lois se contrarient si visiblement, qu'il importe assez peu par quelles lois un État se gouverne; mais ce qui importe beaucoup, c'est que les lois une fois établies soient exécutées. Ainsi, il n'est d'aucune conséquence qu'il y ait telles ou telles règles pour les jeux de dés et de cartes; mais on ne pourra jouer un seul moment si l'on ne suit pas à la rigueur ces règles arbitraires dont on sera convenu.

La vertu et le vice, le bien et le mal moral, est donc en tout pays ce qui est utile ou nuisible à la société; et dans tous les lieux et dans tous les temps, celui qui sacrifie le plus au public est celui qu'on appellera le plus vertueux. Il paraît donc que les bonnes actions ne sont autre chose que les actions dont nous retirons de l'avantage, et les crimes, les actions qui nous sont contraires. La vertu est l'habitude de faire de ces choses qui plaisent aux hommes, et le vice l'habitude de faire des choses qui leur déplaisent.

Quoique ce qu'on appelle vertu dans un climat soit précisément ce qu'on appelle vice dans un autre, et que la plupart des règles du bien et du mal diffèrent comme les langages et les habillements, cependant il me paraît certain qu'il y a des lois naturelles dont les hommes sont obligés de convenir par tout l'univers, malgré qu'ils en aient. Dieu n'a pas dit à la vérité aux hommes: "Voici des lois que je vous donne de ma bouche, par lesquelles je veux que vous vous gouverniez;" mais il a fait dans l'homme ce qu'il a fait dans beaucoup d'autres animaux: il a donné aux abeilles un instinct puissant par lequel elles travaillent et se nourrissent ensemble, et il a donné à l'homme certains sentiments dont il ne peut jamais se défaire, et qui sont les liens éternels et les premières lois de la société dans laquelle il a prévu que les hommes vivraient. La bienveillance pour notre espèce est née, par exemple, avec nous, et agit toujours en nous, à moins qu'elle ne soit combattue par l'amour-propre, qui doit toujours l'emporter sur elle. Ainsi un homme est toujours porté à assister un autre homme quand il ne lui en coûte rien. Le sauvage le plus barbare, revenant du carnage, et dégouttant du sang des ennemis qu'il a mangés, s'attendrira à la vue des souffrances de son camarade, et lui donnera tous les secours qui dépendront de lui.

L'adultère et l'amour des garçons seront permis chez beaucoup de nations; mais vous n'en trouverez aucune dans laquelle il soit permis de manquer à sa parole; parce que la société peut bien subsister entre des adultères et des garçons qui s'aiment, mais non entre des gens qui se feraient gloire de se tromper les uns les autres.

Le larcin était en honneur à Sparte, parce que tous les biens étaient communs; mais, dès que vous avez établi le *tien* et le *mien*, il vous sera alors impossible de ne pas regarder le vol comme contraire à la société, et par conséquent comme injuste.

Il est si vrai que le bien de la société est la seule mesure du bien et du mal moral que nous sommes forcés de changer, selon le besoin, toutes les idées que nous nous sommes formées du juste et de l'injuste.

Un frère qui tue son frère est un monstre; mais un frère qui n'aurait eu d'autres moyens de sauver sa patrie que de sacrifier son frère, serait un homme divin.

Nous aimons tous la vérité, et nous en faisons une vertu, parce qu'il est de notre intérêt de n'être pas trompés. Nous avons attaché d'autant plus d'infamie au mensonge, que, de toutes les mauvaises actions, c'est la plus facile à cacher, et celle qui coûte le moins à commettre; mais dans combien d'occasions le mensonge ne devient-il pas une vertu héroïque! Quand il s'agit, par exemple, de sauver un ami, celui qui en ce cas dirait la vérité serait couvert d'opprobre: et nous ne mettons guère de différence entre un homme qui calomnierait un innocent, et un frère qui, pouvant conserver la vie à son frère par un mensonge, aimerait mieux l'abandonner en disant vrai. La mémoire de M. de Thou, qui eut le cou coupé pour n'avoir pas révélé la conspiration de *Cinq-Mars*, est en bénédiction chez les Français: s'il n'avait point menti, elle aurait été en horreur.

"Mais, me dira-t-on, ce ne sera donc que par rapport à nous qu'il y aura du crime et de la vertu, du bien et du mal moral; il n'y aura donc point de bien en soi et indépendant de l'homme?" Je demanderai à ceux qui font cette question, s'il y a du froid et du chaud, du doux et de l'amer, de la bonne et de la mauvaise odeur autrement que par rapport à nous? N'est-il pas vrai qu'un homme qui prétendrait que la chaleur existe toute seule serait un raisonneur très ridicule? Pourquoi donc celui qui prétend que le bien moral existe indépendamment de nous raisonnerait-il mieux? Notre bien et notre mal physique n'ont d'existence que par rapport à nous; pourquoi notre bien et notre mal moral seraient-ils dans un autre cas?

Les vues du Créateur, qui voulait que l'homme vécût en société, ne sont-elles pas suffisamment remplies? S'il y avait quelque loi tombée du ciel, qui eût enseigné aux humains la volonté de Dieu bien clairement, alors le bien moral ne serait autre chose que la conformité à cette loi. Quand Dieu aura dit aux hommes: "Je veux qu'il y ait tant de royaumes sur la terre, et pas une république. Je veux que les cadets aient tout le bien des pères, et qu'on punisse de mort quiconque mangera des dindons ou du cochon;" alors ces lois deviendront certainement la règle immuable du bien et du mal. Mais comme Dieu n'a pas daigné, que je sache, se mêler ainsi de notre conduite, il faut nous en tenir aux présents qu'il nous a faits. Ces présents sont la raison, l'amour-propre, la bienveillance pour notre espèce, les besoins, les passions, tous moyens par lesquels nous avons établi la société.

Bien des gens sont prêts ici à me dire: "Si je trouve mon bien-être à déranger votre société, à tuer, à voler, à calomnier, je ne serai donc retenu par rien, et je pourrai m'abandonner sans scrupule à toutes mes passions!" Je n'ai autre chose à dire à ces gens-là, sinon que probablement ils seront pendus, ainsi que je ferai tuer les loups qui voudront enlever mes moutons; c'est précisément pour eux que les lois sont faites, comme les tuiles ont été inventées contre la grêle et contre la pluie.

A l'égard des princes qui ont la force en main, et qui en abusent pour désoler le monde, qui envoient à la mort une partie des hommes, et réduisent l'autre à la misère, c'est la faute des hommes s'ils souffrent ces ravages abominables, que souvent même ils honorent du nom de vertu; ils n'ont à s'en prendre qu'à eux-mêmes, aux mauvaises lois qu'ils ont faites, ou au peu de courage qui les empêche de faire exécuter de bonnes lois.

Tous ces princes qui ont fait tant de mal aux hommes sont les premiers à crier que Dieu a donné des règles du bien et du mal. Il n'y a aucun de ces fléaux de la terre qui ne fasse des actes solennels de religion; et je ne vois pas qu'on gagne beaucoup à avoir de pareilles règles. C'est un malheur attaché à l'humanité que, malgré toute l'envie que nous avons de nous conserver, nous nous détruisons mutuellement avec fureur et avec folie. Presque tous les animaux se mangent les uns les autres, et dans l'espèce humaine les mâles s'exterminent par la guerre. Il semble encore que Dieu ait prévu cette calamité en faisant naître parmi nous plus de mâles que de femelles; en effet, les peuples qui semblent avoir songé de plus près aux intérêts de l'humanité, et qui tiennent des registres exacts des naissances et des morts, se sont aperçus que, l'un portant l'autre, il naît tous les ans un douzième de mâles plus que de femelles.

De tout ceci il sera aisé de voir qu'il est très vraisemblable que tous ces meurtres et ces brigandages sont funestes à la société, sans intéresser en rien la Divinité. Dieu a mis les hommes et les animaux sur la terre, c'est à eux de s'y conduire de leur mieux. Malheur aux mouches qui tombent dans les filets de l'araignée; malheur au taureau qui sera attaqué par un lion, et aux moutons qui seront rencontrés par les loups! Mais si un mouton allait dire à un loup: "Tu manques au bien moral, et Dieu te punira;" le loup lui répondrait: "Je fais mon bien physique, et il y a apparence que Dieu ne se soucie pas trop que je te mange ou non." Tout ce que le mouton avait de mieux à faire, c'était de ne pas s'écarter du berger et du chien qui pouvait le défendre.

Plût au ciel qu'en effet un Être suprême nous eût donné des lois, et nous eût proposé des peines et des récompenses! qu'il nous eût dit: "Ceci est vice en soi, ceci est vertu en soi." Mais nous sommes si loin d'avoir des règles du bien et du mal, que de tous ceux qui ont osé donner des lois aux hommes de la part de Dieu, il n'y en a pas un qui ait donné la dix-millième partie des règles dont nous avons besoin dans la conduite de la vie.

Si quelqu'un infère de tout ceci qu'il n'y a plus qu'à s'abandonner sans réserve à toutes les fureurs de ses désirs effrénés, et que, n'y ayant en soi ni vertu ni vice, il peut tout faire impunément, il faut d'abord que cet homme voie s'il a une armée de cent mille soldats bien affectionnés à son service; encore risquera-t-il beaucoup en se déclarant ainsi l'ennemi du genre humain. Mais si cet homme n'est qu'un simple particulier, pour peu qu'il ait de raison il verra qu'il a choisi un très mauvais parti, et qu'il sera puni infailliblement, soit par les châtiments si sagement inventés par les hommes contre les ennemis de la société, soit par la seule crainte du châtiment, laquelle est un supplice assez cruel par elle-même. Il verra que la vie de ceux qui bravent les lois est d'ordinaire la plus misérable. Il est moralement impossible qu'un méchant homme ne soit pas reconnu; et dès qu'il est seulement soupçonné, il doit s'apercevoir qu'il est l'objet du mépris et de l'horreur. Or, Dieu nous a sagement doués d'un orgueil qui ne peut jamais souffrir que les autres hommes nous haïssent et nous méprisent; être méprisé de ceux avec qui l'on vit est une chose que personne n'a jamais pu et ne pourra jamais supporter. C'est peut-être le plus grand frein que la nature ait mis aux injustices des hommes; c'est par cette crainte mutuelle que Dieu a jugé à propos de les lier. Ainsi tout homme raisonnable conclura qu'il est visiblement de son intérêt d'être honnête homme. La connaissance qu'il aura du cœur humain, et la persuasion où il sera qu'il n'y a en soi ni vertu ni vice, ne l'empêchera jamais d'être bon citoyen et de remplir tous les devoirs de la vie. Aussi remarque-t-on que les philosophes (qu'on baptise du nom d'incrédules et de libertins) ont été dans tous les temps les plus honnêtes gens du monde. Sans faire ici une liste de tous les grands hommes de l'antiquité, on sait que La Mothe Le Vayer, précepteur du frère de Louis XIII, Bayle, Locke, Spinosa, milord Shaftesbury, Collins, etc., étaient des hommes d'une vertu rigide; et ce n'est pas seulement la crainte du mépris des hommes qui a fait leurs vertus, c'était le goût de la vertu même. Un esprit droit est honnête homme par la même raison que celui qui n'a point le goût dépravé préfère d'excellent vin de Nuits [13] à du vin de Brie et des perdrix du Mans à de la chair de cheval. Une saine éducation perpétue ces sentiments chez tous les hommes, et de là est venu ce sentiment universel qu'on appelle *honneur*, dont les plus corrompus ne peuvent se défaire, et qui est le pivot de la société. Ceux qui auraient besoin du secours de la religion pour être honnêtes gens seraient bien à plaindre; et il faudrait que ce fussent des monstres de la société, s'ils ne trouvaient pas en eux-mêmes les sentiments nécessaires à cette société, et s'ils étaient obligés d'emprunter d'ailleurs ce qui doit se trouver dans notre nature.

(*Traité de Métaphysique*, Chap. IX.)

LE MONDAIN

Regrettera qui veut le bon vieux temps,
Et l'âge d'or, et le règne d'Astrée,
Et les beaux jours de Saturne et de Rhée,
Et le jardin de nos premiers parents;
Moi, je rends grâce à la nature sage
Qui, pour mon bien, m'a fait naître en cet âge

[13] Nuits-Saint-Georges, a little village in the Côte-d'Or, is noted for its excellent wines. Those of Brie are bad.

Tant décrié par nos tristes frondeurs:
Ce temps profane est tout fait pour mes mœurs.
J'aime le luxe, et même la mollesse,
Tous les plaisirs, les arts de toute espèce,
La propreté, le goût, les ornements:
Tout honnête homme a de tels sentiments.
Il est bien doux pour mon cœur très immonde
De voir ici l'abondance à la ronde,
Mère des arts et des heureux travaux,
Nous apporter, de sa source féconde,
Et des besoins et des plaisirs nouveaux.
L'or de la terre et les trésors de l'onde,
Leurs habitants et les peuples de l'air,
Tout sert au luxe, aux plaisirs de ce monde.
O le bon temps que ce siècle de fer!
Le superflu, chose très nécessaire,
A réuni l'un et l'autre hémisphère.
Voyez-vous pas ces agiles vaisseaux
Qui, du Texel, de Londres, de Bordeaux,
S'en vont chercher, par un heureux échange,
De nouveaux biens, nés aux sources du Gange,
Tandis qu'au loin, vainqueurs des musulmans,
Nos vins de France enivrent les sultans?
Quand la nature était dans son enfance,
Nos bons aïeux vivaient dans l'ignorance,
Ne connaissant ni le *tien* ni le *mien*.
Qu'auraient-ils pu connaître? ils n'avaient rien.
Ils étaient nus: et c'est chose très claire
Que qui n'a rien n'a nul partage à faire.
Sobres étaient. Ah! je le crois encor:
Martialo [14] n'est point du siècle d'or.
D'un bon vin frais ou la mousse ou la sève
Ne gratta point le triste gosier d'Ève;
La soie et l'or ne brillaient point chez eux.
Admirez-vous pour cela nos aïeux?
Il leur manquait l'industrie et l'aisance:
Est-ce vertu? c'était pure ignorance.

[14] Author of the *Cuisinier français*.

Quel idiot, s'il avait eu pour lors
Quelque bon lit, aurait couché dehors?
Mon cher Adam, mon gourmand, mon bon père,
Que faisais-tu dans les jardins d'Éden?
Travaillais-tu pour ce sot genre humain?
Caressais-tu madame Ève, ma mère?
Avouez-moi que vous aviez tous deux
Les ongles longs, un peu noirs et crasseux,
La chevelure un peu mal ordonnée,
Le teint bruni, la peau bise et tannée.
Sans propreté l'amour le plus heureux
N'est plus amour, c'est un besoin honteux.
Bientôt lassés de leur belle aventure,
Dessous un chêne ils soupent galamment
Avec de l'eau, du millet, et du gland;
Le repas fait, ils dorment sur la dure:
Voilà l'état de la pure nature.
Or maintenant voulez-vous, mes amis,
Savoir un peu, dans nos jours tant maudits,
Soit à Paris, soit dans Londre, ou dans Rome,
Quel est le train des jours d'un honnête homme?
Entrez chez lui: la foule des beaux-arts,
Enfants du goût, se montre à vos regards.
De mille mains l'éclatante industrie
De ces dehors orna la symétrie.
L'heureux pinceau, le superbe dessin
Du doux Corrège et du savant Poussin
Sont encadrés dans l'or d'une bordure;
C'est Bouchardon qui fit cette figure,
Et cet argent fut poli par Germain.[15]
Des Gobelins l'aiguille et la teinture
Dans ces tapis surpassent la peinture.
Tous ces objets sont vingt fois répétés
Dans des trumeaux tout brillants de clartés.
De ce salon je vois par la fenêtre,
Dans des jardins, des myrtes en berceaux;
Je vois jaillir les bondissantes eaux.

[15] Thomas Germain (1674–1748), noted gold and silversmith.

Mais du logis j'entends sortir le maître:
Un char commode, avec grâces orné,
Par deux chevaux rapidement traîné,
Paraît aux yeux une maison roulante,
Moitié dorée, et moitié transparente:
Nonchalamment je l'y vois promené;
De deux ressorts la liante souplesse
Sur le pavé le porte avec mollesse.
Il court au bain: les parfums les plus doux
Rendent sa peau plus fraîche et plus polie.
Le plaisir presse; il vole au rendez-vous
Chez Camargo, chez Gaussin, chez Julie;
Il est comblé d'amour et de faveurs.
Il faut se rendre à ce palais magique
Où les beaux vers, la danse, la musique,
L'art de tromper les yeux par les couleurs,
L'art plus heureux de séduire les cœurs,
De cent plaisirs font un plaisir unique.
Il va siffler quelque opéra nouveau,
Ou, malgré lui, court admirer Rameau.
Allons souper. Que ces brillants services,
Que ces ragoûts ont pour moi de délices!
Qu'un cuisinier est un mortel divin!
Chloris, Églé, me versent de leur main
D'un vin d'Aï dont la mousse pressée,
De la bouteille, avec force élancée,
Comme un éclair fait voler le bouchon;
Il part, on rit; il frappe le plafond.
De ce vin frais l'écume pétillante
De nos Français est l'image brillante.
Le lendemain donne d'autres désirs,
D'autres soupers, et de nouveaux plaisirs.
Or maintenant, monsieur du Télémaque,
Vantez-nous bien votre petite Ithaque,
Votre Salente, et vos murs malheureux,
Où vos Crétois, tristement vertueux,
Pauvres d'effet, et riches d'abstinence,
Manquent de tout pour avoir l'abondance:

J'admire fort votre style flatteur,
Et votre prose, encor qu'un peu traînante;
Mais, mon ami, je consens de grand cœur
D'être fessé dans vos murs de Salente,
Si je vais là pour chercher mon bonheur.
Et vous, jardin de ce premier bonhomme,
Jardin fameux par le diable et la pomme,
C'est bien en vain que, par l'orgueil séduits,
Huet, Calmet, dans leur savante audace,
Du paradis ont recherché la place:
Le paradis terrestre est où je suis.

SIÈCLE DE LOUIS XIV

Ce n'est pas seulement la vie de Louis XIV qu'on prétend écrire; on se propose un plus grand objet. On veut essayer de peindre à la postérité, non les actions d'un seul homme, mais l'esprit des hommes dans le siècle le plus éclairé qui fut jamais.

Tous les temps ont produit des héros et des politiques: tous les peuples ont éprouvé des révolutions; toutes les histoires sont presque égales pour qui ne veut mettre que des faits dans sa mémoire. Mais quiconque pense, et, ce qui est encore plus rare, quiconque a du goût, ne compte que quatre siècles dans l'histoire du monde. Ces quatre âges heureux sont ceux où les arts ont été perfectionnés, et qui, servant d'époque à la grandeur de l'esprit humain, sont l'exemple de la postérité.

Le premier de ces siècles, à qui la véritable gloire est attachée, est celui de Philippe et d'Alexandre, ou celui des Périclès, des Démosthène, des Aristote, des Platon, des Apelle, des Phidias, des Praxitèle; et cet honneur a été renfermé dans les limites de la Grèce: le reste de la terre alors connue était barbare.

Le second âge est celui de César et d'Auguste, désigné encore par les noms de Lucrèce, de Cicéron, de Tite-Live, de Virgile, d'Horace, d'Ovide, de Varron, de Vitruve.

Le troisième est celui qui suivit la prise de Constantinople par Mahomet II. Le lecteur peut se souvenir qu'on vit alors en Italie une famille de simples citoyens faire ce que devaient entreprendre les rois de l'Europe. Les Médicis appelèrent à Florence les savants, que les Turcs chassaient de la Grèce: c'était le temps de la gloire de l'Italie. Les beaux-arts y avaient déjà repris une vie nouvelle; les Italiens les honorèrent du nom de vertu, comme les premiers Grecs les avaient caractérisés du nom de sagesse. Tout tendait à la perfection.

Les arts, toujours transplantés de Grèce en Italie, se trouvaient dans un terrain favorable, où ils fructifiaient tout à coup. La France, l'Angleterre, l'Allemagne, l'Espagne, voulurent à leur tour avoir de ces fruits: mais ou ils ne vinrent point dans ces climats, ou bien ils dégénérèrent trop vite.

François Ier encouragea des savants, mais qui ne furent que savants: il eut des architectes; mais il n'eut ni des Michel-Ange, ni des Palladio: il voulut en vain établir des écoles de peinture; les peintres italiens qu'il appela ne firent point d'élèves français. Quelques épigrammes et quelques contes libres composaient toute notre poésie. Rabelais était notre seul livre de prose à la mode, du temps de Henri II.

En un mot, les Italiens seuls avaient tout, si vous en exceptez la musique, qui n'était pas encore perfectionnée, et la philosophie expérimentale, inconnue partout également, et qu'enfin Galilée fit connaître.

Le quatrième siècle est celui qu'on nomme le siècle de Louis XIV, et c'est peut-être celui des quatre qui approche le plus de la perfection. Enrichi des découvertes des trois autres, il a plus fait en certains genres que les trois ensemble. Tous les arts, à la vérité, n'ont point été poussés plus loin que sous les Médicis, sous les Auguste et les Alexandre; mais la raison humaine en général s'est perfectionnée. La saine philosophie n'a été connue que dans ce temps, et il est vrai de dire qu'à commencer depuis les dernières années du cardinal de Richelieu, jusqu'à celles qui ont suivi la mort de Louis XIV, il s'est fait, dans nos arts, dans nos esprits, dans nos mœurs, comme dans notre gouvernement, une révolution générale qui doit servir de marque éternelle à la véritable gloire de notre patrie. Cette heureuse influence ne s'est pas même arrêtée en France: elle s'est étendue en Angleterre; elle a excité l'émulation dont avait alors besoin cette nation spirituelle et hardie; elle a porté le goût en Allemagne, les sciences en Russie; elle a même ranimé l'Italie qui languissait, et l'Europe a dû sa politesse et l'esprit de société à la cour de Louis XIV.

Il ne faut pas croire que ces quatre siècles aient été exempts de malheurs et de crimes. La perfection des arts cultivés par des citoyens paisibles n'empêche pas les princes d'être ambitieux, les peuples d'être séditieux, les prêtres et les moines d'être quelquefois remuants et fourbes. Tous les siècles se ressemblent par la méchanceté des hommes; mais je ne connais que ces quatre âges distingués par les grands talents.

Avant le siècle que j'appelle de Louis XIV, et qui commence à peu près à l'établissement de l'Académie française,[16] les Italiens appelaient tous les ultramontains du nom de barbares; il faut avouer que les Français méritaient en quelque sorte cette injure. Leurs pères joignaient la galanterie romanesque des Maures à la grossièreté gothique. Ils n'avaient presque aucun des arts aimables, ce qui prouve que les arts utiles étaient négligés: car lorsqu'on a perfectionné ce qui est nécessaire, on trouve bientôt le beau et l'agréable, et il n'est pas étonnant que la peinture, la sculpture, la poésie, l'éloquence, la philosophie, fussent presque inconnues à une nation qui, ayant des ports sur l'océan et sur la Méditerranée, n'avait pourtant point de flotte, et qui aimant le luxe à l'excès, avait à peine quelques manufactures grossières.

Les Juifs, les Génois, les Vénitiens, les Portugais, les Flamands, les Hollandais, les Anglais, firent tour à tour le commerce de la France, qui en ignorait les principes. Louis XIII, à son avènement à la couronne, n'avait pas un vaisseau: Paris ne contenait pas quatre cent mille hommes, et n'était pas décoré de quatre beaux édifices; les autres villes du royaume ressemblaient à ces bourgs qu'on voit au delà de la Loire. Toute la noblesse, cantonnée à la campagne dans des donjons entourés de fossés, opprimait ceux qui cultivent la terre. Les grands chemins étaient presque impraticables; les villes étaient sans police, l'état sans argent, et le gouvernement presque toujours sans crédit parmi les nations étrangères.

On ne doit pas se dissimuler que, depuis la décadence de la famille de Charlemagne, la France avait langui plus ou moins dans cette faiblesse, parce qu'elle n'avait presque jamais joui d'un bon gouvernement.

[16] Louis XIV was born September 5, 1638. The French Academy was founded in 1635.

Il faut, pour qu'un état soit puissant, ou que le peuple ait une liberté fondée sur les lois, ou que l'autorité souveraine soit affermie sans contradiction. En France, les peuples furent esclaves jusque vers le temps de Philippe-Auguste; les seigneurs furent tyrans jusqu'à Louis XI; et les rois, toujours occupés à soutenir leur autorité contre leurs vassaux, n'eurent jamais ni le temps de songer au bonheur de leurs sujets, ni le pouvoir de les rendre heureux.

Louis XI fit beaucoup pour la puissance royale, mais rien pour la félicité et la gloire de la nation. François Ier fit naître le commerce, la navigation, les lettres, et tous les arts; mais il fut trop malheureux pour leur faire prendre racine en France, et tous périrent avec lui. Henri le Grand allait retirer la France des calamités et de la barbarie où trente ans de discorde l'avaient replongée, quand il fut assassiné dans sa capitale, au milieu du peuple dont il commençait à faire le bonheur. Le cardinal de Richelieu, occupé d'abaisser la maison d'Autriche, le calvinisme, et les grands, ne jouit point d'une puissance assez paisible pour réformer la nation; mais au moins il commença cet heureux ouvrage.

Ainsi, pendant neuf cents années, le génie des Français a été presque toujours rétréci sous un gouvernement gothique, au milieu des divisions et des guerres civiles, n'ayant ni lois ni coutumes fixes, changeant de deux siècles en deux siècles un langage toujours grossier; les nobles, sans discipline, ne connaissant que la guerre et l'oisiveté; les ecclésiastiques vivant dans le désordre et dans l'ignorance; et les peuples, sans industrie, croupissant dans leur misère.

Les Français n'eurent part, ni aux grandes découvertes ni aux inventions admirables des autres nations: l'imprimerie, la poudre, les glaces, les télescopes, le compas de proportion, la machine pneumatique, le vrai système de l'univers, ne leur appartiennent point; ils faisaient des tournois, pendant que les Portugais et les Espagnols découvraient et conquéraient de nouveaux mondes à l'orient et à l'occident du monde connu. Charles-Quint prodiguait déjà en Europe les trésors du Mexique, avant que quelques sujets de François Ier eussent découvert la contrée inculte du Canada; mais par le peu même que firent les Français dans le commencement du seizième siècle, on vit de quoi ils sont capables quand ils sont conduits.

On se propose de montrer ce qu'ils ont été sous Louis XIV. Il ne faut pas qu'on s'attende à trouver ici, plus que dans le tableau des siècles précédents, les détails immenses des guerres, des attaques de villes prises et reprises par les armes, données et rendues par des traités. Mille circonstances intéressantes pour les contemporains se perdent aux yeux de la postérité, et disparaissent pour ne laisser voir que les grands événements qui ont fixé la destinée des empires. Tout ce qui s'est fait ne mérite pas d'être écrit. On ne s'attachera, dans cette histoire, qu'à ce qui mérite l'attention de tous les temps, à ce qui peut peindre le génie et les mœurs des hommes, à ce qui peut servir d'instruction, et conseiller l'amour de la vertu, des arts, et de la patrie.

On a déjà vu ce qu'étaient et la France et les autres états de l'Europe avant la naissance de Louis XIV; on décrira ici les grands événements politiques et militaires de son règne. Le gouvernement intérieur du royaume, objet plus important pour les peuples, sera traité à part. La vie privée de Louis XIV, les particularités de sa cour et de son règne, tiendront une grande place. D'autres articles seront pour les arts, pour les sciences, pour les progrès de l'esprit humain dans ce siècle. Enfin on parlera de l'Église, qui depuis si longtemps est liée au gouvernement; qui tantôt l'inquiète et tantôt le fortifie; et qui, instituée pour enseigner la morale, se livre souvent à la politique et aux passions humaines.

(*Siècle de Louis XIV*, Introduction.)

LA LOI NATURELLE

Première Partie

Dieu a donné aux hommes les idées de la justice, et la conscience pour les avertir, comme il leur a donné tout ce qui leur est nécessaire. C'est là cette loi naturelle sur laquelle la religion est fondée; c'est le seul principe qu'on développe ici. L'on ne parle que de la loi naturelle, et non de la religion et de ses augustes mystères.

Soit qu'un Être inconnu, par lui seul existant,
Ait tiré depuis peu l'univers du néant;
Soit qu'il ait arrangé la matière éternelle;
Qu'elle nage en son sein, ou qu'il règne loin d'elle:

Que l'âme, ce flambeau souvent si ténébreux,
Ou soit un de nos sens ou subsiste sans eux;
Vous êtes sous la main de ce maître invisible.
   Mais du haut de son trône, obscur, inaccessible,
Quel hommage, quel culte exige-t-il de vous?
De sa grandeur suprême indignement jaloux,
Des louanges, des vœux, flattent-ils sa puissance?
Est-ce le peuple altier conquérant de Byzance,
Le tranquille Chinois, le Tartare indompté,
Qui connaît son essence, et suit sa volonté?
Différents dans leurs mœurs ainsi qu'en leur hommage,
Ils lui font tenir tous un différent langage:
Tous se sont donc trompés. Mais détournons les yeux
De cet impur amas d'imposteurs odieux;
Et, sans vouloir sonder d'un regard téméraire
De la loi des chrétiens l'ineffable mystère,
Sans expliquer en vain ce qui fut révélé,
Cherchons par la raison si Dieu n'a point parlé.
   La nature a fourni d'une main salutaire
Tout ce qui dans la vie à l'homme est nécessaire,
Les ressorts de son âme, et l'instinct de ses sens.
Le ciel à ses besoins soumet les éléments.
Dans les plis du cerveau la mémoire habitante
Y peint de la nature une image vivante.
Chaque objet de ses sens prévient la volonté;
Le son dans son oreille est par l'air apporté;
Sans efforts et sans soins son œil voit la lumière.
Sur son Dieu, sur sa fin, sur sa cause première,
L'homme est-il sans secours à l'erreur attaché?
Quoi! le monde est visible, et Dieu serait caché?
Quoi! le plus grand besoin que j'aie en ma misère
Est le seul qu'en effet je ne puis satisfaire?
Non; le Dieu qui m'a fait ne m'a point fait en vain:
Sur le front des mortels il mit son sceau divin.
Je ne puis ignorer ce qu'ordonna mon maître;
Il m'a donné sa loi, puisqu'il m'a donné l'être.
Sans doute il a parlé; mais c'est à l'univers:
Il n'a point de l'Égypte habité les déserts;

Delphes, Délos, Ammon,[17] ne sont pas ses asiles;
Il ne se cacha point aux antres des sibylles.
La morale uniforme en tout temps, en tout lieu,
A des siècles sans fin parle au nom de ce Dieu.
C'est la loi de Trajan, de Socrate, et la vôtre.
De ce culte éternel la nature est l'apôtre.
Le bon sens la reçoit, et les remords vengeurs,
Nés de la conscience, en sont les défenseurs;
Leur redoutable voix partout se fait entendre.
  Pensez-vous en effet que ce jeune Alexandre,
Aussi vaillant que vous, mais bien moins modéré,
Teint du sang d'un ami trop inconsidéré,
Ait pour se repentir consulté des augures?
Ils auraient dans leurs eaux lavé ses mains impures;
Ils auraient à prix d'or absous bientôt le roi.
Sans eux, de la nature, il écouta la loi:
Honteux, désespéré d'un moment de furie,
Il se jugea lui-même indigne de la vie.
Cette loi souveraine, à la Chine, au Japon,
Inspira Zoroastre, illumina Solon.
D'un bout du monde à l'autre elle parle, elle crie:
"Adore un Dieu, sois juste, et chéris ta patrie."
Ainsi le froid Lapon crut un Être éternel,
Il eut de la justice un instinct naturel;
Et le Nègre, vendu sur un lointain rivage,
Dans les Nègres encore aima sa noire image.
Jamais un parricide, un calomniateur,
N'a dit tranquillement dans le fond de son cœur:
"Qu'il est beau, qu'il est doux d'accabler l'innocence,
De déchirer le sein qui nous donna naissance!
Dieu juste, Dieu parfait, que le crime a d'appas!"
Voilà ce qu'on dirait, mortels, n'en doutez pas,
S'il n'était une loi terrible, universelle,
Que respecte le crime en s'élevant contre elle.
Est-ce nous qui créons ces profonds sentiments?
Avons-nous fait notre âme? avons-nous fait nos sens?
L'or qui naît au Pérou, l'or qui naît à la Chine,

[17] Places where oracles were given. cf. Fontenelle, *Histoire des oracles*.

Ont la même nature et la même origine:
L'artisan les façonne, et ne peut les former.
Ainsi l'Être éternel qui nous daigne animer
Jeta dans tous les cœurs une même semence.
Le ciel fit la vertu; l'homme en fit l'apparence.
Il peut la revêtir d'imposture et d'erreur,
Il ne peut la changer; son juge est dans son cœur.

ÉGALITÉ

Que doit un chien à un chien, et un cheval à un cheval? Rien, aucun animal ne dépend de son semblable; mais l'homme ayant reçu le rayon de la Divinité qu'on appelle *raison*, quel en est le fruit? C'est d'être esclave dans presque toute la terre.

Si cette terre était ce qu'elle semble devoir être, si l'homme y trouvait partout une subsistance facile et assurée, et un climat convenable à sa nature, il est clair qu'il eût été impossible à un homme d'en asservir un autre. Que ce globe soit couvert de fruits salutaires; que l'air qui doit contribuer à notre vie ne nous donne point des maladies et une mort prématurée; que l'homme n'ait besoin d'autre logis et d'autre lit que celui des daims et des chevreuils: alors les Gengis-Kan et les Tamerlan n'auront de valets que leurs enfants, qui seront assez honnêtes gens pour les aider dans leur vieillesse.

Dans cet état naturel dont jouissent tous les quadrupèdes non domptés, les oiseaux et les reptiles, l'homme serait aussi heureux qu'eux, la domination serait alors une chimère, une absurdité à laquelle personne ne penserait: car pourquoi chercher des serviteurs quand vous n'avez besoin d'aucun service?

S'il passait par l'esprit de quelque individu à tête tyrannique et à bras nerveux d'asservir son voisin moins fort que lui, la chose serait impossible; l'opprimé serait sur le Danube avant que l'oppresseur eût prit ses mesures sur le Volga.

Tous les hommes seraient donc nécessairement égaux, s'ils étaient sans besoins. La misère attachée à notre espèce subordonne un homme à un autre homme; ce n'est pas l'inégalité qui est un malheur réel, c'est la dépendance. Il importe fort peu que tel homme s'appelle *Sa Hautesse*, tel autre *Sa Sainteté;* mais il est dur de servir l'un ou l'autre.

Une famille nombreuse a cultivé un bon terroir; deux petites familles voisines ont des champs ingrats et rebelles: il faut que les deux pauvres familles servent la famille opulente, ou qu'elles l'égorgent, cela va sans difficulté. Une des deux familles indigentes va offrir ses bras à la riche pour avoir du pain; l'autre va l'attaquer et est battue. La famille servante est l'origine des domestiques et des manœuvres; la famille battue est l'origine des esclaves.

Il est impossible, dans notre malheureux globe, que les hommes vivant en société ne soient pas divisés en deux classes, l'une de riches qui commandent, l'autre de pauvres qui servent; et ces deux se subdivisent en mille, et ces mille ont encore des nuances différentes.

Tous les opprimés ne sont pas absolument malheureux. La plupart sont nés dans cet état, et le travail continuel les empêche de trop sentir leur situation; mais, quand ils la sentent, alors on voit des guerres, comme celle du parti populaire contre le parti du sénat à Rome; celles des paysans en Allemagne, en Angleterre, en France. Toutes ces guerres finissent tôt où tard par l'asservissement du peuple, parce que les puissants ont l'argent, et que l'argent est maître de tout dans un État: je dis dans un État, car il n'en est pas de même de nation à nation. La nation qui se servira le mieux du fer subjuguera toujours celle qui aura plus d'or et moins de courage.

Tout homme naît avec un penchant assez violent pour la domination, la richesse et les plaisirs, et avec beaucoup de goût pour la paresse: par conséquent tout homme voudrait avoir l'argent et les femmes ou les filles des autres, être leur maître, les assujettir à tous ses caprices, et ne rien faire, ou du moins ne faire que des choses très agréables. Vous voyez bien qu'avec ces belles dispositions, il est aussi impossible que les hommes soient égaux qu'il est impossible que deux prédicateurs ou deux professeurs de théologie ne soient pas jaloux l'un de l'autre.

Le genre humain, tel qu'il est, ne peut subsister, à moins qu'il n'y ait une infinité d'hommes utiles qui ne possèdent rien du tout; car, certainement, un homme à son aise ne quittera pas sa terre pour venir labourer la vôtre; et, si vous avez besoin d'une paire de souliers, ce ne sera pas un maître des requêtes qui vous la fera.

L'égalité est donc à la fois la chose la plus naturelle et en même temps la plus chimérique.

Comme les hommes sont excessifs en tout quand ils le peuvent, on a outré cette inégalité; on a prétendu dans plusieurs pays qu'il n'était pas permis à un citoyen de sortir de la contrée où le hasard l'a fait naître; le sens de cette loi est visiblement: *Ce pays est si mauvais et si mal gouverné que nous défendons à chaque individu d'en sortir, de peur que tout le monde n'en sorte.* Faites mieux: donnez à tous vos sujets envie de demeurer chez vous, et aux étrangers d'y venir.

Chaque homme, dans le fond de son cœur, a droit de se croire entièrement égal aux autres hommes: il ne s'ensuit pas de là que le cuisinier d'un cardinal doive ordonner à son maître de lui faire à dîner; mais le cuisinier peut dire: "Je suis homme comme mon maître; je suis né comme lui en pleurant; il mourra comme moi dans les mêmes angoisses et les mêmes cérémonies. Nous faisons tous deux les mêmes fonctions animales. Si les Turcs s'emparent de Rome, et si alors je suis cardinal et mon maître cuisinier, je le prendrai à mon service." Tout ce discours est raisonnable et juste; mais, en attendant que le Grand Turc s'empare de Rome, le cuisinier doit faire son devoir, ou toute société humaine est pervertie.

A l'égard d'un homme qui n'est ni cuisinier d'un cardinal ni revêtu d'aucune autre charge dans l'État; à l'égard d'un particulier qui ne tient à rien, mais qui est fâché d'être reçu partout avec l'air de la protection ou du mépris, qui voit évidemment que plusieurs *monsignori* n'ont ni plus de science, ni plus d'esprit, ni plus de vertu que lui, et qui s'ennuie d'être quelquefois dans leur antichambre, quel parti doit-il prendre? Celui de s'en aller.

(*Dictionnaire philosophique.*)

ÉTATS, GOUVERNEMENTS

Quel est le meilleur? — Je n'ai connu jusqu'à présent personne qui n'ait gouverné quelque État. Je ne parle pas de messieurs les ministres, qui gouvernent, en effet, les uns deux ou trois ans, les autres six mois, les autres six semaines; je parle de tous les autres hommes qui, à souper ou dans leur cabinet, étalent leur système de gouvernement, réforment les armées, l'Église, la robe et la finance.

Mais il faut convenir que des hommes très sages, très dignes peut-être de gouverner, ont écrit sur l'administration des États, soit en France, soit en Espagne, soit en Angleterre. Leurs livres ont fait beaucoup de bien : ce n'est pas qu'ils aient corrigé les ministres qui étaient en place quand ces livres parurent, car un ministre ne se corrige point et ne peut se corriger; il a pris sa croissance; plus d'instructions, plus de conseils; il n'a pas le temps de les écouter, le courant des affaires l'emporte; mais ces bons livres forment les jeunes gens destinés aux places; ils forment les princes, et la seconde génération est instruite.

Le fort et le faible de tous les gouvernements a été examiné de près dans les derniers temps.[18] Dites-moi donc, vous qui avez voyagé, qui avez lu et vu, dans quel État, dans quelle sorte de gouvernement, voudriez-vous être né? Je conçois qu'un grand seigneur terrien en France ne serait pas fâché d'être né en Allemagne : il serait souverain au lieu d'être sujet. Un pair de France serait fort aise d'avoir les privilèges de la pairie anglaise : il serait législateur. L'homme de robe et le financier se trouveraient mieux en France qu'ailleurs. Mais quelle patrie choisirait un homme sage, libre, un homme d'une fortune médiocre, et sans préjugés?

Un membre du conseil de Pondichéry, assez savant, revenait en Europe par terre avec un brame plus instruit que les brames ordinaires. "Comment trouvez-vous le gouvernement du Grand Mogol? dit le conseiller. — Abominable, répondit le brame; comment voulez-vous qu'un État soit heureusement gouverné par des Tartares? Nos rajahs, nos omrahs, nos nababs, sont forts contents; mais les citoyens ne le sont guère; et des millions de citoyens sont quelque chose."

Le conseiller et le brame traversèrent en raisonnant toute la haute Asie. "Je fais une réflexion, dit le brame : c'est qu'il n'y a pas une république dans toute cette vaste partie du monde. — Il y a eu autrefois celle de Tyr, dit le conseiller, mais elle n'a pas duré longtemps; il y en avait encore une autre vers l'Arabie Pétrée,

[18] In Montesquieu's *Esprit des lois*, Rousseau's *Essai sur l'inégalité*, and Helvétius' *De l'Esprit*.

dans un petit coin nommé la Palestine, si on peut honorer du nom de république une horde de voleurs et d'usuriers, tantôt gouvernée par des juges, tantôt par des espèces de rois, tantôt par des grands pontifes, devenue esclave sept ou huit fois, et enfin chassée du pays qu'elle avait usurpé. — Je conçois, dit le brame, qu'on ne doit trouver sur la terre que très peu de républiques. Les hommes sont rarement dignes de se gouverner eux-mêmes. Ce bonheur ne doit appartenir qu'à de petits peuples, qui se cachent dans les îles, ou entre les montagnes, comme des lapins qui se dérobent aux animaux carnassiers; mais, à la longue, ils sont découverts et dévorés."

Quand les deux voyageurs furent arrivés dans l'Asie-Mineure, le conseiller dit au brame: "Croiriez-vous bien qu'il y a eu une république formée dans un coin de l'Italie, qui a duré plus de cinq cents ans, et qui a possédé cette Asie-Mineure, l'Asie, l'Afrique, la Grèce, les Gaules, l'Espagne et l'Italie entière? — Elle se tourna donc bien vite en monarchie? dit le brame. — Vous l'avez deviné, dit l'autre; mais cette monarchie est tombée, et nous faisons tous les jours de belles dissertations pour trouver les causes de sa décadence et de sa chute. — Vous prenez bien de la peine, dit l'Indien: cet empire est tombé parce qu'il existait. Il faut bien que tout tombe; j'espère bien qu'il en arrivera tout autant à l'empire du Grand Mogol.

— A propos, dit l'Européen, croyez-vous qu'il faille plus d'honneur dans un État despotique, et plus de vertu dans une république?" L'Indien, s'étant fait expliquer ce qu'on entend par honneur, répondit que l'honneur était plus nécessaire dans une république, et qu'on avait bien plus besoin de vertu dans un État monarchique. "Car, dit-il, un homme qui prétend être élu par le peuple ne le sera pas s'il est déshonoré; au lieu qu'à la cour il pourra aisément obtenir une charge, selon la maxime d'un grand prince,[19] qu'un courtisan, pour réussir, doit n'avoir ni honneur ni humeur. A l'égard de la vertu, il en faut prodigieusement dans une cour pour oser dire la vérité. L'homme vertueux est bien plus à son aise dans une république: il n'a personne à flatter.

— Croyez-vous, dit l'homme d'Europe, que les lois et les religions soient faites pour les climats, de même qu'il faut des four-

[19] Attributed to the Duc d' Orléans.

rures à Moscou et des étoffes de gaze à Delhi? — Oui, sans doute, dit le brame; toutes les lois qui concernent la physique sont calculées pour le méridien qu'on habite; il ne faut qu'une femme à un Allemand, et il en faut trois ou quatre à un Persan. Les rites de la religion sont de même nature. Comment voudriez-vous, si j'étais chrétien, que je disse la messe dans ma province, où il n'y a ni pain ni vin? A l'égard des dogmes, c'est autre chose: le climat n'y fait rien. Votre religion n'a-t-elle pas commencé en Asie, d'où elle a été chassée? n'existe-t-elle pas vers la mer Baltique, où elle était inconnue?

— Dans quel État, sous quelle domination, aimeriez-vous mieux vivre? dit le conseiller. — Partout ailleurs que chez moi, dit son compagnon, et j'ai trouvé beaucoup de Siamois, de Tonkinois, de Persans et de Turcs, qui en disaient autant. — Mais, encore une fois, dit l'Européen, quel État choisiriez-vous?" Le brame répondit: "Celui où l'on n'obéit qu'aux lois. — C'est une vieille réponse, dit le conseiller. — Elle n'en est pas plus mauvaise, dit le brame. — Où est ce pays-là? dit le conseiller." Le brame dit: "Il faut le chercher."

(*Dictionnaire philosophique.*)

MICROMÉGAS

HISTOIRE PHILOSOPHIQUE

Chapitre I.

Voyage d'un habitant du monde de l'étoile Sirius dans la planète de Saturne

Dans une de ces planètes qui tournent autour de l'étoile nommée Sirius il y avait un jeune homme de beaucoup d'esprit, que j'ai eu l'honneur de connaître dans le dernier voyage qu'il fit sur notre petite fourmilière; il s'appelait Micromégas, nom qui convient fort à tous les grands. Il avait huit lieues de haut: j'entends par huit lieues, vingt-quatre mille pas géométriques de cinq pieds chacun.

Quelques algébristes, gens toujours utiles au public, prendront sur-le-champ la plume, et trouveront que, puisque M. Micromégas, habitant du pays de Sirius, a de la tête aux pieds vingt-quatre mille pas, qui font cent vingt mille pieds de roi, et que nous autres, citoyens de la terre, nous n'avons guère que cinq pieds, et que notre globe a neuf mille lieues de tour; ils trouveront, dis-je, qu'il faut absolument que le globe qui l'a produit ait au juste vingt-un millions six cent mille fois plus de circonférence que notre petite terre. Rien n'est plus simple et plus ordinaire dans la nature. Les États de quelques souverains d'Allemagne ou d'Italie, dont on peut faire le tour en une demi-heure, comparés à l'empire de Turquie, de Moscovie ou de la Chine, ne sont qu'une faible image des prodigieuses différences que la nature a mises dans tous les êtres.

La taille de son excellence étant de la hauteur que j'ai dite, tous nos sculpteurs et tous nos peintres conviendront sans peine que sa ceinture peut avoir cinquante mille pieds de roi de tour; ce qui fait une très jolie proportion.

Quant à son esprit, c'est un des plus cultivés que nous ayons; il sait beaucoup de choses; il en a inventé quelques-unes: il n'avait pas encore deux cent cinquante ans, et il étudiait, selon la coutume, au collège des jésuites de sa planète, lorsqu'il devina, par la force de son esprit, plus de cinquante propositions d'Euclide. C'est dix-huit de plus que Blaise Pascal, lequel, après en avoir deviné trente-deux en se jouant, à ce que dit sa sœur, devint depuis un géomètre assez médiocre, et un fort mauvais métaphysicien. Vers les quatre cent cinquante ans, au sortir de l'enfance, il disséqua beaucoup de ces petits insectes qui n'ont pas cent pieds de diamètre, et qui se dérobent aux microscopes ordinaires; il en composa un livre fort curieux, mais qui lui fit quelques affaires. Le mufti de son pays, grand vétillard et fort ignorant, trouva dans son livre des propositions suspectes, malsonnantes, téméraires, hérétiques, sentant l'hérésie, et le poursuivit vivement: il s'agissait de savoir si la forme substantielle des puces de Sirius était de même nature que celle des colimaçons. Micromégas se défendit avec esprit, il mit les femmes de son côté; le procès dura deux cent vingt ans. Enfin le mufti fit condamner le livre par des jurisconsultes qui ne l'avaient pas lu, et l'auteur eut ordre de ne paraître à la cour de huit cents années.

Il ne fut que médiocrement affligé d'être banni d'une cour qui n'était remplie que de tracasseries et de petitesses. Il fit une chanson fort plaisante contre le mufti, dont celui-ci ne s'embarrassa guère; et il se mit à voyager de planète en planète, pour achever de se former *l'esprit et le cœur*, comme l'on dit. Ceux qui ne voyagent qu'en chaise de poste ou en berline seront sans doute étonnés des équipages de là-haut; car nous autres, sur notre petit tas de boue, nous ne concevons rien au delà de nos usages. Notre voyageur connaissait merveilleusement les lois de la gravitation, et toutes les forces attractives et répulsives. Il s'en servait si à propos, que, tantôt à l'aide d'un rayon de soleil, tantôt par la commodité d'une comète, il allait de globe en globe lui et les siens, comme un oiseau voltige de branche en branche. Il parcourut la voie lactée en peu de temps; et je suis obligé d'avouer qu'il ne vit jamais, à travers les étoiles dont elle est semée, ce beau ciel empyrée que l'illustre vicaire Derham [20] se vante d'avoir vu au bout de sa lunette. Ce n'est pas que je prétende que M. Derham ait mal vu, à Dieu ne plaise! mais Micromégas était sur les lieux, c'est un bon observateur, et je ne veux contredire personne. Micromégas, après avoir bien tourné, arriva dans le globe de Saturne. Quelque accoutumé qu'il fût à voir des choses nouvelles, il ne put d'abord, en voyant la petitesse du globe et de ses habitants, se défendre de ce sourire de supériorité qui échappe quelquefois aux plus sages. Car enfin Saturne n'est guère que neuf cents fois plus gros que la terre, et les citoyens de ce pays-là sont des nains qui n'ont que mille toises de haut ou environ. Il s'en moqua un peu d'abord avec ses gens, à peu près comme un musicien italien se met à rire de la musique de Lulli,[21] quand il vient en France. Mais, comme le Sirien avait un bon esprit, il comprit bien vite qu'un être pensant peut fort bien n'être pas ridicule pour n'avoir que six mille pieds de haut. Il se familiarisa avec les Saturniens, après les avoir étonnés. Il lia une étroite amitié avec le secrétaire de l'Académie de Saturne,[22] homme de beaucoup d'esprit, qui n'avait, à la vérité, rien inventé, mais qui rendait un fort bon compte des inventions des autres,

[20] Derham (1657–1735), vicar of Upminster, author of works upon astronomy.

[21] Lulli (1633–1687) introduced the opera at Paris. cf. p. 155, n. 37.

[22] Fontenelle is here satirized as well as in the beginning of Chap. II, where reference is slyly made to his style in the *Entretiens sur la pluralité des mondes*.

et qui faisait passablement de petits vers et de grands calculs. Je rapporterai ici, pour la satisfaction des lecteurs, une conversation singulière que Micromégas eut un jour avec M. le secrétaire.

Chapitre II

Conversation de l'habitant de Sirius avec celui de Saturne

Après que son excellence se fut couchée, et que le secrétaire se fut approché de son visage: Il faut avouer, dit Micromégas, que la nature est bien variée. Oui, dit le Saturnien, la nature est comme un parterre dont les fleurs. . . . Ah! dit l'autre, laissez là votre parterre. Elle est, reprit le secrétaire, comme une assemblée de blondes et de brunes, dont les parures. . . . Eh! qu'ai-je à faire de vos brunes? dit l'autre. Elle est donc comme une galerie de peintures dont les traits. . . . Eh non! dit le voyageur, encore une fois la nature est comme la nature. Pourquoi lui chercher des comparaisons? Pour vous plaire, répondit le secrétaire. Je ne veux point qu'on me plaise, répondit le voyageur; je veux qu'on m'instruise: commencez d'abord par me dire combien les hommes de votre globe ont de sens. Nous en avons soixante et douze, dit l'académicien, et nous nous plaignons tous les jours du peu. Notre imagination va au delà de nos besoins; nous trouvons qu'avec nos soixante et douze sens, notre anneau, nos cinq lunes, nous sommes trop bornés; et malgré toute notre curiosité et le nombre assez grand de passions qui résultent de nos soixante et douze sens, nous avons tout le temps de nous ennuyer. Je le crois bien, dit Micromégas; car dans notre globe nous avons près de mille sens; et il nous reste encore je ne sais quel désir vague, je ne sais quelle inquiétude, qui nous avertit sans cesse que nous sommes peu de chose, et qu'il y a des êtres beaucoup plus parfaits. J'ai un peu voyagé: j'ai vu des mortels fort au-dessous de nous; j'en ai vu de fort supérieurs; mais je n'en ai vu aucuns qui n'aient plus de désirs que de vrais besoins, et plus de besoins que de satisfaction. J'arriverai peut-être un jour au pays où il ne manque rien; mais jusqu'à présent personne ne m'a donné de nouvelles positives de ce pays-là. Le Saturnien et le Sirien s'épuisèrent alors en conjectures; mais, après beaucoup de raisonnements fort ingénieux et fort incertains, il en fallut revenir aux faits. Combien de temps vivez-vous? dit le Sirien. Ah! bien peu, répliqua le petit homme de Saturne. C'est tout comme chez nous, dit le Sirien: nous nous plaignons toujours du peu. Il faut que ce soit une loi universelle de la nature. Hélas! nous ne vivons, dit le Saturnien, que cinq cents grandes révolutions du soleil. (Cela revient à quinze mille ans ou environ, à compter à notre manière.) Vous voyez bien que c'est mourir presque au moment que l'on est né; notre existence est un point, notre durée un instant, notre globe un atome. A peine a-t-on commencé à s'instruire un peu que la mort arrive avant qu'on ait de l'expérience. Pour moi, je n'ose faire aucuns projets; je me trouve comme une goutte d'eau dans un océan immense. Je suis honteux, surtout devant vous, de la figure ridicule que je fais dans ce monde.

Micromégas lui repartit: Si vous n'étiez pas philosophe, je craindrais de vous affliger en vous apprenant que notre vie est sept cents fois plus longue que la vôtre; mais vous savez trop bien que quand il faut rendre son corps aux éléments, et ranimer la nature sous une autre forme, ce qui s'appelle mourir; quand ce moment de métamorphose est venu, avoir vécu une éternité, ou avoir vécu un jour, c'est précisément la même chose. J'ai été dans des pays où l'on vit mille fois plus longtemps que chez moi, et j'ai trouvé qu'on y murmurait encore. Mais il y a partout des gens de bon sens qui savent prendre leur parti et remercier l'auteur de la nature. Il a répandu sur cet univers une profusion de variétés avec une espèce d'uniformité admirable. Par exemple, tous les êtres pensants sont différents, et tous se ressemblent au fond par le don de la pensée et des désirs. La matière est partout étendue; mais elle a dans chaque globe des propriétés diverses. Combien comptez-vous de ces propriétés diverses dans votre matière? Si vous parlez de ces propriétés, dit le Saturnien, sans lesquelles nous croyons que ce globe ne pourrait subsister tel qu'il est, nous en comptons trois cents, comme l'étendue, l'impénétrabilité, la mobilité, la gravitation, la divisibilité, et le reste. Apparemment, répliqua le voyageur, que ce petit nombre suffit aux vues que le Créateur avait sur votre petite habitation. J'admire en tout sa sagesse; je vois partout des différences, mais aussi partout des proportions. Votre globe est petit, vos habitants le sont aussi; vous avez peu de sensations; votre matière a peu de propriétés: tout cela est l'ouvrage de la Providence. De quelle couleur est votre soleil bien examiné? D'un blanc fort jaunâtre, dit le Saturnien; et, quand nous divisons un de ses rayons, nous trouvons qu'il contient sept couleurs. Notre soleil tire sur le rouge, dit le Sirien, et nous avons trente-neuf couleurs primitives. Il n'y a pas un soleil, parmi tous ceux dont j'ai approché, qui se ressemble, comme chez vous il n'y a pas un visage qui ne soit différent de tous les autres.

Après plusieurs questions de cette nature, il s'informa combien de substances essentiellement différentes on comptait dans Saturne. Il apprit qu'on n'en comptait qu'une trentaine, comme Dieu, l'espace, la matière, les êtres étendus qui sentent, les êtres étendus qui sentent et qui pensent, les êtres pensants qui n'ont point d'étendue; ceux qui se pénètrent, ceux qui ne se pénètrent pas, et le reste. Le Sirien, chez qui on en comptait trois cents, et qui en avait découvert trois mille autres dans ses voyages, étonna prodigieusement le philosophe de Saturne. Enfin, après s'être communiqué l'un à l'autre un peu de ce qu'ils savaient et beaucoup de ce qu'ils ne savaient pas, après avoir raisonné pendant une révolution du soleil, ils résolurent de faire ensemble un petit voyage philosophique.

Chapitre III

Voyage des deux habitants de Sirius et de Saturne

Nos deux philosophes étaient prêts à s'embarquer dans l'atmosphère de Saturne, avec une fort jolie provision d'instruments de mathématiques, lorsque la maîtresse du Saturnien, qui en eut des nouvelles, vint en larmes faire ses remontrances. C'était une jolie petite brune qui n'avait que six cent soixante toises, mais qui réparait par bien des agréments la petitesse de sa taille. Ah! cruel, s'écria-t-elle, après t'avoir résisté quinze cents ans, lorsqu'enfin je commençais à me rendre, quand j'ai à peine passé cent ans entre tes bras, tu me quittes pour aller voyager avec un géant d'un autre monde; va, tu n'es qu'un curieux, tu n'as jamais eu d'amour: si tu étais un vrai Saturnien, tu serais fidèle. Où vas-tu courir? que veux-tu? nos cinq lunes sont moins errantes que toi, notre anneau est moins changeant. Voilà qui est fait, je n'aimerai jamais plus personne. Le philosophe l'embrassa, pleura avec elle, tout philosophe qu'il était, et la dame, après s'être pâmée, alla se consoler avec un petit-maître du pays.

Cependant nos deux curieux partirent; ils sautèrent d'abord sur l'anneau, qu'ils trouvèrent assez plat, comme l'a fort bien deviné un illustre habitant [23] de notre petit globe; de là ils allèrent aisément de lune en lune. Une comète passait tout auprès de la dernière; ils s'élancèrent sur elle avec leurs domestiques et leurs instruments. Quand ils eurent fait environ cent cinquante millions de lieues, ils rencontrèrent les satellites de Jupiter. Ils passèrent dans Jupiter même, et y restèrent une année, pendant laquelle ils apprirent de fort beaux secrets qui seraient actuellement sous presse sans messieurs les inquisiteurs, qui ont trouvé quelques propositions un peu dures. Mais j'en ai lu le manuscrit dans la bibliothèque de l'illustre archevêque . . ., qui m'a laissé voir ses livres avec cette générosité et cette bonté qu'on ne saurait assez louer.

Mais revenons à nos voyageurs. En sortant de Jupiter, ils traversèrent un espace d'environ cent millions de lieues, et ils côtoyèrent la planète de Mars, qui, comme on sait, est cinq fois plus petite que notre petit globe; ils virent deux lunes qui servent à cette planète, et qui ont échappé aux regards de nos astronomes. Je sais bien que le père Castel écrira, et même assez plaisamment, contre l'existence de ces deux lunes; mais je m'en rapporte à ceux qui raisonnent par analogie. Ces bons philosophes-là savent combien il serait difficile que Mars, qui est si loin du soleil, se passât à moins de deux lunes. Quoi qu'il en soit, nos gens trouvèrent cela si petit, qu'ils craignirent de n'y pas trouver de quoi coucher, et ils passèrent leur chemin comme deux voyageurs qui dédaignent un mauvais cabaret de village, et poussent jusqu'à la ville voisine. Mais le Sirien et son compagnon se repentirent bientôt. Ils allèrent longtemps et ne trouvèrent rien. Enfin ils aperçurent une petite lueur, c'était la terre; cela fit pitié à des gens qui venaient de Jupiter. Cependant, de peur de se repentir une seconde fois, ils résolurent de débarquer. Ils passèrent sur la

[23] Huyghens (1629–1695), Dutch astronomer and physicist, famous as a forerunner of the theories of Newton.

queue de la comète, et, trouvant une aurore boréale toute prête, ils se mirent dedans, et arrivèrent à terre, sur le bord septentrional de la mer Baltique, le cinq juillet mil sept cent trente-sept, nouveau style.

Chapitre IV

Ce qui leur arrive sur le globe de la terre

Après s'être reposés quelque temps, ils mangèrent à leur déjeuner deux montagnes, que leurs gens leur apprêtèrent assez proprement. Ensuite ils voulurent reconnaître le petit pays où ils étaient. Ils allèrent d'abord du nord au sud. Les pas ordinaires du Sirien et de ses gens étaient d'environ trente mille pieds de roi; le nain de Saturne suivait de loin en haletant; or il fallait qu'il fît environ douze pas, quand l'autre faisait une enjambée: figurez-vous (s'il est permis de faire de telles comparaisons) un très petit chien de manchon qui suivrait un capitaine des gardes du roi de Prusse.

Comme ces étrangers-là vont assez vite, ils eurent fait le tour du globe en trente-six heures; le soleil à la vérité, ou plutôt la terre, fait un pareil voyage en une journée; mais il faut songer qu'on va bien plus à son aise quand on tourne sur son axe que quand on marche sur ses pieds. Les voilà donc revenus d'où ils étaient partis, après avoir vu cette mare, presque imperceptible pour eux, qu'on nomme *la Méditerranée*, et cet autre petit étang qui, sous le nom du *grand Océan*, entoure la taupinière. Le nain n'en avait eu jamais qu'à mi-jambe, et à peine l'autre avait-il mouillé son talon. Ils firent tout ce qu'ils purent en allant et en revenant dessus et dessous pour tâcher d'apercevoir si ce globe était habité ou non. Ils se baissèrent, ils se couchèrent, ils tâtèrent partout; mais leurs yeux et leurs mains n'étant point proportionnés aux petits êtres qui rampent ici, ils ne reçurent pas la moindre sensation qui pût leur faire soupçonner que nous et nos confrères les autres habitants de ce globe avons l'honneur d'exister.

Le nain, qui jugeait quelquefois un peu trop vite, décida d'abord qu'il n'y avait personne sur la terre. Sa première raison était qu'il n'avait vu personne. Micromégas lui fit sentir poliment que c'était raisonner assez mal: car, disait-il, vous ne voyez pas avec vos petits yeux certaines étoiles de la cinquantième grandeur que j'aperçois très distinctement; concluez-vous de là que ces étoiles n'existent pas? Mais, dit le nain, j'ai bien tâté. Mais, répondit l'autre, vous avez mal senti. Mais, dit le nain, ce globe-ci est si mal construit, cela est si irrégulier et d'une forme qui me paraît si ridicule! tout semble être ici dans le chaos: voyez-vous ces petits ruisseaux dont aucun ne va de droit fil, ces étangs qui ne sont ni ronds, ni carrés, ni ovales, ni sous aucune forme régulière; tous ces petits grains pointus dont ce globe est hérissé, et qui m'ont écorché les pieds? (Il voulait parler des montagnes.) Remarquez-vous encore la forme de tout le globe, comme il est plat aux pôles, comme il tourne autour du soleil d'une manière gauche, de façon que les climats des pôles sont nécessairement incultes? En vérité, ce qui fait que je pense qu'il n'y a ici personne, c'est qu'il me paraît que des gens de bon sens ne voudraient pas y demeurer. Eh bien! dit Micromégas, ce ne sont peut-être pas non plus des gens de bon sens qui l'habitent. Mais enfin il y a quelque apparence que ceci n'est pas fait pour rien. Tout vous paraît irrégulier ici, dites-vous, parce que tout est tiré au cordeau dans Saturne et dans Jupiter. Eh! c'est peut-être pour cette raison-là même qu'il y a ici un peu de confusion. Ne vous ai-je pas dit que dans mes voyages j'avais toujours remarqué de la variété? Le Saturnien répliqua à toutes ces raisons. La dispute n'eût jamais fini, si par bonheur Micromégas, en s'échauffant à parler, n'eût cassé le fil de son collier de diamants. Les diamants tombèrent; c'étaient de jolis petits carats assez inégaux, dont les plus gros pesaient quatre cents livres, et les plus petits cinquante. Le nain en ramassa quelques-uns; il s'aperçut, en les approchant de ses yeux, que ces diamants, de la façon dont ils étaient taillés, étaient d'excellents microscopes. Il prit donc un petit microscope de cent soixante pieds de diamètre, qu'il appliqua à sa prunelle; et Micromégas en choisit un de deux mille cinq cents pieds. Ils étaient excellents; mais d'abord on ne vit rien par leur secours, il fallait s'ajuster. Enfin l'habitant de Saturne vit quelque chose d'imperceptible qui remuait entre deux eaux dans la mer Baltique: c'était une baleine. Il la prit avec le petit doigt fort adroitement; et, la mettant sur l'ongle de son pouce, il la fit voir au Sirien, qui se mit à rire pour la seconde fois de l'excès de petitesse dont étaient les habitants de notre globe. Le Saturnien, convaincu que notre monde est habité, s'imagina bien vite qu'il ne l'était que par des baleines, et comme il était grand raisonneur, il voulut deviner d'où un si petit atome tirait son origine, son mouvement, s'il avait des idées, une volonté, une liberté. Micromégas y fut fort embarrassé; il examina l'animal fort patiemment, et le résultat de l'examen fut qu'il n'y avait pas moyen de croire qu'une âme fût logée là. Les deux voyageurs inclinaient donc à penser qu'il n'y a point d'esprit dans notre habitation, lorsqu'à l'aide du microscope ils aperçurent quelque chose d'aussi gros qu'une baleine qui flottait sur la mer Baltique. On sait que dans ce temps-là même une volée de philosophes [24] revenait du cercle polaire, sous lequel ils avaient été faire des observations dont personne ne s'était avisé jusqu'alors. Les gazettes dirent que leur vaisseau échoua aux côtes de Bothnie, et qu'ils eurent bien de la peine à se sauver: mais on ne sait jamais dans ce monde le dessous des cartes. Je vais raconter ingénument comme la chose se passa, sans y rien mettre du mien; ce qui n'est pas un petit effort pour un historien.

Chapitre V

Expériences et raisonnements des deux voyageurs

Micromégas étendit la main tout doucement vers l'endroit où l'objet paraissait, et avançant deux doigts, et les retirant par la crainte de se tromper, puis les ouvrant et les serrant, il saisit fort adroitement le vaisseau qui portait ces messieurs, et le mit encore sur son ongle, sans le trop presser, de peur de l'écraser. Voici un animal bien différent du premier, dit le nain de Saturne; le Sirien mit le prétendu animal dans le creux de sa main. Les passagers et les gens de l'équipage, qui s'étaient crus enlevés par un ouragan, et qui se croyaient sur une espèce de rocher, se mettent tous en mouvement; les matelots prennent des tonneaux de vin, les jettent sur la main de Micromégas, et se précipitent après. Les géomètres prennent leurs quarts de cercle, leurs

[24] In 1736–1738 a scientific expedition, in which was Maupertuis, went to Lapland to measure a degree of longitude. It was in this expedition that the flatness of the earth at the poles was definitely proved.

secteurs, deux filles laponnes, et descendent sur les doigts du Sirien. Ils en firent tant, qu'il sentit enfin remuer quelque chose qui lui chatouillait les doigts; c'était un bâton ferré qu'on lui enfonçait d'un pied dans l'index: il jugea, par ce picotement, qu'il était sorti quelque chose du petit animal qu'il tenait; mais il n'en soupçonna pas d'abord davantage. Le microscope, qui faisait à peine discerner une baleine et un vaisseau, n'avait point de prise sur un être aussi imperceptible que des hommes. Je ne prétends choquer ici la vanité de personne, mais je suis obligé de prier les importants de faire ici une petite remarque avec moi; c'est qu'en prenant la taille des hommes d'environ cinq pieds, nous ne faisons pas sur la terre une plus grande figure qu'en ferait sur une boule de dix pieds de tour un animal qui aurait à peu près la six cent-millième partie d'un pouce en hauteur. Figurez-vous une substance qui pourrait tenir la terre dans sa main, et qui aurait des organes en proportion des nôtres; et il se peut très bien faire qu'il y ait un grand nombre de ces substances: or concevez, je vous prie, ce qu'elles penseraient de ces batailles qui nous ont valu deux villages qu'il a fallu rendre.

Je ne doute pas que si quelque capitaine des grands grenadiers lit jamais cet ouvrage, il ne hausse de deux grands pieds au moins les bonnets de sa troupe; mais je l'avertis qu'il aura beau faire, que lui et les siens ne seront jamais que des infiniment petits.

Quelle adresse merveilleuse ne fallut-il donc pas à notre philosophe de Sirius, pour apercevoir les atomes dont je viens de parler? Quand Leuwenhock [25] et Hartsoeker virent les premiers ou crurent voir la graine dont nous sommes formés, ils ne firent pas, à beaucoup près, une si étonnante découverte. Quel plaisir sentit Micromégas en voyant remuer ces petites machines, en examinant tous leurs tours, en les suivant dans toutes leurs opérations! comme il s'écria! comme il mit avec joie un de ses microscopes dans les mains de son compagnon de voyage! Je les vois, disaient-ils tous deux à la fois; ne les voyez-vous pas qui portent des fardeaux, qui se baissent, qui se relèvent. En parlant ainsi, les mains leur tremblaient, par le plaisir de voir des objets si nouveaux, et par la crainte de les perdre. Le Saturnien, passant d'un excès de

[25] Leuwenhoek (1632–1723) and Hartsoeker (1656–1725), two Dutch scientists, the former a naturalist, the latter a physicist.

défiance à un excès de crédulité, crut apercevoir qu'ils travaillaient à la propagation. "Ah! disait-il, j'ai pris la nature sur le fait." Mais il se trompait sur les apparences; ce qui n'arrive que trop, soit qu'on se serve ou non du microscope.

Chapitre VI

Ce qui leur arriva avec les hommes

Micromégas, bien meilleur observateur que son nain, vit clairement que les atomes se parlaient; et il le fit remarquer à son compagnon, qui, honteux de s'être mépris sur l'article de la génération, ne voulut point croire que de pareilles espèces pussent se communiquer des idées. Il avait le don des langues aussi bien que le Sirien; il n'entendait point parler nos atomes, et il supposait qu'ils ne parlaient pas: d'ailleurs comment ces êtres imperceptibles auraient-ils les organes de la voix, et qu'auraient-ils à dire? Pour parler, il faut penser, ou à peu près; mais s'ils pensaient, ils auraient donc l'équivalent d'une âme: or, attribuer l'équivalent d'une âme à cette espèce, cela lui paraissait absurde. Mais, dit le Sirien, vous avez cru tout à l'heure qu'ils faisaient l'amour; est-ce que vous croyez qu'on puisse faire l'amour sans penser et sans proférer quelque parole, ou du moins sans se faire entendre? Supposez-vous d'ailleurs qu'il soit plus difficile de produire un argument qu'un enfant? Pour moi, l'un et l'autre me paraissent de grands mystères. Je n'ose plus ni croire ni nier, dit le nain; je n'ai plus d'opinion; il faut tâcher d'examiner ces insectes, nous raisonnerons après. C'est fort bien dit, reprit Micromégas; et aussitôt il tira une paire de ciseaux dont il se coupa les ongles, et d'une rognure de l'ongle de son pouce il fit sur-le-champ une espèce de grande trompette parlante, comme un vaste entonnoir, dont il mit le tuyau dans son oreille. La circonférence de l'entonnoir enveloppait le vaisseau et tout l'équipage. La voix la plus faible entrait dans les fibres circulaires de l'ongle; de sorte que, grâce à son industrie, le philosophe de là-haut entendit parfaitement le bourdonnement de nos insectes de là-bas. En peu d'heures il parvint à distinguer les paroles, et enfin à entendre le français. Le nain en fit autant, quoique avec plus de difficulté. L'étonnement des voyageurs redoublait à chaque instant. Ils entendaient des mites parler d'assez bon sens: ce jeu de la nature leur paraissait inexplicable. Vous croyez bien que le Sirien et son nain brûlaient d'impatience de lier conversation avec les atomes; le nain craignait que sa voix de tonnerre, et surtout celle de Micromégas, n'assourdît les mites sans en être entendue. Il fallait en diminuer la force. Ils se mirent dans la bouche des espèces de petits cure-dents, dont le bout fort effilé venait donner auprès du vaisseau. Le Sirien tenait le nain sur ses genoux, et le vaisseau avec l'équipage sur un ongle; il baissait la tête et parlait bas. Enfin, moyennant toutes ces précautions et bien d'autres encore, il commença ainsi son discours:

Insectes invisibles, que la main du Créateur s'est plu à faire naître dans l'abîme de l'infiniment petit, je le remercie de ce qu'il a daigné me découvrir des secrets qui semblaient impénétrables. Peut-être ne daignerait-on pas vous regarder à ma cour; mais je ne méprise personne, et je vous offre ma protection.

Si jamais il y eut quelqu'un d'étonné, ce furent les gens qui entendirent ces paroles. Ils ne pouvaient deviner d'où elles partaient. L'aumônier du vaisseau récita les prières des exorcismes, les matelots jurèrent, et les philosophes du vaisseau firent des systèmes; mais quelque système qu'ils fissent, ils ne purent jamais deviner qui leur parlait. Le nain de Saturne qui avait la voix plus douce que Micromégas, leur apprit alors en peu de mots à quelles espèces ils avaient affaire. Il leur raconta le voyage de Saturne, les mit au fait de ce qu'était M. Micromégas; et après les avoir plaints d'être si petits, il leur demanda s'ils avaient toujours été dans ce misérable état si voisin de l'anéantissement, ce qu'ils faisaient dans un globe qui paraissait appartenir à des baleines, s'ils étaient heureux, s'ils multipliaient, s'ils avaient une âme, et cent autres questions de cette nature.

Un raisonneur de la troupe, plus hardi que les autres, et choqué de ce qu'on doutait de son âme, observa l'interlocuteur avec des pinnules braquées sur un quart de cercle, fit deux stations, et à la troisième il parla ainsi: Vous croyez donc, monsieur, parce que vous avez mille toises depuis la tête jusqu'aux pieds, que vous êtes un. . . . Mille toises! s'écria le nain: juste ciel! d'où peut-il savoir ma hauteur? mille toises! il ne se trompe pas d'un pouce.

Quoi! cet atome m'a mesuré! il est géomètre, il connaît ma grandeur; et moi, qui ne le vois qu'à travers un microscope, je ne connais pas encore la sienne! Oui, je vous ai mesuré, dit le physicien, et je mesurerai bien encore votre grand compagnon. La proposition fut acceptée; son Excellence se coucha de son long; car, s'il se fût tenu debout, sa tête eût été trop au-dessus des nuages. Nos philosophes lui plantèrent un grand arbre dans un endroit que le docteur Swift nommerait, mais que je me garderai bien d'appeler par son nom, à cause de mon grand respect pour les dames. Puis, par une suite de triangles liés ensemble, ils conclurent que ce qu'ils voyaient était en effet un jeune homme de cent vingt mille pieds de roi.

Alors Micromégas prononça ces paroles: Je vois plus que jamais qu'il ne faut juger de rien sur sa grandeur apparente. O Dieu! qui avez donné une intelligence à des substances qui paraissent si méprisables, l'infiniment petit vous coûte aussi peu que l'infiniment grand; et s'il est possible qu'il y ait des êtres plus petits que ceux-ci, ils peuvent encore avoir un esprit supérieur à ceux de ces superbes animaux que j'ai vus dans le ciel, dont le pied seul couvrirait le globe où je suis descendu.

Un des philosophes lui répondit qu'il pouvait en toute sûreté croire qu'il est en effet des êtres intelligents beaucoup plus petits que l'homme. Il lui conta, non pas tout ce que Virgile a dit de fabuleux sur les abeilles, mais ce que Swammerdam a découvert, et ce que Réaumur a disséqué. Il lui apprit enfin qu'il y a des animaux qui sont pour les abeilles ce que les abeilles sont pour l'homme, ce que le Sirien lui-même était pour ces animaux si vastes dont il parlait, et ce que ces grands animaux sont pour d'autres substances devant lesquelles ils ne paraissent que comme des atomes. Peu à peu la conversation devint intéressante, et Micromégas parla ainsi:

Chapitre VII

Conversation avec les hommes

O atomes intelligents, dans qui l'Être éternel s'est plu à manifester son adresse et sa puissance, vous devez sans doute, goûter des joies bien pures sur votre globe; car ayant si peu de matière, et paraissant tout esprit, vous devez passer votre vie à aimer et à penser; c'est la véritable vie des esprits. Je n'ai vu nulle part le vrai bonheur, mais il est ici, sans doute. A ce discours, tous les philosophes secouèrent la tête; et l'un d'eux, plus franc que les autres, avoua de bonne foi que, si l'on en excepte un petit nombre d'habitants fort peu considérés, tout le reste est un assemblage de fous, de méchants et de malheureux. Nous avons plus de matière qu'il ne nous en faut, dit-il, pour faire beaucoup de mal, si le mal vient de la matière; et trop d'esprit, si le mal vient de l'esprit. Savez-vous bien, par exemple, qu'à l'heure que je vous parle, il y a cent mille fous de notre espèce, couverts de chapeaux, qui tuent cent mille autres animaux couverts d'un turban,[26] ou qui sont massacrés par eux, et que, presque par toute la terre, c'est ainsi qu'on en use de temps immémorial? Le Sirien frémit, et demanda quel pouvait être le sujet de ces horribles querelles entre de si chétifs animaux. Il s'agit, dit le philosophe, de quelque tas de boue grand comme votre talon. Ce n'est pas qu'aucun de ces millions d'hommes qui se font égorger prétende un fétu sur ces tas de boue. Il ne s'agit que de savoir s'il appartiendra à un certain homme qu'on nomme *Sultan*, ou à un autre qu'on nomme, je ne sais pourquoi, *César*. Ni l'un ni l'autre n'a jamais vu ni ne verra jamais le petit coin de terre dont il s'agit; et presque aucun de ces animaux, qui s'égorgent mutuellement, n'a jamais vu l'animal pour lequel il s'égorge.

Ah! malheureux! s'écria le Sirien avec indignation, peut-on concevoir cet excès de rage forcenée! Il me prend envie de faire trois pas, et d'écraser de trois coups de pied toute cette fourmilière d'assassins ridicules. Ne vous en donnez pas la peine, lui répondit-on; ils travaillent assez à leur ruine. Sachez qu'au bout de dix ans, il ne reste jamais la centième partie de ces misérables; sachez que, quand même ils n'auraient pas tiré l'épée, la faim, la fatigue, ou l'intempérance les emportent presque tous. D'ailleurs, ce n'est pas eux qu'il faut punir, ce sont ces barbares sédentaires qui du fond de leur cabinet ordonnent, dans le temps de leur digestion, le massacre d'un million d'hommes, et qui ensuite en font remercier Dieu solennellement. Le voyageur se sentait ému de pitié pour la petite race humaine, dans laquelle il

[26] The war between the Turks and the Russians, 1736–1739.

découvrait de si étonnants contrastes. Puisque vous êtes du petit nombre des sages, dit-il à ces messieurs, et qu'apparemment vous ne tuez personne pour de l'argent, dites-moi, je vous en prie, à quoi vous vous occupez. Nous disséquons des mouches, dit le philosophe, nous mesurons des lignes, nous assemblons des nombres; nous sommes d'accord sur deux ou trois points que nous entendons, et nous disputons sur deux ou trois mille que nous n'entendons pas.

Il prit aussitôt fantaisie au Sirien et au Saturnien d'interroger ces atomes pensants, pour savoir les choses dont ils convenaient. Combien comptez-vous, dit celui-ci, de l'étoile de la Canicule à la grande étoile des Gémeaux? Ils répondirent tous à la fois: Trente-deux degrés et demi. Combien comptez-vous d'ici à la lune? Soixante demi-diamètres de la terre en nombre rond. Combien pèse votre air? Il croyait les attraper, mais tous lui dirent que l'air pèse environ neuf cents fois moins qu'un pareil volume de l'eau la plus légère, et dix-neuf mille fois moins que l'or de ducat. Le petit nain de Saturne, étonné de leurs réponses, fut tenté de prendre pour des sorciers ces mêmes gens auxquels il avait refusé une âme un quart d'heure auparavant.

Enfin Micromégas leur dit: Puisque vous savez si bien ce qui est hors de vous, sans doute vous savez encore mieux ce qui est en dedans. Dites-moi ce que c'est que votre âme, et comment vous formez vos idées. Les philosophes parlèrent tous à la fois comme auparavant; mais ils furent tous de différents avis. Le plus vieux citait Aristote, l'autre prononçait le nom de Descartes; celui-ci, de Malebranche; cet autre, de Leibnitz; cet autre, de Locke. Un vieux péripatéticien dit tout haut avec confiance: L'âme est une entéléchie, et une raison par qui elle a la puissance d'être ce qu'elle est. C'est ce que déclare expressément Aristote, page 633 de l'édition du Louvre. Il cita le passage. Je n'entends pas trop bien le grec, dit le géant. Ni moi non plus, dit la mite philosophique. Pourquoi donc, reprit le Sirien, citez-vous un certain Aristote en grec? C'est, répliqua le savant, qu'il faut bien citer ce qu'on ne comprend point du tout dans la langue qu'on entend le moins.

Le cartésien prit la parole, et dit: L'âme est un esprit pur qui a reçu dans le ventre de sa mère toutes les idées métaphysiques, et qui, en sortant de là, est obligé d'aller à l'école, et d'apprendre tout de nouveau ce qu'elle a si bien su, et qu'elle ne saura plus. Ce n'était donc pas la peine, répondit l'animal de huit lieues, que ton âme fût si savante dans le ventre de ta mère, pour être si ignorante quand tu aurais de la barbe au menton. Mais qu'entends-tu par esprit? Que me demandez-vous là? dit le raisonneur, je n'en ai point d'idée; on dit que ce n'est pas la matière. — Mais sais-tu au moins ce que c'est que la matière? Très bien, répondit l'homme. Par exemple cette pierre est grise, est d'une telle forme, a ses trois dimensions; elle est pesante et divisible. — Eh bien! dit le Sirien, cette chose qui te paraît être divisible, pesante, et grise, me diras-tu bien ce que c'est? Tu vois quelques attributs: mais le fond de la chose, le connais-tu? Non, dit l'autre. — Tu ne sais donc point ce que c'est que la matière.

Alors M. Micromégas, adressant la parole à un autre sage qu'il tenait sur son pouce, lui demanda ce que c'était que son âme, et ce qu'elle faisait. Rien du tout, répondit le philosophe malebranchiste; c'est Dieu qui fait tout pour moi; je vois tout en lui; je fais tout en lui: c'est lui qui fait tout sans que je m'en mêle. Autant vaudrait ne pas être, reprit le sage de Sirius. Et toi, mon ami, dit-il à un leibnitzien qui était là, qu'est-ce que ton âme? C'est, répondit le leibnitzien, une aiguille qui montre les heures pendant que mon corps carillonne; ou bien, si vous voulez, c'est elle qui carillonne pendant que mon corps montre l'heure; ou bien mon âme est le miroir de l'univers, et mon corps est la bordure du miroir: tout cela est clair.

Un petit partisan de Locke était là tout auprès, et quand on lui eut enfin adressé la parole: Je ne sais pas, dit-il, comment je pense, mais je sais que je n'ai jamais pensé qu'à l'occasion de mes sens. Qu'il y ait des substances immatérielles et intelligentes, c'est de quoi je ne doute pas: mais qu'il soit impossible à Dieu de communiquer la pensée à la matière, c'est de quoi je doute fort. Je révère la puissance éternelle; il ne m'appartient pas de la borner: je n'affirme rien; je me contente de croire qu'il y a plus de choses possibles qu'on ne pense.

L'animal de Sirius sourit: il ne trouva pas celui-là le moins sage; et le nain de Saturne aurait embrassé le sectateur de Locke sans l'extrême disproportion. Mais il y avait là, par malheur, un petit animalcule en bonnet carré qui coupa la parole à tous les animalcules philosophes; il dit qu'il savait tout le secret; que tout cela se trouvait dans la *Somme de saint Thomas*;[27] il regarda de haut en bas les deux habitants célestes, il leur soutint que leurs personnes, leurs mondes, leurs soleils, leurs étoiles, tout était fait uniquement pour l'homme. A ce discours, nos deux voyageurs se laissèrent aller l'un sur l'autre en étouffant de ce rire inextinguible qui, selon Homère, est le partage des dieux; leurs épaules et leurs ventres allaient et venaient, et dans ces convulsions le vaisseau que le Sirien avait sur son ongle tomba dans une poche de la culotte du Saturnien. Ces deux bonnes gens le cherchèrent longtemps; enfin ils retrouvèrent l'équipage, et le rajustèrent fort proprement. Le Sirien reprit les petites mites; il leur parla encore avec beaucoup de bonté, quoiqu'il fût un peu fâché dans le fond du cœur de voir que les infiniment petits eussent un orgueil presque infiniment grand. Il leur promit de leur faire un beau livre de philosophie, écrit fort menu pour leur usage, et que, dans ce livre, ils verraient le bout des choses. Effectivement, il leur donna ce volume avant son départ: on le porta à Paris à l'académie des sciences; mais, quand le vieux secrétaire l'eut ouvert, il ne vit rien qu'un livre tout blanc: "Ah! dit-il, je m'en étais bien douté."

PRIÈRE À DIEU.

Ce n'est donc plus aux hommes que je m'adresse; c'est à toi, Dieu de tous les êtres, de tous les mondes, et de tous les temps: s'il est permis à de faibles créatures perdues dans l'immensité, et imperceptibles au reste de l'univers, d'oser te demander quelque chose, à toi qui as tout donné, à toi dont les décrets sont immuables comme éternels, daigne regarder en pitié les erreurs attachées à notre nature; que ces erreurs ne fassent point nos calamités. Tu ne nous as point donné un cœur pour nous haïr, et des mains pour nous égorger; fais que nous nous aidions mutuellement à supporter le fardeau d'une vie pénible et passagère; que les petites différences entre les vêtements qui couvrent nos débiles

[27] The *Summa Theologica* of St. Thomas Aquinas (1227–1274), a traditional basis of Catholic teaching.

corps, entre tous nos langages insuffisants, entre tous nos usages ridicules, entre toutes nos lois imparfaites, entre toutes nos conditions si disproportionnées à nos yeux, et si égales devant toi; que toutes ces petites nuances qui distinguent les atomes appelés hommes ne soient pas des signaux de haine et de persécution; que ceux qui allument des cierges en plein midi pour te célébrer supportent ceux qui se contentent de la lumière de ton soleil; que ceux qui couvrent leur robe d'une toile blanche pour dire qu'il faut t'aimer ne détestent pas ceux qui disent la même chose sous un manteau de laine noire; qu'il soit égal de t'adorer dans un jargon formé d'une ancienne langue, ou dans un jargon plus nouveau; que ceux dont l'habit est teint en rouge ou en violet, qui dominent sur une petite parcelle d'un petit tas de la boue de ce monde, et qui possèdent quelques fragments arrondis d'un certain métal, jouissent sans orgueil de ce qu'ils appellent grandeur et richesse, et que les autres les voient sans envie: car tu sais qu'il n'y a dans ces vanités ni de quoi envier, ni de quoi s'enorgueillir.

Puissent tous les hommes se souvenir qu'ils sont frères! Qu'ils aient en horreur la tyrannie exercé sur les âmes, comme ils ont en exécration le brigandage qui ravit par la force le fruit du travail, et de l'industrie paisible! Si les fléaux de la guerre sont inévitables, ne nous haïssons pas, ne nous déchirons pas les uns les autres dans le sein de la paix et employons l'instant de notre existence à bénir également en mille langages divers, depuis Siam jusqu'à la Californie, ta bonté qui nous a donné cet instant.

(*Traité sur la Tolérance*, Chap. XXIII)

A M. Thiériot [28]

A Paris, le 15 juillet (1735).

Je n'ai point été intempérant, mon cher Thiériot, et cependant j'ai été malade. Je suis un juste à qui la grâce a manqué. Je vous exhorte à vous tenir ferme, car je crois être encore au temps où nous étions si unis que vous aviez le frisson quand j'avais la fièvre. . . .

Quand je vous ai demandé des anecdotes sur le siècle de Louis

[28] Friend of Voltaire since the days of their apprenticeship in the law office. Voltaire gave him various commissions to do.

XIV, c'est moins sur sa personne que sur les arts qui ont fleuri de son temps. J'aimerais mieux des détails sur Racine et Despréaux, sur Quinault, Lulli, Molière, Le Brun, Bossuet, Poussin, Descartes, etc., que sur la bataille de Steinkerque. Il ne reste plus rien que le nom de ceux qui ont conduit des bataillons et des escadrons; il ne revient rien au genre humain de cent batailles données; mais les grands hommes dont je vous parle ont préparé des plaisirs purs et durables aux hommes qui ne sont point encore nés. Une écluse du canal qui joint les deux mers, un tableau du Poussin, une belle tragédie, une vérité découverte, sont des choses mille fois plus précieuses que toutes les annales de cour, que toutes les relations de campagne. Vous savez que chez moi les grands hommes vont les premiers et les héros les derniers. J'appelle grands hommes tous ceux qui ont excellé dans l'utile ou dans l'agréable. Les saccageurs de province ne sont que héros. Voici une lettre d'un homme moitié héros, moitié grand homme, que j'ai été bien étonné de recevoir et que je vous envoie. Vous savez que je n'avais pas prétendu m'attirer des remerciements de personne, quand j'ai écrit l'*Histoire de Charles XII;* mais je vous avoue que je suis aussi sensible aux remerciements du Cardinal Albéroni qu'il l'a pu être à la petite louange très méritée que je lui ai donnée dans cette histoire. Il a vu apparemment la traduction italienne qu'on en a faite à Venise. Je ne serais pas fâché que M. le garde des sceaux vît cette lettre, et qu'il sût que, si je suis persécuté dans ma patrie, j'ai quelque considération dans les pays étrangers. Il fait tout ce qu'il peut pour que je ne sois pas prophète chez moi.

(Moland, XXXIII, 505.)

A M. Diderot

Juin, (1749).

Je vous remercie, monsieur, du livre ingénieux et profond [29] que vous avez eu la bonté de m'envoyer; je vous en présente un [30] qui n'est ni l'un ni l'autre, mais dans lequel vous verrez l'aventure de l'aveugle-né plus détaillé dans cette nouvelle édition que dans les précédentes. Je suis entièrement de votre avis sur ce que vous

[29] The *Essai sur les aveugles.*

[30] *Les Eléments de Newton.*

dites des jugements que formeraient, en pareil cas, des hommes ordinaires qui n'auraient que du bon sens, et des philosophes. Je suis fâché que, dans les exemples que vous citez, vous ayez oublié l'aveugle-né qui en recevant le don de la vue, voyait les hommes comme des arbres.[31]

J'ai lu avec un extrême plaisir votre livre, qui dit beaucoup, et qui fait entendre davantage. Il y a longtemps que je vous estime autant que je méprise les barbares stupides qui condamnent ce qu'ils n'entendent point, et les méchants qui se joignent aux imbéciles pour proscrire ce qui les éclaire.

Mais je vous avoue que je ne suis point du tout de l'avis de Saunderson, qui nie un Dieu parce qu'il est né aveugle. Je me trompe peut-être, mais j'aurais, à sa place, reconnu un être très intelligent qui m'aurait donné tant de suppléments de la vue; et, en apercevant par la pensée des rapports infinis dans toutes les choses, j'aurais soupçonné un ouvrier infiniment habile. Il est fort impertinent de prétendre deviner ce qu'il est, et pourquoi il a fait tout ce qui existe; mais il me paraît bien hardi de nier qu'il est. Je désire passionnément de m'entretenir avec vous, soit que vous pensiez être un de ses ouvrages, soit que vous pensiez être une portion nécessairement organisée d'une matière éternelle et nécessaire.[32] Quelque chose que vous soyez, vous êtes une partie bien estimable de ce grand tout que je ne connais pas. Je voudrais bien, avant mon départ pour Lunéville,[33] obtenir de vous, monsieur, que vous me fissiez l'honneur de faire un repas philosophique chez moi, avec quelques sages. Je n'ai pas l'honneur de l'être, mais j'ai une grande passion pour ceux qui le sont à la manière dont vous l'êtes. Comptez, monsieur, que je sens tout votre mérite, et c'est pour lui rendre encore plus de justice que je désire de vous voir et de vous assurer à quel point j'ai l'honneur d'être, etc.

(Moland, XXXVII, 22.)

[31] St. Mark, VIII, 23–24.

[32] Reference to the atomistic theories of Diderot.

[33] Stanislas, King of Poland, held his court at Lunéville.

A M. Jean-Jacques Rousseau à Paris

30 août (1755.)

J'ai reçu, monsieur, votre nouveau livre[34] contre le genre humain, je vous en remercie. Vous plairez aux hommes, à qui vous dites leurs vérités, mais vous ne les corrigerez pas. On ne peut peindre avec des couleurs plus fortes les horreurs de la société humaine, dont notre ignorance et notre faiblesse se promettent tant de consolations. On n'a jamais employé tant d'esprit à vouloir nous rendre bêtes; il prend envie de marcher à quatre pattes, quand on lit votre ouvrage. Cependant, comme il y a plus de soixante ans que j'en ai perdu l'habitude, je sens malheureusement qu'il m'est impossible de la reprendre, et je laisse cette allure naturelle à ceux qui en sont plus dignes que vous et moi. Je ne peux non plus m'embarquer pour aller trouver les sauvages du Canada; premièrement, parce que les maladies dont je suis accablé me retiennent auprès du plus grand médecin de l'Europe[35] et que je ne trouverais pas les mêmes secours chez les Missouris; secondement, parce que la guerre est portée dans ces pays-là, et que les exemples de nos nations ont rendu les sauvages presque aussi méchants que nous. Je me borne à être un sauvage paisible dans la solitude que j'ai choisie auprès de votre patrie,[36] où vous devriez être.

Je conviens avec vous que les belles-lettres et les sciences ont causé quelquefois beaucoup de mal. Les ennemis du Tasse firent de sa vie un tissu de malheurs; ceux de Galilée le firent gémir dans les prisons, à soixante-dix ans, pour avoir connu le mouvement de la terre; et ce qu'il y a de plus honteux, c'est qu'ils l'obligèrent à se rétracter. Dès que vos amis eurent commencé le *Dictionnaire encyclopédique*, ceux qui osèrent être leurs rivaux les traitèrent de *déistes*, *d'athées*, et même de *jansénistes*.

Si j'osais me compter parmi ceux dont les travaux n'ont eu que la persécution pour récompense, je vous ferais voir des gens acharnés à me perdre du jour que je donnai la tragédie d'*Œdipe;*

[34] *Essai sur l'inégalité.*

[35] Tronchin, T. (1709–1781), famous Swiss physician, at this time a friend of Rousseau also.

[36] Rousseau was born at Geneva. Voltaire, after his return from Prussia, finally settled in the vicinity of Geneva.

une bibliothèque de calomnies ridicules imprimées contre moi; un prêtre ex-jésuite,[37] que j'avais sauvé du dernier supplice me payant par des libelles diffamatoires du service que je lui avais rendu; un homme,[38] plus coupable encore, faisant imprimer mon propre ouvrage du *Siècle de Louis XIV* avec des notes dans lesquelles la plus crasse ignorance vomit les plus infâmes impostures; un autre, qui vend à un libraire quelques chapitres d'une prétendue *Histoire universelle* sous mon nom; le libraire assez avide pour imprimer ce tissu informe de bévues, de fausses dates, de faits et de noms estropiés; et enfin des hommes assez lâches et assez méchants pour m'imputer la publication de cette rapsodie. Je vous ferais voir la société infectée de ce genre d'hommes inconnu à toute l'antiquité, qui, ne pouvant embrasser une profession honnête, soit de manœuvre, soit de laquais, et sachant malheureusement lire et écrire, se font courtiers de littérature, vivent de nos ouvrages, volent des manuscrits, les défigurent et les vendent. Je pourrais me plaindre que des fragments d'une plaisanterie[39] faite, il y a près de trente ans, sur le même sujet que Chapelain eut la bêtise de traiter sérieusement, courent aujourd'hui le monde par l'infidélité et l'avarice de ces malheureux qui ont mêlé leurs grossièretés à ce badinage, qui en ont rempli les vides avec autant de sottise que de malice, et qui enfin, au bout de trente ans, vendent partout en manuscrit ce qui n'appartient qu'à eux et qui n'est digne que d'eux. J'ajouterais qu'en dernier lieu on a volé une partie des matériaux que j'avais rassemblés dans les archives publiques pour servir à l'*Histoire de la guerre de 1741*, lorsque j'étais historiographe de France; qu'on a vendu à un libraire de Paris ce fruit de mon travail; qu'on se saisit à l'envi de mon bien, comme si j'étais déjà mort, et qu'on le dénature pour le mettre à l'encan. Je vous peindrais l'ingratitude, l'imposture et la rapine, me poursuivant depuis quarante ans jusqu'au pied des Alpes, jusqu'au bord de mon tombeau. Mais que conclurai-je de toutes ces tribulations? Que je ne dois pas me plaindre; que Pope, Descartes, Bayle, le Camoëns, et cent autres, ont essuyé les

[37] The Abbé Desfontaines, editor of the *Observations critiques*. Voltaire had secured his release from prison.

[38] La Beaumelle (1726–1773).

[39] These statements of Voltaire about his *Pucelle d' Orléans* are not entirely disingenuous.

mêmes injustices, et de plus grandes; que cette destinée est celle de presque tous ceux que l'amour des lettres a trop séduits.

Avouez en effet, monsieur, que ce sont là de ces petits malheurs particuliers dont à peine la société s'aperçoit. Qu'importe au genre humain que quelques frelons pillent le miel de quelques abeilles? Les gens de lettres font grand bruit de toutes ces petites querelles, le reste du monde ou les ignore ou en rit.

De toutes les amertumes répandues sur la vie humaine, ce sont là les moins funestes. Les épines attachées à la littérature et à un peu de réputation ne sont que des fleurs en comparaison des autres maux qui, de tout temps, ont inondé la terre. Avouez que ni Cicéron, ni Varron, ni Lucrèce, ni Virgile, ni Horace, n'eurent la moindre part aux proscriptions. Marius était un ignorant; le barbare Sylla, le crapuleux Antoine, l'imbécile Lépide, lisaient peu Platon et Sophocle; et pour ce tyran sans courage, Octave Cépias, surnommé si lâchement *Auguste*, il ne fut un détestable assassin que dans le temps où il fut privé de la société des gens de lettres.

Avouez que Pétrarque et Boccace ne firent pas naître les troubles de l'Italie; avouez que le *badinage* de Marot n'a pas produit la Saint-Barthélemy, et que la tragédie du *Cid* ne causa pas les troubles de la Fronde. Les grands crimes n'ont guère été commis que par de célèbres ignorants. Ce qui fait et fera toujours de ce monde une vallée de larmes, c'est l'insatiable cupidité et l'indomptable orgueil des hommes, depuis Thamas-Kouli-Kan,[40] qui ne savait pas lire, jusqu'à un commis de la douane qui ne sait que chiffrer. Les lettres nourrissent l'âme, la rectifient, la consolent; elles vous servent, monsieur, dans le temps que vous écrivez contre elles; vous êtes comme Achille qui s'emporte contre la gloire, et comme le Père Malebranche, dont l'imagination brillante écrivait contre l'imagination.

Si quelqu'un doit se plaindre des lettres, c'est moi, puisque, dans tous les temps et dans tous les lieux elles ont servi à me persécuter; mais il faut les aimer malgré l'abus qu'on en fait, comme il faut aimer la société dont tant d'hommes méchants corrompent les douceurs; comme il faut aimer sa patrie, quelque

[40] An early eighteenth century adventurer who seized supreme authority in Persia.

injustice qu'on y essuie, comme il faut aimer et servir l'Être suprême, malgré les superstitions et le fanatisme qui déshonorent si souvent son culte.

M. Chappuis m'apprend que votre santé est bien mauvaise; il faudrait la venir rétablir dans l'air natal, jouir de la liberté, boire avec moi du lait de nos vaches, et brouter nos herbes.

Je suis très philosophiquement et avec la plus tendre estime, etc.

(Moland, XXXVIII, 446.)

A M. Palissot

Aux Délices, 4 juin 1760.

Je vous remercie, monsieur, de votre lettre et de votre ouvrage;[41] ayez la bonté de vous préparer à une réponse longue: les vieillards aiment un peu à babiller.

Je commence par vous dire que je tiens votre pièce pour bien écrite; je conçois même que Crispin philosophe, marchant à quatre pattes, a dû faire beaucoup rire, et je crois que mon ami Jean-Jacques en rira tout le premier. Cela est gai, cela n'est point méchant, et d'ailleurs le citoyen de Genève étant coupable de lèse-comédie,[42] il est tout naturel que la comédie le lui rende.

Il n'en est pas de même des citoyens de Paris que vous avez mis sur le théâtre; il n'y a pas là certainement de quoi rire. Je conçois très bien qu'on donne des ridicules à ceux qui veulent bien nous en donner; je veux qu'on se défende et je sens par moi-même que, si je n'étais pas si vieux, Mm. Fréron et de Pompignan auraient affaire à moi: le premier, pour m'avoir vilipendé cinq ou six ans de suite, à ce que m'ont assuré des gens qui lisent les brochures; l'autre, pour m'avoir désigné en pleine Académie comme un radoteur qui a farci l'histoire de fausses anecdotes. J'ai été tenté de le mortifier par une bonne justification, et de faire voir que l'anecdote de l'Homme au masque de fer, celle du testament du roi d'Espagne Charles II et autres semblables, sont très-vraies, et que, quand je me mêle d'être sérieux, je laisse là les fictions poétiques.

[41] *Les Philosophes,* a play by Palissot in which Diderot, Rousseau and Helvétius were ridiculed.

[42] In the *Lettre sur les spectacles.*

J'ai encore la vanité de croire avoir été désigné dans la foule de ces pauvres philosophes qui ne cessent de conjurer contre l'État, et qui certainement sont cause de tous les malheurs qui nous arrivent, car enfin j'ai été le premier qui ait écrit en forme en faveur de l'attraction, et contre les grands tourbillons de Descartes, et contre les petits tourbillons de Malebranche; et je défie les plus ignorants, et jusqu'à Fréron lui-même, de prouver que j'ai falsifié en rien la philosophie newtonienne. La société de Londres a approuvé mon petit catéchisme d'attraction. Je me tiens donc comme très coupable de philosophie.

Si j'avais de la vanité, je me croirais encore plus criminel, sur le rapport d'un gros livre intitulé *l'Oracle des nouveaux philosophes*, lequel est parvenu jusque dans ma retraite. Cet *oracle*, ne vous déplaise, c'est moi. Il y aurait là de quoi crever de vaine gloire; mais malheureusement ma vanité a été bien rabattue quand j'ai vu que l'auteur de *l'Oracle* prétend avoir plusieurs fois dîné chez moi, près de Lausanne, dans un château que je n'ai jamais eu. Il dit que je l'ai très bien reçu, et, pour récompense de cette bonne réception, il apprend au public tous les aveux secrets qu'il prétend que je lui ai faits. . . .

J'ai trempé de plus dans la cabale infernale de l'*Encyclopédie;* il y a au moins une douzaine d'articles de moi imprimés dans les trois derniers volumes. J'en avais préparé pour les suivants une douzaine d'autres qui auraient corrompu la nation, et qui auraient bouleversé tous les ordres de l'État.

Je suis encore des premiers qui aient employé fréquemment ce vilain mot d'*humanité*, contre lequel vous avez fait une si brave sortie dans votre comédie. Si, après cela, on ne veut pas m'accorder le nom de philosophe, c'est l'injustice du monde la plus criante.

Voilà, monsieur, pour ce qui me regarde. Quant aux personnes que vous attaquez dans votre ouvrage, si elles vous ont offensé, vous faites très bien de le leur rendre; il a toujours été permis par les lois de la société de tourner en ridicule les gens qui nous ont rendu ce petit service. Autrefois, quand j'étais du monde, je n'ai guère vu de souper dans lequel un rieur n'exerçât sa raillerie sur quelque convive, qui, à son tour, faisait tous ses efforts pour égayer la compagnie aux dépens du rieur. Les avocats en usent souvent ainsi au barreau. Tous les écrivains de ma connaissance se sont donné mutuellement tous les ridicules possibles. Boileau en donna à Fontenelle, Fontenelle à Boileau. L'autre Rousseau, qui n'est pas Jean-Jacques, se moqua beaucoup de *Zaïre* et d'*Alzire*; et moi qui vous parle, je crois que je me moquai aussi de ses dernières épîtres, en avouant pourtant que l'*Ode sur les conquérants* est admirable et que la plupart de ses épigrammes sont très jolies: car il faut être juste, c'est le point principal.

C'est à vous à faire votre examen de conscience, et à voir si vous êtes juste, en représentant Mm. d'Alembert, Duclos, Diderot, Helvétius, le Chevalier de Jaucourt et *tutti quanti*, comme des marauds qui enseignent à voler dans la poche.

Encore une fois s'ils ont voulu rire à vos dépens dans leurs livres, je trouve très bon que vous riiez aux leurs; mais, pardieu, la raillerie est trop forte. S'ils étaient tels que vous les représentez, il faudrait les envoyer aux galères, ce qui n'entre point du tout dans le genre comique. Je vous parle net; ceux que vous voulez déshonorer passent pour les plus honnêtes gens du monde; et je ne sais même si leur probité n'est pas encore supérieure à leur philosophie. . . .

Je ne connais point du tout M. Diderot; je ne l'ai jamais vu; je sais seulement qu'il a été malheureux et persécuté; cette seule raison devait vous faire tomber la plume des mains. Je regarde d'ailleurs l'entreprise de *l'Encyclopédie* comme le plus beau monument qu'on pût élever à l'honneur des sciences; il y a des articles admirables, non seulement de M. d'Alembert, de M. Diderot, de M. le chevalier de Jaucourt, mais de plusieurs autres personnes, qui, sans aucun motif de gloire ou d'intérêt, se font un plaisir de travailler à cet ouvrage.

Il y a des articles pitoyables sans doute, et les miens pourraient bien être du nombre; mais le bon l'emporte si prodigieusement sur le mauvais, que toute l'Europe désire la continuation de l'*Encyclopédie*. On a traduit déjà les premiers volumes en plusieurs langues; pourquoi donc jouer sur le théâtre un ouvrage devenu nécessaire à l'instruction des hommes et à la gloire de la nation? . . .

Sans jamais avoir vu M. Diderot, sans trouver le *Père de famille* plaisant, j'ai toujours respecté ses profondes connaissances, et à la tête de ce *Père de famille*, il y a une épître à Mme la princesse de Nassau qui m'a paru le chef-d'œuvre de l'éloquence et le triomphe de l'*humanité*; passez-moi le mot. Vingt personnes m'ont assuré qu'il a une très belle âme. Je serais affligé d'être trompé, mais je souhaite d'être éclairé.

La faiblesse humaine est d'apprendre
Ce qu'on ne voudrait pas savoir.

Je vous ai parlé, monsieur, avec franchise. Si vous trouvez dans le fond du cœur que j'aie raison, voyez ce que vous avez à faire. Si j'ai tort, dites-le-moi, faites-le-moi sentir, redressez-moi. Je vous jure que je n'ai aucune liaison avec aucun encyclopédiste, excepté peut-être avec M. d'Alembert, qui m'écrit, une fois en trois mois, des lettres de Lacédémonien. Je fais de lui un cas infini. . . .

J'ai l'honneur d'être, monsieur, avec une estime très véritable de vos talents, et un extrême désir de la paix, que Mm. Fréron, de Pompignan, et quelques autres m'ont voulu ôter, votre, etc.

(Moland, XL, 407.)

A M. Damilaville

Au Château de Ferney, 1er mars 1765.

J'ai dévoré, mon cher ami, le nouveau mémoire de M. de Beaumont sur l'innocence des Calas;[43] je l'ai admiré, j'ai répandu des larmes, mais il ne m'a rien appris; il y a longtemps que j'étais convaincu et j'avais eu le bonheur de fournir les premières preuves. . . .

Vos passions sont l'amour de la vérité, l'humanité, la haine de la calomnie. La conformité de nos caractères a produit notre amitié. J'ai passé ma vie à chercher, à publier cette vérité que j'aime. Quel autre des historiens modernes a défendu la mémoire d'un grand prince contre les impostures atroces de je ne sais quel écrivain[44] qu'on peut appeler *le calomniateur des rois, des ministres,*

[43] Jean Calas (1698–1762), merchant of Toulouse, accused of murdering his son, and put on the rack. Voltaire took up his defense and rehabilitated his name in 1765.

[44] La Beaumelle. See above, p. 352.

et des grands capitaines, et qui cependant aujourd'hui ne peut trouver un lecteur?

Je n'ai donc fait, dans les horribles désastres des Calas et des Sirven,[45] que ce que font tous les hommes; j'ai suivi mon penchant. Celui d'un philosophe n'est pas de plaindre les malheureux, c'est de les servir.

Je sais avec quelle fureur le fanatisme s'élève contre la philosophie. Elle a deux filles qu'il voudrait faire périr comme Calas, ce sont la *Vérité* et la *Tolérance*, tandis que la philosophie ne veut que desarmer les enfants du fanatisme, le *Mensonge* et la *Persécution.*

Des gens qui ne raisonnent pas ont voulu décréditer ceux qui raisonnent: ils ont confondu le philosophe avec le sophiste; ils se sont bien trompés. Le vrai philosophe peut quelquefois s'irriter contre la calomnie, qui le poursuit lui-même; il peut couvrir d'un éternel mépris le vil mercenaire qui outrage deux fois par mois la raison, le bon goût, et la vertu; il peut même livrer, en passant, au ridicule ceux qui insultent à la littérature dans le sanctuaire où ils auraient dû l'honorer: mais il ne connaît ni les cabales, ni les sourdes pratiques, ni la vengeance. Il sait, comme le sage de Montbard,[46] comme celui de Voré, rendre la terre plus fertile, et ses habitants plus heureux. Le vrai philosophe défriche les champs incultes, augmente le nombre des charrues, et par conséquent des habitants; occupe le pauvre et l'enrichit, encourage les mariages, établit l'orphelin, ne murmure point contre des impôts nécessaires et met le cultivateur en état de les payer avec allégresse. Il n'attend rien des hommes, et il leur fait tout le bien dont il est capable. Il a l'hypocrite en horreur, mais il plaint le superstitieux; enfin il sait être ami.

Je m'aperçois que je fais votre portrait, et qu'il n'y manquerait rien si vous étiez assez heureux pour habiter la campagne.

(Moland, XLIII, 473.)

[45] Sirven, also condemned to death by the Parlement of Toulouse for the murder of his daughter (1764). The sentence was not executed, however, for Voltaire also took up his defense and he was exonerated in 1769.

[46] The "Sage de Montbard" is Buffon; the "Sage de Voré" is Helvétius.

ROUSSEAU

1712–1778

LES SCIENCES ET LES ARTS

Tandis que les commodités de la vie se multiplient, que les arts se perfectionnent, et que le luxe s'étend, le vrai courage s'énerve, les vertus militaires s'évanouissent; et c'est encore l'ouvrage des sciences et de tous ces arts qui s'exercent dans l'ombre du cabinet. Quand les Goths ravagèrent la Grèce, toutes les bibliothèques ne furent sauvées du feu que par cette opinion semée par l'un d'entre eux, qu'il fallait laisser aux ennemis des meubles si propres à les détourner de l'exercice militaire, et à les amuser à des occupations oisives et sédentaires. Charles VIII se vit maître de la Toscane et du royaume de Naples sans avoir presque tiré l'épée; et toute sa cour attribua cette facilité inespérée à ce que les princes et la noblesse d'Italie s'amusaient plus à se rendre ingénieux et savants, qu'ils ne s'exerçaient à devenir vigoureux et guerriers. En effet, dit l'homme de sens [1] qui rapporte ces deux traits, tous les exemples nous apprennent qu'en cette martiale police, et en toutes celles qui lui sont semblables, l'étude des sciences est bien plus propre à amollir et efféminer les courages, qu'à les affermir et les animer. . . .

Si la culture des sciences est nuisible aux qualités guerrières, elle l'est encore plus aux qualités morales. C'est dès nos premières années qu'une éducation insensée orne notre esprit et corrompt notre jugement. Je vois de toutes parts des établissements immenses, où l'on élève à grands frais la jeunesse pour lui apprendre toutes choses, excepté ses devoirs. Vos enfants ignoreront leur propre langue, mais ils en parleront d'autres qui ne sont en usage nulle part; ils sauront composer des vers qu'à peine ils pourront comprendre; sans savoir démêler l'erreur de la vérité, ils posséderont l'art de les rendre méconnaissables aux autres par des arguments spécieux: mais ces mots de magnani-

[1] Montaigne, I, 24, *Du pédantisme.*

mité, d'équité, de tempérance, d'humanité, de courage, ils ne sauront ce que c'est; ce doux nom de patrie ne frappera jamais leur oreille; et s'ils entendent parler de Dieu, ce sera moins pour le craindre que pour en avoir peur.[2] J'aimerais autant, disait un sage,[3] que mon écolier eût passé le temps dans un jeu de paume, au moins le corps en serait plus dispos. Je sais qu'il faut occuper les enfants, et que l'oisiveté est pour eux le danger le plus à craindre. Que faut-il donc qu'ils apprennent? Voilà certes une belle question! Qu'ils apprennent ce qu'ils doivent faire étant hommes, et non ce qu'ils doivent oublier.

(*Seconde Partie.*)

L'INÉGALITÉ

Le premier qui ayant enclos un terrain s'avisa de dire, *Ceci est à moi*, et trouva des gens assez simples pour le croire, fut le vrai fondateur de la société civile. Que de crimes, de guerres, de meurtres, que de misères et d'horreurs n'eût point épargnés au genre humain celui qui, arrachant les pieux ou comblant le fossé, eût crié à ses semblables: "Gardez-vous d'écouter cet imposteur; vous êtes perdus si vous oubliez que les fruits sont à tous, et que la terre n'est à personne!" Mais il y a grande apparence qu'alors les choses en étaient déjà venues au point de ne pouvoir plus durer comme elles étaient. Car cette idée de propriété, dépendant de beaucoup d'idées antérieures qui n'ont pu naître que successivement, ne se forma pas tout d'un coup dans l'esprit humain: il fallut faire bien des progrès, acquérir bien de l'industrie et des lumières, les transmettre et les augmenter d'âge en âge, avant que d'arriver à ce dernier terme de l'état de nature. Reprenons donc les choses de plus haut, et tâchons de rassembler sous un seul point de vue cette lente succession d'événements et de connaissances dans leur ordre le plus naturel.

Le premier sentiment de l'homme fut celui ce son existence; son premier soin, celui ce sa conservation. Les productions de la terre lui fournissaient tous les secours nécessaires; l'instinct le porta à en faire usage. . . .

[2] "La crainte est une émotion du cœur à la vue du péril. La peur est, en face du péril, la perte du courage et de la puissance de résister." (Littré.) cf. "Fear God," not "be afraid of God."

[3] Montaigne, I, 24, *Du pédantisme.*

Telle fut la condition de l'homme naissant; telle fut la vie d'un animal borné d'abord aux pures sensations, et profitant à peine des dons que lui offrait la nature, loin de songer à lui rien arracher. Mais il se présenta bientôt des difficultés; il fallut apprendre à les vaincre: la hauteur des arbres qui l'empêchait d'atteindre à leurs fruits, la concurrence des animaux qui cherchaient à s'en nourrir, la férocité de ceux qui en voulaient à sa propre vie, tout l'obligea de s'appliquer aux exercices du corps; il fallut se rendre agile, vite à la course, vigoureux au combat. Les armes naturelles, qui sont les branches d'arbres et les pierres, se trouvèrent bientôt sous sa main. Il apprit à surmonter les obstacles de la nature, à combattre au besoin les autres animaux, à disputer sa subsistance aux hommes mêmes, ou à se dédommager de ce qu'il fallait céder au plus fort.

A mesure que le genre humain s'étendit, les peines se multiplièrent avec les hommes. La différence des terrains, des climats, des saisons, dut les forcer à en mettre dans leurs manières de vivre. Des années stériles, des hivers longs et rudes, des étés brûlants, qui consument tout, exigèrent d'eux une nouvelle industrie. Le long de la mer et des rivières, ils inventèrent la ligne et l'hameçon, et devinrent pêcheurs et ichthyophages. Dans les forêts ils se firent des arcs et des flèches, et devinrent chasseurs et guerriers. Dans les pays froids ils se couvrirent des peaux des bêtes qu'ils avaient tuées. Le tonnerre, un volcan, ou quelque heureux hasard, leur fit connaître le feu, nouvelle ressource contre la rigueur de l'hiver: ils apprirent à conserver cet élément, puis à le reproduire, et enfin à en préparer les viandes qu'auparavant ils dévoraient crues.

Cette application réitérée des êtres divers à lui-même, et des uns aux autres, dut naturellement engendrer dans l'esprit de l'homme les perceptions de certains rapports. Ces relations que nous exprimons par les mots de grand, de petit, de fort, de faible, de vite, de lent, de peureux, de hardi, et d'autres idées pareilles, comparées au besoin, et presque sans y songer, produisirent enfin chez lui quelque sorte de réflexion; ou plutôt, une prudence machinale qui lui indiquait les précautions les plus nécessaires à sa sûreté.

Les nouvelles lumières qui résultèrent de ce développement

augmentèrent sa supériorité sur les autres animaux en la lui faisant connaître. Il s'exerça à leur dresser des pièges, il leur donna le change en mille manières; et quoique plusieurs le surpassassent en force au combat, ou en vitesse à la course, de ceux qui pouvaient lui servir ou lui nuire, il devint avec le temps le maître des uns et le fléau des autres. C'est ainsi que le premier regard qu'il porta sur lui-même y produisit le premier mouvement d'orgueil; c'est ainsi que, sachant encore à peine distinguer les rangs, et se contemplant au premier par son espèce, il se préparait de loin à y prétendre par son individu. . . .

Il est aisé de comprendre qu'un pareil commerce n'exigeait pas un langage beaucoup plus raffiné que celui des corneilles ou des singes qui s'attroupent à peu près de même. Des cris inarticulés, beaucoup de gestes, et quelques bruits imitatifs, durent composer pendant longtemps la langue universelle; à quoi joignant dans chaque contrée quelques sons articulés et conventionnels, dont, comme je l'ai déjà dit, il n'est pas trop facile d'expliquer l'institution, on eut des langues particulières, mais grossières, imparfaites, et telles à peu près qu'en ont encore aujourd'hui diverses nations sauvages.

Je parcours comme un trait des multitudes de siècles, forcé par le temps qui s'écoule, par l'abondance des choses que j'ai à dire, et par le progrès presque insensible des commencements; car, plus les événements étaient lents à se succéder, plus ils sont prompts à décrire.

Ces premiers progrès mirent enfin l'homme à portée d'en faire de plus rapides. Plus l'esprit s'éclairait, et plus l'industrie se perfectionna. Bientôt, cessant de s'endormir sous le premier arbre, ou de se retirer dans des cavernes, on trouva quelques sortes de haches de pierres dures et tranchantes qui servirent à couper du bois, creuser la terre, et faire des huttes de branchages qu'on s'avisa ensuite d'enduire d'argile et de boue. Ce fut là l'époque d'une première révolution qui forma l'établissement et la distinction des familles, et qui introduisit une sorte de propriété; d'où peut-être naquirent déjà bien des querelles et des combats. Cependant, comme les plus forts furent vraisemblablement les premiers à se faire des logements qu'ils se sentaient capables de défendre, il est à croire que les faibles trouvèrent plus court et plus sûr de les imiter que de tenter de les déloger: et quant à ceux qui avaient déjà des cabanes, chacun dut peu chercher à s'approprier celle de son voisin, moins parce qu'elle ne lui appartenait pas, que parce qu'elle lui était inutile, et qu'il ne pouvait s'en emparer sans s'exposer à un combat très vif avec la famille qui l'occupait. . . .

Tout commence à changer de face. Les hommes errant jusqu'ici dans les bois, ayant pris une assiette plus fixe, se rapprochent lentement, se réunissent en diverses troupes, et forment enfin dans chaque contrée une nation particulière, unie de mœurs et de caractères, non par des règlements et des lois, mais par le même genre de vie et d'aliments, et par l'influence commune du climat. Un voisinage permanent ne peut manquer d'engendrer enfin quelque liaison entre diverses familles. De jeunes gens de différents sexes habitent des cabanes voisines; le commerce passager que demande la nature en amène bientôt un autre non moins doux et plus permanent par la fréquentation mutuelle. On s'accoutume à considérer différents objets et à faire des comparaisons; on acquiert insensiblement des idées de mérite et de beauté qui produisent des sentiments de préférence. A force de se voir, on ne peut plus se passer de se voir encore. Un sentiment tendre et doux s'insinue dans l'âme, et par la moindre opposition devient une fureur impétueuse: la jalousie s'éveille avec l'amour; la discorde triomphe, et la plus douce des passions reçoit des sacrifices de sang humain. . . .

Mais il faut remarquer que la société commencée et les relations déjà établies entre les hommes exigeaient en eux des qualités différentes de celles qu'ils tenaient de leur constitution primitive; que la moralité commençant à s'introduire dans les actions humaines, et chacun, avant les lois, étant seul juge et vengeur des offenses qu'il avait reçues, la bonté convenable au pur état de nature n'était plus celle qui convenait à la société naissante; qu'il fallait que les punitions devinssent plus sévères à mesure que les occasions d'offenser devenaient plus fréquentes: et que c'était à la terreur des vengeances de tenir lieu du frein des lois. Ainsi, quoique les hommes fussent devenus moins endurants, et que la pitié naturelle eût déjà souffert quelque altération, cette période du développement des facultés humaines, tenant un juste milieu entre l'indolence de l'état primitif et la pétulante activité de notre amour-propre, dut être l'époque la plus heureuse et la plus durable. Plus on y réfléchit, plus on trouve que cet état était le moins sujet aux révolutions, le meilleur à l'homme, et qu'il n'en a dû sortir que par quelque funeste hasard, qui, pour l'utilité commune, eût dû ne jamais arriver. L'exemple des sauvages, qu'on a presque tous trouvés à ce point, semble confirmer que le genre humain était fait pour y rester toujours; que cet état est la véritable jeunesse du monde; et que tous les progrès ultérieurs ont été, en apparence, autant de pas vers la perfection de l'individu et, en effet, vers la décrépitude de l'espèce.

Tant que les hommes se contentèrent de leurs cabanes rustiques, tant qu'ils se bornèrent à coudre leurs habits de peaux avec des épines ou des arêtes, à se parer de plumes et de coquillages, à se peindre le corps de diverses couleurs, à perfectionner ou embellir leurs arcs et leurs flèches, à tailler avec des pierres tranchantes quelques canots de pêcheurs ou quelques grossiers instruments de musique; en un mot, tant qu'ils ne s'appliquèrent qu'à des ouvrages qu'un seul pouvait faire, et qu'à des arts qui n'avaient pas besoin du concours de plusieurs mains, ils vécurent libres, sains, bons et heureux autant qu'ils pouvaient l'être par leur nature, et continuèrent à jouir entre eux des douceurs d'un commerce indépendant. Mais, dès l'instant qu'un homme eut besoin du secours d'un autre, dès qu'on s'aperçut qu'il était utile à un seul d'avoir des provisions pour deux, l'égalité disparut, la propriété s'introduisit, le travail devint nécessaire; et les vastes forêts se changèrent en des campagnes riantes qu'il fallut arroser de la sueur des hommes, et dans lesquelles on vit bientôt l'esclavage et la misère germer et croître avec les moissons.

La métallurgie et l'agriculture furent deux arts dont l'invention produisit cette grande révolution. Pour le poète, c'est l'or et l'argent; mais pour le philosophe, ce sont le fer et le blé qui ont civilisé les hommes et perdu le genre humain. Aussi l'un et l'autre étaient-ils inconnus aux sauvages de l'Amérique, qui pour cela sont toujours demeurés tels; les autres peuples semblent même être restés barbares tant qu'ils ont pratiqué l'un de ces arts sans l'autre. Et l'une des meilleures raisons peut-être pourquoi l'Europe a été, sinon plus tôt, du moins plus constamment et mieux policée que les autres parties du monde, c'est qu'elle est à la fois la plus abondante en fer et la plus fertile en blé. . . .

Telle fut, ou dut être, l'origine de la société et des lois, qui donnèrent de nouvelles entraves au faible et de nouvelles forces au riche, détruisirent sans retour la liberté naturelle, fixèrent pour jamais la loi de la propriété et de l'inégalité, d'une adroite usurpation firent un droit irrévocable, et, pour le profit de quelques ambitieux, assujettirent désormais tout le genre humain au travail, à la servitude et à la misère. On voit aisément comment l'établissement d'une seule société rendit indispensable celui de toutes les autres, et comment, pour faire tête à des forces unies, il fallut s'unir à son tour. Les sociétés, se multipliant ou s'étendant rapidement, couvrirent bientôt toute la surface de la terre; et il ne fut plus possible de trouver un seul coin dans l'univers où l'on pût s'affranchir du joug, et soustraire sa tête au glaive, souvent mal conduit, que chaque homme vit perpétuellement suspendu sur la sienne. Le droit civil étant ainsi devenu la règle commune des citoyens, la loi de nature n'eut plus lieu qu'entre les diverses sociétés, où, sous le nom de droit des gens, elle fut tempérée par quelques conventions tacites, pour rendre le commerce possible, et suppléer à la commisération naturelle, qui, perdant de société à société presque toute la force qu'elle avait d'homme à homme, ne réside plus que dans quelques grandes âmes cosmopolites qui franchissent les barrières imaginaires qui séparent les peuples, et qui, à l'exemple de l'Être souverain qui les a créés, embrassent tout le genre humain dans leur bienveillance.

(*Discours sur l'inégalité*, II.)

ÉMILE

L'Éducation

Tout est bien, sortant des mains de l'Auteur des choses, tout dégénère entre les mains de l'homme. Il force une terre à nourrir les productions d'une autre, un arbre à porter les fruits d'un autre; il mêle et confond les climats, les éléments, les saisons; il mutile son chien, son cheval, son esclave; il bouleverse tout, il défigure tout; il aime la difformité, les monstres; il ne veut rien tel que l'a fait la nature, pas même l'homme; il le faut dresser pour lui, comme un cheval de manège; il le faut contourner à sa mode, comme un arbre de son jardin. . . .

Dans l'ordre naturel, les hommes étant tous égaux, leur vocation commune est l'état d'homme; et quiconque est bien élevé pour celui-là ne peut mal remplir ceux qui s'y rapportent. Qu'on destine mon élève à l'épée, à l'église, au barreau, peu m'importe. Avant la vocation des parents, la nature l'appelle à la vie humaine. Vivre est le métier que je lui veux apprendre. En sortant de mes mains, il ne sera, j'en conviens, ni magistrat, ni soldat, ni prêtre; il sera premièrement homme: tout ce qu'un homme doit être, il saura l'être au besoin tout aussi bien que qui que ce soit; et la fortune aura beau le faire changer de place, il sera toujours à la sienne. *Occupavi te fortuna, atque cepi; omnesque aditus tuos interclusi, ut ad me aspirare non posses.*[4]

Notre véritable étude est celle de la condition humaine. Celui d'entre nous qui sait le mieux supporter les biens et les maux de cette vie est à mon gré le mieux élevé; d'où il suit que la véritable éducation consiste moins en préceptes qu'en exercices. . . .

La seule habitude qu'on doit laisser prendre à l'enfant est de n'en contracter aucune; qu'on ne le porte pas plus sur un bras que sur l'autre; qu'on ne l'accoutume pas à présenter une main plutôt que l'autre, à s'en servir plus souvent, à vouloir manger, dormir, agir aux mêmes heures, à ne pouvoir rester seul ni nuit ni jour. Préparez de loin le règne de sa liberté et l'usage de ses forces, en laissant à son corps l'habitude naturelle, en le mettant en état d'être toujours maître de lui-même, et de faire en toutes choses sa volonté sitôt qu'il en aura une.

Dès que l'enfant commence à distinguer les objets, il importe de mettre du choix dans ceux qu'on lui montre. Naturellement tous les nouveaux objets intéressent l'homme. Il se sent si faible qu'il craint tout ce qu'il ne connaît pas: l'habitude de voir des objets nouveaux sans en être affecté détruit cette crainte. Les enfants élevés dans des maisons propres, où l'on ne souffre point d'araignées, ont peur d'araignées, et cette peur leur demeure

[4] "I have caught you, fortune, and have occupied and blocked all your means of access, so that you cannot get near me." *Tusculan*, V, 9. Cicero refers this remark to Metrodorus.

souvent, étant grands. Je n'ai jamais vu de paysans, ni homme, ni femme, ni enfant, avoir peur des araignées.

Pourquoi donc l'éducation d'un enfant ne commencerait-elle pas avant qu'il parle et qu'il entende, puisque le seul choix des objets qu'on lui présente est propre à le rendre timide ou courageux? Je veux qu'on l'habitue à voir des objets nouveaux, des animaux laids, dégoûtants, bizarres, mais peu à peu, de loin, jusqu'à ce qu'il y soit accoutumé, et qu'à force de les voir manier à d'autres, il les manie enfin lui-même. Si, durant son enfance, il a vu sans effroi des crapauds, des serpents, des écrevisses, il verra sans horreur, étant grand, quelque animal que ce soit. Il n'y a plus d'objets affreux pour qui en voit tous les jours.

Tous les enfants ont peur des masques. Je commence par montrer à Émile un masque d'une figure agréable; ensuite quelqu'un s'applique devant lui ce masque sur le visage: je me mets à rire, tout le monde rit, et l'enfant rit comme les autres. Peu à peu je l'accoutume à des masques moins agréables, et enfin à des figures hideuses. Si j'ai bien ménagé ma gradation, loin de s'effrayer au dernier masque, il en rira comme du premier. Après cela je ne crains plus qu'on l'effraie avec des masques. . . .

Les premiers pleurs des enfants sont des prières: si l'on n'y prend garde ils deviennent bientôt des ordres; ils commencent par se faire assister, ils finissent par se faire servir. Ainsi de leur propre faiblesse, d'où vient d'abord le sentiment de leur dépendance, naît ensuite l'idée de l'empire et de la domination: mais cette idée étant moins excitée par leurs besoins que par nos services, ici commencent à se faire apercevoir les effets moraux dont la cause immédiate n'est pas dans la nature; et l'on voit déjà pourquoi, dès ce premier âge, il importe de démêler l'intention secrète que dicte le geste ou le cri.

Quand l'enfant tend la main avec effort sans rien dire, il croit atteindre à l'objet, parce qu'il n'en estime pas la distance; il est dans l'erreur: mais quand il se plaint et crie en tendant la main, alors il ne s'abuse plus sur la distance, il commande à l'objet de s'approcher, ou à vous de le lui apporter. Dans le premier cas, portez-le à l'objet lentement et à petits pas; dans le second, ne faites pas seulement semblant de l'entendre: plus il criera, moins vous devez l'écouter. Il importe de l'accoutumer de bonne heure à ne commander ni aux hommes, car il n'est pas leur maître, ni aux choses, car elles ne l'entendent point. Ainsi, quand un enfant désire quelque chose qu'il voit et qu'on veut lui donner, il vaut mieux porter l'enfant à l'objet que d'apporter l'objet à l'enfant: il tire de cette pratique une conclusion qui est de son âge, et il n'y a point d'autre moyen de la lui suggérer. . . .

ÉMILE, II

Posons pour maxime incontestable que les premiers mouvements de la nature sont toujours droits: il n'y a point de perversité originelle dans le cœur humain; il ne s'y trouve pas un seul vice dont on ne puisse dire comment et par où il y est entré. La seule passion naturelle à l'homme est l'amour de soi-même, ou l'amour-propre pris dans un sens étendu. Cet amour-propre en soi ou relativement à nous est bon et utile; et comme il n'a point de rapport nécessaire à autrui, il est à cet égard naturellement indifférent: il ne devient bon ou mauvais que par l'application qu'on en fait et les relations qu'on lui donne. Jusqu'à ce que le guide de l'amour-propre, qui est la raison, puisse naître, il importe donc qu'un enfant ne fasse rien parce qu'il est vu ou entendu, rien en un mot par rapport aux autres, mais seulement ce que la nature lui demande; et alors il ne fera rien que de bien. . . .

Oserais-je exposer ici la plus grande, la plus importante, la plus utile règle de toute l'éducation? ce n'est pas de gagner du temps, c'est d'en perdre. Lecteurs vulgaires, pardonnez-moi mes paradoxes: il en faut faire quand on réfléchit; et, quoi que vous puissiez dire, j'aime mieux être homme à paradoxes qu'homme à préjugés. . . .

La première éducation doit donc être purement négative. Elle consiste, non point à enseigner la vertu ni la vérité, mais à garantir le cœur du vice et l'esprit de l'erreur. Si vous pouviez ne rien faire et ne rien laisser faire; si vous pouviez amener votre élève sain et robuste à l'âge de douze ans, sans qu'il sût distinguer sa main droite de sa main gauche, dès vos premières leçons les yeux de son entendement s'ouvriraient à la raison; sans préjugés, sans habitudes, il n'aurait rien en lui qui pût contrarier l'effet de vos soins. Bientôt il deviendrait entre vos mains le plus sage des hommes; et en commençant par ne rien faire vous auriez fait un prodige d'éducation. . . .

Savant précepteur, voyons lequel de nos deux élèves ressemble au sauvage, et lequel ressemble au paysan. Soumis en tout à une autorité toujours enseignante, le vôtre ne fait rien que sur parole; il n'ose manger quand il a faim, ni rire quand il est gai, ni pleurer quand il est triste, ni présenter une main pour l'autre, ni remuer le pied que comme on le lui prescrit; bientôt il n'osera respirer que sur vos règles. A quoi voulez-vous qu'il pense, quand vous pensez à tout pour lui? Assuré de votre prévoyance, qu'a-t-il besoin d'en avoir? Voyant que vous vous chargez de sa conservation, de son bien-être, il se sent délivré de ce soin; son jugement se repose sur le vôtre; tout ce que vous ne lui défendez pas, il le fait sans réflexion, sachant bien qu'il le fait sans risque. Qu'a-t-il besoin d'apprendre à prévoir la pluie? il sait que vous regardez au ciel pour lui. Qu'a-t-il besoin de régler sa promenade? il ne craint pas que vous lui laissiez passer l'heure du dîner. Tant que vous ne lui défendez pas de manger, il mange; quand vous le lui défendez, il ne mange plus; il n'écoute plus les avis de son estomac, mais les vôtres. Vous avez beau ramollir son corps dans l'inaction, vous n'en rendez pas son entendement plus flexible. Tout au contraire, vous achevez de décréditer la raison dans son esprit, en lui faisant user le peu qu'il en a sur les choses qui lui paraissent le plus inutiles. Ne voyant jamais à quoi elle est bonne, il juge enfin qu'elle n'est bonne à rien. Le pis qui pourra lui arriver de mal raisonner sera d'être repris, et il l'est si souvent qu'il n'y songe guère; un danger si commun ne l'effraie plus.

Vous lui trouvez pourtant de l'esprit; et il en a pour babiller avec les femmes, sur le ton dont j'ai déjà parlé: mais qu'il soit dans le cas d'avoir à payer de sa personne, à prendre un parti dans quelque occasion difficile, vous le verrez cent fois plus stupide et plus bête que le fils du plus gros manant.

Pour mon élève, ou plutôt celui de la nature, exercé de bonne heure à se suffire à lui-même autant qu'il est possible, il ne s'accoutume point à recourir sans cesse aux autres, encore moins à leur étaler son grand savoir. En revanche il juge, il prévoit, il raisonne en tout ce qui se rapporte immédiatement à lui. Il ne jase pas, il agit; il ne sait pas un mot de ce qui se fait dans le monde, mais il sait fort bien faire ce qui lui convient. Comme il est sans cesse en mouvement, il est forcé d'observer beaucoup de choses, de connaître beaucoup d'effets; il acquiert de bonne heure une grande expérience; il prend ses leçons de la nature et non pas des hommes; il s'instruit d'autant mieux qu'il ne voit nulle part l'intention de l'instruire. Ainsi son corps et son esprit s'exercent à la fois. Agissant toujours d'après sa pensée, et non d'après celle d'un autre, il unit continuellement deux opérations; plus il se rend fort et robuste, plus il devient sensé et judicieux. C'est le moyen d'avoir un jour ce qu'on croit incompatible, et ce que presque tous les grands hommes ont réuni, la force du corps et celle de l'âme, la raison d'un sage et la vigueur d'un athlète. . . .

L'on aime à bien augurer des enfants, et l'on a toujours regret à ce flux d'inepties qui vient presque toujours renverser les espérances qu'on voudrait tirer de quelque heureuse rencontre qui par hasard leur tombe sur la langue. Si le mien donne rarement de telles espérances, il ne donnera jamais ce regret, car il ne dit jamais un mot inutile, et ne s'épuise pas sur un babil qu'il sait qu'on n'écoute point. Ses idées sont bornées, mais nettes; s'il ne sait rien par cœur, il sait beaucoup par expérience; s'il lit moins bien qu'un autre enfant dans nos livres, il lit mieux dans celui de la nature; son esprit n'est pas dans sa langue, mais dans sa tête: il a moins de mémoire que de jugement; il ne sait parler qu'un langage; mais il entend ce qu'il dit; et s'il ne dit pas si bien que les autres disent, en revanche il fait mieux qu'ils ne font.

Il ne sait ce que c'est que routine, usage, habitude; ce qu'il fit hier n'influe point sur ce qu'il fait aujourd'hui; il ne suit jamais de formule, ne cède point à l'autorité ni à l'exemple, et n'agit ni ne parle que comme il lui convient. Ainsi n'attendez pas de lui des discours dictés, ni des manières étudiées, mais toujours l'expression fidèle de ses idées et la conduite qui naît de ses penchants.

Vous lui trouvez un petit nombre de notions morales qui se rapportent à son état actuel, aucune sur l'état relatif des hommes: et de quoi lui serviraient-elles, puisqu'un enfant n'est pas encore un membre actif de la société? Parlez-lui de liberté, de propriété, de convention même: il peut en savoir jusque là; il sait pourquoi ce qui est à lui est à lui, et pourquoi ce qui n'est pas à lui n'est pas à lui: passé cela il ne sait plus rien. Parlez-lui de devoir, d'obéissance, il ne sait ce que vous voulez dire; commandez-lui quelque chose, il ne vous entendra pas: mais dites-lui: Si vous me faisiez tel plaisir, je vous le rendrais dans l'occasion; à l'instant il s'empressera de vous complaire, car il ne demande pas mieux que d'étendre son domaine, et d'acquérir sur vous des droits qu'il sait être inviolables. Peut-être même n'est-il pas fâché de tenir une place, de faire nombre, d'être compté pour quelque chose: mais s'il a ce dernier motif, le voilà déjà sorti de la nature, et vous n'avez pas bien bouché d'avance toutes les portes de la vanité.

ÉMILE, III

Souvenez-vous toujours que l'esprit de mon institution n'est pas d'enseigner à l'enfant beaucoup de choses, mais de ne laisser jamais entrer dans son cerveau que des idées justes et claires. Quand il ne saurait rien, peu m'importe, pourvu qu'il ne se trompe pas, et je ne mets des vérités dans sa tête que pour le garantir des erreurs qu'il apprendrait à leur place. La raison, le jugement, viennent lentement, les préjugés accourent en foule; c'est d'eux qu'il le faut préserver. Mais si vous regardez la science en elle-même, vous entrez dans une mer sans fond, sans rive, toute pleine d'écueils; vous ne vous en tirerez jamais. Quand je vois un homme épris de l'amour des connaissances se laisser séduire à leurs charmes et courir de l'une à l'autre sans savoir s'arrêter, je crois voir un enfant sur le rivage amassant des coquilles, et commençant par s'en charger, puis, tenté par celles qu'il voit encore, en rejeter, en reprendre, jusqu'à ce que, accablé de leur multitude et ne sachant plus que choisir, il finisse par tout jeter, et retourne à vide.

Durant le premier âge,[5] le temps était long: nous ne cherchions qu'à le perdre, de peur de le mal employer. Ici c'est tout le contraire, et nous n'en avons pas assez pour faire tout ce qui serait utile. Songez que les passions approchent, et que sitôt qu'elles frapperont à la porte, votre élève n'aura plus d'attention que pour elles. L'âge paisible d'intelligence est si court, il passe si rapidement, il a tant d'autres usages nécessaires, que c'est

[5] i.e., to the age of twelve or thirteen. Positive education now begins.

une folie de vouloir qu'il suffise à rendre un enfant savant. Il ne s'agit point de lui enseigner les sciences, mais de lui donner du goût pour les aimer et des méthodes pour les apprendre, quand ce goût sera mieux développé. C'est là très certainement un principe fondamental de toute bonne éducation.

Voici le temps aussi de l'accoutumer peu à peu à donner une attention suivie au même objet: mais ce n'est jamais la contrainte, c'est toujours le plaisir ou le désir qui doit produire cette attention; il faut avoir grand soin qu'elle ne l'accable point et n'aille pas jusqu'à l'ennui. Tenez donc toujours l'œil au guet; et, quoi qu'il arrive, quittez tout avant qu'il s'ennuie; car il n'importe jamais autant qu'il apprenne, qu'il importe qu'il ne fasse rien malgré lui.

S'il vous questionne lui-même, répondez autant qu'il faut pour nourrir sa curiosité, non pour la rassasier: surtout, quand vous voyez qu'au lieu de questionner pour s'instruire, il se met à battre la campagne et à vous accabler de sottes questions, arrêtez-vous à l'instant, sûr qu'alors il ne se soucie plus de la chose, mais seulement de vous asservir à ses interrogations. Il faut avoir moins d'égards aux mots qu'il prononce qu'au motif qui le fait parler. Cet avertissement, jusqu'ici moins nécessaire, devient de la dernière importance aussitôt que l'enfant commence à raisonner. . . .

Depuis longtemps nous nous étions aperçus, mon élève et moi, que l'ambre, le verre, la cire, divers corps frottés attiraient les pailles, et que d'autres ne les tiraient pas. Par hasard nous en trouvons un qui a une vertu plus singulière encore; c'est d'attirer, à quelque distance et sans être frotté, la limaille et d'autres brins de fer. Combien de temps cette qualité nous amuse sans que nous puissions y rien voir de plus! Enfin nous trouvons qu'elle se communique au fer même aimanté dans un certain sens. Un jour nous allons à la foire; un joueur de gobelets attire avec un morceau de pain un canard de cire flottant sur un bassin d'eau. Fort surpris, nous ne disons pourtant pas: C'est un sorcier, car nous ne savons ce que c'est qu'un sorcier. Sans cesse frappés d'effets dont nous ignorons les causes, nous ne nous pressons de juger de rien, et nous restons en repos dans notre ignorance jusqu'à ce que nous trouvions l'occasion d'en sortir.

De retour au logis, à force de parler du canard de la foire, nous allons nous mettre en tête de l'imiter: nous prenons une bonne aiguille bien aimantée, nous l'entourons de cire blanche, que nous façonnons de notre mieux en forme de canard, de sorte que l'aiguille traverse le corps et que la tête fasse le bec. Nous posons sur l'eau le canard, nous approchons du bec un anneau de clef, et nous voyons avec une joie facile à comprendre que notre canard suit la clef précisément comme celui de la foire suivait le morceau de pain. Observer dans quelle direction le canard s'arrête sur l'eau quand on l'y laisse en repos, c'est ce que nous pourrons faire une autre fois. Quant à présent, tout occupés de notre objet, nous n'en voulons pas davantage.

Dès le même soir, nous retournons à la foire avec du pain préparé dans nos poches, et, sitôt que le joueur de gobelets a fait son tour, mon petit docteur, qui se contenait à peine, lui dit que ce tour n'est pas difficile, et que lui-même en fera bien autant. Il est pris au mot: à l'instant il tire de sa poche le pain où est caché le morceau de fer; en approchant de la table, le cœur lui bat; il présente le pain presque en tremblant; le canard vient et le suit: l'enfant s'écrie et tressaillit d'aise. Aux battements de mains, aux acclamations de l'assemblée, la tête lui tourne, il est hors de lui. Le bateleur interdit vient pourtant l'embrasser, le féliciter, et le prie de l'honorer encore le lendemain de sa présence, ajoutant qu'il aura soin d'assembler plus de monde encore pour applaudir à son habileté. Mon petit naturaliste enorgueilli veut babiller; mais sur-le-champ je lui ferme la bouche, et je l'emmène comblé d'éloges.

L'enfant, jusqu'au lendemain, compte les minutes avec une visible inquiétude. Il invite tout ce qu'il rencontre; il voudrait que tout le genre humain fût témoin de sa gloire; il attend l'heure avec peine, il la devance: on vole au rendez-vous; la salle est déjà pleine. En entrant, son jeune cœur s'épanouit. D'autres jeux doivent précéder; le joueur de gobelets se surpasse et fait des choses surprenantes. L'enfant ne voit rien de tout cela; il s'agite, il sue, il respire à peine; il passe son temps à manier dans sa poche son morceau de pain d'une main tremblante d'impatience. Enfin son tour vient; le maître l'annonce au public avec pompe. Il s'approche un peu honteux, il tire son pain. . . .

Nouvelle vicissitude des choses humaines! le canard, si privé la veille, est devenu sauvage aujourd'hui; au lieu de présenter le bec, il tourne la queue et s'enfuit; il évite le pain et la main qui le présente avec autant de soin qu'il les suivait auparavant. Après mille essais inutiles et toujours hués, l'enfant se plaint, dit qu'on le trompe, que c'est un autre canard qu'on a substitué au premier, et défie le joueur de gobelets d'attirer celui-ci.

Le joueur de gobelets, sans répondre, prend un morceau de pain, le présente au canard; à l'instant le canard suit le pain, et vient à la main qui le retire. L'enfant prend le même morceau de pain; mais loin de réussir mieux qu'auparavant, il voit le canard se moquer de lui et faire des pirouettes tout autour du bassin: il s'éloigne enfin tout confus, et n'ose plus s'exposer aux huées.

Alors le joueur de gobelets prend le morceau de pain que l'enfant avait apporté, et s'en sert avec autant de succès que du sien; il en tire le fer devant tout le monde, autre risée à nos dépens; puis ce pain ainsi vidé il attire le canard comme auparavant. Il fait la même chose avec un autre morceau coupé devant tout le monde par une main tierce; il en fait autant avec son gant, avec le bout de son doigt; enfin il s'éloigne au milieu de la chambre, et, du ton d'emphase propre à ces gens-là, déclarant que son canard n'obéira pas moins à sa voix qu'à son geste, il lui parle, et le canard obéit; il lui dit d'aller à droite et il va à droite, de revenir et il revient, de tourner et il tourne; le mouvement est aussi prompt que l'ordre. Les applaudissements redoublés sont autant d'affronts pour nous. Nous nous évadons sans être aperçus, et nous nous renfermons dans notre chambre sans aller raconter nos succès à tout le monde, comme nous l'avions projeté.

Le lendemain matin l'on frappe à notre porte: j'ouvre, c'est l'homme aux gobelets. Il se plaint modestement de notre conduite. Que nous avait-il fait pour nous engager à vouloir décréditer ses jeux et lui ôter son gagne-pain? Qu'y a-t-il donc de si merveilleux dans l'art d'attirer un canard de cire, pour acheter cet honneur aux dépens de la subsistance d'un honnête homme? Ma foi, messieurs, si j'avais quelque autre talent pour vivre, je ne me glorifierais guère de celui-ci. Vous deviez croire qu'un homme qui a passé sa vie à s'exercer dans cette chétive industrie en sait là-dessus plus que vous qui ne vous en occupez que quelques moments. Si je ne vous ai pas d'abord montré mes coups de maître, c'est qu'il ne faut pas se presser d'étaler étourdiment ce qu'on sait: j'ai toujours soin de conserver mes meilleurs tours pour l'occasion, et après celui-ci j'en ai d'autres encore pour arrêter de jeunes indiscrets. Au reste, messieurs, je viens de bon cœur vous apprendre ce secret qui vous a tant embarrassés, vous priant de n'en pas abuser pour me nuire, d'être plus retenus une autre fois.

Alors il nous montre sa machine, et nous voyons avec la dernière surprise qu'elle ne consiste qu'en un aimant fort et bien armé, qu'un enfant caché sous la table faisait mouvoir sans qu'on s'en aperçût.

L'homme replie sa machine; et, après lui avoir fait nos remerciements et nos excuses, nous voulons lui faire un présent; il le refuse. "Non, messieurs, je n'ai pas assez à me louer de vous pour accepter vos dons; je vous laisse obligés à moi malgré vous; c'est ma seule vengeance. Apprenez qu'il y a de la générosité dans tous les états; je fais payer mes tours et non mes leçons."

ÉMILE, IV

Profession de Foi du Vicaire Savoyard

Mon enfant, n'attendez de moi ni des discours savants ni de profonds raisonnements. Je ne suis pas un grand philosophe, et je me soucie peu de l'être. Mais j'ai quelquefois du bon sens, et j'aime toujours la vérité. Je ne veux pas argumenter avec vous, ni même tenter de vous convaincre; il me suffit de vous exposer ce que je pense dans la simplicité de mon cœur. Consultez le vôtre durant mon discours; c'est tout ce que je vous demande. Si je me trompe, c'est de bonne foi; cela suffit pour que mon erreur ne me soit point imputée à crime: quand vous vous tromperiez de même, il y aurait peu de mal à cela. Si je pense bien, la raison nous est commune, et nous avons le même intérêt à l'écouter: pourquoi ne penseriez-vous pas comme moi?

Je suis né pauvre et paysan, destiné par mon état à cultiver la terre; mais on crut plus beau que j'apprisse à gagner mon pain dans le métier de prêtre, et l'on trouva le moyen de me faire étudier. Assurément ni mes parents ni moi ne songions guère à chercher en cela ce qui était bon, véritable, utile, mais ce qu'il fallait savoir pour être ordonné. J'appris ce qu'on voulait que j'apprisse, je dis ce qu'on voulait que je disse, je m'engageai comme on voulut, et je fus fait prêtre. Mais je ne tardai pas à sentir qu'en m'obligeant à n'être pas homme j'avais promis plus que je ne pouvais tenir.

On nous dit que la conscience est l'ouvrage des préjugés; cependant je sais par mon expérience qu'elle s'obstine à suivre l'ordre de la nature contre toutes les lois des hommes. On a beau nous défendre ceci ou cela, le remords nous reproche toujours faiblement ce que nous permet la nature bien ordonnée, à plus forte raison ce qu'elle nous prescrit. O bon jeune homme, elle n'a rien dit encore à vos sens: vivez longtemps dans l'état heureux où sa voix est celle de l'innocence. Souvenez-vous qu'on l'offense encore plus quand on la prévient que quand on la combat; il faut commencer par apprendre à résister pour savoir quand on peut céder sans crime.

Dès ma jeunesse j'ai respecté le mariage comme la première et la plus sainte institution de la nature. M'étant ôté le droit de m'y soumettre, je résolus de ne le point profaner; car, malgré mes classes et mes études, ayant toujours mené une vie uniforme et simple, j'avais conservé dans mon esprit toute la clarté des lumières primitives: les maximes du monde ne les avaient point obscurcies, et ma pauvreté m'éloignait des tentations qui dictent les sophismes du vice.

Cette résolution fut précisément ce qui me perdit; mon respect pour le lit d'autrui laissa mes fautes à découvert. Il fallut expier le scandale: arrêté, interdit, chassé, je fus bien plus la victime de mes scrupules que de mon incontinence; et j'eus lieu de comprendre, aux reproches dont ma disgrâce fut accompagnée, qu'il ne faut souvent qu'aggraver la faute pour échapper au châtiment.

Peu d'expériences pareilles mènent loin un esprit qui réfléchit. Voyant par de tristes observations renverser les idées que j'avais du juste, de l'honnête, et de tous les devoirs de l'homme, je perdais chaque jour quelqu'une des opinions que j'avais reçues: celles qui me restaient ne suffisant plus pour faire ensemble un corps qui pût se soutenir par lui-même, je sentis peu à peu s'obscurcir dans mon esprit l'évidence des principes; et, réduit enfin à ne savoir plus que penser, je parvins au même point où vous êtes; avec cette différence que mon incrédulité, fruit tardif d'un âge plus mûr, s'était formée avec plus de peine, et devait être plus difficile à détruire.

J'étais dans ces dispositions d'incertitude et de doute que Descartes exige pour la recherche de la vérité. Cet état est peu fait pour durer, il est inquiétant et pénible; il n'y a que l'intérêt du vice ou la paresse de l'âme qui nous y laisse. Je n'avais point le cœur assez corrompu pour m'y plaire; et rien ne conserve mieux l'habitude de réfléchir que d'être plus content de soi que de sa fortune.

Je méditais donc sur le triste sort des mortels flottant sur cette mer des opinions humaines, sans gouvernail, sans boussole, et livrés à leurs passions orageuses, sans autre guide qu'un pilote inexpérimenté qui méconnaît sa route, et qui ne sait ni d'où il vient ni où il va. Je me disais: J'aime la vérité, je la cherche, et ne puis la reconnaître; qu'on me la montre, et j'y demeure attaché: pourquoi faut-il qu'elle se dérobe à l'empressement d'un cœur fait pour l'adorer? . . .

Je consultai les philosophes, je feuilletai leurs livres, j'examinai leurs diverses opinions; je les trouvai tous fiers, affirmatifs, dogmatiques, même dans leur scepticisme prétendu, n'ignorant rien, ne prouvant rien, se moquant les uns des autres; et ce point commun à tous me parut le seul sur lequel ils ont tous raison. Triomphants quand ils attaquent, ils sont sans vigueur en se défendant; si vous pesez les raisons, ils n'en ont que pour détruire; si vous comptez les voix, chacun est réduit à la sienne; ils ne s'accordent que pour disputer: les écouter n'était pas le moyen de sortir de mon incertitude. . . .

Le premier fruit que je tirai de ces réflexions fut d'apprendre à borner mes recherches à ce qui m'intéressait immédiatement, à me reposer dans une profonde ignorance sur tout le reste, et à ne m'inquiéter, jusqu'au doute, que des choses qu'il m'importait de savoir.

Je compris encore que, loin de me délivrer de mes doutes inutiles, les philosophes ne feraient que multiplier ceux qui me tourmentaient et n'en résoudraient aucun. Je pris donc un autre guide, et je me dis: Consultons la lumière intérieure, elle m'égarera moins qu'ils ne m'égarent, ou du moins mon erreur sera la mienne, et je me dépraverai moins en suivant mes propres illusions qu'en me livrant à leurs mensonges. . . .

Mais qui suis-je? quel droit ai-je de juger les choses? et qu'est-ce qui détermine mes jugements? S'ils sont entraînés, forcés par les impressions que je reçois, je me fatigue en vain à ces recherches, elles ne se feront point, ou se feront d'elles-mêmes sans que je me mêle de les diriger. Il faut donc tourner d'abord mes regards sur moi pour connaître l'instrument dont je veux me servir, et jusqu'à quel point je puis me fier à son usage.

J'existe, et j'ai des sens par lesquels je suis affecté. Voilà la première vérité qui me frappe et à laquelle je suis forcé d'acquiescer. Ai-je un sentiment propre de mon existence, ou ne la sens-je que par mes sensations? Voilà mon premier doute, qu'il m'est, quant à présent, impossible de résoudre. Car étant continuellement affecté de sensations, ou immédiatement, ou par la mémoire, comment puis-je savoir si le sentiment du *moi* est quelque chose hors de ces mêmes sensations, et s'il peut être indépendant d'elles?

Mes sensations se passent en moi puisqu'elles me font sentir mon existence; mais leur cause m'est étrangère, puisqu'elles m'affectent malgré que j'en aie, et qu'il ne dépend de moi ni de les produire ni de les anéantir. Je conçois donc clairement que ma sensation qui est en moi, et sa cause ou son sujet qui est hors de moi, ne sont pas la même chose.

Ainsi, non seulement j'existe, mais il existe d'autres êtres, savoir, les objets de mes sensations; et quand ces objets ne seraient que des idées, toujours est-il vrai que ces idées ne sont pas moi.

Or, tout ce que je sens hors de moi et qui agit sur mes sens, je l'appelle matière; et toutes les portions de matière que je conçois réunies en êtres individuels, je les appelle des corps. Ainsi toutes les disputes des idéalistes et des matérialistes ne signifient rien pour moi: leurs distinctions sur l'apparence et la réalité des corps sont des chimères.

Me voici déjà tout aussi sûr de l'existence de l'univers que de la mienne. Ensuite je réfléchis sur les objets de mes sensations: et, trouvant en moi la faculté de les comparer, je me sens doué d'une force active que je ne savais pas avoir auparavant.

Apercevoir, c'est sentir; comparer, c'est juger; juger et sentir ne sont pas la même chose. Par la sensation, les objets s'offrent à moi séparés, isolés, tels qu'ils sont dans la nature; par la comparaison, je les remue, je les transporte pour ainsi dire, je les pose l'un sur l'autre pour prononcer sur leur différence ou sur leur similitude, et généralement sur tous leurs rapports. Selon moi la faculté distinctive de l'être actif ou intelligent est de pouvoir donner un sens à ce mot *est*. Je cherche en vain dans l'être purement sensitif cette force intelligente qui superpose et puis qui prononce; je ne le saurais voir dans sa nature. Cet être passif sentira chaque objet séparément, ou même il sentira l'objet total formé des deux; mais, n'ayant aucune force pour les replier l'un sur l'autre, il ne les comparera jamais, il ne les jugera point. . . .

Qu'on donne tel ou tel nom à cette force de mon esprit qui rapproche et compare mes sensations; qu'on l'appelle attention, méditation, réflexion, ou comme on voudra; toujours est-il vrai qu'elle est en moi et non dans les choses, que c'est moi seul qui la produis, quoique je ne la produise qu'à l'occasion de l'impression que font sur moi les objets. Sans être maître de sentir ou de ne pas sentir, je le suis d'examiner plus ou moins ce que je sens.

Je ne suis pas simplement un être sensitif et passif, mais un être actif et intelligent, et, quoi qu'en dise la philosophie, j'oserai prétendre à l'honneur de penser. Je sais seulement que la vérité est dans les choses et non pas dans mon esprit qui les juge, et que moins je mets du mien dans les jugements que j'en porte, plus je suis sûr d'approcher de la vérité: ainsi ma règle de me livrer au sentiment plus qu'à la raison est confirmée par la raison même.

M'étant, pour ainsi dire, assuré de moi-même, je commence à regarder hors de moi, et je me considère avec une sorte de frémissement, jeté, perdu dans ce vaste univers, et comme noyé dans l'immensité des êtres, sans rien savoir de ce qu'ils sont, ni entre eux, ni par rapport à moi. Je les étudie, je les observe; et le premier objet qui se présente à moi pour les comparer, c'est moi-même.

Tout ce que j'aperçois par les sens est matière, et je déduis toutes les propriétés essentielles de la matière des qualités sensibles qui me la font apercevoir, et qui en sont inséparables. Je la vois tantôt en mouvement et tantôt en repos; d'où j'infère que ni le repos ni le mouvement ne lui sont essentiels; mais le mouvement, étant une action, est l'effet d'une cause dont le repos n'est que l'absence. Quand donc rien n'agit sur la matière, elle ne se meut point, par cela même qu'elle est indifférente au repos et au mouvement: son état naturel est d'être en repos.

J'aperçois dans les corps deux sortes de mouvements, savoir, mouvement communiqué, et mouvement spontané ou volontaire. Dans le premier, la cause motrice est étrangère au corps mû; et dans le second elle est en lui-même. Je ne conclurai pas de là que le mouvement d'une montre, par exemple, est spontané; car si rien d'étranger au ressort n'agissait sur lui, il ne tendrait point à se redresser, et ne tirerait point la chaîne. Par la même raison, je n'accorderai point non plus la spontanéité aux fluides, ni au feu même qui fait leur fluidité. . . .

Cependant cet univers visible est matière, matière éparse et morte, qui n'a rien dans son tout de l'union, de l'organisation, du sentiment commun des parties d'un corps animé, puisqu'il est certain que nous, qui sommes parties, ne nous sentons nullement dans le tout. Ce même univers est en mouvement, et dans ses mouvements réglés, uniformes, assujettis à des lois constantes, il n'a rien de cette liberté qui paraît dans les mouvements spontanés de l'homme et des animaux. Le monde n'est donc pas un grand animal qui se meuve de lui-même; il y a donc de ses mouvements quelque cause étrangère à lui, laquelle je n'aperçois pas; mais la persuasion intérieure me rend cette cause tellement sensible, que je ne puis voir rouler le soleil sans imaginer une force qui le pousse, ou que, si la terre tourne, je crois sentir une main qui la fait tourner.

S'il faut admettre des lois générales dont je n'aperçois point les rapports essentiels avec la matière, de quoi serai-je avancé? Ces lois, n'étant point des êtres réels, des substances, ont donc quelque autre fondement qui m'est inconnu. L'expérience et l'observation nous ont fait connaître les lois du mouvement; ces lois déterminent les effets sans montrer les causes; elles ne suffisent point pour expliquer le système du monde et la marche de l'univers. Descartes avec des dés formait le ciel et la terre; mais il ne put donner le premier branle à ces idées, ni mettre en jeu sa force centrifuge qu'à l'aide d'un mouvement de rotation. Newton a trouvé la loi de l'attraction; mais l'attraction seule réduirait bientôt l'univers en une masse immobile: à cette loi il a fallu joindre une force projectile pour faire décrire des courbes aux corps célestes. Que Descartes nous dise quelle loi physique a fait tourner ses tourbillons; que Newton nous montre la main qui lança les planètes sur la tangente de leurs orbites.

Les premières causes du mouvement ne sont point dans la matière; elle reçoit le mouvement et le communique, mais elle ne le produit pas. Plus j'observe l'action et réaction des forces de la nature agissant les unes sur les autres, plus je trouve que, d'effets en effets, il faut toujours remonter à quelque volonté pour première cause; car supposer un progrès de causes à l'infini, c'est n'en point supposer du tout. En un mot, tout mouvement qui n'est pas produit par un autre ne peut venir que d'un acte spontané, volontaire; les corps inanimés n'agissent que par le mouvement, et il n'y a point de véritables actions sans volonté. Voilà mon premier principe. Je crois donc qu'une volonté meut l'univers et anime la nature. Voilà mon premier dogme, ou mon premier article de foi. . . .

Si la matière mue me montre une volonté, la matière mue selon de certaines lois me montre une intelligence: c'est mon second article de foi. Agir, comparer, choisir, sont les opérations d'un être actif et pensant: donc cet être existe. Où le voyez-vous exister? m'allez-vous dire. Non seulement dans les cieux qui roulent, dans l'astre qui nous éclaire; non seulement dans moi-même, mais dans la brebis qui paît, dans l'oiseau qui vole, dans la pierre qui tombe, dans la feuille qu'emporte le vent.

Je juge de l'ordre du monde quoique j'en ignore la fin, parce que, pour juger de cet ordre, il me suffit de comparer les parties entre elles, d'étudier leurs rapports, d'en remarquer le concert. J'ignore pourquoi l'univers existe; mais je ne laisse pas de voir comment il est modifié; je ne laisse pas d'apercevoir l'intime correspondance par laquelle les êtres qui la composent se prêtent un secours mutuel. Je suis comme un homme qui verrait pour la première fois une montre ouverte, et qui ne laisserait pas d'en admirer l'ouvrage, quoiqu'il ne connût pas l'usage de la machine et qu'il n'eût point vu le cadran. Je ne sais, dirait-il, à quoi le tout est bon; mais je vois que chaque pièce est faite pour les autres; j'admire l'ouvrier dans le détail de son ouvrage, et je suis bien sûr que tous ces rouages ne marchent ainsi de concert que pour une fin commune qu'il m'est impossible d'apercevoir. . . .

Il n'y a pas un être dans l'univers qu'on ne puisse, à quelque égard, regarder comme le centre commun de tous les autres, autour duquel ils sont tous ordonnés, en sorte qu'ils sont tous réciproquement fins et moyens les uns relativement aux autres. L'esprit se confond et se perd dans cette infinité de rapports, dont pas un n'est confondu ni perdu dans la foule. Que d'absurdes suppositions pour déduire toute cette harmonie de l'aveugle mécanisme de la matière mue fortuitement! Ceux qui nient l'unité d'intention qui se manifeste dans les rapports de toutes les parties de ce grand tout, ont beau couvrir leur galimatias d'abstractions, de coordinations, de principes généraux, de termes emblématiques; quoi qu'ils fassent, il m'est impossible de concevoir un système d'êtres si constamment ordonnés, que je ne conçoive une intelligence qui l'ordonne. Il ne dépend pas de moi de croire que la matière passive et morte a pu produire des êtres vivants et sentants, qu'une fatalité aveugle a pu produire des êtres intelligents, que ce qui ne pense point a pu produire des êtres qui pensent.

Je crois donc que le monde est gouverné par une volonté puissante et sage; je le vois, ou plutôt je le sens, et cela m'importe à savoir. Mais ce même monde est-il éternel ou créé? Y a-t-il un principe unique des choses? y en a-t-il deux ou plusieurs? et quelle est leur nature? je n'en sais rien; et que m'importe? A mesure que ces connaissances me deviendront intéressantes, je m'efforcerai de les acquérir; jusque-là je renonce à des questions oiseuses qui peuvent inquiéter mon amour-propre, mais qui sont inutiles à ma conduite et supérieures à ma raison.

Souvenez-vous toujours que je n'enseigne point mon sentiment; je l'expose. Que la matière soit éternelle ou créée, qu'il y ait un principe passif ou qu'il n'y en ait point, toujours est-il certain que le tout est un, et annonce une intelligence unique; car je ne vois rien qui ne soit ordonné dans le même système, et qui ne concoure à la même fin, savoir la conservation du tout dans l'ordre établi. Cet être qui veut et qui peut, cet être actif par lui-même, cet être enfin, quel qu'il soit, qui meut l'univers et ordonne toutes choses, je l'appelle Dieu. Je joins à ce nom les idées d'intelligence, de puissance, de volonté, que j'ai rassemblées, et celle de bonté qui en est une suite nécessaire; mais je n'en connais pas mieux l'être auquel je l'ai donné; il se dérobe également à mes sens et à mon entendement; plus j'y pense, plus je me confonds. Je sais très certainement qu'il existe, et qu'il existe par lui-même: je sais que mon existence est subordonnée à la sienne, et que toutes les choses qui me sont connues sont absolument dans le même cas. J'aperçois Dieu partout dans ses œuvres; je le sens en moi; mais sitôt que je veux le contempler en lui-même, sitôt que je veux chercher où il est, ce qu'il est, quelle est sa substance, il m'échappe, et mon esprit troublé n'aperçoit plus rien. . . .

Après avoir découvert ceux de ses attributs par lesquels je conçois son existence, je reviens à moi, et je cherche quel rang j'occupe dans l'ordre des choses qu'elle gouverne, et que je puis examiner. Je me trouve incontestablement au premier par mon espèce; car, par ma volonté et par les instruments qui sont en mon pouvoir pour l'exécuter, j'ai plus de force pour agir sur tous les corps qui m'environnent, ou pour me prêter ou pour me dérober comme il me plaît à leur action, qu'aucun d'eux n'en a pour agir sur moi malgré moi par la seule impulsion physique; et, par mon intelligence, je suis le seul qui ait inspection sur le tout. Quel être ici-bas, hors l'homme, sait observer tous les autres, mesurer, calculer, prévoir leur mouvement, leurs effets, et joindre, pour ainsi dire, le sentiment de l'existence commune à celui de son existence individuelle? Qu'y a-t-il de si ridicule à penser que tout est fait pour moi, si je suis le seul qui sache tout rapporter à lui?

Il est donc vrai que l'homme est le roi de la terre qu'il habite; car non seulement il dompte tous les animaux, non seulement il dispose des éléments par son industrie, mais lui seul sur la terre en sait disposer, et il s'approprie encore, par la contemplation, les astres mêmes dont il ne peut approcher. Qu'on me montre un autre animal sur la terre qui sache faire usage du feu, et qui sache admirer le soleil. Quoi! je puis observer, connaître les êtres et leurs rapports; je puis sentir ce que c'est qu'ordre, beauté, vertu; je puis contempler l'univers, m'élever à la main qui le gouverne; je puis aimer le bien, le faire; et je me comparerais aux bêtes! Ame abjecte, c'est ta triste philosophie qui te rend semblable à elles: ou plutôt tu veux en vain t'avilir, ton génie dépose contre tes principes, ton cœur bienfaisant dément ta doctrine, et l'abus même de tes facultés prouve leur excellence en dépit de toi.

Croiriez-vous, mon bon ami, que de ces tristes réflexions et de ces contradictions apparentes se formèrent dans mon esprit les sublimes idées de l'âme, qui n'avaient point jusque-là résulté de mes recherches? En méditant sur la nature de l'homme, j'y crus découvrir deux principes distincts, dont l'un l'élevait à l'étude des vérités éternelles, à l'amour de la justice et du beau moral, aux régions du monde intellectuel dont la contemplation fait les délices du sage, et dont l'autre le ramenait bassement en lui-même, l'asservissait à l'empire des sens, aux passions qui sont leurs ministres, et contrariait par elles tout ce que lui inspirait le sentiment du premier. En me sentant entraîné, combattu par ces deux mouvements contraires, je me disais: "Non, l'homme n'est point un; je veux et je ne veux pas, je me sens à la fois esclave et libre; je vois le bien, je l'aime, et je fais le mal; je suis actif quand j'écoute la raison, passif quand mes passions m'entraînent; et mon pire tourment, quand je succombe, est de sentir que j'ai pu résister."

Jeune homme, écoutez avec confiance, je serai toujours de bonne foi. Si la conscience est l'ouvrage des préjugés, j'ai tort sans doute, et il n'y a point de morale démontrée; mais si se préférer à tout est un penchant naturel à l'homme, et si pourtant le premier sentiment de la justice est inné dans le cœur humain, que celui qui fait de l'homme un être simple lève ces contradictions, et je ne reconnais plus qu'une substance. . . .

Nul être matériel n'est actif par lui-même, et moi je le suis. On a beau me disputer cela, je le sens, et ce sentiment qui me parle est plus fort que la raison qui le combat. J'ai un corps sur lequel les autres agissent et qui agit sur eux; cette action réciproque n'est pas douteuse; mais ma volonté est indépendante de mes sens; je consens ou je résiste, je succombe ou je suis vainqueur, et je sens parfaitement en moi-même quand je fais ce que j'ai voulu faire, ou quand je ne fais que céder à mes passions. J'ai toujours la puissance de vouloir, non la force d'exécuter. Quand je me livre aux tentations, j'agis selon l'impulsion des objets externes.

Quand je me reproche cette faiblesse, je n'écoute que ma volonté; je suis esclave par mes vices, et libre par mes remords; le sentiment de ma liberté ne s'efface en moi que quand je me déprave, et que j'empêche enfin la voix de l'âme de s'élever contre la loi du corps.

Je ne connais la volonté que par le sentiment de la mienne, et l'entendement ne m'est pas mieux connu. Quand on me demande quelle est la cause qui détermine ma volonté, je demande à mon tour quelle est la cause qui détermine mon jugement: car il est clair que ces deux causes n'en font qu'une; et si l'on comprend bien que l'homme est actif dans ses jugements, que son entendement n'est que le pouvoir de comparer et de juger, on verra que sa liberté n'est qu'un pouvoir semblable, ou dérivé de celui-là; il choisit le bon comme il a jugé le vrai; s'il juge faux il choisit mal. Quelle est donc la cause qui détermine sa volonté? C'est son jugement. Et quelle est la cause qui détermine son jugement? C'est sa faculté intelligente, c'est sa puissance de juger; la cause déterminante est en lui-même. Passé cela, je n'entends plus rien.

Sans doute je ne suis pas libre de ne pas vouloir mon propre bien, je ne suis pas libre de vouloir mon mal; mais ma liberté consiste en cela même que je ne puis vouloir que ce qui m'est convenable, ou que j'estime tel, sans que rien d'étranger à moi me détermine. S'ensuit-il que je ne sois pas mon maître d'être un autre que moi?

Le principe de toute action est dans la volonté d'un être libre; on ne saurait remonter au delà. Ce n'est pas le mot de liberté qui ne signifie rien, c'est celui de nécessité. Supposer quelque acte, quelque effet qui ne dérive pas d'un principe actif, c'est vraiment supposer des effets sans cause, c'est tomber dans le cercle vicieux. Ou il n'y a point de première impulsion, ou toute première impulsion n'a nulle cause antérieure, et il n'y a point de véritable volonté sans liberté. L'homme est donc libre dans ses actions, et, comme tel, animé d'une substance immatérielle, c'est mon troisième article de foi. De ces trois premiers vous déduirez aisément tous les autres, sans que je continue à les compter. . . .

C'est l'abus de nos facultés qui nous rend malheureux et méchants. Nos chagrins, nos soucis, nos peines nous viennent de nous. Le mal moral est incontestablement notre ouvrage, et le mal physique ne serait rien sans nos vices, qui nous l'ont rendu sensible. N'est-ce pas pour nous conserver que la nature nous fait sentir nos besoins? La douleur du corps n'est-elle pas un signe que la machine se dérange, et un avertissement d'y pourvoir? La mort. . . . Les méchants n'empoisonnent-ils pas leur vie et la nôtre? Qui est-ce qui voudrait toujours vivre? La mort est le remède aux maux que vous vous faites; la nature a voulu que vous ne souffrissiez pas toujours. Combien l'homme vivant dans la simplicité primitive est sujet à peu de maux. Il vit presque sans maladies ainsi que sans passions, et ne prévoit ni ne sent la mort; quand il la sent, ses misères la lui rendent désirable: dès lors elle n'est plus un mal pour lui. Si nous nous contentions d'être ce que nous sommes, nous n'aurions point à déplorer notre sort; mais pour chercher un bien-être imaginaire, nous nous donnons beaucoup de maux réels. Qui ne sait pas supporter un peu de souffrance doit s'attendre à beaucoup souffrir. Quand on a gâté sa constitution par une vie déréglée, on veut la rétablir par des remèdes; au mal qu'on sent on ajoute celui qu'on craint; la prévoyance de la mort la rend horrible et l'accélère; plus on la veut fuir, plus on la sent; et l'on meurt de frayeur durant toute sa vie, en murmurant contre la nature, des maux qu'on s'est faits en l'offensant.

Homme, ne cherche plus l'auteur du mal; cet auteur, c'est toi-même. Il n'existe point d'autre mal que celui que tu fais ou que tu souffres, et l'un et l'autre vient de toi. Le mal général ne peut être que dans le désordre, et je vois dans le système du monde un ordre qui ne se dément point. Le mal particulier n'est que dans le sentiment de l'être qui souffre; et ce sentiment l'homme ne l'a pas reçu de la nature, il se l'est donné. La douleur a peu de prise sur quiconque, ayant peu réfléchi, n'a ni souvenir ni prévoyance. Otez nos funestes progrès, ôtez nos erreurs et nos vices, ôtez l'ouvrage de l'homme, et tout est bien.

Où tout est bien rien n'est injuste. La justice est inséparable de la bonté; or la bonté est l'effet nécessaire d'une puissance sans bornes et de l'amour de soi, essentiel à tout être qui se sent. Celui qui peut tout étend, pour ainsi dire, son existence avec celle des êtres. Produire et conserver sont l'acte perpétuel de la puissance; elle n'agit point sur ce qui n'est pas; Dieu n'est pas le dieu des morts, il ne pourrait être destructeur et méchant sans se nuire. Celui qui peut tout ne peut vouloir que ce qui est bien. Donc l'Être souverainement bon, parce qu'il est souverainement puissant, doit être aussi souverainement juste, autrement il se contredirait lui-même, car l'amour de l'ordre qui le produit s'appelle *bonté*, et l'amour de l'ordre qui le conserve s'appelle *justice*. . . .

Toute la moralité de nos actions est dans le jugement que nous en portons nous-mêmes. S'il est vrai que le bien soit bien, il doit l'être au fond de nos cœurs comme dans nos œuvres; et le premier prix de la justice est de sentir qu'on la pratique. Si la bonté morale est conforme à notre nature, l'homme ne saurait être sain d'esprit ni bien constitué qu'autant qu'il est bon. Si elle ne l'est pas, et que l'homme soit méchant naturellement, il ne peut cesser de l'être sans se corrompre, et la bonté n'est en lui qu'un vice contre nature. Fait pour nuire à ses semblables, comme le loup pour égorger sa proie, un homme humain serait un animal aussi dépravé qu'un loup pitoyable; et la vertu seule nous laisserait des remords. . . .

Jetez les yeux sur toutes les nations du monde, parcourez toutes les histoires; parmi tant de cultes inhumains et bizarres, parmi cette prodigieuse diversité de mœurs et de caractères, vous trouverez partout les mêmes idées de justice et d'honnêteté, partout les mêmes principes de morale, partout les mêmes notions du bien et du mal. L'ancien paganisme enfanta des dieux abominables, qu'on eût pris ici-bas comme des scélérats, et qui n'offraient pour tableau du bonheur suprême que des forfaits à commettre et des passions à contenter. Mais le vice, armé d'une autorité sacrée, descendait en vain du séjour éternel, l'instinct moral le repoussait du cœur des humains. En célébrant les débauches de Jupiter on admirait la continence de Xénocrate; la chaste Lucrèce adorait l'impudique Vénus, l'intrépide Romain sacrifiait à la Peur; il invoquait le dieu qui mutila son père, et mourait sans murmure de la main du sien. Les plus méprisables divinités furent servies par les plus grands hommes. La sainte voix de la nature, plus forte que celle des dieux, se faisait respecter sur la terre, et semblait reléguer dans le ciel le crime avec les coupables.

Il est donc au fond des âmes un principe inné de justice et de vertu, sur lequel, malgré nos propres maximes, nous jugeons nos actions et celles d'autrui comme bonnes ou mauvaises; et c'est à ce principe que je donne le nom de conscience.

Mais à ce mot j'entends s'élever de toutes parts la clameur des prétendus sages: "Erreurs de l'enfance, préjugés de l'éducation! s'écrient-ils tous de concert. Il n'y a rien dans l'esprit humain que ce qui s'y introduit par l'expérience, et nous ne jugeons d'aucune chose que sur des idées acquises." Ils font plus; cet accord évident et universel de toutes les nations, ils l'osent rejeter; et, contre l'éclatante uniformité du jugement des hommes, ils vont chercher dans les ténèbres quelque exemple obscur et connu d'eux seuls; comme si tous les penchants de la nature étaient anéantis par la dépravation d'un peuple, et que, sitôt qu'il est des monstres, l'espèce ne fût plus rien. Mais que servent au sceptique Montaigne [6] les tourments qu'il se donne pour déterrer en un coin du monde une coutume opposée aux notions de la justice? Que lui sert de donner aux plus suspects voyageurs l'autorité qu'il refuse aux écrivains les plus célèbres? Quelques usages incertains et bizarres, fondés sur des causes locales qui nous sont inconnues, détruiront-ils l'induction générale tirée du concours de tous les peuples, opposés en tout le reste, et d'accord sur ce seul point? O Montaigne! toi qui te piques de franchise et de vérité, sois sincère et vrai, si un philosophe peut l'être, et dis-moi s'il est quelque pays sur la terre où ce soit un crime de garder sa foi, d'être clément, bienfaisant, généreux; où l'homme de bien soit méprisable et le perfide honoré.

Chacun, dit-on, concourt au bien public pour son intérêt. Mais d'où vient donc que le juste y concourt à son préjudice? Qu'est-ce qu'aller à la mort pour son intérêt? Sans doute nul n'agit que pour son bien; mais s'il n'est un bien moral dont il faut tenir compte, on n'expliquera jamais par l'intérêt propre que les actions des méchants: il est même à croire qu'on ne tentera point d'aller plus loin. Ce serait une trop abominable philosophie que celle où l'on serait embarrassé des actions vertueuses; où l'on ne pourrait se tirer d'affaire qu'en leur controuvant des intentions basses et des motifs sans vertu; où l'on serait forcé d'avilir Socrate

[6] Montaigne, I, 22, *De la coutume et de ne changer aisément une loi reçue.*

et de calomnier Régulus.[7] Si jamais de pareilles doctrines pouvaient germer parmi nous, la voix de la nature, ainsi que celle de la raison, s'élèveraient incessamment contre elles, et ne laisseraient jamais à un seul de leurs partisans l'excuse de l'être de bonne foi.

Mon dessein n'est pas d'entrer ici dans des discussions métaphysiques qui passent ma portée et la vôtre, et qui, dans le fond, ne mènent à rien. Je vous ai déjà dit que je ne voulais pas philosopher avec vous, mais vous aider à consulter votre cœur. Quand tous les philosophes du monde prouveraient que j'ai tort, si vous sentez que j'ai raison, je n'en veux pas davantage.

Il ne faut pour cela que vous faire distinguer nos idées acquises de nos sentiments naturels; car nous sentons nécessairement avant de connaître; et comme nous n'apprenons point à vouloir notre bien et à fuir notre mal, mais que nous tenons cette volonté de la nature, de même l'amour du bon et la haine du mauvais nous sont aussi naturels que l'amour de nous-mêmes. Les actes de la conscience ne sont pas des jugements, mais des sentiments: quoique toutes nos idées nous viennent du dehors, les sentiments qui les apprécient sont au-dedans de nous, et c'est par eux seuls que nous connaissons la convenance ou la disconvenance qui existe entre nous et les choses que nous devons rechercher ou fuir. . . .

Exister, pour nous c'est sentir; notre sensibilité est incontestablement antérieure à notre intelligence, et nous avons eu des sentiments avant des idées. Quelle que soit la cause de notre être, elle a pourvu à notre conservation en nous donnant des sentiments convenables à notre nature; et l'on ne saurait nier qu'au moins ceux-là ne soient innés. Ces sentiments, quant à l'individu, sont l'amour de soi, la crainte de la douleur, l'horreur de la mort, le désir du bien-être. Mais si, comme on n'en peut douter, l'homme est sociable par sa nature, ou du moins fait pour le devenir, il ne peut l'être que par d'autres sentiments innés, relatifs à son espèce; car, à ne considérer que le besoin physique, il doit certainement disperser les hommes au lieu de les rapprocher.

[7] Marcus Atilius Regulus was a celebrated Roman general, made consul in 267 B.C. At first successful against the Carthaginians, he was defeated by them in 255 and taken prisoner. He was sent back to Rome on a mission of peace, was unsuccessful, returned to Carthage, as he had promised to do, and was put to death (*ca.* 250 B.C.).

Or c'est du système moral formé par ce double rapport à soi-même et à ses semblables que naît l'impulsion de la conscience. Connaître le bien, ce n'est pas l'aimer: l'homme n'en a pas la connaissance innée; mais sitôt que sa raison le lui fait connaître, sa conscience le porte à l'aimer; c'est ce sentiment qui est inné.

Je ne crois donc pas, mon ami, qu'il soit impossible d'expliquer par des conséquences de notre nature le principe immédiat de la conscience, indépendant de la raison même. Et quand cela serait impossible, encore ne serait-il pas nécessaire: car, puisque ceux qui nient ce principe admis et reconnu par tout le genre humain ne prouvent point qu'il n'existe pas, mais se contentent de l'affirmer, quand nous affirmons qu'il existe, nous sommes tout aussi bien fondés qu'eux, et nous avons de plus le témoignage intérieur, et la voix de la conscience qui dépose pour elle-même. Si les premières lueurs du jugement nous éblouissent et confondent d'abord les objets à nos regards, attendons que nos faibles yeux se rouvrent, se raffermissent; et bientôt nous reverrons ces mêmes objets aux lumières de la raison, tels que nous les montrait d'abord la nature: ou plutôt soyons plus simples et moins vains; bornons-nous aux premiers sentiments que nous trouvons en nous-mêmes, puisque c'est toujours à eux que l'étude nous ramène quand elle ne nous a point égarés.

Conscience! conscience! instinct divin, immortelle et céleste voix; guide assuré d'un être ignorant et borné, mais intelligent et libre; juge infaillible du bien et du mal, qui rends l'homme semblable à Dieu! c'est toi qui fais l'excellence de sa nature et la moralité de ses actions; sans toi je ne sens rien en moi qui m'élève au-dessus des bêtes que le triste privilège de m'égarer d'erreurs en erreurs à l'aide d'un entendement sans règle et d'une raison sans principe.

LE CONTRAT SOCIAL

L'homme est né libre, et partout il est dans les fers. Tel se croit le maître des autres, qui ne laisse pas d'être plus esclave qu'eux. Comment ce changement s'est-il fait? je l'ignore. Qu'est-ce qui peut le rendre légitime? Je crois pouvoir résoudre cette question.

Si je ne considérais que la force, et l'effet qui en dérive, je dirais:

"Tant qu'un peuple est contraint d'obéir, et qu'il obéit, il fait bien; sitôt qu'il peut secouer le joug, et qu'il le secoue, il fait encore mieux: car, recouvrant sa liberté par le même droit [8] qui la lui a ravie, ou il est fondé à la reprendre, ou on ne l'était point à la lui ôter." Mais l'ordre social est un droit sacré qui sert de base à tous les autres. Cependant ce droit ne vient point de la nature; il est donc fondé sur des conventions. Il s'agit de savoir quelles sont ces conventions. Avant d'en venir là, je dois établir ce que je viens d'avancer.

(*Contrat Social*, I, 1.)

DU DROIT DU PLUS FORT

Le plus fort n'est jamais assez fort pour être toujours le maître, s'il ne transforme sa force en droit, et l'obéissance en devoir. De là le droit du plus fort: droit pris ironiquement en apparence, et réellement établi en principe. Mais ne nous expliquera-t-on jamais ce mot? La force est une puissance physique; je ne vois point quelle moralité peut résulter de ses effets. Céder à la force est un acte de nécessité, non de volonté; c'est tout au plus un acte de prudence. En quel sens pourra-ce être un devoir?

Supposons un moment ce prétendu droit. Je dis qu'il n'en résulte qu'un galimatias inexplicable. Car, sitôt que c'est la force qui fait le droit, l'effet change avec la cause: toute force qui surmonte la première succède à son droit. Sitôt qu'on peut désobéir impunément, on le peut légitimement; et puisque le plus fort a toujours raison, il ne s'agit que de faire en sorte qu'on soit le plus fort. Or, qu'est-ce qu'un droit qui périt, quand la force cesse? S'il faut obéir par force, on n'a pas besoin d'obéir par devoir; et si l'on n'est plus forcé d'obéir, on n'y est plus obligé. On voit donc que ce mot de *droit* n'ajoute rien à la force; il ne signifie ici rien du tout.

Obéissez aux puissances. Si cela veut dire: Cédez à la force, le précepte est bon, mais superflu; je réponds qu'il ne sera jamais violé. Toute puissance vient de Dieu, je l'avoue; mais toute maladie en vient aussi: est-ce à dire qu'il soit défendu d'appeler le médecin? Qu'un brigand me surprenne au coin d'un bois, non

[8] i.e., the right of the strongest.

seulement il faut par force donner la bourse; mais, quand je pourrais la soustraire, suis-je en conscience obligé de la donner? car enfin le pistolet qu'il tient est aussi une puissance.

Convenons donc que la force ne fait pas droit, et qu'on n'est obligé d'obéir qu'aux puissances légitimes. Ainsi ma question primitive revient toujours.

(*Contrat Social*, I, 3.)

DU PACTE SOCIAL

Je suppose les hommes parvenus à ce point où les obstacles qui nuisent à leur conservation dans l'état de nature l'emportent, par leur résistance, sur les forces que chaque individu peut employer pour se maintenir dans cet état. Alors cet état primitif ne peut plus subsister; et le genre humain périrait s'il ne changeait de manière d'être.

Or, comme les hommes ne peuvent engendrer de nouvelles forces, mais seulement unir et diriger celles qui existent, ils n'ont plus d'autre moyen pour se conserver que de former par agrégation une somme de forces qui puisse l'emporter sur la résistance, de les mettre en jeu par un seul mobile, et de les faire agir de concert.

Cette somme de forces ne peut naître que du concours de plusieurs; mais la force et la liberté de chaque homme étant les premiers instruments de sa conservation, comment les engagera-t-il sans se nuire, et sans négliger les soins qu'il se doit? Cette difficulté, ramenée à mon sujet, peut s'énoncer en ces termes:

Trouver une forme d'association qui défende et protège de toute la force commune la personne et les biens de chaque associé, et par laquelle chacun, s'unissant à tous, n'obéisse pourtant qu'à lui-même, et reste aussi libre qu'auparavant! Tel est le problème fondamental dont le Contrat social donne la solution.

Les clauses de ce contrat sont tellement déterminées par la nature de l'acte, que la moindre modification les rendrait vaines et de nul effet; en sorte que, bien qu'elles n'aient peut-être jamais été formellement énoncées, elles sont partout les mêmes, partout tacitement admises et reconnues, jusqu'à ce que, le pacte social étant violé, chacun rentre alors dans ses premiers droits et reprenne sa liberté naturelle, en perdant la liberté conventionnelle pour laquelle il y renonça.

Ces clauses, bien entendues, se réduisent toutes à une seule: savoir, l'aliénation totale de chaque associé avec tous ses droits à toute la communauté; car, premièrement, chacun se donnant tout entier, la condition est égale pour tous; et la condition étant égale pour tous, nul n'a intérêt de la rendre onéreuse aux autres.

De plus, l'aliénation se faisant sans réserve, l'union est aussi parfaite qu'elle peut l'être, et nul associé n'a plus rien à réclamer; car, s'il restait quelques droits aux particuliers, comme il n'y aurait aucun supérieur commun qui pût prononcer entre eux et le public, chacun, étant en quelque point son propre juge, prétendrait bientôt l'être en tous; l'état de nature subsisterait, et l'association deviendrait nécessairement tyrannique ou vaine.

Enfin, chacun, se donnant à tous, ne se donne à personne; et comme il n'y a pas un associé sur lequel on n'acquière le même droit qu'on lui cède sur soi, on gagne l'équivalent de tout ce qu'on perd, et plus de force pour conserver ce qu'on a.

Si donc on écarte du pacte social ce qui n'est pas de son essence, on trouvera qu'il se réduit aux termes suivants: "Chacun de nous met en commun sa personne et toute sa puissance sous la suprême direction de la volonté générale; et nous recevons en corps chaque membre comme partie indivisible du tout."

A l'instant, au lieu de la personne particulière de chaque contractant, cet acte d'association produit un Corps moral et collectif, composé d'autant de membres que l'assemblée a de voix, lequel reçoit de ce même acte son unité, son *moi* commun, sa vie, et sa volonté. Cette personne publique, qui se forme ainsi par l'union de tous les autres, prenait autrefois le nom de *cité*,[9] et prend maintenant celui de *république* ou de *corps politique*, lequel est appelé par ses membres *état* quand il est passif, *souverain* quand il est actif, *puissance* en le comparant à ses semblables. A l'égard des associés, ils prennent collectivement le nom de *peuple*, et s'appellent en particulier *citoyens*, comme participant à l'autorité souveraine, et *sujets*, comme soumis aux lois de l'état.

[9] "Le vrai sens de ce mot s'est presque entièrement effacé chez les modernes: la plupart prennent une ville pour une Cité, et un bourgeois pour un citoyen. Ils ne savent pas que les maisons font la ville, mais que les citoyens font la Cité." (Note by Rousseau.)

Mais ces termes se confondent souvent et se prennent l'un pour l'autre: il suffit de les savoir distinguer quand ils sont employés dans toute leur précision.

(*Contrat Social*, I, 6.)

DES SUFFRAGES

Plus le concert règne dans les assemblées, c'est-à-dire plus les avis approchent de l'unanimité, plus aussi la volonté générale est dominante; mais les longs débats, les dissensions, le tumulte, annoncent l'ascendant des intérêts particuliers et le déclin de l'état.

Ceci paraît moins évident, quand deux ou plusieurs ordres entrent dans sa constitution, comme à Rome les patriciens et les plébéiens, dont les querelles troublèrent souvent les comices, même dans les plus beaux temps de la république, mais cette exception est plus apparente que réelle; car alors par le vice inhérent au corps politique, on a pour ainsi dire deux états en un: ce qui n'est pas vrai des deux ensemble est vrai de chacun séparément. Et en effet, dans les temps même les plus orageux, les plébiscites du peuple, quand le sénat ne s'en mêlait pas, passaient toujours tranquillement et à la grande pluralité des suffrages: les citoyens n'ayant qu'un intérêt, le peuple n'avait qu'une volonté.

A l'autre extrémité du cercle, l'unanimité revient: c'est quand les citoyens, tombés dans la servitude, n'ont plus ni liberté ni volonté. Alors la crainte et la flatterie changent en acclamations les suffrages: on ne délibère plus; on adore, ou l'on maudit. Telle était la vile manière d'opiner du sénat sous les empereurs. Quelquefois cela se faisait avec des précautions ridicules. Tacite observe [10] que, sous Othon, les sénateurs, accablant Vitellius d'exécrations, affectaient de faire en même temps un bruit épouvantable, afin que, si par hasard il devenait le maître, il ne pût savoir ce que chacun d'eux avait dit.

De ces diverses considérations naissent les maximes, sur lesquelles on doit régler la manière de compter les voix et de comparer les avis, selon que la volonté générale est plus ou moins facile à connaître, et l'état plus ou moins déclinant.

[10] *Hist.*, I, 85.

Il n'y a qu'une seule loi qui, par sa nature, exige un consentement unanime: c'est le pacte social; car l'association civile est l'acte du monde le plus volontaire; tout homme étant né libre et maître de lui-même, nul ne peut, sous quelque prétexte que ce puisse être, l'assujettir sans son aveu. Décider que le fils d'une esclave naît esclave, c'est décider qu'il ne naît pas homme.

Si donc, lors du pacte social, il s'y trouve des opposants, leur opposition n'invalide pas le contrat, elle empêche seulement qu'ils n'y soient compris: ce sont des étrangers parmi les citoyens. Quand l'état est institué, le consentement est dans la résidence; habiter le territoire, c'est se soumettre à la souveraineté.[11]

Hors ce contrat primitif, la voix du plus grand nombre oblige toujours tous les autres; c'est une suite du contrat même. Mais on demande comment un homme peut être libre, et forcé de se conformer à des volontés qui ne sont pas les siennes. Comment les opposants sont-ils libres, et soumis à des lois auxquelles ils n'ont pas consenti?

Je réponds que la question est mal posée. Le citoyen consent à toutes les lois, même à celles qu'on passe malgré lui, et même à celles qui le punissent quand il ose en violer quelqu'une. La volonté constante de tous les membres de l'état est la volonté générale; c'est par elle qu'ils sont citoyens et libres.[12] Quand on propose une loi dans l'assemblée du peuple, ce qu'on leur demande n'est pas précisément s'ils approuvent la proposition ou s'ils la rejettent, mais si elle est conforme ou non à la volonté générale, qui est la leur. Chacun en donnant son suffrage dit son avis là-dessus; et du calcul des voix se tire la déclaration de la volonté générale. Quand donc l'avis contraire au mien l'emporte, cela ne prouve autre chose sinon que je m'étais trompé, et que ce que j'estimais être la volonté générale ne l'était pas. Si mon avis

[11] "Ceci doit toujours s'entendre d'un état libre. Car d'ailleurs la famille, les biens, le défaut d'asile, la nécessité, la violence, peuvent retenir un habitant dans le pays malgré lui; et alors son séjour seul ne suppose plus son consentement au Contrat, ou à la violation du Contrat." (Note by Rousseau.)

[12] "A Gênes, on lit au-devant des prisons et sur les fers des galériens ce mot: *Libertas*. Cette application de la devise est belle et juste. En effet il n'y a que les malfaiteurs de tous états qui empêchent le citoyen d'être libre. Dans un pays où tous ces gens-là seraient aux galères, on jouirait de la plus parfaite liberté." (Note by Rousseau.)

particulier l'eût emporté, j'aurais fait autre chose que ce que j'avais voulu; c'est alors que je n'aurais pas été libre.

Ceci suppose, il est vrai, que tous les caractères de la volonté générale sont encore dans la pluralité. Quand ils cessent d'y être, quelque parti qu'on prenne, il n'y a plus de liberté.

En montrant ci-devant [13] comment on substituait des volontés particulières à la volonté générale dans les délibérations publiques, j'ai suffisamment indiqué les moyens praticables de prévenir cet abus: j'en parlerai encore ci-après. A l'égard du nombre proportionnel des suffrages pour déclarer cette volonté, j'ai aussi donné les principes sur lesquels on peut le déterminer. La différence d'une seule voix rompt l'égalité; un seul opposant rompt l'unanimité. Mais, entre l'unanimité et l'égalité, il y a plusieurs partages inégaux, à chacun desquels on peut fixer ce nombre selon l'état et les besoins du corps politique.

Deux maximes générales peuvent servir à régler ces rapports: l'une, que, plus les délibérations sont importantes et graves, plus l'avis qui l'emporte doit approcher de l'unanimité; l'autre, que, plus l'affaire agitée exige de célérité, plus on doit resserrer la différence prescrite dans le partage des avis; dans les délibérations qu'il faut terminer sur-le-champ, l'excédant d'une seule voix doit suffire. La première de ces maximes paraît plus convenable aux lois, et la seconde aux affaires. Quoi qu'il en soit, c'est sur leur combinaison que s'établissent les meilleurs rapports qu'on peut donner à la pluralité pour prononcer.

(*Contrat Social*, IV, 2.)

LA VENDANGE DE CLARENS [14]

Le travail de la campagne est agréable à considérer, et n'a rien d'assez pénible en lui-même pour émouvoir à compassion. L'ob-

[13] See *Contrat Social*, II, 3; III, 18; IV, 1. He treats of elections and of the manner of voting in IV, 3 and 4.

[14] From *Julie ou la Nouvelle Héloïse, ou Lettres de deux amants habitants d'une petite ville au pied des Alpes, recueillies et publiées par J.-J. Rousseau.* The two lovers, Julie d'Étanges and Saint-Preux, are not allowed to marry because of the difference of their social standing, but remain friends after her marriage to the Baron de Wolmar. Claire (Mme d'Orbe) is Julie's cousin. The vintage described in this selection is on the estate at Clarens. This letter is addressed by Saint-Preux to an English friend of his, Milord Édouard.

jet de l'utilité publique et privée le rend intéressant: et puis, c'est la première vocation de l'homme; il rappelle à l'esprit une idée agréable, et au cœur tous les charmes de l'âge d'or. L'imagination ne reste point froide à l'aspect du labourage et des moissons. La simplicité de la vie pastorale et champêtre a toujours quelque chose qui touche. Qu'on regarde les prés couverts de gens qui fanent et chantent, et des troupeaux épars dans l'éloignement; insensiblement on se sent attendrir sans savoir pourquoi. Ainsi quelquefois encore la voix de la nature amollit nos cœurs farouches; et quoiqu'on l'entende avec un regret inutile, elle est si douce qu'on ne l'entend jamais sans plaisir.

J'avoue que la misère qui couvre les champs en certains pays où le publicain dévore les fruits de la terre; l'âpre avidité d'un fermier [15] avare, l'inflexible rigueur d'un maître inhumain, ôtent beaucoup d'attrait à ces tableaux. Des chevaux étiques près d'expirer sous les coups, de malheureux paysans exténués de jeûnes, excédés de fatigue, et couverts de haillons, des hameaux de masures, offrent un triste spectacle à la vue: on a presque regret d'être homme quand on songe aux malheureux dont il faut manger le sang. Mais quel charme de voir de bons et sages régisseurs faire de la culture de leurs terres l'instrument de leurs bienfaits, leurs amusements, leurs plaisirs; verser à pleines mains les dons de la Providence, engraisser tout ce qui les entoure, hommes et bestiaux, des biens dont regorgent leurs granges, leurs caves, leurs greniers, accumuler l'abondance et la joie autour d'eux, et faire du travail qui les enrichit une fête continuelle! Comment se dérober à la douce illusion que ces objets font naître? On oublie son siècle et ses contemporains, on se transporte au temps des patriarches; on veut mettre soi-même la main à l'œuvre, partager les travaux rustiques et le bonheur qu'on y voit attaché. O temps de l'amour et de l'innocence, où les femmes étaient tendres et modestes, où les hommes étaient simples et vivaient contents! O Rachel! fille charmante et si constamment aimée, heureux celui qui, pour t'obtenir, ne regretta pas quatorze ans d'esclavage! O douce élève de Noémi! heureux le bon vieillard dont tu réchauffais les pieds et le cœur! [16] Non, jamais la

[15] i.e., farmer of the taxes.

[16] An allusion to the story of Jacob and Rachel, and to that of Ruth, daughter-in-law of Naomi.

beauté ne règne avec plus d'empire qu'au milieu des soins champêtres. C'est là que les grâces sont sur leur trône, que la simplicité les pare, que la gaieté les anime, et qu'il faut les adorer malgré soi. Pardon, milord, je reviens à nous.

Depuis un mois les chaleurs de l'automne apprêtaient d'heureuses vendanges; les premières gelées en ont amené l'ouverture; le pampre grillé, laissant la grappe à découvert, étale aux yeux les dons du père Lyée,[17] et semble inviter les mortels à s'en emparer. Toutes les vignes chargées de ce fruit bienfaisant que le ciel offre aux infortunés pour leur faire oublier leur misère; le bruit des tonneaux, des cuves, des légrefass [18] qu'on relie de toutes parts, le chant des vendangeuses dont ces coteaux retentissent; la marche continuelle de ceux qui portent la vendange au pressoir, le rauque son des instruments rustiques qui les animent au travail, l'aimable et touchant tableau d'une allégresse générale qui semble en ce moment étendue sur la face de la terre; enfin le voile de brouillard que le soleil élève au matin comme une toile de théâtre pour découvrir à l'œil un si charmant spectacle: tout conspire à lui donner un air de fête, et cette fête n'en devient que plus belle à la réflexion, quand on songe qu'elle est la seule où les hommes aient su joindre l'agréable à l'utile.

M. de Wolmar, dont ici le meilleur terrain consiste en vignobles, a fait d'avance tous les préparatifs nécessaires. Les cuves, le pressoir, le cellier, les futailles, n'attendaient que la douce liqueur pour laquelle ils sont destinés. Madame de Wolmar s'est chargée de la récolte; le choix des ouvriers, l'ordre et la distribution du travail la regardent. Madame d'Orbe préside aux festins de vendange et au salaire des journaliers selon la police établie, dont les lois ne s'enfreignent jamais ici. Mon inspection à moi est de faire observer au pressoir les directions de Julie, dont la tête ne supporte pas la vapeur des cuves, et Claire n'a pas manqué d'applaudir à cet emploi, comme étant tout à fait du ressort d'un buveur.

Les tâches ainsi partagées, le métier commun pour remplir les vides est celui de vendangeur. Tout le monde est sur pied de grand matin: on se rassemble pour aller à la vigne. Madame

[17] Lyæus pater, a surname of Bacchus.

[18] "Sorte de foudre ou de grand tonneau du pays." (Note by Rousseau.)

d'Orbe, qui n'est jamais assez occupée au gré de son activité, se charge, pour surcroît, de faire avertir et tancer les paresseux, et je puis me vanter qu'elle s'acquitte envers moi de ce soin avec une maligne vigilance. Quant au vieux baron, tandis que nous travaillons tous, il se promène avec un fusil, et vient de temps en temps m'ôter aux vendangeuses pour aller avec lui tirer des grives, à quoi l'on ne manque pas de dire que je l'ai secrètement engagé, si bien que j'en perds peu à peu le nom de philosophe pour gagner celui de fainéant, qui dans le fond n'en diffère pas beaucoup. . . .

Depuis huit jours que cet agréable travail nous occupe, on est à peine à la moitié de l'ouvrage. Outre les vins destinés pour la vente et pour les provisions ordinaires, lesquels n'ont d'autre façon que d'être recueillis avec soin, la bienfaisante fée en prépare d'autres plus fins pour nos buveurs; et j'aide aux opérations magiques dont je vous ai parlé, pour en tirer d'un même vignoble des vins de tous les pays. Pour l'un, elle fait tordre la grappe quand elle est mûre et la laisse flétrir au soleil sur la souche; pour l'autre, elle fait égrapper le raisin et trier les grains avant de les jeter dans la cuve; pour un autre, elle fait cueillir avant le lever du soleil du raisin rouge, et le porter doucement sur le pressoir couvert encore de sa fleur et de sa rosée, pour en exprimer du vin blanc. Elle prépare un vin de liqueur en mêlant dans les tonneaux du moût réduit en sirop sur le feu, un vin sec, en l'empêchant de cuver; un vin d'absinthe pour l'estomac; un vin muscat avec des simples. Tous ces vins différents ont leur apprêt particulier; toutes ces préparations sont saines et naturelles: c'est ainsi qu'une économe industrie supplée à la diversité des terrains, et rassemble vingt climats en un seul.

Vous ne sauriez concevoir avec quel zèle, avec quel gaieté tout cela se fait. On chante, on rit toute la journée, et le travail n'en va que mieux. Tout vit dans la plus grande familiarité; tout le monde est égal, et personne ne s'oublie. Les dames sont sans airs, les paysannes sont décentes, les hommes badins et non grossiers. C'est à qui trouvera les meilleures chansons, à qui fera les meilleurs contes, à qui dira les meilleurs traits. L'union même engendre les folâtres querelles; et l'on ne s'agace mutuellement que pour montrer combien on est sûr les uns des autres. On ne revient point ensuite faire chez soi les messieurs; on passe aux vignes toute la journée: Julie y fait faire une loge où l'on va se chauffer quand on a froid, et dans laquelle on se réfugie en cas de pluie. On dîne avec les paysans et à leur heure, aussi bien qu'on travaille avec eux. On mange avec appétit leur soupe un peu grossière, mais bonne, saine, et chargée d'excellents légumes. On ne ricane point orgueilleusement de leur air gauche et de leurs compliments rustauds; pour les mettre à leur aise, on s'y prête sans affectation. Ces complaisances ne leur échappent pas, ils y sont sensibles; et voyant qu'on veut bien sortir pour eux de sa place, ils s'en tiennent d'autant plus volontiers dans la leur. A dîner, on amène les enfants, et ils passent le reste de la journée à la vigne. Avec quelle joie ces bons villageois les voient arriver! O bienheureux enfants! disent-ils en les pressant dans leurs bras robustes, que le bon Dieu prolonge vos jours aux dépens des nôtres! ressemblez à vos pères et mères, et soyez comme eux la bénédiction du pays! Souvent, en songeant que la plupart de ces hommes ont porté les armes et savent manier l'épée et le mousquet aussi bien que la serpette et la houe, en voyant Julie au milieu d'eux si charmante et si respectée, recevoir, elle et ses enfants, leurs touchantes acclamations, je me rappelle l'illustre et vertueuse Agrippine montrant son fils aux troupes de Germanicus. Julie! femme incomparable! vous exercez dans la simplicité de la vie privée le despotique empire de la sagesse et des bienfaits: vous êtes pour tout le pays un dépôt cher et sacré que chacun voudrait défendre et conserver au prix de son sang; vous vivez plus sûrement, plus honorablement au milieu d'un peuple entier qui vous aime, que les rois entourés de tous leurs soldats.

Le soir on revient gaiement tous ensemble. On nourrit et loge les ouvriers tout le temps de la vendange: et même le dimanche, après le prêche du soir, on se rassemble avec eux et l'on danse jusqu'au souper. Les autres jours on ne se sépare point non plus en rentrant au logis, hors le baron, qui ne soupe jamais et se couche de fort bonne heure, et Julie, qui monte avec ses enfants chez lui jusqu'à ce qu'il s'aille coucher. A cela près, depuis le moment qu'on prend le métier de vendangeur jusqu'à celui qu'on le quitte, on ne mêle plus la vie citadine à la vie rustique. Ces saturnales sont bien plus agréables et plus sages que celles des

Romains. Le renversement qu'ils affectaient était trop vain pour instruire le maître ni l'esclave: mais la douce égalité qui règne ici rétablit l'ordre de la nature, forme une instruction pour les uns, une consolation pour les autres, et un lien d'amitié pour tous.

Le lieu d'assemblée est une salle à l'antique avec une grande cheminée où l'on fait bon feu. La pièce est éclairée de trois lampes, auxquelles M. de Wolmar a seulement fait ajouter des capuchons de fer-blanc pour intercepter la fumée et réfléchir la lumière. Pour prévenir l'envie et les regrets, on tâche de ne rien étaler aux yeux de ces bonnes gens qu'ils ne puissent retrouver chez eux, de ne leur montrer d'autre opulence que le choix du bon dans les choses communes, et un peu plus de largesse dans la distribution. Le souper est servi sur deux longues tables. Le luxe et l'appareil des festins n'y sont pas, mais l'abondance et la joie y sont. Tout le monde se met à table, maîtres, journaliers, domestiques; chacun se lève indifféremment pour servir, sans exclusion, sans préférence, et le service se fait toujours avec grâce et avec plaisir. On boit à discrétion; la liberté n'a point d'autres bornes que l'honnêteté. La présence de maîtres si respectés contient tout le monde, et n'empêche pas qu'on ne soit à son aise et gai. Que s'il arrive à quelqu'un de s'oublier, on ne trouble point la fête par des réprimandes, mais il est congédié sans rémission dès le lendemain.

Je me prévaux aussi des plaisirs du pays et de la saison. Je reprends la liberté de vivre à la valaisanne,[19] et de boire assez souvent du vin pur; mais je n'en bois point qui n'ait été versé de la main d'une des deux cousines. Elles se chargent de mesurer ma soif à mes forces, et de ménager ma raison. Qui sait mieux qu'elles comment il la faut gouverner et l'art de me l'ôter et de me la rendre? Si le travail de la journée, la durée et la gaieté du repas donnent plus de force au vin versé de ces mains chéries, je laisse exhaler mes transports sans contrainte; ils n'ont plus rien que je doive taire, rien que gêne la présence du sage Wolmar. Je ne crains point que son œil éclairé lise au fond de mon cœur; et quand un tendre souvenir y veut renaître, un regard de Claire lui donne le change, un regard de Julie m'en fait rougir.

[19] i.e., life in the Valais.

Après le souper on veille encore une heure ou deux en teillant du chanvre: chacun dit sa chanson tour à tour. Quelquefois les vendangeuses chantent en chœur toutes ensemble, ou bien alternativement à voix seule et en refrain. La plupart de ces chansons sont de vieilles romances dont les airs ne sont pas piquants, mais ils ont je ne sais quoi d'antique et de doux qui touche à la longue. Les paroles sont simples, naïves, souvent tristes; elles plaisent pourtant. Nous ne pouvons nous empêcher, Claire de sourire, Julie de rougir, moi de soupirer, quand nous retrouvons dans ces chansons des tours et des expressions dont nous nous sommes servis autrefois. Alors, en jetant les yeux sur elles et me rappelant les temps éloignés, un tressaillement me prend, un poids insupportable me tombe tout à coup sur le cœur, et me laisse une impression funeste qui ne s'efface qu'avec peine. Cependant je trouve à ces veillées une sorte de charme que je ne puis vous expliquer, et qui m'est pourtant fort sensible. Cette réunion des différents états, la simplicité de cette occupation, l'idée de délassement, d'accord, de tranquillité, le sentiment de paix qu'elle porte à l'âme, a quelque chose d'attendrissant qui dispose à trouver ces chansons plus intéressantes. Ce concert des voix de femmes n'est pas non plus sans douceur. Pour moi, je suis convaincu que de toutes les harmonies il n'y en a point d'aussi agréable que le chant à l'unisson, et que s'il nous faut des accords, c'est parce que nous avons le goût dépravé. En effet, toute l'harmonie ne se trouve-t-elle pas dans un son quelconque? et qu'y pouvons-nous ajouter sans altérer les proportions que la nature a établies dans la force relative des sons harmonieux? En doublant les uns et non pas les autres, en ne les renforçant pas en même rapport, n'ôtons-nous pas à l'instant ces proportions? La nature a tout fait le mieux qu'il était possible; mais nous voulons mieux faire encore, et nous gâtons tout.

Il y a une grande émulation pour ce travail du soir aussi bien que pour celui de la journée; et la filouterie que j'y voulais employer m'attira hier un petit affront. Comme je ne suis pas des plus adroits à teiller, et que j'ai souvent des distractions, ennuyé d'être toujours noté pour avoir fait le moins d'ouvrage, je tirais doucement avec le pied des chènevottes de mes voisins pour grossir mon tas: mais cette impitoyable madame d'Orbe s'en étant aperçue, fit signe à Julie, qui, m'ayant pris sur le fait, me tança sévèrement. Monsieur le fripon, me dit-elle tout haut, point d'injustice, même en plaisantant; c'est ainsi qu'on s'accoutume à devenir méchant tout de bon, et qui pis est, à plaisanter encore.

Voilà comment se passe la soirée. Quand l'heure de la retraite approche, madame de Wolmar dit: Allons tirer le feu d'artifice. A l'instant chacun prend son paquet de chènevottes, signe honorable de son travail; on le porte en triomphe au milieu de la cour, On les rassemble en un tas, on en fait un trophée; on y met le feu: mais n'a pas cet honneur qui veut: Julie l'adjuge en présentant le flambeau à celui ou celle qui a fait ce soir-là le plus d'ouvrage; fût-ce elle-même, elle se l'attribue sans façon. L'auguste cérémonie est accompagnée d'acclamations et de battements de mains. Les chènevottes font un feu clair et brillant qui s'élève jusqu'aux nues, un vrai feu de joie, autour duquel on saute, on rit. Ensuite on offre à boire à toute l'assemblée: chacun boit à la santé du vainqueur, et va se coucher content d'une journée passée dans le travail, la gaieté, l'innocence, et qu'on ne serait pas fâché de recommencer le lendemain, le surlendemain, et toute sa vie.

(*La Nouvelle Héloïse*, V, 7.)

LES CONFESSIONS

Je forme une entreprise qui n'eut jamais d'exemple, et dont l'exécution n'aura point d'imitateur. Je veux montrer à mes semblables un homme dans toute la vérité de la nature, et cet homme, ce sera moi.

Moi seul. Je sens mon cœur, et je connais les hommes. Je ne suis fait comme aucun de ceux que j'ai vus; j'ose croire n'être fait comme aucun de ceux qui existent. Si je ne vaux pas mieux, au moins je suis autre. Si la nature a bien ou mal fait de briser le moule dans lequel elle m'a jeté, c'est ce dont on ne peut juger qu'après m'avoir lu.

Que la trompette du jugement dernier sonne quand elle voudra, je viendrai, ce livre à la main, me présenter devant le souverain juge. Je dirai hautement: "Voilà ce que j'ai fait, ce que j'ai pensé, ce que je fus. J'ai dit le bien et le mal avec la même franchise.

Je n'ai rien tu de mauvais, rien ajouté de bon; et s'il m'est arrivé d'employer quelque ornement indifférent, ce n'a jamais été que pour remplir un vide occasionné par mon défaut de mémoire. J'ai pu supposer vrai ce que je savais avoir pu l'être, jamais ce que je savais être faux. Je me suis montré tel que je fus; méprisable et vil quand je l'ai été; bon, généreux, sublime, quand je l'ai été: j'ai dévoilé mon intérieur tel que tu l'as vu toi-même, Être éternel. Rassemble autour de moi l'innombrable foule de mes semblables; qu'ils écoutent mes confessions, qu'ils gémissent de mes indignités, qu'ils rougissent de mes misères. Que chacun d'eux découvre à son tour son cœur aux pieds de ton trône avec la même sincérité; et puis qu'un seul te dise, s'il l'ose: *Je fus meilleur que cet homme-là.*"

(*Confessions*, I, 1.)

CARACTÈRE DE ROUSSEAU

Deux choses presque inalliables s'unissent en moi sans que j'en puisse concevoir la manière: un tempérament très ardent, des passions vives, impétueuses, et des idées lentes à naître, embarrassées et qui ne se présentent jamais qu'après coup. On dirait que mon cœur et mon esprit n'appartiennent pas au même individu. Le sentiment, plus prompt que l'éclair, vient remplir mon âme; mais au lieu de m'éclairer, il me brûle et m'éblouit. Je sens tout et ne vois rien. Je suis emporté, mais stupide; il faut que je sois de sang-froid pour penser. Ce qu'il y a d'étonnant est que j'ai cependant le tact assez sûr, de la pénétration, de la finesse même, pourvu qu'on m'attende: je fais d'excellents impromptus à loisir, mais sur le temps je n'ai jamais rien fait ni dit qui vaille. Je ferais une fort jolie conversation par la poste, comme on dit que les Espagnols jouent aux échecs. Quand je lus le trait d'un duc de Savoie qui se retourna, faisant route, pour crier: "A votre gorge, marchand de Paris" [20] je dis: Me voilà.

[20] The *Intermédiaire des chercheurs et des curieux* (1865, col. 725) quotes from *Les Illustres proverbes* a story of the Duc de Savoie. While at Paris treating of an important affair with Henry IV he chanced in at a shop where some article or other struck his fancy. After asking the price of it he made such a small offer for it that the merchant, not suspecting who the customer was, put away the article, grumbling: "Oui-dà, de la. . ." Momentarily dis-

Cette lenteur de penser jointe à cette vivacité de sentir, je ne l'ai pas seulement dans la conversation, je l'ai même seul et quand je travaille. Mes idées s'arrangent dans ma tête avec la plus incroyable difficulté: elles y circulent sourdement, elles y fermentent jusqu'à m'émouvoir, m'échauffer, me donner des palpitations; et, au milieu de toute cette émotion, je ne vois rien nettement, je ne saurais écrire un seul mot, il faut que j'attende. Insensiblement ce grand mouvement s'apaise, ce chaos se débrouille, chaque chose vient se mettre à sa place, mais lentement, et après une longue et confuse agitation. N'avez-vous point vu quelquefois l'opéra en Italie? Dans les changements de scène il règne sur ces grands théâtres un désordre désagréable et qui dure assez longtemps; toutes les décorations sont entremêlées; on voit de toutes parts un tiraillement qui fait peine, on croit que tout va renverser: cependant peu à peu tout s'arrange, rien ne manque, et l'on est tout surpris de voir succéder à ce long tumulte un spectacle ravissant. Cette manœuvre est à peu près celle qui se fait dans mon cerveau quand je veux écrire. Si j'avais su premièrement attendre, et puis rendre dans leur beauté les choses qui s'y sont ainsi peintes, peu d'auteurs m'auraient surpassé.

De là vient l'extrême difficulté que je trouve à écrire. Mes manuscrits, raturés, barbouillés, mêlés, indéchiffrables, attestent la peine qu'ils m'ont coûté. Il n'y en a pas un qu'il ne m'ait fallu transcrire quatre ou cinq fois avant de le donner à la presse. Je n'ai jamais pu rien faire la plume à la main vis-à-vis d'une table et de mon papier; c'est à la promenade, au milieu des rochers et des bois, c'est la nuit dans mon lit et durant mes insomnies, que j'écris dans mon cerveau: l'on peut juger avec quelle lenteur, surtout pour un homme absolument dépourvu de mémoire verbale, et qui de la vie n'a pu retenir six vers par cœur. Il y a telle de mes périodes que j'ai tournée et retournée cinq ou six nuits dans ma tête avant qu'elle fût en état d'être mise sur le papier. De là vient encore que je réussis mieux aux ouvrages qui demandent du travail qu'à ceux qui veulent être faits avec une certaine légèreté, comme les lettres, genre dont je

tracted the duke walked out. Some time later when approaching Savoy, on his return, he was going over some of his experiences at Paris. His treatment by the merchant came back to him, and he cried out: "A votre gorge, marchand de Paris." He told the story to those with him and laughed with them.

n'ai jamais pu prendre le ton, et dont l'occupation me met au supplice. Je n'écris point de lettres sur les moindres sujets qui ne me coûtent des heures de fatigue, ou, si je veux écrire de suite ce qui me vient, je ne sais ni commencer ni finir; ma lettre est un long et confus verbiage; à peine m'entend-on quand on la lit.

Non seulement les idées me coûtent à rendre, elles me coûtent même à recevoir. J'ai étudié les hommes, et je me crois assez bon observateur: cependant je ne sais rien voir de ce que je vois; je ne vois bien que ce que je me rappelle, et je n'ai de l'esprit que dans mes souvenirs. De tout ce qu'on dit, de tout ce qu'on fait, de tout ce qui se passe en ma présence, je ne sais rien, je ne pénètre rien. Le signe extérieur est tout ce qui me frappe. Mais ensuite tout cela me revient: je me rappelle le lieu, le temps, le ton, le regard, le geste, la circonstance; rien ne m'échappe. Alors, sur ce qu'on a fait ou dit, je trouve ce qu'on a pensé; et il est rare que je me trompe.

Si peu maître de mon esprit seul avec moi-même, qu'on juge de ce que je dois être dans la conversation, où, pour parler à propos, il faut penser à la fois et sur-le-champ à mille choses. La seule idée de tant de convenances, dont je suis sûr d'oublier au moins quelqu'une, suffit pour m'intimider. Je ne comprends pas même comment on ose parler dans un cercle; car à chaque mot il faudrait passer en revue tous les gens qui sont là; il faudrait connaître tous leurs caractères, savoir leurs histoires, pour être sûr de ne rien dire qui puisse offenser quelqu'un. Là-dessus, ceux qui vivent dans le monde ont un grand avantage: sachant mieux ce qu'il faut taire, ils sont sûrs de ce qu'ils disent; encore leur échappe-t-il souvent des balourdises. Qu'on juge de celui qui tombe là des nues: il lui est presque impossible de parler une minute impunément. Dans le tête-à-tête, il y a un autre inconvénient que je trouve pire, la nécessité de parler toujours: quand on vous parle il faut répondre, et si l'on ne dit mot il faut relever la conversation. Cette insupportable contrainte m'eût seule dégoûté de la société. Je ne trouve point de gêne plus terrible que l'obligation de parler sur-le-champ et toujours. Je ne sais si ceci tient à ma mortelle aversion pour tout assujettissement; mais c'est assez qu'il faille absolument que je parle pour que je dise une sottise infailliblement.

Ce qu'il y a de plus fatal est qu'au lieu de savoir me taire quand je n'ai rien à dire, c'est alors que, pour payer plus tôt ma dette, j'ai la fureur de vouloir parler. Je me hâte de balbutier promptement des paroles sans idées, trop heureux quand elles ne signifient rien du tout. En voulant vaincre ou cacher mon ineptie, je manque rarement de la montrer. . . .

Je crois que voilà de quoi faire assez comprendre comment n'étant pas un sot, j'ai cependant souvent passé pour l'être, même chez des gens en état de bien juger: d'autant plus malheureux que ma physionomie et mes yeux promettent davantage, et que cette attente frustrée rend plus choquante aux autres ma stupidité. Ce détail, qu'une occasion particulière a fait naître, n'est pas inutile à ce qui doit suivre. Il contient la clef de bien des choses extraordinaires qu'on m'a vu faire et qu'on attribue à une humeur sauvage que je n'ai point. J'aimerais la société comme un autre, si je n'étais sûr de m'y montrer non seulement à mon désavantage, mais tout autre que je ne suis. Le parti que j'ai pris d'écrire et de me cacher est précisément celui qui me convenait.

(*Confessions*, I, 3.)

ROUSSEAU COMPOSITEUR

J'ai déjà noté des moments de délire inconcevables où je n'étais plus moi-même. En voici encore un des plus marqués. Pour comprendre à quel point la tête me tournait alors, à quel point je m'étais pour ainsi dire venturisé,[21] il ne faut que voir combien tout à la fois j'accumulai d'extravagances. Me voilà maître à chanter sans savoir déchiffrer un air; car quand les six mois que j'avais passés avec Le Maître[22] m'auraient profité, jamais ils n'auraient pu suffire: mais outre cela j'apprenais d'un maître, c'en était assez pour apprendre mal. Parisien de Genève, et catholique en pays protestant, je crus devoir changer mon nom ainsi que ma religion et ma patrie. Je m'approchais toujours de

[21] i.e., transformed into Venture. Venture de Villeneuve was an adventurer of whom Rousseau, for a short period, made his model, as he says a few lines further down. See toward end of Book III of *Émile.*

[22] Le Maître was in charge of the music at the cathedral at Annecy at the time Rousseau knew Venture de Villeneuve there.

mon grand modèle autant qu'il m'était possible. Il s'était appelé Venture de Villeneuve, moi je fis l'anagramme du nom de Rousseau dans celui de Vaussore, et je m'appelai Vaussore de Villeneuve. Venture savait la composition, quoiqu'il n'en eût rien dit; moi, sans la savoir je m'en vantai à tout le monde, et, sans pouvoir noter le moindre vaudeville, je me donnai pour compositeur. Ce n'est pas tout: ayant été présenté à M. de Treytorens, professeur en droit, qui aimait la musique et faisait des concerts chez lui, je voulus lui donner un échantillon de mon talent, et je me mis à composer une pièce pour son concert, aussi effrontément que si j'avais su comment m'y prendre. J'eus la constance de travailler pendant quinze jours à ce bel ouvrage, de le mettre au net, d'en tirer les parties, et de les distribuer avec autant d'assurance que si c'eût été un chef-d'œuvre d'harmonie. Enfin, ce qu'on aura peine à croire, et qui est très vrai, pour couronner dignement cette sublime production, je mis à la fin un joli menuet, qui courait les rues, et que tout le monde se rappelle peut-être encore, sur ces paroles jadis si connues:

Quel caprice!
Quelle injustice!
Quoi! ta Clarisse
Trahirait tes feux! etc.

Venture m'avait appris cet air avec la basse sur d'autres paroles infâmes, à l'aide desquelles je l'avais retenu. Je mis donc à la fin de ma composition ce menuet et sa basse, en supprimant les paroles, et je le donnai pour être de moi, tout aussi résolument que si j'avais parlé à des habitants de la lune.

On s'assemble pour exécuter ma pièce. J'explique à chacun le genre du mouvement, le goût de l'exécution, les renvois des parties; j'étais fort affairé. On s'accorde pendant cinq ou six minutes, qui furent pour moi cinq ou six siècles. Enfin, tout étant prêt, je frappe avec un beau rouleau de papier sur mon pupitre magistral les cinq ou six coups de *prenez garde à vous*. On fait silence. Je me mets gravement à battre la mesure: on commence. . . . Non, depuis qu'il existe des opéras français, de la vie on n'ouït un semblable charivari. Quoi qu'on eût pu penser de mon prétendu talent, l'effet fut pire que tout ce qu'on semblait attendre. Les musiciens étouffaient de rire; les auditeurs ouvraient de grands yeux, et auraient bien voulu fermer les oreilles; mais il n'y avait pas moyen. Mes bourreaux de symphonistes, qui voulaient s'égayer, raclaient à percer le tympan d'un quinze-vingt.[23] J'eus la constance d'aller toujours mon train, suant, il est vrai, à grosses gouttes, mais retenu par la honte, n'osant m'enfuir et tout planter là. Pour ma consolation, j'entendais autour de moi les assistants se dire à leur oreille, ou plutôt à la mienne, l'un: "Il n'y a rien là de supportable;" un autre: "Quelle musique enragée!" un autre: "Quel diable de sabbat!" Pauvre Jean-Jacques, dans ce cruel moment tu n'espérais guère qu'un jour devant le roi de France et toute sa cour tes sons exciteraient des murmures de surprise et d'applaudissement, et que, dans toutes les loges autour de toi, les plus aimables femmes se diraient à demi-voix: "Quels sons charmants! quelle musique enchanteresse! tous ces chants-là vont au cœur."

Mais ce qui mit tout le monde de bonne humeur fut le menuet. A peine en eut-on joué quelques mesures, que j'entendis partir de toutes parts les éclats de rire. Chacun me félicitait sur mon joli goût de chant; on m'assurait que ce menuet ferait parler de moi, et que je méritais d'être chanté partout. Je n'ai pas besoin de dépeindre mon angoisse ni d'avouer que je la méritais bien.

(*Confessions*, I, 4.)

LE DEVIN DU VILLAGE [24]

Mussard [25] jouait du violoncelle, et aimait passionnément la musique italienne. Un soir, nous en parlâmes beaucoup avant que de nous coucher, et surtout des *opere buffe* que nous avions vus l'un et l'autre en Italie, et dont nous étions tous deux transportés. La nuit, ne dormant pas, j'allai rêver comment on pourrait faire pour donner en France l'idée d'un drame de ce

[23] A pensionnaire of the Hospice des Quinze-Vingts, institution for the blind.

[24] *Le Devin du village,* a pastoral in one act, words and music by Rousseau, was performed publicly for the first time on March 1, 1753.

[25] François Mussard (1691–1755), friend and relative of Rousseau. In 1752 Mussard was living at Passy, and it was at his residence that Rousseau was taking the water cure.

genre; car *les Amours de Ragonde* [26] n'y ressemblaient point du tout. Le matin, en me promenant et prenant les eaux, je fis quelque manière de vers très à la hâte, et j'y adaptai des chants qui me vinrent en les faisant. Je barbouillai le tout dans une espèce de salon voûté qui était au haut du jardin; et au thé, je ne pus m'empêcher de montrer ces airs à Mussard et à mademoiselle Duvernais, sa gouvernante, qui était en vérité une très bonne et aimable fille. Les trois morceaux que j'avais esquissés étaient le premier monologue: *J'ai perdu mon serviteur;* l'air du Devin: *L'amour croît s'il s'inquiète;* et le dernier duo: *A jamais, Colin, je t'engage,*[27] etc. J'imaginais si peu que cela valût la peine d'être suivi, que sans les applaudissements et les encouragements de l'un et de l'autre, j'allais jeter au feu mes chiffons et n'y plus penser, comme j'ai fait tant de fois pour des choses du moins aussi bonnes: mais ils m'excitèrent si bien, qu'en six jours mon drame fut écrit, à quelques vers près, et toute ma musique esquissée, tellement que je n'eus plus à faire à Paris qu'un peu de récitatif et tout le remplissage; et j'achevai le tout avec une telle rapidité, qu'en trois semaines mes scènes furent mises au net et en état d'être représentées. Il n'y manquait que le divertissement, qui ne fut fait que longtemps après.

Échauffé de la composition de cet ouvrage, j'avais une grande passion de l'entendre, et j'aurais donné tout au monde pour le voir représenter à ma fantaisie, à portes fermées, comme on dit que Lulli fit une fois jouer *Armide* [28] pour lui seul. Comme il ne m'était pas possible d'avoir ce plaisir qu'avec le public, il fallait nécessairement, pour jouir de ma pièce, la faire passer à l'Opéra. Malheureusement elle était dans un genre absolument neuf, auquel les oreilles n'étaient point accoutumées; et, d'ailleurs, le mauvais succès des *Muses galantes* [29] me faisait prévoir celui du *Devin,* si je le présentais sous mon nom. Duclos me tira de peine, et se chargea de faire essayer l'ouvrage en laissant ignorer l'auteur. Pour ne pas me déceler, je ne me trouvai point à cette

[26] *Les Amours de Ragonde* was a musical comedy played at the Paris Opera in 1742. The words were by Néricault Destouches, the music by Mouret.

[27] Three lines from *Le Devin du village.*

[28] *Armide et Renaud,* lyric tragedy (1686) by Lulli, words by Quinault.

[29] A so-called ballet by Rousseau, in three "entrées."

répétition; et les *petits violons*,[30] qui la dirigèrent, ne surent eux-mêmes quel en était l'auteur qu'après qu'une acclamation générale eut attesté la bonté de l'ouvrage. Tous ceux qui l'entendirent en étaient enchantés, au point que dès le lendemain, dans toutes les sociétés, on ne parlait d'autre chose. M. de Cury, intendant des menus,[31] qui avait assisté à la répétition, demanda l'ouvrage pour être donné à la cour. Duclos, qui savait mes intentions, jugeant que je serais moins le maître de ma pièce à la cour qu'à Paris, la refusa. Cury la réclama d'autorité, Duclos tint bon; et le débat entre eux devint si vif, qu'un jour à l'Opéra ils allaient sortir ensemble, si on ne les eût séparés. On voulut s'adresser à moi: je renvoyai la décision de la chose à M. Duclos. Il fallut retourner à lui. M. le duc d'Aumont[32] s'en mêla. Duclos crut enfin devoir céder à l'autorité, et la pièce fut donnée pour être jouée à Fontainebleau.

La partie à laquelle je m'étais le plus attaché, et où je m'éloignais le plus de la route commune, était le récitatif. Le mien était accentué d'une façon toute nouvelle, et marchait avec le débit de la parole. On n'osa laisser cette horrible innovation, l'on craignait qu'elle ne révoltât les oreilles moutonnières. Je consentis que Francueil et Jelyotte[33] fissent un autre récitatif, mais je ne voulus pas m'en mêler.

Quand tout fut prêt et le jour fixé pour la représentation, l'on me proposa le voyage de Fontainebleau, pour voir au moins la dernière répétition. J'y fus avec mademoiselle Fel, Grimm, et, je crois, l'abbé Raynal, dans une voiture de la cour. La répétition fut passable, j'en fus plus content que je ne m'y étais attendu. L'orchestre était nombreux, composé de ceux de l'Opéra et de la musique du roi. Jelyotte faisait Colin; mademoi-

[30] Rebel and Francœur, two well-known violinists, and also composers, had gained this epithet by having played together from their youth. They were also joint managers of the Opera.

[31] A master of ceremonies of the Court.

[32] Louis-Marie-Augustin, duc d'Aumont, peer of France, was much interested in the arts.

[33] Pierre Jeliotte or Jelyotte (1713–*ca.* 1790), was one of the best French musical artists of the eighteenth century. He and Mlle Fel, mentioned below, were popular idols for many years. They were particularly successful in *Le Devin du village.*

selle Fel, Colette; Cuvilier, le Devin; les chœurs étaient ceux de l'Opéra. Je dis peu de chose: c'était Jelyotte qui avait tout dirigé; je ne voulus pas contrôler ce qu'il avait fait; et, malgré mon ton romain, j'étais honteux comme un écolier au milieu de tout ce monde.

Le lendemain, jour de la représentation, j'allai déjeuner au café du Grand-Commun. Il y avait là beaucoup de monde. On parlait de la répétition de la veille, et de la difficulté qu'il y avait eu d'y entrer. Un officier qui était là dit qu'il était entré sans peine, conta au long ce qui s'y était passé, dépeignit l'auteur, rapporta ce qu'il avait fait, ce qu'il avait dit; mais ce qui m'émerveilla de ce récit assez long, fait avec autant d'assurance que de simplicité, fut qu'il ne s'y trouva pas un seul mot de vrai. Il m'était très clair que celui qui parlait si savamment de cette répétition n'y avait point été, puisqu'il avait devant les yeux, sans le connaître, cet auteur qu'il disait avoir tant vu. Ce qu'il y eut de plus singulier dans cette scène fut l'effet qu'elle fit sur moi. Cet homme était d'un certain âge; il n'avait point l'air ni le ton fat et avantageux; sa physionomie annonçait un homme de mérite, sa croix de Saint-Louis annonçait un ancien officier. Il m'intéressait malgré son impudence et malgré moi; tandis qu'il débitait ses mensonges je rougissais, je baissais les yeux; j'étais sur les épines; je cherchais quelquefois en moi-même s'il n'y aurait pas moyen de le croire dans l'erreur et de bonne foi. Enfin, tremblant que quelqu'un ne me reconnût et ne lui en fît l'affront, je me hâtai d'achever mon chocolat sans rien dire, et baissant la tête en passant devant lui, je sortis le plus tôt qu'il me fut possible, tandis que les assistants péroraient sur sa relation. Je m'aperçus dans la rue que j'étais en sueur; et je suis sûr que si quelqu'un m'eût reconnu et nommé avant ma sortie, on m'aurait vu la honte et l'embarras d'un coupable, par le seul sentiment de la peine que ce pauvre homme aurait à souffrir si son mensonge était reconnu.

Me voici dans un des moments critiques de ma vie où il est difficile de ne faire que narrer, parcequ'il est presque impossible que la narration même ne porte empreinte de censure ou d'apologie. J'essaierai toutefois de rapporter comment et sur quels motifs je me conduisis, sans y ajouter ni louanges ni blâme.

J'étais ce jour-là [34] dans le même équipage négligé qui m'était

[34] October 18, 1752.

ordinaire; grande barbe et perruque assez mal peignée. Prenant ce défaut de décence pour un acte de courage, j'entrai de cette façon dans la même salle où devaient arriver, peu de temps après, le roi, la reine, la famille royale et toute la cour. J'allai m'établir dans la loge où me conduisit M. de Cury, et qui était la sienne; c'était une grande loge sur le théâtre, vis-à-vis une petite loge plus élevée, où se plaça le roi avec madame de Pompadour. Environné de dames, et seul homme sur le devant de la loge, je ne pouvais douter qu'on ne m'eût mis là précisément pour être en vue. Quand on eut allumé, me voyant dans cet équipage au milieu de gens tous excessivement parés, je commençai d'être mal à mon aise: je me demandai si j'étais à ma place, si j'y étais mis convenablement; et, après quelques minutes d'inquiétude, je me répondis: "Oui," avec une intrépidité qui venait peut-être plus de l'impossibilité de m'en dédire que de la force de mes raisons. Je me dis: "Je suis à ma place, puisque je vois jouer ma pièce, que j'y suis invité, que je ne l'ai faite que pour cela, et qu'après tout personne n'a plus de droit que moi-même à jouir du fruit de mon travail et de mes talents. Je suis mis à mon ordinaire, ni mieux ni pis. Si je recommence à m'asservir à l'opinion dans quelque chose, m'y voilà bientôt asservi derechef en tout. Pour être toujours moi-même, je ne dois rougir en quelque lieu que ce soit d'être mis selon l'état que j'ai choisi: mon extérieur est simple et négligé, mais non crasseux ni malpropre; la barbe ne l'est point en elle-même, puisque c'est la nature qui nous la donne, et que, selon les temps et les modes, elle est quelquefois un ornement. On me trouvera ridicule, impertinent—eh! que m'importe? Je dois savoir endurer le ridicule et le blâme, pourvu qu'ils ne soient pas mérités." Après ce petit soliloque, je me raffermis si bien, que j'aurais été intrépide si j'eusse eu besoin de l'être. Mais, soit effet de la présence du maître, soit naturelle disposition des cœurs, je n'aperçus rien que d'obligeant et d'honnête dans la curiosité dont j'étais l'objet. J'en fus touché jusqu'à recommencer d'être inquiet sur moi-même et sur le sort de ma pièce, craignant d'effacer des préjugés si favorables, qui semblaient ne chercher qu'à m'applaudir. J'étais armé contre leur raillerie; mais leur air caressant, auquel je ne m'étais pas attendu, me subjugua si bien, que je tremblais comme un enfant quand on commença.

J'eus bientôt de quoi me rassurer. La pièce fut très mal jouée, quant aux acteurs; mais bien chantée et bien exécutée, quant à la musique. Dès la première scène, qui véritablement est d'une naïveté touchante, j'entendis s'élever dans les loges un murmure de surprise et d'applaudissement jusqu'alors inouï dans ce genre de pièces. La fermentation croissante alla bientôt au point d'être sensible dans toute l'assemblée, et, pour parler à la Montesquieu, d'augmenter son effet par son effet même. A la scène des deux petites bonnes gens,[35] cet effet fut à son comble. On ne claque point devant le roi; cela fit qu'on entendit tout; la pièce et l'auteur y gagnèrent. J'entendais autour de moi un chuchotement de femmes qui me semblaient belles comme des anges, et qui s'entredisaient à demi-voix: "Cela est charmant! cela est ravissant! il n'y a pas un son là qui ne parle au cœur!" Le plaisir de donner de l'émotion à tant d'aimables personnes m'émut moi-même jusqu'aux larmes; et je ne les pus contenir au premier duo, en remarquant que je n'étais pas seul à pleurer. J'eus un moment de retour sur moi-même, en me rappelant le concert de M. de Treytorens. Cette réminiscence eut l'effet de l'esclave qui tenait la couronne sur la tête des triomphateurs; mais elle fut courte, et je me livrai bientôt pleinement et sans distraction au plaisir de savourer ma gloire. Je suis pourtant sûr qu'en ce moment la volupté du sexe y entrait beaucoup plus que la vanité d'auteur; et sûrement s'il n'y eût eu là que des hommes, je n'aurais pas été dévoré, comme je l'étais sans cesse, du désir de recueillir de mes lèvres les délicieuses larmes que je faisais couler. J'ai vu des pièces exciter de plus vifs transports d'admiration, mais jamais une ivresse aussi pleine, aussi douce, aussi touchante, régner dans tout un spectacle, et surtout à la cour, un jour de première représentation. Ceux qui ont vu celle-là, doivent s'en souvenir; car l'effet en fut unique.

Le même soir, M. le duc d'Aumont me fit dire de me trouver au château le lendemain sur les onze heures, et qu'il me présenterait au roi. M. de Cury, qui me fit ce message, ajouta qu'on croyait qu'il s'agissait d'une pension, et que le roi voulait me l'annoncer lui-même.

Croira-t-on que la nuit qui suivit une aussi brillante journée

[35] Scene 6.

fut une nuit d'angoisse et de perplexité pour moi? Ma première idée, après celle de cette présentation, se porta sur un fréquent besoin de sortir, qui m'avait fait beaucoup souffrir le soir même au spectacle, et qui pouvait me tourmenter le lendemain, quand je serais dans la galerie ou dans les appartements du roi, parmi tous ces grands, attendant le passage de sa majesté. Cette infirmité était la principale cause qui me tenait écarté des cercles, et qui m'empêchait d'aller m'enfermer chez des femmes. L'idée seule de l'état où ce besoin pouvait me mettre était capable de me le donner au point de m'en trouver mal, à moins d'un esclandre auquel j'aurais préféré la mort. Il n'y a que les gens qui connaissent cet état qui puissent juger de l'effroi d'en courir le risque.

Je me figurais ensuite devant le roi, présenté à sa majesté, qui daignait s'arrêter et m'adresser la parole. C'était là qu'il fallait de la justesse et de la présence d'esprit pour répondre. Ma maudite timidité, qui me trouble devant le moindre inconnu, m'aurait-elle quitté devant le roi de France, ou m'aurait-elle permis de bien choisir à l'instant ce qu'il fallait dire? Je voulais, sans quitter l'air et le ton sévère que j'avais pris, me montrer sensible à l'honneur que me faisait un si grand monarque. Il fallait envelopper quelque grande et utile vérité dans une louange belle et mérité. Pour préparer d'avance une réponse heureuse, il aurait fallu prévoir juste ce qu'il pourrait me dire; et j'étais sûr après cela de ne pas retrouver en sa présence un mot de ce que j'aurais médité. Que deviendrais-je en ce moment et sous les yeux de toute la cour, s'il allait m'échapper dans mon trouble quelqu'une de mes balourdises ordinaires? Ce danger m'alarma, m'effraya, me fit frémir au point de me déterminer, à tout risque, de ne m'y pas exposer.

Je perdais, il est vrai, la pension qui m'était offerte en quelque sorte; mais je m'exemptais aussi du joug qu'elle m'eût imposé. Adieu la vérité, la liberté, le courage. Comment oser désormais parler d'indépendance et de désintéressement? Il ne fallait plus que flatter et me taire, en recevant cette pension: encore qui m'assurait qu'elle me serait payée? Que de pas à faire, que de gens à solliciter! Il m'en coûterait plus de soins, et bien plus désagréables, pour la conserver que pour m'en passer. Je crus donc, en y renonçant, prendre un parti très conséquent à mes principes, et sacrifier l'apparence à la réalité. Je dis ma résolution à Grimm, qui n'y opposa rien: aux autres j'alléguai ma santé, et je partis le matin même.

(*Confessions*, II, 8.)

ROUSSEAU A LA CAMPAGNE

Ce fut le 9 avril 1756 que je quittai la ville pour n'y plus habiter; car je ne compte pas pour habitation quelques courts séjours que j'ai faits depuis, tant à Paris qu'à Londres et dans d'autres villes, mais toujours de passage, ou toujours malgré moi. Madame d'Épinay vint nous prendre tous trois dans son carrosse; son fermier vint charger mon petit bagage, et je fus installé dès le même jour. Je trouvai ma petite retraite arrangée et meublée simplement, mais proprement et même avec goût. La main qui avait donné ses soins à cet ameublement le rendait à mes yeux d'un prix inestimable, et je trouvais délicieux d'être l'hôte de mon amie, dans une maison de mon choix, qu'elle avait bâtie exprès pour moi.

Quoiqu'il fît froid, et qu'il y eût même encore de la neige, la terre commençait à végéter; on voyait des violettes et des primevères; les bourgeons des arbres commençaient à poindre, et la nuit même de mon arrivée fut marquée par le premier chant du rossignol, qui se fit entendre presque à ma fenêtre, dans un bois qui touchait la maison. Après un léger sommeil, oubliant à mon réveil ma transportation, je me croyais encore dans la rue de Grenelle,[36] quand tout à coup ce ramage me fit tressaillir, et je m'écriai dans mon transport: "Enfin, tous mes vœux sont accomplis!" Mon premier soin fut de me livrer à l'impression des objets champêtres dont j'étais entouré. Au lieu de commencer à m'arranger dans mon logement, je commençai par m'arranger pour mes promenades, et il n'y eut pas un sentier, pas un taillis, pas un bosquet, pas un réduit autour de ma demeure, que je n'eusse parcouru dès le lendemain. Plus j'examinais cette charmante retraite, plus je la sentais faite pour moi. Ce lieu solitaire plutôt que sauvage me transportait en idée au bout du monde. Il avait de ces beautés touchantes qu'on ne trouve guère auprès des villes; et jamais, en s'y trouvant transporté tout d'un coup, on n'eût pu se croire à quatre lieues de Paris.

[36] Now Rue Jean-Jacques Rousseau.

Après quelques jours livrés à mon délire champêtre, je songeai à ranger mes paperasses et à régler mes occupations. Je destinai, comme j'avais toujours fait, mes matinées à la copie,[37] et mes après-dînées à la promenade, muni de mon petit livret blanc et de mon crayon; car n'ayant jamais pu écrire et penser à mon aise que *sub dio*, je n'étais pas tenté de changer de méthode, et je comptais bien que la forêt de Montmorency, qui était presque à ma porte, serait désormais mon cabinet de travail. J'avais plusieurs écrits commencés; j'en fis la revue. J'étais assez magnifique en projets; mais, dans les tracas de la ville, l'exécution jusqu'alors avait marché lentement. J'y comptais mettre un peu plus de diligence quand j'aurais moins de distraction. Je crois avoir assez bien rempli cette attente, et, pour un homme souvent malade, souvent à la Chevrette, à Épinay, à Eaubonne, au château de Montmorency, souvent obsédé chez lui de curieux désœuvrés, et toujours occupé la moitié de la journée à la copie, si l'on compte et mesure les écrits que j'ai faits dans les six ans que j'ai passés tant à l'Ermitage qu'à Montmorency, l'on trouvera, je m'assure, que si j'ai perdu mon temps durant cet intervalle, ce n'a pas été du moins dans l'oisiveté.

Des divers ouvrages que j'avais sur le chantier, celui que je méditais depuis longtemps, dont je m'occupais avec le plus de goût, auquel je voulais travailler toute ma vie, et qui devait, selon moi, mettre le sceau à ma réputation, était mes *Institutions politiques*. Il y avait treize à quatorze ans que j'en avais conçu la première idée, lorsqu'étant à Venise j'avais eu quelque occasion de remarquer les défauts de ce gouvernement si vanté. . . .

Quoiqu'il y eût cinq ou six ans que je travaillais à cet ouvrage, il n'était encore guère avancé. Les livres de cette espèce demandent de la méditation, du loisir, de la tranquillité. . . .

Depuis lors la *Nouvelle Héloïse* parut encore avec la même facilité, j'ose dire avec le même applaudissement; et, ce qui semble presque incroyable, la profession de foi de cette même Héloïse mourante est exactement la même que celle du Vicaire savoyard. Tout ce qu'il y a de hardi dans le *Contrat Social* était auparavant dans le *Discours sur l'inégalité;* tout ce qu'il y a de hardi dans

[37] If Rousseau can be said to have any profession it was that of copying music.

l'*Émile* était auparavant dans la *Julie*. Or, ces choses hardies n'excitèrent aucune rumeur contre les deux premiers ouvrages; donc ce ne furent pas elles qui l'excitèrent contre les derniers. . . .

Jusque-là j'avais été bon: dès lors je devins vertueux, ou du moins enivré de la vertu. Cette ivresse avait commencé dans ma tête, mais elle avait passé dans mon cœur. Le plus noble orgueil y germa sur les débris de la vanité déracinée. Je ne jouai rien: je devins en effet tel que je parus; et pendant quatre ans au moins que dura cette effervescence dans toute sa force, rien de grand et de beau ne peut entrer dans un cœur d'homme dont je ne fusse capable entre le ciel et moi. Voilà d'où naquit ma subite éloquence; voilà d'où se répandit dans mes premiers livres ce feu vraiment céleste qui m'embrasait, et dont pendant quarante ans il ne s'était pas échappé la moindre étincelle, parce qu'il n'était pas encore allumé.

J'étais vraiment transformé; mes amis, mes connaissances ne me reconnaissaient plus. Je n'étais plus cet homme timide, et plutôt honteux que modeste, qui n'osait ni se présenter, ni parler; qu'un mot badin déconcertait, qu'un regard de femme faisait rougir. Audacieux, fier, intrépide, je portais partout une assurance d'autant plus ferme, qu'elle était simple et résidait dans mon âme plus que dans mon maintien. Le mépris que mes profondes méditations m'avaient inspiré pour les mœurs, les maximes et les préjugés de mon siècle, me rendait insensible aux railleries de ceux qui les avaient, et j'écrasais leurs petits bons mots avec mes sentences, comme j'écraserais un insecte entre mes doigts. Quel changement! tout Paris répétait les âcres et mordants sarcasmes de ce même homme qui, deux ans auparavant et dix ans après, n'a jamais su trouver la chose qu'il avait à dire, ni le mot qu'il devait employer. Qu'on cherche l'état du monde le plus contraire à mon naturel, on trouvera celui-là. Qu'on se rappelle un de ces courts moments de ma vie, où je devenais un autre et cessais d'être moi; on le trouve encore dans le temps dont je parle: mais au lieu de durer six jours, six semaines, il dura près de six ans, et durerait peut-être encore, sans les circonstances particulières qui le firent cesser, et me rendirent à la nature, au-dessus de laquelle j'avais voulu m'élever.

Ce changement commença sitôt que j'eus quitté Paris, et que

le spectacle des vices de cette grande ville cessa de nourrir l'indignation qu'il m'avait inspirée. Quand je ne vis plus les hommes, je cessai de les mépriser; quand je ne vis plus les méchants, je cessai de les haïr. Mon cœur, peu fait pour la haine, ne fit plus que déplorer leur misère, et n'en distinguait pas leur méchanceté. Cet état plus doux, mais bien moins sublime, amortit bientôt l'ardent enthousiasme qui m'avait transporté si longtemps; et sans qu'on s'en aperçût, sans presque m'en apercevoir moi-même, je redevins craintif, complaisant, timide; en un mot, le même Jean-Jacques que j'avais été auparavant.

(*Confessions*, II, 9.)

LA NATURE ET LA SOCIÉTÉ [38]

Suivant de mon mieux le fil de ses méditations, j'y vis partout le développement de son grand principe, que la nature a fait l'homme heureux et bon, mais que la société le déprave et le rend misérable. L'*Émile*, en particulier, ce livre tant lu, si peu entendu et si mal apprécié, n'est qu'un traité de la bonté originelle de l'homme, destiné à montrer comment le vice et l'erreur, étrangers à sa constitution, s'y introduisent du dehors; et l'altèrent insensiblement. Dans ses premiers écrits, il s'attache davantage à détruire ce prestige d'illusion qui nous donne une admiration stupide pour les instruments de nos lumières, et à corriger cette estimation trompeuse qui nous fait honorer des talents pernicieux et mépriser des vertus utiles. Partout il nous fait voir l'espèce humaine meilleure, plus sage et plus heureuse dans sa constitution primitive; aveugle, misérable et méchante, à mesure qu'elle s'en éloigne. Son but est de redresser l'erreur de nos jugements, pour retarder le progrès de nos vices, et de nous montrer que là où nous cherchons la gloire et l'éclat, nous ne trouvons en effet qu'erreurs et misères.

Mais la nature humaine ne rétrograde pas, et jamais on ne remonte vers les temps d'innocence et d'égalité quand une fois on s'en est éloigné; c'est encore un des principes sur lesquels il a le plus insisté. Ainsi son objet ne pouvait être de ramener les

[38] The *Dialogues* are supposedly between Rousseau and Le Français. It is the latter who is speaking in this selection. The discussion is, of course, about Rousseau and his work.

peuples nombreux ni les grands états à leur première simplicité, mais seulement d'arrêter, s'il était possible, le progrès de ceux dont la petitesse et la situation les ont préservés d'une marche aussi rapide vers la perfection de la société et vers la détérioration de l'espèce. Ces distinctions méritaient d'être faites et ne l'ont point été. On s'est obstiné à l'accuser de vouloir détruire les sciences, les arts, les théâtres, les académies, et replonger l'univers dans sa première barbarie; et il a toujours insisté, au contraire, sur la conservation des institutions existantes, soutenant que leur destruction ne ferait qu'ôter les palliatifs en laissant les vices, et substituer le brigandage à la corruption. Il avait travaillé pour sa patrie et pour les petits états constitués comme elle. Si sa doctrine pouvait être aux autres de quelque utilité, c'était en changeant les objets de leur estime, et retardant peut-être ainsi leur décadence, qu'ils accélèrent par leurs fausses appréciations. Mais malgré ces distinctions si souvent et si fortement répétées, la mauvaise foi des gens de lettres, et la sottise de l'amour-propre, qui persuade à chacun que c'est toujours de lui qu'on s'occupe, lors même qu'on n'y pense pas, ont fait que les grandes nations ont pris pour elles ce qui n'avait pour objet que les petites républiques; et l'on s'est obstiné à voir un promoteur de bouleversement et de troubles dans l'homme du monde qui porte un plus vrai respect aux lois et aux constitutions nationales, et qui a le plus d'aversion pour les révolutions et pour les ligueurs de toute espèce, qui la lui rendent bien.

(*Troisième Dialogue*)

LETTRES

A M. Le Comte de Lastic

Paris, le 20 décembre 1754.

Sans avoir l'honneur, monsieur, d'être connu de vous, j'espère qu'ayant à vous offrir des excuses et de l'argent, ma lettre ne saurait être mal reçue.

J'apprends que mademoiselle de Cléry a envoyé de Blois un panier à une bonne vieille femme, nommée madame Le Vasseur, et si pauvre qu'elle demeure chez moi; que ce panier contenait, entre autres choses, un pot de vingt livres de beurre; que le tout est parvenu, je ne sais comment, dans votre cuisine; que la bonne vieille, l'ayant appris, a eu la simplicité de vous envoyer sa fille,[39] avec la lettre d'avis, vous redemander son beurre, ou le prix qu'il a coûté; et qu'après vous être moqués d'elle, selon l'usage, vous et madame votre épouse, vous avez, pour toute réponse, ordonné à vos gens de la chasser.

J'ai tâché de consoler la bonne femme affligée, en lui expliquant les règles du grand monde et de la grande éducation; je lui ai prouvé que ce ne serait pas la peine d'avoir des gens, s'ils ne servaient à chasser le pauvre, quand il vient réclamer son bien; et, en lui montrant combien *justice* et *humanité* sont des mots roturiers, je lui ai fait comprendre, à la fin, qu'elle est trop honorée qu'un comte ait mangé son beurre. Elle me charge donc, monsieur, de vous témoigner sa reconnaissance de l'honneur que vous lui avez fait, son regret de l'importunité qu'elle vous a causée, et le désir qu'elle aurait que son beurre vous eût paru bon.

Que si, par hasard, il vous en a coûté quelque chose pour le port du paquet à elle adressé, elle offre de vous le rembourser, comme il est juste. Je n'attends là-dessus que vos ordres pour exécuter ses intentions, et vous supplie d'agréer les sentiments avec lesquels j'ai l'honneur d'être, etc.

A M. de Voltaire

Paris, le 10 septembre 1755.[40]

C'est à moi, monsieur, de vous remercier à tous égards. En vous offrant l'ébauche de mes tristes rêveries, je n'ai point cru vous faire un présent digne de vous, mais m'acquitter d'un devoir et vous rendre un hommage que nous vous devons tous comme à notre chef. Sensible, d'ailleurs, à l'honneur que vous faites à ma patrie, je partage la reconnaissance de mes concitoyens, et j'espère qu'elle ne fera qu'augmenter encore, lorsqu'ils auront profité des instructions que vous pouvez leur donner. Embellissez l'asile que vous avez choisi; éclairez un peuple digne de vos leçons; et vous qui savez si bien peindre les vertus et la liberté,

[39] Thérèse, daughter of Mme Le Vasseur, mentioned above. Rousseau married her later.

[40] This letter is in answer to one from Voltaire, dated August 30, 1755, thanking Rousseau for sending him the *Discours sur l'origine de l'inégalité.* See p. 351.

apprenez-nous à les chérir dans nos murs comme dans vos écrits. Tout ce qui vous approche doit apprendre de vous le chemin de la gloire.

Vous voyez que je n'aspire pas à nous rétablir dans notre bêtise, quoique je regrette beaucoup, pour ma part, le peu que j'en ai perdu. A votre égard, monsieur, ce retour serait un miracle si grand à la fois et si nuisible qu'il n'appartiendrait qu'à Dieu de le faire, et qu'au diable de le vouloir. Ne tentez donc pas de retomber à quatre pattes: personne au monde n'y réussirait moins que vous. Vous nous redressez trop bien sur nos deux pieds pour cesser de vous tenir sur les vôtres.

Je conviens de toutes les disgrâces qui poursuivent les hommes célèbres dans les lettres; je conviens même de tous les maux attachés à l'humanité, et qui semblent indépendants de nos vaines connaissances. Les hommes ont ouvert sur eux-mêmes tant de sources de misère, que, quand le hasard en détourne quelqu'une, ils n'en sont guère moins inondés. D'ailleurs, il y a, dans le progrès des choses, des liaisons cachées que le vulgaire n'aperçoit pas, mais qui n'échapperont point à l'œil du sage, quand il y voudra réfléchir. Ce n'est ni Térence, ni Cicéron, ni Virgile, ni Sénèque, ni Tacite; ce ne sont ni les savants, ni les poètes, qui ont produit les malheurs de Rome et les crimes des Romains: mais sans le poison lent et secret qui corrompit peu à peu le plus vigoureux gouvernement dont l'histoire ait fait mention, Cicéron, ni Lucrèce, ni Salluste, n'eussent point existé, ou n'eussent point écrit. Le siècle aimable de Lélius et de Térence amenait de loin le siècle brillant d'Auguste et d'Horace, et enfin les siècles horribles de Sénèque et de Néron, de Domitien et de Martial. Le goût des lettres et des arts naît chez un peuple d'un vice intérieur qu'il augmente, et s'il est vrai que tous les progrès humains sont pernicieux à l'espèce, ceux de l'esprit et des connaissances, qui augmentent notre orgueil et multiplient nos égarements, accélèrent bientôt nos malheurs. Mais il vient un temps où le mal est tel que les causes mêmes qui l'ont fait naître sont nécessaires pour l'empêcher d'augmenter; c'est le fer qu'il faut laisser dans la plaie, de peur que le blessé n'expire en l'arrachant.

Quant à moi, si j'avais suivi ma première vocation, et que je n'eusse ni lu ni écrit, j'en aurais sans doute été plus heureux.

Cependant si les lettres étaient maintenant anéanties, je serais privé du seul plaisir qui me reste. C'est dans leur sein que je me console de tous les maux: c'est parmi ceux qui les cultivent que je goûte les douceurs de l'amitié, et que j'apprends à jouir de la vie sans craindre la mort. Je leur dois le peu que je suis; je leur dois même l'honneur d'être connu de vous. Mais consultons l'intérêt dans nos affaires et la vérité dans nos écrits. Quoiqu'il faille des philosophes, des historiens, des savants pour éclairer le monde et conduire ses aveugles habitants, si le sage Memnon [41] m'a dit vrai, je ne connais rien d'aussi fou qu'un peuple de sages.

Convenez-en, monsieur, s'il est bon que les grands génies instruisent les hommes, il faut que le vulgaire reçoive leurs instructions: si chacun se mêle d'en donner, qui les voudra recevoir? "Les boiteux, dit Montaigne, sont mal propres aux exercices du corps, et aux exercices de l'esprit, les âmes boiteuses." Mais en ce siècle savant, on ne voit que boiteux vouloir apprendre à marcher aux autres.

Le peuple reçoit les écrits des sages pour les juger, non pour s'instruire. Jamais on ne vit tant de Dandins.[42] Le théâtre en fourmille, les cafés retentissent de leurs sentences, ils les affichent dans les journaux, les quais sont couverts de leurs écrits, et j'entends critiquer l'*Orphelin*,[43] parce qu'on l'applaudit, à tel grimaud si peu capable d'en voir les défauts, qu'à peine en sent-il les beautés.

Recherchons la première source des désordres de la société, nous trouverons que tous les maux des hommes leur viennent de l'erreur bien plus que de l'ignorance, et que ce que nous ne savons point nous nuit beaucoup moins que ce que nous croyons savoir. Or quel plus sûr moyen de courir d'erreurs en erreurs que la fureur de savoir tout? si l'on n'eût prétendu savoir que la terre ne tournait pas, on n'eût point puni Galilée pour avoir dit qu'elle tournait. Si les seuls philosophes en eussent réclamé le titre, l'*Encyclopédie* n'eût point eu de persécuteurs. Si cent mirmidons

[41] One of Voltaire's tales in which the hero one day conceived the idea of being perfectly wise.

[42] Epithet for ridiculous and greedy judges.

[43] The *Orphelin de la Chine* is a tragedy of Voltaire, performed August 20, 1755.

n'aspiraient à la gloire, vous jouiriez en paix de la vôtre, ou du moins vous n'auriez que des rivaux dignes de vous.

Ne soyez donc pas surpris de sentir quelques épines inséparables des fleurs qui couronnent les grands talents. Les injures de vos ennemis sont les acclamations satiriques qui suivent le cortège des triomphateurs: c'est l'empressement du public pour tous vos écrits qui produit les vols dont vous vous plaignez: mais les falsifications n'y sont plus faciles, car le fer ni le plomb ne s'allient pas avec l'or. Permettez-moi de vous le dire, par l'intérêt que je prends à votre repos et à notre instruction: méprisez de vaines clameurs par lesquelles on cherche moins à vous faire du mal qu'à vous détourner de bien faire. Plus on vous critiquera, plus vous devez vous faire admirer. Un bon livre est une terrible réponse à des injures imprimées; et qui vous oserait attribuer des écrits que vous n'aurez point faits, tant que vous n'en ferez que d'inimitables?

Je suis sensible à votre invitation;[44] et si cet hiver me laisse en état d'aller, au printemps, habiter ma patrie, j'y profiterai de vos bontés. Mais j'aimerais mieux boire de l'eau de votre fontaine que du lait de vos vaches; et quant aux herbes de votre verger, je crains bien de n'y en trouver d'autres que le lotos,[45] qui n'est pas la pâture des bêtes, et le moly, qui empêche les hommes de le devenir.

Je suis de tout mon cœur et avec respect, etc.

A M. Vernes [46]

A Montmorency, le 18 février 1758.

Oui, mon cher citoyen, je vous aime toujours, et, ce me semble, plus que jamais: mais je suis accablé de mes maux; j'ai bien de la peine à vivre, dans ma retraite, d'un travail peu lucratif; je n'ai

[44] Voltaire had asked Rousseau to visit him at the Délices.

[45] "Le *lotos* et le *moly* sont célébrés par Homère dans *L'Odyssée*. Le premier offrait une nourriture digne des dieux, et qui parut si délicieuse aux compagnons d'Ulysse, qu'il fallut user de violence pour les faire rentrer dans leurs vaisseaux. Mercure donna le second à Ulysse comme propre à le préserver des enchantements de la magicienne Circé." (Note by Rousseau.)

[46] Jacob Vernes (1728–1791), Swiss pastor and author. He did not agree with many of Rousseau's ideas, but remained on friendly terms with him.

que le temps qu'il me faut pour gagner mon pain, et le peu qui m'en reste est employé pour souffrir et me reposer. Ma maladie a fait un tel progrès cet hiver, j'ai senti tant de douleurs de toute espèce, et je me trouve tellement affaibli, que je commence à craindre que la force et les moyens ne me manquent pour exécuter mon projet. Je me console de cette impuissance par la considération de l'état où je suis. Que me servirait d'aller mourir parmi vous? Hélas! il fallait y vivre. Qu'importe où l'on laisse son cadavre? Je n'aurais pas besoin qu'on reportât mon cœur dans ma patrie; il n'en est jamais sorti.

Je n'ai point eu occasion d'exécuter votre commission auprès de M. d'Alembert. Comme nous ne nous sommes jamais beaucoup vus, nous ne nous écrivons point; et, confiné dans ma solitude, je n'ai conservé nulle espèce de relation avec Paris; j'en suis comme à l'autre bout de la terre, et ne sais pas plus ce qui s'y passe qu'à Pékin. Au reste, si l'article [47] dont vous me parlez est indiscret et répréhensible, il n'est assurément pas offensant. Cependant, s'il peut nuire à votre corps, peut-être fera-t-on bien d'y répondre, quoique à vous dire le vrai j'aie un peu d'aversion pour les détails où cela peut entraîner, et qu'en général je n'aime guère qu'en matière de foi l'on assujettisse la conscience à des formules. J'ai de la religion, mon ami, et bien m'en prend; je ne crois pas qu'un homme au monde en ait autant besoin que moi. J'ai passé ma vie parmi les incrédules, sans me laisser ébranler, les aimant, les estimant beaucoup, sans pouvoir souffrir leur doctrine. Je leur ai toujours dit que je ne les savais pas combattre, mais que je ne voulais pas les croire; la philosophie n'ayant sur ces matières ni fond ni rive, manquant d'idées primitives et de principes élémentaires, n'est qu'une mer d'incertitudes et de doutes, dont le métaphysicien ne se tire jamais. J'ai donc laissé là la raison, et j'ai consulté la nature, c'est-à-dire le sentiment intérieur qui dirige ma croyance, indépendamment de ma raison. Je leur ai laissé arranger leurs chances, leurs sorts, leur mouvement nécessaire; et, tandis qu'ils bâtissent le monde à coups de dés, j'y voyais, moi, cette unité d'intentions qui me faisait voir,

[47] It is a question of d'Alembert's article *Genève* in the *Encyclopédie*. Rousseau began the refutation of this article very soon after receiving Vernes' letter.

en dépit d'eux, un principe unique: tout comme s'ils m'avaient dit que *l'Iliade* avait été formé par un jet fortuit de caractères,[48] je leur aurais dit très résolument: Cela peut être, mais cela n'est pas vrai; et je n'ai point d'autre raison pour n'en rien croire, si ce n'est que je n'en crois rien. Préjugé que cela, disent-ils. Soit; mais que peut faire cette raison si vague contre un préjugé plus persuasif qu'elle? Autre argumentation sans fin contre la distinction des deux substances; autre persuasion de ma part qu'il n'y a rien de commun entre un arbre et ma pensée; et ce qui m'a paru plaisant en ceci, c'est de les voir s'acculer eux-mêmes par leurs propres sophismes, au point d'aimer mieux donner le sentiment aux pierres que d'accorder une âme à l'homme.

Mon ami, je crois en Dieu, et Dieu ne serait pas juste si mon âme n'était immortelle. Voilà, ce me semble, ce que la religion a d'essentiel et d'utile; laissons le reste aux disputeurs. A l'égard de l'éternité des peines, elles ne s'accordent ni avec la faiblesse de l'homme ni avec la justice de Dieu. Il est vrai qu'il y a des âmes si noires, que je ne puis concevoir qu'elles puissent jamais goûter cette éternelle béatitude dont il me semble que le plus doux sentiment doit être le contentement de soi-même. Cela me fait soupçonner qu'il se pourrait bien que les âmes des méchants fussent anéanties à leur mort, et qu'être et sentir fût le premier prix d'une bonne vie. Quoi qu'il en soit, que m'importe ce que seront les méchants? Il me suffit qu'en approchant du terme de ma vie je n'y voie point celui de mes espérances, et que j'en attende une plus heureuse après avoir tant souffert dans celle-ci. Quand je me tromperais dans cet espoir, il est lui-même un bien qui m'aura fait supporter tous mes maux. J'attends paisiblement l'éclaircissement de ces grandes vérités qui me sont cachées, bien convaincu cependant qu'en tout état de cause si la vertu ne rend pas toujours l'homme heureux, il ne saurait au moins être heureux sans elle; que les afflictions du juste ne sont point sans quelque dédommagement; et que les larmes mêmes de l'innocence sont plus douces au cœur que la prospérité du méchant.

Il est naturel, mon cher Vernes, qu'un solitaire souffrant et privé de toute société épanche son âme dans le sein de l'amitié,

[48] See Diderot, *Pensées philosophiques*, XXI. Diderot used the idea to support his theory of the mechanical transformation of matter.

et je ne crains pas que mes confidences vous déplaisent. J'aurais dû commencer par votre projet sur l'histoire de Genève;[49] mais il est des temps de peines et de maux où l'on est forcé de s'occuper de soi, et vous savez bien que je n'ai pas un cœur qui veuille se déguiser. Tout ce que je puis vous dire sur votre entreprise, avec tous les ménagements que vous y voulez mettre, c'est qu'elle est d'un sage intrépide ou d'un jeune homme. Embrassez bien pour moi l'ami Roustan. Adieu, mon cher concitoyen; je vous écris avec une aussi grande effusion de cœur que si je me séparais de vous pour jamais, parce que je me trouve dans un état qui peut me mener très loin encore, mais qui me laisse douter pourtant si chaque lettre que j'écris ne sera point la dernière.

A Monsieur de Malesherbes

Montmorency, le 12 janvier 1762.

Une âme paresseuse qui s'effraie de tout, un tempérament ardent, bilieux, facile à s'affecter, et sensible à l'excès à tout ce qui l'affecte, semblent ne pouvoir s'allier dans le même caractère; et ces deux contraires composent pourtant le fond du mien. Quoique je ne puisse résoudre cette opposition par des principes, elle existe pourtant, je la sens, rien n'est plus certain, et j'en puis du moins donner par les faits une espèce d'historique qui peut servir à la concevoir. J'ai eu plus d'activité dans l'enfance, mais jamais comme un autre enfant. Cet ennui de tout m'a de bonne heure jeté dans la lecture. A six ans, Plutarque me tomba sous la main; à huit, je le savais par cœur; j'avais lu tous les romans, ils m'avaient fait verser des seaux de larmes avant l'âge où le cœur prend intérêt aux romans. De là se forma dans le mien ce goût héroïque et romanesque qui n'a fait qu'augmenter jusqu'à présent, et qui acheva de me dégoûter de tout, hors de ce qui ressemblait à mes folies. Dans ma jeunesse, que[50] je croyais trouver dans le monde les mêmes gens que j'avais connu dans mes livres, je me livrais sans réserve à quiconque savait m'en imposer par un certain jargon dont j'ai toujours été la dupe.

[49] Vernes and Roustan (1734–1808) were working on a history of Geneva, never published.

[50] In the eighteenth century *que* is often used for *où* or *dans lequel*.

J'étais actif, parce que j'étais fou; à mesure que j'étais détrompé, je changeais de goûts, d'attachements, de projets; et dans tous ces changements je perdais toujours ma peine et mon temps, parce que je cherchais toujours ce qui n'était point. En devenant plus expérimenté, j'ai perdu peu à peu l'espoir de le trouver, et par conséquent le zèle de le chercher. Aigri par les injustices que j'avais éprouvées, par celles dont j'avais été témoin, souvent affligé du désordre où l'exemple et la force des choses m'avaient entraîné moi-même, j'ai pris en mépris mon siècle et mes contemporains; et, sentant que je ne trouverais point au milieu d'eux une situation qui pût contenter mon cœur, je l'ai peu à peu détaché de la société des hommes, et je m'en suis fait une autre dans mon imagination, laquelle m'a d'autant plus charmé, que je la pouvais cultiver sans peine, sans risque, et la trouver toujours sûre et telle qu'il me la fallait.

Après avoir passé quarante ans de ma vie ainsi mécontent de moi-même et des autres, je cherchais inutilement à rompre les liens qui me tenaient attaché à cette société que j'estimais si peu, et qui m'enchaînaient aux occupations le moins de mon goût, par des besoins que j'estimais ceux de la nature, et qui n'étaient que ceux de l'opinion: tout à coup un heureux hasard vint m'éclairer sur ce que j'avais à faire pour moi-même, et à penser de mes semblables, sur lesquels mon cœur était sans cesse en contradiction avec mon esprit, et que je me sentais encore porté à aimer, avec tant de raisons de les haïr. Je voudrais, monsieur, vous pouvoir peindre ce moment qui a fait dans ma vie une si singulière époque, et qui me sera toujours présent, quand je vivrais éternellement.

J'allais voir Diderot, alors prisonnier à Vincennes: j'avais dans ma poche un *Mercure de France*,[51] que je me mis à feuilleter le long du chemin. Je tombe sur la question [52] de l'Académie de Dijon, qui a donné lieu à mon premier écrit. Si jamais quelque chose a ressemblé à une inspiration subite, c'est le mouvement qui se fit en moi à cette lecture: tout à coup je me sens l'esprit ébloui de

[51] A weekly journal, founded in 1672 under the title of *Mercure galant*. Except for the *Gazette de France*, it is the oldest French periodical.

[52] i.e., "Si le rétablissement des sciences et des lettres a contribué à épurer les mœurs."

mille lumières; des foules d'idées vives s'y présentent à la fois avec une force et une confusion qui me jeta dans un trouble inexprimable; je sens ma tête prise par un étourdissement semblable à l'ivresse. Une violente palpitation m'oppresse, soulève ma poitrine; ne pouvant plus respirer en marchant, je me laisse tomber sous un des arbres de l'avenue, et j'y passe une demi-heure dans une telle agitation, qu'en me relevant j'aperçus tout le devant de ma veste mouillé de mes larmes, sans avoir senti que j'en répandais. O monsieur! si j'avais jamais pu écrire le quart de ce que j'ai vu et senti sous cet arbre, avec quelle clarté j'aurais fait voir toutes les contradictions du système social; avec quelle force j'aurais exposé tous les abus de nos institutions; avec quelle simplicité j'aurais démontré que l'homme est bon naturellement, et que c'est par ces institutions seules que les hommes deviennent méchants! Tout ce que j'ai pu retenir de ces foules de grandes vérités qui dans un quart d'heure m'illuminèrent sous cet arbre, a été bien faiblement épars dans les trois principaux de mes écrits; savoir, ce premier discours, celui sur l'inégalité, et le traité de l'éducation; lesquels trois ouvrages sont inséparables, et forment ensemble un même tout. Tout le reste a été perdu; et il n'y eut d'écrit sur le lieu même que la prosopopée de Fabricius.[53] Voilà comment, lorsque j'y pensais le moins, je devins auteur presque malgré moi. Il est aisé de concevoir comment l'attrait d'un premier succès et les critiques des barbouilleurs me jetèrent tout de bon dans la carrière. Avais-je quelque vrai talent pour écrire? je ne sais. Une vive persuasion m'a toujours tenu lieu d'éloquence, et j'ai toujours écrit lâchement et mal quand je n'ai pas été fortement persuadé: ainsi c'est peut-être un retour caché d'amour-propre qui m'a fait choisir et mériter ma devise,[54] et m'a si passionnément attaché à la vérité, ou à tout ce que j'ai pris pour elle. Si je n'avais écrit que pour écrire, je suis convaincu qu'on ne m'aurait jamais lu. . . .

Je n'ai pas tout dit, monsieur, et vous aurez encore peut-être au moins une lettre à essuyer. Heureusement rien ne vous oblige de les lire, et peut-être y seriez-vous bien embarrassé. Mais

[53] See the *Discours sur les sciences et les arts*, Part I, where is found the famous "prosopopeia" of Fabricius.

[54] His motto is "Vitam impendere vero," "sacrifice one's life for truth."

pardonnez, de grâce; pour recopier ces longs fatras, il faudrait les refaire, et, en vérité, je n'en ai pas le courage. J'ai sûrement bien du plaisir à vous écrire, mais je n'en ai pas moins à me reposer, et mon état ne me permet pas d'écrire longtemps de suite.

A Monsieur de Malesherbes

Montmorency, le 26 janvier 1762.

Après vous avoir exposé, monsieur, les vrais motifs de ma conduite, je voudrais vous parler de mon état moral dans ma retraite. Mais je sens qu'il est bien tard; mon âme aliénée d'elle-même est toute à mon corps: le délabrement de ma pauvre machine l'y tient de jour en jour plus attachée, et jusqu'à ce qu'elle s'en sépare tout à coup. C'est de mon bonheur que je voudrais vous parler, et l'on parle mal du bonheur quand on souffre.

Mes maux sont l'ouvrage de la nature, mais mon bonheur est le mien. Quoi qu'on puisse dire, j'ai été sage, puisque j'ai été heureux autant que ma nature m'a permis de l'être: je n'ai point été chercher ma félicité au loin, je l'ai cherchée auprès de moi, et je l'y ai trouvée. Spartien [55] dit que Similis, courtisan de Trajan, ayant sans aucun mécontentement personnel quitté la cour et tous ses emplois pour aller vivre paisiblement à la campagne, fit mettre ces mots sur sa tombe: *J'ai demeuré soixante-seize ans sur la terre, et j'en ai vécu sept.* Voilà ce que je puis dire à quelque égard, quoique mon sacrifice ait été moindre: je n'ai commencé de vivre que le 9 avril 1756.[56]

Je ne saurais vous dire, monsieur, combien j'ai été touché de voir que vous m'estimez le plus malheureux des hommes. Le public sans doute en jugera comme vous, et c'est encore ce qui m'afflige. Oh! que le sort dont j'ai joui n'est-il connu de tout l'univers! chacun voudrait s'en faire un semblable; la paix règnerait sur la terre; les hommes ne songeraient plus à se nuire, et il n'y aurait plus de méchants quand nul n'aurait intérêt à l'être. Mais de quoi jouissais-je enfin quand j'étais seul? De moi, de

[55] Ælius Spartianus, one of the authors of the *Augustan History.* He lived toward the end of the third century. Similis was a courtier of Trajan.

[56] Date when he moved to the Hermitage of Mme d'Épinay.

l'univers entier, de tout ce qui est, de tout ce qui peut être, de tout ce qu'a de beau le monde sensible, et d'imaginable le monde intellectuel: je rassemblais autour de moi tout ce qui pouvait flatter mon cœur; mes désirs étaient la mesure de mes plaisirs. Non, jamais les plus voluptueux n'ont connu de pareilles délices, et j'ai cent fois plus joui de mes chimères qu'ils ne font des réalités.

Quand mes douleurs me font tristement mesurer la longueur des nuits, et que l'agitation de la fièvre m'empêche de goûter un seul instant de sommeil, souvent je me distrais de mon état présent en songeant aux divers événements de ma vie; et les repentirs, les doux souvenirs, les regrets, l'attendrissement, se partagent le soin de me faire oublier quelques moments mes souffrances. Quels temps croiriez-vous, monsieur, que je me rappelle le plus souvent et le plus volontiers dans mes rêves. Ce ne sont point les plaisirs de ma jeunesse; ils furent trop rares, trop mêlés d'amertume, et sont déjà trop loin de moi. Ce sont ceux de ma retraite, ce sont mes promenades solitaires, ce sont ces jours rapides, mais délicieux, que j'ai passés tout entiers avec moi seul, avec ma bonne et simple gouvernante,[57] avec mon chien bien-aimé, ma vieille chatte, avec les oiseaux de la campagne et les biches de la forêt, avec la nature entière et son inconcevable auteur. En me levant avant le soleil pour aller voir, contempler son lever dans mon jardin, quand je voyais commencer une belle journée, mon premier souhait était que ni lettres, ni visites, n'en vinssent troubler le charme. Après avoir donné la matinée à divers soins que je remplissais tous avec plaisir, parce que je pouvais les remettre à un autre temps, je me hâtais de dîner pour échapper aux importuns, et me ménager un plus long après-midi. Avant une heure, même les jours les plus ardents, je partais par le grand soleil avec le fidèle Achate,[58] pressant le pas dans la crainte que quelqu'un ne vînt s'emparer de moi avant que j'eusse pu m'esquiver; mais quand une fois j'avais pu doubler un certain coin, avec quel battement de cœur, avec quel pétillement de joie je commençais à respirer en me sentant sauvé, en me disant: "Me voilà maître de moi pour le reste de ce jour!" J'allais alors d'un pas plus tranquille chercher quelque lieu sauvage dans la

[57] i.e., Thérèse le Vasseur. See n. 39.

[58] Rousseau's dog.

forêt, quelque lieu désert où rien ne montrant la main des hommes n'annonçât la servitude et la domination, quelque asile où je pusse croire avoir pénétré le premier, et où nul tiers importun ne vînt s'interposer entre la nature et moi. C'était là qu'elle semblait déployer à mes yeux une magnificence toujours nouvelle. L'or des genêts et la pourpre des bruyères frappaient mes yeux d'un luxe qui touchait mon cœur; la majesté des arbres qui me couvraient de leur ombre, la délicatesse des arbustes qui m'environnaient, l'étonnante variété des herbes et des fleurs que je foulais sous mes pieds tenaient mon esprit dans une alternative continuelle d'observation et d'admiration: le concours de tant d'objets intéressants qui se disputaient mon attention, m'attirant sans cesse de l'un à l'autre, favorisait mon humeur rêveuse et paresseuse, et me faisait souvent redire en moi-même: " Non, Salomon dans toute sa gloire ne fut jamais vêtu comme l'un d'eux."

Mon imagination ne laissait pas longtemps déserte la terre ainsi parée. Je la peuplais bientôt d'êtres selon mon cœur, et, chassant bien loin l'opinion, les préjugés, toutes les passions factices, je transportais dans les asiles de la nature des hommes dignes de les habiter. Je m'en formais une société charmante [59] dont je ne me sentais pas indigne, je me faisais un siècle d'or à ma fantaisie; et, remplissant ces beaux jours de toutes les scènes de ma vie qui m'avaient laissé de doux souvenirs, et de toutes celles que mon cœur pouvait désirer encore, je m'attendrissais jusqu'aux larmes sur les vrais plaisirs de l'humanité, plaisirs si délicieux, si purs, et qui sont désormais si loin des hommes. Oh! si dans ces moments quelque idée de Paris, de mon siècle, et de ma petite gloriole d'auteur, venait troubler mes rêveries, avec quel dédain je la chassais à l'instant, pour me livrer, sans distraction, aux sentiments exquis dont mon âme était pleine! Cependant au milieu de tout cela, je l'avoue, le néant de mes chimères venait quelquefois la contrister tout-à-coup. Quand tous mes rêves se seraient tournés en réalités, ils ne m'auraient pas suffi; j'aurais imaginé, rêvé, désiré encore. Je trouvais en moi un vide inexplicable que rien n'aurait pu remplir, un certain élancement de cœur vers une autre sorte de jouissance dont je n'avais pas d'idée, et

[59] That of the *Nouvelle Héloïse*.

dont pourtant je sentais le besoin. Hé bien! monsieur, cela même était jouissance, puisque j'en étais pénétré d'un sentiment très vif, et d'une tristesse attirante, que je n'aurais pas voulu ne pas avoir.

Bientôt de la surface de la terre j'élevais mes idées à tous les êtres de la nature, au système universel des choses, à l'être incompréhensible qui embrasse tout. Alors, l'esprit perdu dans cette immensité, je ne philosophais pas; je me sentais, avec une sorte de volupté, accablé du poids de cet univers; je me livrais avec ravissement à la confusion de ces grandes idées, j'aimais à me perdre en imagination dans l'espace; mon cœur resserré dans les bornes des êtres s'y trouvait trop à l'étroit; j'étouffais dans l'univers; j'aurais voulu m'élancer dans l'infini. Je crois que si j'eusse dévoilé tous les mystères de la nature, je me serais senti dans une situation moins délicieuse que cette étourdissante extase à laquelle mon esprit se livrait sans retenue, et qui, dans l'agitation de mes transports, me faisait crier quelquefois: "O grand Être! O grand Être!" sans pouvoir dire ni penser rien de plus.

Ainsi s'écoulaient dans un délire continuel les journées les plus charmantes que jamais créature humaine ait passées; et, quand le coucher du soleil me faisait songer à la retraite, étonné de la rapidité du temps, je croyais n'avoir pas assez mis à profit ma journée, je pensais en pouvoir jouir davantage encore; et, pour réparer le temps perdu, je me disais: "je reviendrai demain."

Je revenais à petits pas, la tête un peu fatiguée, mais le cœur content; je me reposais agréablement au retour, en me livrant à l'impression des objets; mais sans penser, sans imaginer, sans rien faire autre chose que sentir le calme et le bonheur de ma situation. Je trouvais mon couvert mis sur ma terrasse. Je soupais de grand appétit dans mon petit domestique; nulle image de servitude et de dépendance ne troublait la bienveillance qui nous unissait tous. Mon chien lui-même était mon ami, non mon esclave; nous avions toujours la même volonté, mais jamais il ne m'a obéi. Ma gaieté durant toute la soirée témoignait que j'avais vécu seul tout le jour; j'étais bien différent quand j'avais vu de la compagnie, j'étais rarement content des autres, et jamais de moi. Le soir, j'étais grondeur et taciturne: cette remarque est de ma gouvernante, et depuis qu'elle me l'a dite, je l'ai toujours trouvée juste en m'observant. Enfin, après avoir fait encore quelques tours dans mon jardin, ou chanté quelque air sur mon épinette, je trouvais dans mon lit un repos de corps et d'âme cent fois plus doux que le sommeil même.

Ce sont là les jours qui ont fait le vrai bonheur de ma vie; bonheur sans amertume, sans ennuis, sans regrets, et auquel j'aurais borné volontiers tout celui de mon existence. Oui, monsieur, que de pareils jours remplissent pour moi l'éternité, je n'en demande point d'autres, et n'imagine pas que je sois beaucoup moins heureux, dans ces ravissantes contemplations, que les intelligences célestes. Mais un corps qui souffre ôte à l'esprit sa liberté, désormais je ne suis plus seul, j'ai un hôte qui m'importune, il faut m'en délivrer pour être à moi; et l'essai que j'ai fait de ces douces jouissances ne sert plus qu'à me faire attendre avec moins d'effroi le moment de les goûter sans distraction.

ANDRÉ CHÉNIER

1762–1794

L'AVEUGLE

"Dieu, dont l'arc est d'argent, Dieu de Claros, écoute,
O Sminthée-Apollon,[1] je périrai sans doute,
Si tu ne sers de guide à cet aveugle errant."
C'est ainsi qu'achevait l'aveugle en soupirant,
Et près des bois marchait, faible, et sur une pierre
S'asseyait. Trois pasteurs, enfants de cette terre,
Le suivaient, accourus aux abois turbulents
Des molosses, gardiens de leurs troupeaux bêlants.
Ils avaient, retenant leur fureur indiscrète,
Protégé du vieillard la faiblesse inquiète;
Ils l'écoutaient de loin; et s'approchant de lui:
"Quel est ce vieillard blanc, aveugle et sans appui?
Serait-ce un habitant de l'empire céleste?
Ses traits sont grands et fiers: de sa ceinture agreste
Pend une lyre informe, et les sons de sa voix
Émeuvent l'air et l'onde et le ciel et les bois."

Mais il entend leurs pas, prête l'oreille, espère,
Se trouble, et tend déjà les mains à la prière.
"Ne crains point, disent-ils, malheureux étranger;
(Si plutôt sous un corps terrestre et passager
Tu n'es point quelque Dieu protecteur de la Grèce,
Tant une grâce auguste ennoblit ta vieillesse!)
Si tu n'es qu'un mortel, vieillard infortuné,
Les humains près de qui les flots t'ont amené,
Aux mortels malheureux n'apportent point d'injures.
Les destins n'ont jamais de faveurs qui soient pures.
Ta voix noble et touchante est un bienfait des Dieux;
Mais aux clartés du jour ils ont fermé tes yeux.

[1] Apollo was worshipped at Smintheus in Troades.

— Enfants, car votre voix est enfantine et tendre,
Vos discours sont prudents, plus qu'on n'eût dû l'attendre;
Mais toujours soupçonneux, l'indigent étranger
Croit qu'on rit de ses maux et qu'on veut l'outrager.
Ne me comparez point à la troupe immortelle:
Ces rides, ces cheveux, cette nuit éternelle,
Voyez; est-ce le front d'un habitant des cieux?
Je ne suis qu'un mortel, un des plus malheureux!
Si vous en savez un pauvre, errant, misérable,
C'est à celui-là seul que je suis comparable;
Et pourtant je n'ai point, comme fit Thamyris,[2]
Des chansons à Phébus voulu ravir le prix;
Ni, livré comme Œdipe à la noire Euménide,
Je n'ai puni sur moi l'inceste parricide;
Mais les Dieux tout-puissants gardaient à mon déclin
Les ténèbres, l'exil, l'indigence et la faim.

— Prends; et puisse bientôt changer ta destinée,"
Disent-ils. Et tirant ce que, pour leur journée,
Tient la peau d'une chèvre aux crins noirs et luisants,
Ils versent à l'envi, sur ses genoux pesants,
Le pain de pur froment, les olives huileuses,
Le fromage et l'amande, et les figues mielleuses,
Et du pain à son chien entre ses pieds gisant,
Tout hors d'haleine encore, humide et languissant;
Qui malgré les rameurs, se lançant à la nage,
L'avait loin du vaisseau rejoint sur le rivage.

"Le sort, dit le vieillard, n'est pas toujours de fer.
Je vous salue, enfants venus de Jupiter.
Heureux sont les parents qui tels vous firent naître!
Mais venez, que mes mains cherchent à vous connaître;
Je crois avoir des yeux. Vous êtes beaux tous trois.
Vos visages sont doux, car douce est votre voix.
Qu'aimable est la vertu que la grâce environne!
Croissez, comme j'ai vu ce palmier de Latone,
Alors qu'ayant des yeux je traversai les flots;

[2] A legendary poet who, having challenged Apollo, was blinded by him.

Car jadis, abordant à la sainte Délos,
Je vis près d'Apollon, à son autel de pierre,
Un palmier, don du ciel, merveille de la terre.
Vous croîtrez, comme lui, grands, féconds, révérés,
Puisque les malheureux sont par vous honorés.
Le plus âgé de vous aura vu treize années:
A peine, mes enfants, vos mères étaient nées,
Que j'étais presque vieux. Assieds-toi près de moi,
Toi, le plus grand de tous; je me confie à toi.
Prends soin du vieil aveugle. — O sage magnanime!
Comment, et d'où viens-tu? car l'onde maritime
Mugit de toutes parts sur nos bords orageux.

— Des marchands de Cymé [3] m'avaient pris avec eux.
J'allais voir, m'éloignant des rives de Carie,
Si la Grèce pour moi n'aurait point de patrie,
Et des Dieux moins jaloux, et de moins tristes jours;
Car jusques à la mort nous espérons toujours.
Mais pauvre, et n'ayant rien pour payer mon passage,
Ils m'ont, je ne sais où, jeté sur le rivage.

— Harmonieux vieillard, tu n'as donc point chanté?
Quelques sons de ta voix auraient tout acheté.

— Enfants, du rossignol la voix pure et légère
N'a jamais apaisé le vautour sanguinaire,
Et les riches grossiers, avares, insolents,
N'ont pas une âme ouverte à sentir les talents.
Guidé par ce bâton, sur l'arène glissante,
Seul, en silence, au bord de l'onde mugissante,
J'allais; et j'écoutais le bêlement lointain
De troupeaux agitant leurs sonnettes d'airain.
Puis j'ai pris cette lyre, et les cordes mobiles
Ont encor résonné sous mes vieux doigts débiles.
Je voulais des grands Dieux implorer la bonté,
Et surtout Jupiter, Dieu d'hospitalité:
Lorsque d'énormes chiens, à la voix formidable,

[3] A small island off the coast of Caria, in Asia Minor.

Sont venus m'assaillir; et j'étais misérable,
Si vous (car c'était vous) avant qu'ils m'eussent pris
N'eussiez armé pour moi les pierres et les cris.

— Mon père, il est donc vrai: tout est devenu pire?
Car jadis, aux accents d'une éloquente lyre,
Les tigres et les loups, vaincus, humiliés,
D'un chanteur comme toi vinrent baiser les pieds.

— Les barbares! J'étais assis près de la poupe.
Aveugle vagabond, dit l'insolente troupe,
Chante: si ton esprit n'est point comme tes yeux,
Amuse notre ennui; tu rendras grâce aux Dieux.
J'ai fait taire mon cœur qui voulait les confondre;
Ma bouche ne s'est point ouverte à leur répondre.
Ils n'ont pas entendu ma voix, et sous ma main
J'ai retenu le Dieu courroucé dans mon sein.
Cymé, puisque tes fils dédaignent Mnémosyne,
Puisqu'ils ont fait outrage à la muse divine,
Que leur vie et leur mort s'éteigne dans l'oubli;
Que ton nom dans la nuit demeure enseveli.

— Viens, suis-nous à la ville; elle est toute voisine,
Et chérit les amis de la muse divine.
Un siège aux clous d'argent te place à nos festins;
Et là les mets choisis, le miel et les bons vins,
Sous la colonne où pend une lyre d'ivoire,
Te feront de tes maux oublier la mémoire.
Et si, dans le chemin, rapsode ingénieux,
Tu veux nous accorder tes chants dignes des cieux,
Nous dirons qu'Apollon, pour charmer les oreilles,
T'a lui-même dicté de si douces merveilles.

— Oui, je le veux; marchons. Mais où m'entraînez-vous?
Enfants du vieil aveugle, en quel lieu sommes-nous?

— Syros [4] est l'île heureuse où nous vivons, mon père.

[4] Scyros.

— Salut, belle Syros, deux fois hospitalière!
Car sur ses bords heureux je suis déjà venu,
Amis, je la connais. Vos pères m'ont connu:
Ils croissaient comme vous; mes yeux s'ouvraient encore
Au soleil, au printemps, aux roses de l'aurore;
J'étais jeune et vaillant. Aux danses des guerriers,
A la course, aux combats, j'ai paru des premiers.
J'ai vu Corinthe, Argos, et Crète et les cent villes,[5]
Et du fleuve Égyptus [6] les rivages fertiles;
Mais la terre et la mer, et l'âge et les malheurs,
Ont épuisé ce corps fatigué de douleurs.
La voix me reste. Ainsi la cigale innocente,
Sur un arbuste assise, et se console et chante.
Commençons par les dieux: Souverain Jupiter;
Soleil, qui vois, entends, connais tout; et toi, mer,
Fleuves, terre, et noirs Dieux des vengeances trop lentes,
Salut! Venez à moi de l'Olympe habitantes,
Muses! vous savez tout, vous Déesses; et nous,
Mortels, ne savons rien qui ne vienne de vous."

Il poursuit; et déjà les antiques ombrages
Mollement en cadence inclinaient leurs feuillages;
Et pâtres oubliant leur troupeau délaissé,
Et voyageurs quittant leur chemin commencé,
Couraient; il les entend, près de son jeune guide,
L'un sur l'autre pressés, tendre une oreille avide;
Et Nymphes et Sylvains sortaient pour l'admirer,
Et l'écoutaient en foule, et n'osaient respirer;
Car, en de longs détours de chansons vagabondes,
Il enchaînait de tout les semences fécondes,
Les principes du feu, les eaux, la terre et l'air,
Les fleuves descendus du sein de Jupiter,
Les oracles, les arts, les cités fraternelles,
Et depuis le chaos les amours immortelles.
D'abord le roi divin, et l'Olympe et les cieux
Et le monde, ébranlés d'un signe de ses yeux;

[5] Of ancient Crete. cf. *Iliad*, II, 649.
[6] The Nile.

Et les Dieux partagés en une immense guerre,
Et le sang plus qu'humain venant rougir la terre,
Et les rois assemblés, et sous les pieds guerriers,
Une nuit de poussière, et les chars meurtriers;
Et les héros armés, brillant dans les campagnes,
Comme un vaste incendie aux cimes des montagnes;
Les coursiers hérissant leur crinière à longs flots,
Et d'une voix humaine excitant les héros;
De là, portant ses pas dans les paisibles villes,
Les lois, les orateurs, les récoltes fertiles;
Mais bientôt de soldats les remparts entourés,
Les victimes tombant dans les parvis sacrés,
Et les assauts, mortels aux épouses plaintives,
Et les mères en deuil, et les filles captives;
Puis aussi les moissons joyeuses, les troupeaux
Bêlants ou mugissants, les rustiques pipeaux,
Les chansons, les festins, les vendanges bruyantes,
Et la flûte et la lyre, et les noces dansantes;
Puis, déchaînant les vents à soulever les mers,
Il perdait les nochers sur les gouffres amers.
De là, dans le sein frais d'une roche azurée,
En foule il appelait les filles de Nérée,
Qui bientôt, à des cris, s'élevant sur les eaux,
Aux rivages troyens parcouraient les vaisseaux;
Puis il ouvrait du Styx la rive criminelle,
Et puis les demi-dieux et les champs d'asphodèle,
Et la foule des morts; vieillards seuls et souffrants,
Jeunes gens emportés aux yeux de leurs parents,
Enfants dont au berceau la vie est terminée,
Vierges dont le trépas suspendit l'hyménée.
Mais, ô bois, ô ruisseaux, ô monts, ô durs cailloux,
Quels doux frémissements vous agitèrent tous,
Quand bientôt à Lemnos, sur l'enclume divine,
Il forgeait cette trame irrésistible et fine
Autant que d'Arachné les pièges inconnus,
Et dans ce fer mobile emprisonnait Vénus!
Et quand il revêtit d'une pierre soudaine
La fière Niobé, cette mère thébaine,

Et quand il répétait en accents de douleurs
De la triste Aédon [7] l'imprudence et les pleurs,
Qui, d'un fils méconnu marâtre involontaire,
Vola, doux rossignol, sous le bois solitaire;
Ensuite, avec le vin, il versait aux héros
Le puissant népenthès, oubli de tous les maux;
Il cueillait le moly, fleur qui rend l'homme sage;
Du paisible lotos il mêlait le breuvage.
Les mortels oubliaient, à ce philtre charmés,
Et la douce patrie et les parents aimés.
Enfin, l'Ossa, l'Olympe et les bois du Pénée
Voyaient ensanglanter les banquets d'hyménée,[8]
Quand Thésée, au milieu de la joie et du vin,
La nuit où son ami [9] reçut à son festin
Le peuple monstrueux des enfants de la nue,[10]
Fut contraint d'arracher l'épouse demi-nue
Au bras ivre et nerveux du sauvage Eurytus.
Soudain, le glaive en main, l'ardent Pirithoüs:
"Attends; il faut ici que mon affront s'expie,
Traître!" Mais, avant lui, sur le Centaure impie,
Dryas [11] a fait tomber, avec tous ses rameaux,
Un long arbre de fer hérissé de flambeaux.
L'insolent quadrupède en vain s'écrie, il tombe;
Et son pied bat le sol qui doit être sa tombe.
Sous l'effort de Nessus, la table du repas
Roule, écrase Cymèle, Évagre, Périphas.
Pirithoüs égorge Antimaque, et Pétrée,
Et Cyllare aux pieds blancs, et le noir Macarée,
Qui de trois fiers lions, dépouillés par sa main,

[7] Who killed her own son, believing him to be the child of her sister-in-law.

[8] The marriage of Pirithous, king of the Lapithae, and Hippodamia, daughter of Adrastus, resulting in the combat of the Lapithae and the Centaurs. cf. Ovid, *Metamorphoses*, XII. Of the figures mentioned below the following are Lapithae: Cymelus, Euagarus, Periphas; the following are Centaurs: Eurytus, Nessus, Antimachus, Petræus, Cyllarus, Macareus, Bienor, Clanis, Demoleon, Lycopes, Ripheus, Eurynomus, Helops.

[9] Pirithous.

[10] The Centaurs, children of Ixion and the cloud.

[11] Son of Mars, brother of the Thracian Tereus.

Couvrait ses quatre flancs, armait son double sein.
Courbé, levant un roc choisi pour leur vengeance,
Tout à coup, sous l'airain d'un vase antique, immense,
L'imprudent Bianor, par Hercule surpris,
Sent de sa tête énorme éclater les débris.
Hercule et la massue entassent en trophée
Clanis, Démoléon, Lycotas, et Riphée
Qui portait sur ses crins, de taches colorés,
L'héréditaire éclat des nuages dorés.
Mais d'un double combat Eurynome est avide;
Car ses pieds agités en un cercle rapide
Battant à coups pressés l'armure de Nestor,
Le quadrupède Hélops fuit. L'agile Crantor,[12]
Le bras levé, l'atteint. Eurynome l'arrête:
D'un érable noueux il va fendre sa tête:
Lorsque le fils d'Égée, invincible, sanglant,
L'aperçoit, à l'autel prend un chêne brulant,
Sur sa croupe indomptée, avec un cri terrible,
S'élance, va saisir sa chevelure horrible,
L'entraîne, et quand sa bouche, ouverte avec effort,
Crie, il y plonge ensemble et la flamme et la mort.
L'autel est dépouillé. Tous vont s'armer de flamme,
Et le bois porte au loin les hurlements de femme,
L'ongle frappant la terre, et les guerriers meurtris,
Et les vases brisés, et l'injure, et les cris.

Ainsi le grand vieillard, en images hardies,
Déployait le tissu des saintes mélodies.
Les trois enfants, émus à son auguste aspect,
Admiraient, d'un regard de joie et de respect,
De sa bouche abonder les paroles divines,
Comme en hiver la neige aux sommets des collines.
Et partout accourus, dansant sur son chemin,
Hommes, femmes, enfants, les rameaux à la main,
Et vierges et guerriers, jeunes fleurs de la ville,
Chantaient: "Viens dans nos murs, viens habiter notre île;
Viens, prophète éloquent, aveugle harmonieux,

[12] The armor-bearer of Peleus.

Convive du nectar, disciple aimé des Dieux;
Des jeux, tous les cinq ans, rendront saint et prospère
Le jour où nous avons reçu le grand HOMÈRE."

LE MALADE

"Apollon, Dieu sauveur, Dieu des savants mystères,
Dieu de la vie, et Dieu des plantes salutaires,
Dieu vainqueur de Python, Dieu jeune et triomphant,
Prends pitié de mon fils, de mon unique enfant;
Prends pitié de sa mère aux larmes condamnée,
Qui ne vit que pour lui, qui meurt abandonnée,
Qui n'a pas dû rester pour voir mourir son fils;
Dieu jeune, viens aider sa jeunesse. Assoupis,
Assoupis dans son sein cette fièvre brûlante
Qui dévore la fleur de sa vie innocente.
Apollon, si jamais, échappé du tombeau,
Il retourne au Ménale [13] avoir soin du troupeau,
Ces mains, ces vieilles mains orneront ta statue
De ma coupe d'onyx à tes pieds suspendue;
Et, chaque été nouveau, d'un jeune taureau blanc
La hache à ton autel fera couler le sang.
Eh bien! mon fils, es-tu toujours impitoyable?
Ton funeste silence est-il inexorable?
Enfant, tu veux mourir? Tu veux, dans ses vieux ans,
Laisser ta mère seule avec ses cheveux blancs?
Tu veux que ce soit moi qui ferme ta paupière?
Que j'unisse ta cendre à celle de ton père?
C'est toi qui me devais ces soins religieux;
Et ma tombe attendait tes pleurs et tes adieux.
Parle, parle, mon fils. Quel chagrin te consume?
Les maux qu'on dissimule en ont plus d'amertume.
Ne lèveras-tu point ces yeux appesantis?

— Ma mère, adieu. Je meurs; et tu n'as plus de fils.
Non, tu n'as plus de fils. Ma mère bien-aimée,
Je te perds. Une plaie ardente, envenimée,

[13] A mountain in southeastern Arcadia.

Me ronge. Avec effort je respire; et je crois
Chaque fois respirer pour la dernière fois.
Je ne parlerai pas. Adieu. Ce lit me blesse.
Ce tapis qui me couvre accable ma faiblesse.
Tout me pèse et me lasse. Aide-moi. Je me meurs.
Tourne-moi sur le flanc. Ah! j'expire. O douleurs!

— Tiens, mon unique enfant, mon fils, prends ce breuvage.
Sa chaleur te rendra ta force et ton courage.
La mauve, le dictame, ont avec les pavots
Mêlé leurs sucs puissants qui donnent le repos:
Sur le vase bouillant, attendrie à mes larmes,
Une Thessalienne a composé des charmes.
Ton corps débile a vu trois retours du soleil
Sans connaître Cérès,[14] ni tes yeux le sommeil.
Prends, mon fils, laisse-toi fléchir à ma prière:
C'est ta mère; ta vieille inconsolable mère
Qui pleure; qui jadis te guidait pas à pas;
T'asseyait sur son sein; te portait dans ses bras;
Que tu disais aimer; qui t'apprit à le dire;
Qui chantait, et souvent te forçait à sourire,
Lorsque tes jeunes dents, par de vives douleurs,
De tes yeux enfantins faisaient couler des pleurs.
Tiens, presse de ta lèvre, hélas! pâle et glacée,
Par qui cette mamelle était jadis pressée . . .
Que ce suc te nourrisse et vienne à ton secours,
Comme autrefois mon lait nourrit tes premiers jours.

— O coteaux d'Érymanthe! ô vallons! ô bocage!
O vent sonore et frais qui troublais le feuillage
Et faisais frémir l'onde, et sur leur jeune sein
Agitais les replis de leur robe de lin!
De légères beautés troupe agile et dansante!
Tu sais, tu sais, ma mère? Aux bords de l'Érymanthe!
Là, ni loups ravisseurs, ni serpents, ni poisons.
O visage divin! ô fêtes! ô chansons!
Des pas entrelacés, des fleurs, une onde pure!

[14] Used here in the sense of bread.

Aucun lieu n'est si beau dans toute la nature.
Dieux! ces bras! et ces flancs! ces cheveux! ces pieds nus
Si blancs! si délicats! je ne les verrai plus.
O! portez, portez-moi sur les bords d'Érymanthe
Que je la voie encor, cette vierge dansante!
O! que je voie au loin la fumée à longs flots
S'élever de ce toit au bord de cet enclos. . . .
Assise à tes côtés, ses discours, sa tendresse,
Sa voix, trop heureux père! enchante ta vieillesse.
Dieux! par-dessus la haie élevée en remparts
Je la vois, à pas lents, en longs cheveux épars,
Seule, sur un tombeau, pensive, inanimée,
S'arrêter et pleurer sa mère bien-aimée!
O! que tes yeux sont doux! que ton visage est beau!
Viendras-tu point aussi pleurer sur mon tombeau?
Viendras-tu point aussi, la plus belle des belles,
Dire sur mon tombeau: "Les Parques sont cruelles?"
— Ah! mon fils, c'est l'amour? c'est l'amour insensé
Qui t'a jusqu'à ce point cruellement blessé?

Ah! mon malheureux fils! Oui. Faibles que nous sommes!
C'est toujours cet amour qui tourmente les hommes.
S'ils pleurent en secret, qui lira dans leur cœur
Verra que c'est toujours cet amour en fureur.
Mais, mon fils, mais dis-moi: quelle belle dansante,
Quelle vierge as-tu vue au bord de l'Érymanthe?
N'es-tu pas riche et beau? du moins quand la douleur
N'avait point de ta joue éteint la jeune fleur?
Parle. Est-ce cette Églé, fille du roi des ondes?
Ou cette jeune Irène aux longues tresses blondes?
Ou ne sera-ce point cette fière beauté
Dont j'entends le beau nom chaque jour répété?
Dont j'apprends que partout les belles sont jalouses?
Qu'aux temples, aux festins, les mères, les épouses,
Ne sauraient voir, dit-on, sans peine et sans effroi?
Cette belle Daphné? . . . — Dieux! ma mère, tais-toi.
Tais-toi. Dieux! Qu'as-tu dit! Elle est fière, inflexible.
Comme les immortels elle est belle et terrible.

Mille amants l'ont aimée; ils l'ont aimée en vain.
Comme eux j'aurais trouvé quelque refus hautain.
Non, garde que jamais elle soit informée . . .
Mais, ô mort! ô tourments! ô mère bien-aimée!
Tu vois dans quels ennuis dépérissent mes jours.
Ma mére bien-aimée, ah! viens à mon secours.
Je meurs. Va la trouver. Que tes traits, que ton âge,
De sa mère à ses yeux offrent la sainte image.
Tiens, prends cette corbeille et nos fruits les plus beaux,
Prends notre Amour d'ivoire, honneur de ces hameaux,
Prends la coupe d'onyx à Corinthe ravie,
Prends mes jeunes chevreaux, prends mon cœur, prends ma vie,
Jette tout à ses pieds. Apprends-lui qui je suis;
Dis-lui que je me meurs, que tu n'as plus de fils;
Tombe aux pieds du vieillard, gémis, implore, presse;
Adjure cieux et mers, Dieu, temple, autel, Déesse;
Pars, et si tu reviens sans les avoir fléchis,
Adieu, ma mère, adieu, tu n'auras plus de fils.

— J'aurai toujours un fils. Va, la belle espérance
Me dit. . . ." Elle s'incline et, dans un doux silence,
Elle couvre ce front, terni par les douleurs,
De baisers maternels entremêlés de pleurs.
Puis elle sort en hâte, inquiète et tremblante,
Sa démarche de crainte et d'âge chancelante.
Elle arrive; et bientôt revenant sur ses pas,
Haletante, de loin: "Mon cher fils, tu vivras.
Tu vivras." Elle vient s'asseoir près de la couche.
Le vieillard la suivait, le sourire à la bouche.
La jeune belle aussi, rouge et le front baissé,
Vient, jette sur le lit un coup d'œil. L'insensé
Tremble; sous ses tapis il veut cacher sa tête.
"Ami, depuis trois jours tu n'es d'aucune fête,
Dit-elle; que fais-tu? pourquoi veux-tu mourir?
Tu souffres. L'on me dit que je peux te guérir.
Vis; et formons ensemble une seule famille.
Que mon père ait un fils; et ta mère une fille."

NÉÆRE

Mais telle qu'à sa mort pour la dernière fois
Un beau cygne soupire, et de sa douce voix,
De sa voix qui bientôt lui doit être ravie,
Chante, avant de partir, ses adieux à la vie:
Ainsi, les yeux remplis de langueur et de mort,
Pâle, elle ouvrit sa bouche en un dernier effort.
"O vous, du Sébethus [15] Naïades vagabondes,
Coupez sur mon tombeau vos chevelures blondes.
Adieu, mon Clinias; moi, celle qui te plus,
Moi, celle qui t'aimai, que tu ne verras plus.
O cieux, ô terre, ô mer, prés, montagnes, rivages,
Fleurs, bois mélodieux, vallons, grottes sauvages,
Rappelez-lui souvent, rappelez-lui toujours
Néære, tout son bien, Néære, ses amours,
Cette Néære, hélas! qu'il nommait sa Néære;
Qui pour lui criminelle abandonna sa mère;
Qui pour lui fugitive, errant de lieux en lieux,
Aux regards des humains n'osa lever les yeux.
O! soit que l'astre pur des deux frères d'Hélène
Calme sous ton vaisseau la vague ionienne;
Soit qu'aux bords de Pæstum, sous ta soigneuse main,
Les roses deux fois l'an couronnent ton jardin,
Au coucher du soleil, si ton âme attendrie
Tombe en une muette et molle rêverie,
Alors, mon Clinias, appelle, appelle-moi.
Je viendrai, Clinias, je volerai vers toi.
Mon âme vagabonde à travers le feuillage
Frémira. Sur les vents ou sur quelque nuage
Tu la verras descendre, ou du sein de la mer,
S'élevant comme un songe, étinceler dans l'air;
Et ma voix, toujours tendre et doucement plaintive,
Caresser en fuyant ton oreille attentive."

LA JEUNE TARENTINE

Pleurez, doux alcyons, ô vous, oiseaux sacrés,
Oiseaux chers à Thétis, doux alcyons, pleurez.

[15] A river of Campania.

Elle a vécu, Myrto, la jeune Tarentine.
Un vaisseau la portait aux bords de Camarine.[16]
Là l'hymen, les chansons, les flûtes, lentement
Devaient la reconduire au seuil de son amant.
Une clef vigilante a pour cette journée
Dans le cèdre enfermé sa robe d'hyménée
Et l'or dont au festin ses bras seraient parés
Et pour ses blonds cheveux les parfums préparés.
Mais, seule sur la proue, invoquant les étoiles,
Le vent impétueux qui soufflait dans les voiles
L'enveloppe. Étonnée, et loin des matelots,
Elle crie, elle tombe, elle est au sein des flots.
Elle est au sein des flots, la jeune Tarentine.
Son beau corps a roulé sous la vague marine.
Thétis, les yeux en pleurs, dans le creux d'un rocher
Aux monstres dévorants eut soin de le cacher.
Par ses ordres bientôt les belles Néréides
L'élèvent au-dessus des demeures humides,
Le portent au rivage, et dans ce monument
L'ont, au cap du Zéphyr, déposé mollement.
Puis de loin à grands cris appelant leurs compagnes,
Et les Nymphes des bois, des sources, des montagnes,
Toutes, frappant leur sein, et traînant un long deuil,
Répétèrent: "Hélas!" autour de son cercueil.
Hélas! chez ton amant tu n'es point ramenée.
Tu n'as point revêtu ta robe d'hyménée.
L'or autour de tes bras n'a point serré de nœuds.
Les doux parfums n'ont point coulé sur tes cheveux.

L'INVENTION

O fils du Mincius, je te salue, ô toi
Par qui le Dieu des arts fut roi du peuple roi!
Et vous, à qui jadis, pour créer l'harmonie,
L'Attique, et l'onde Égée, et la belle Ionie,
Donnèrent un ciel pur, les plaisirs, la beauté,
Des mœurs simples, des lois, la paix, la liberté,
Un langage sonore, aux douceurs souveraines,

[16] A port on the southwestern shore of Sicily.

Le plus beau qui soit né sur des lèvres humaines,
Nul âge ne verra pâlir vos saints lauriers,
Car vos pas inventeurs ouvrirent les sentiers;
Et du temple des arts que la gloire environne
Vos mains ont élevé la première colonne.
A nous tous aujourd'hui, vos faibles nourrissons,
Votre exemple a dicté d'importantes leçons.
Il nous dit que nos mains, pour vous être fidèles,
Y doivent élever des colonnes nouvelles.
L'esclave imitateur naît et s'évanouit;
La nuit vient, le corps reste, et son ombre s'enfuit.
  Ce n'est qu'aux inventeurs que la vie est promise. . . .
Mais inventer n'est pas, en un brusque abandon,
Blesser la vérité, le bon sens, la raison;
Ce n'est pas entasser, sans dessein et sans forme,
Des membres ennemis en un colosse énorme. . . .
Ainsi donc, dans les arts l'inventeur est celui
Qui peint ce que chacun peut sentir comme lui;
Qui, fouillant des objets les plus sombres retraites,
Étale et fait briller leurs richesses secrètes;
Qui, par des nœuds certains, imprévus et nouveaux,
Unissant des objets qui paraissaient rivaux,
Montre et fait adopter à la nature mère
Ce qu'elle n'a point fait, mais ce qu'elle a pu faire. . . .
Quoi! faut-il, ne s'armant que de timides voiles,
N'avoir que ces grands noms pour nord et pour étoiles,
Les côtoyer sans cesse, et n'oser un instant,
Seul et loin de tout bord, intrépide et flottant,
Aller sonder les flancs du plus lointain Nérée,
Et du premier sillon fendre une onde ignorée?
Les coutumes d'alors, les sciences, les mœurs
Respirent dans les vers des antiques auteurs.
Leur siècle est en dépôt dans leurs nobles volumes.
Tout a changé pour nous, mœurs, sciences, coutumes.
Pourquoi donc, nous faut-il, par un pénible soin,
Sans rien voir près de nous, voyant toujours bien loin,
Vivant dans le passé, laissant ceux qui commencent,
Sans penser écrivant d'après d'autres qui pensent,

Retraçant un tableau que nos yeux n'ont point vu,
Dire et dire cent fois ce que nous avons lu?
De la Grèce héroïque et naissante et sauvage
Dans Homère à nos yeux vit la parfaite image.
Démocrite, Platon, Épicure, Thalès,
Ont de loin à Virgile indiqué les secrets
D'une nature encore à leurs yeux trop voilée.
Torricelli, Newton, Kepler et Galilée,
Plus doctes, plus heureux dans leurs puissants efforts,
A tout nouveau Virgile ont ouvert des trésors.
Tous les arts sont unis: les sciences humaines
N'ont pu de leur empire étendre les domaines,
Sans agrandir aussi la carrière des vers.
Quel long travail pour eux a conquis l'univers! . . .
Quel amas de tableaux, de sublimes images,
Naît de ces grands objets réservés à nos âges! . . .
Pensez-vous, si Virgile ou l'Aveugle divin
Renaissaient aujourd'hui, que leur savante main
Négligeât de saisir ces fécondes richesses,
De notre Pinde auguste éclatantes largesses?
Nous en verrions briller leurs sublimes écrits:
Et ces mêmes objets, que vos doctes mépris
Accueillent aujourd'hui d'un front dur et sévère,
Alors à vos regards auraient seuls droit de plaire. . . .
Mais leurs mœurs et leurs lois, et mille autres hasards,
Rendaient leur siècle heureux plus propice aux beaux-arts.

Eh bien! l'âme est partout; la pensée a des ailes.
Volons, volons chez eux retrouver leurs modèles,
Voyageons dans leur âge, où, libre, sans détour,
Chaque homme ose être un homme et penser au grand jour. . .
Puis, ivres des transports qui nous viennent surprendre,
Parmi nous, dans nos vers, revenons les répandre;
Changeons en notre miel leurs plus antiques fleurs;
Pour peindre notre idée, empruntons leurs couleurs;
Allumons nos flambeaux à leurs feux poétiques;
Sur des pensers nouveaux faisons des vers antiques. . . .

O qu'ainsi parmi nous des esprits inventeurs

De Virgile et d'Homère atteignent les hauteurs,
Sachent dans la mémoire avoir comme eux un temple,
Et sans suivre leurs pas imiter leur exemple;
Faire, en s'éloignant d'eux, avec un soin jaloux,
Ce qu'eux-mêmes ils feraient s'ils vivaient parmi nous!
Que la nature seule, en ses vastes miracles,
Soit leur fable et leurs Dieux, et ses lois leurs oracles. . . .

AIMÉE FRANQUETOT DE COIGNY, DUCHESSE DE FLEURY [17]

"L'épi naissant mûrit de la faux respecté;
Sans crainte du pressoir, le pampre tout l'été
  Boit les doux présents de l'aurore;
Et moi, comme lui belle, et jeune comme lui,
Quoi que l'heure présente ait de trouble et d'ennui,
  Je ne veux point mourir encore.

Qu'un stoïque aux yeux secs vole embrasser la mort:
Moi je pleure et j'espère. Au noir souffle du nord
  Je plie et relève ma tête.
S'il est des jours amers, il en est de si doux!
Hélas! quel miel jamais n'a laissé de dégoûts?
  Quelle mer n'a point de tempête?

L'illusion féconde habite dans mon sein.
D'une prison sur moi les murs pèsent en vain,
  J'ai les ailes de l'espérance.
Échappée aux réseaux de l'oiseleur cruel,
Plus vive, plus heureuse, aux campagnes du ciel
  Philomèle chante et s'élance.

Est-ce à moi de mourir? Tranquille je m'endors
Et tranquille je veille; et ma veille aux remords
  Ni mon sommeil ne sont en proie.
Ma bienvenue au jour me rit dans tous les yeux;
Sur des fronts abattus, mon aspect dans ces lieux
  Ranime presque de la joie.

[17] Imprisoned in Saint-Lazare in 1794. The poem frequently bears the title *La Jeune captive.*

Mon beau voyage encore est si loin de sa fin!
Je pars, et des ormeaux qui bordent le chemin
  J'ai passé les premiers à peine.
Au banquet de la vie à peine commencé,
Un instant seulement mes lèvres ont pressé
  La coupe en mes mains encor pleine.

Je ne suis qu'au printemps. Je veux voir la moisson,
Et comme le soleil, de saison en saison,
  Je veux achever mon année.
Brillante sur ma tige et l'honneur du jardin,
Je n'ai vu luire encor que les feux du matin;
  Je veux achever ma journée.

O mort! tu peux attendre; éloigne, éloigne-toi;
Va consoler les cœurs que la honte, l'effroi,
  Le pâle désespoir dévore.
Pour moi Palès encore a des asiles verts,
Les Amours des baisers, les Muses des concerts.
  Je ne veux point mourir encore."

Ainsi, triste et captif, ma lyre toutefois
S'éveillait, écoutant ces plaintes, cette voix,
  Ces vœux d'une jeune captive;
Et secouant le faix de mes jours languissants,
Aux douces lois des vers je pliai les accents
  De sa bouche aimable et naïve.

Ces chants, de ma prison témoins harmonieux,
Feront à quelque amant des loisirs studieux
  Chercher quelle fut cette belle.
La grâce décorait son front et ses discours,
Et, comme elle, craindront de voir finir leurs jours
  Ceux qui les passeront près d'elle.

IAMBES

11

Comme un dernier rayon, comme un dernier zéphyre
  Animent la fin d'un beau jour,
Au pied de l'échafaud j'essaye encor ma lyre.
  Peut-être est-ce bientôt mon tour.
Peut-être avant que l'heure en cercle promenée
  Ait posé sur l'émail brillant,
Dans les soixante pas où sa route est bornée,
  Son pied sonore et vigilant,
Le sommeil du tombeau pressera ma paupière.
  Avant que de ses deux moitiés
Ce vers que je commence ait atteint la dernière,
  Peut-être en ces murs effrayés
Le messager de mort, noir recruteur des ombres,
  Escorté d'infâmes soldats,
Ébranlant de mon nom ces longs corridors sombres,
  Où seul dans la foule à grands pas
J'erre, aiguisant ces dards persécuteurs du crime,
  Du juste trop faibles soutiens,
Sur mes lèvres soudain va suspendre la rime;
  Et chargeant mes bras de liens,
Me traîner, amassant en foule à mon passage
  Mes tristes compagnons reclus,
Qui me connaissaient tous avant l'affreux message,
  Mais qui ne me connaissent plus.
Eh bien! j'ai trop vécu. Quelle franchise auguste,
  De mâle constance et d'honneur
Quels exemples sacrés, doux à l'âme du juste,
  Pour lui quelle ombre de bonheur,
Quelle Thémis terrible aux têtes criminelles,
  Quels pleurs d'une noble pitié,
Des antiques bienfaits quels souvenirs fidèles,
  Quels beaux échanges d'amitié,
Font digne de regrets l'habitacle des hommes?
  La peur fugitive est leur Dieu;
La bassesse; la feinte. Ah! lâches que nous sommes

Tous, oui, tous. Adieu, terre, adieu.
Vienne, vienne la mort! — Que la mort me délivre!
Ainsi donc mon cœur abattu
Cède au poids de ses maux? Non, non. Puissé-je vivre!
Ma vie importe à la vertu.
Car l'honnête homme enfin, victime de l'outrage,
Dans les cachots, près du cercueil,
Relève plus altiers son front et son langage,
Brillants d'un généreux orgueil.
S'il est écrit aux cieux que jamais une épée
N'étincellera dans mes mains;
Dans l'encre et l'amertume une autre arme trempée
Peut encor servir les humains.
Justice, Vérité, si ma main, si ma bouche,
Si mes pensers les plus secrets
Ne froncèrent jamais votre sourcil farouche,
Et si les infâmes progrès,
Si la risée atroce, ou, plus atroce injure,
L'encens de hideux scélérats
Ont pénétré vos cœurs d'une longue blessure;
Sauvez-moi. Conservez un bras
Qui lance votre foudre, un amant qui vous venge.
Mourir sans vider mon carquois!
Sans percer, sans fouler, sans pétrir dans leur fange
Ces bourreaux barbouilleurs de lois!
Ces vers cadavéreux de la France asservie,
Égorgée! O mon cher trésor,
O ma plume! fiel, bile, horreur, Dieux de ma vie!
Par vous seuls je respire encor:
Comme la poix brûlante agitée en ses veines
Ressuscite un flambeau mourant,
Je souffre; mais je vis. Par vous, loin de mes peines,
D'espérance un vaste torrent
Me transporte. Sans vous, comme un poison livide,
L'invisible dent du chagrin,
Mes amis opprimés, du menteur homicide
Les succès, le sceptre d'airain;
Des bons proscrits par lui la mort ou la ruine,

L'opprobre de subir sa loi,
Tout eût tari ma vie; ou contre ma poitrine
Dirigé mon poignard. Mais quoi!
Nul ne resterait donc pour attendrir l'histoire
Sur tant de justes massacrés?
Pour consoler leurs fils, leurs veuves, leur mémoire,
Pour que des brigands abhorrés
Frémissent aux portraits noirs de leur ressemblance,
Pour descendre jusqu'aux enfers
Nouer le triple fouet, le fouet de la vengeance
Déjà levé sur ces pervers?
Pour cracher sur leurs noms, pour chanter leur supplice?
Allons, étouffe tes clameurs;
Souffre, ô cœur gros de haine, affamé de justice.
Toi, Vertu, pleure si je meurs.

CONDORCET

ESQUISSE D'UN TABLEAU HISTORIQUE DES PROGRÈS DE L'ESPRIT HUMAIN

Les Progrès au XVIIIe Siècle

En présentant ce tableau, et des vérités nouvelles dont chaque science s'est enrichie, et de ce que chacune doit à l'application des théories ou des méthodes qui semblent appartenir plus particulièrement à des connaissances d'un autre ordre, nous chercherons quelle est la nature et la limite des vérités auxquelles l'observation, l'expérience, la méditation peuvent nous conduire dans chaque science; nous chercherons également en quoi, pour chacune d'elles, consiste précisément le talent de l'invention, cette première faculté de l'intelligence humaine, à laquelle on a donné le nom de *génie;* par quelles opérations l'esprit peut atteindre les découvertes qu'il poursuit, ou quelquefois être conduit à celles qu'il ne cherche pas, qu'il n'avait pu même prévoir. Nous montrerons comment les méthodes qui nous mènent à des découvertes peuvent s'épuiser de manière que la science soit en quelque sorte forcée de s'arrêter, si des méthodes nouvelles ne viennent fournir un nouvel instrument au génie, ou lui faciliter l'usage de celles qu'il ne peut plus employer sans y consommer trop de temps et de fatigues.

Si nous nous bornions à montrer les avantages qu'on a retirés des sciences dans leurs usages immédiats, ou dans leurs applications aux arts, soit pour le bien-être des individus, soit pour la prospérité des nations, nous n'aurions fait connaître encore qu'une faible partie de leurs bienfaits.

Le plus important peut-être est d'avoir détruit les préjugés, et redressé en quelque sorte l'intelligence humaine, forcée de se plier aux fausses directions que lui imprimaient les croyances absurdes transmises à l'enfance de chaque génération, avec les terreurs de la superstition et la crainte de la tyrannie.

Toutes les erreurs en politique, en morale, ont pour base des erreurs philosophiques, qui elles-mêmes sont liés à des erreurs physiques. Il n'existe, ni un système religieux, ni une extravagance surnaturelle, qui ne soit fondée sur l'ignorance des lois de la nature. Les inventeurs, les défenseurs de ces absurdités, ne pouvaient prévoir le perfectionnement successif de l'esprit humain. Persuadés que les hommes savaient, de leur temps, tout ce qu'ils pouvaient jamais savoir, et croiraient toujours ce qu'ils croyaient alors, ils appuyaient avec confiance leurs rêveries sur les opinions générales de leurs pays et de leur siècle.

Les progrès des connaissances physiques sont même d'autant plus funestes à ces erreurs, que souvent ils les détruisent sans paraître les attaquer, et en répandant sur ceux qui s'obstinent à les défendre le ridicule avilissant de l'ignorance.

En même temps l'habitude de raisonner juste sur les objets de ces sciences, les idées précises que donnent leurs méthodes, les moyens de reconnaître ou de prouver une vérité, doivent conduire naturellement à comparer le sentiment qui nous force d'adhérer à des opinions fondées sur ces motifs réels de crédibilité, et celui qui nous attache à nos préjugés d'habitude, ou qui nous force de céder à l'autorité: et cette comparaison suffit pour apprendre à se défier de ces dernières opinions, pour faire sentir qu'on ne les croit réellement pas, lors même qu'on se vante de les croire, qu'on les professe avec la plus pure sincérité. Or ce secret, une fois découvert, rend leur destruction prompte et certaine.

Enfin, cette marche des sciences physiques que les passions et l'intérêt ne viennent pas troubler, où l'on ne croit pas que la naissance, la profession, les places donnent le droit de juger ce qu'on n'est pas en état d'entendre; cette marche plus sûre ne pouvait être observée sans que les hommes éclairés cherchassent dans les autres sciences à s'en rapprocher sans cesse; elle leur offrait à chaque pas le modèle qu'ils devaient suivre, d'après lequel ils pouvaient juger de leurs propres efforts, reconnaître les fausses routes où ils auraient pu s'engager, se préserver du pyrrhonisme comme de la crédulité et d'une aveugle défiance, d'une soumission trop entière même à l'autorité des lumières et de la renommée.

Sans doute, l'analyse métaphysique conduisait aux mêmes résultats; mais elle n'eût donné que des préceptes abstraits; et ici les mêmes principes abstraits, mis en action, étaient éclairés par l'exemple, fortifiés par le succès.

Jusqu'à cette époque les sciences n'avaient été que le patrimoine de quelques hommes; déjà elles sont devenues communes, et le moment approche où leurs éléments, leurs principes, leurs méthodes les plus simples deviendront vraiment populaires. C'est alors que leur application aux arts, que leur influence sur la justesse générale des esprits, sera d'une utilité vraiment universelle.

Nous suivrons les progrès des nations européennes dans l'instruction, soit des enfants, soit des hommes; progrès faibles jusqu'ici, si l'on regarde seulement le système philosophique de cette instruction, qui, presque partout, est encore livrée aux préjugés scolastiques; mais très rapides, si l'on considère l'étendue et la nature des objets de l'enseignement, qui, n'embrassant presque plus que des connaissances réelles, renferme les éléments de presque toutes les sciences, tandis que les hommes de tous les âges trouvent, dans les dictionnaires, dans les abrégés, dans les journaux, les lumières dont ils ont besoin, quoiqu'elles n'y soient pas toujours assez pures. Nous examinerons quelle a été l'utilité de joindre l'instruction orale des sciences, à celle qu'on reçoit immédiatement par les livres et par l'étude; s'il est résulté quelque avantage de ce que le travail des compilations est devenu un véritable métier, un moyen de subsistance, ce qui a multiplié le nombre des ouvrages médiocres, mais en multipliant aussi, pour les hommes peu instruits, les moyens d'acquérir des connaissances communes. Nous exposerons l'influence qu'ont exercée, sur les progrès de l'esprit humain, ces sociétés savantes, barrière qu'il sera encore longtemps utile d'opposer à la charlatanerie et au faux savoir; nous ferons, enfin, l'histoire des encouragements donnés par les gouvernements aux progrès de l'esprit humain, et des obstacles qu'ils y ont opposés souvent dans le même pays et à la même époque; nous ferons voir quels préjugés ou quels principes de machiavélisme, les ont dirigés dans cette opposition à la marche des esprits vers la vérité; quelles vues de politique intéressée ou même de bien public les ont guidés, quand ils ont paru au contraire vouloir l'accélérer et la protéger.

Le tableau des beaux-arts n'offre pas des résultats moins

brillants. La musique est devenue, en quelque sorte, un art nouveau, en même temps que la science des combinaisons et l'application du calcul aux vibrations du corps sonore, et des oscillations de l'air, en ont éclairé la théorie. Les arts du dessin qui déjà avaient passé d'Italie en Flandre, en Espagne, en France, s'élevèrent, dans ce dernier pays, à ce même degré où l'Italie les avait portés dans l'époque précédente, et ils s'y sont soutenus avec plus d'éclat qu'en Italie même. L'art de nos peintres est celui des Raphaël et des Carraches. Tous ces moyens, conservés dans les écoles, loin de se perdre, ont été répandus. Cependant, il s'est écoulé trop de temps sans produire de génie qui puisse leur être comparé, pour n'attribuer qu'au hasard cette longue stérilité. Ce n'est pas que les moyens de l'art aient été épuisés, quoique les grands succès y soient réellement devenus plus difficiles. Ce n'est pas que la nature nous ait refusé des organes aussi parfaits que ceux des Italiens du seizième siècle; c'est uniquement aux changements dans la politique, dans les mœurs, qu'il faut attribuer, non la décadence de l'art, mais la faiblesse de ses productions.

Les lettres cultivées en Italie avec moins de succès, mais sans y avoir dégénéré, ont fait, dans la langue française, des progrès qui lui ont mérité l'honneur de devenir, en quelque sorte, la langue universelle de l'Europe.

L'art tragique, entre les mains de Corneille, de Racine, de Voltaire, s'est élevé, par des progrès successifs, à une perfection jusqu'alors inconnu. L'art comique doit à Molière d'être parvenu plus promptement à une hauteur qu'aucune nation n'a pu encore atteindre.

En Angleterre, dès le commencement de cette époque, et dans un temps plus voisin de nous, en Allemagne, la langue s'est perfectionnée. L'art de la poésie, celui d'écrire en prose, ont été soumis, mais avec moins de docilité qu'en France, à ces règles universelles de la raison et de la nature qui doivent les diriger. Elles sont également vraies pour toutes les langues, pour tous les peuples, bien que jusqu'ici un petit nombre seulement ait pu les connaître, et s'élever à ce goût juste et sûr, qui n'est que le sentiment de ces mêmes règles, qui présidait aux compositions de Sophocle et de Virgile, comme à celles de Pope et de Voltaire, qui enseignait aux Grecs, aux Romains, comme aux Français, à être frappés des mêmes beautés et révoltés des mêmes défauts.

Nous ferons voir ce qui, dans chaque nation, a favorisé ou retardé les progrès de ces arts; par quelles causes les divers genres de poésie ou d'ouvrages en prose ont atteint, dans les différents pays, une perfection si inégale, et comment ces règles universelles peuvent, sans blesser même les principes qui en sont la base, être modifiées par les mœurs, par les opinions des peuples qui doivent jouir des productions de ces arts, et par la nature même des usages auxquels leurs différents genres sont destinés. Ainsi, par exemple, la tragédie, récitée tous les jours devant un petit nombre de spectateurs dans une salle peu étendue, ne peut avoir les mêmes règles pratiques que la tragédie chantée sur un théâtre immense, dans des fêtes solennelles où tout un peuple était invité. Nous essaierons de prouver que les règles du goût ont la même généralité, la même constance, mais sont susceptibles du même genre de modification que les autres lois de l'univers moral et physique, quand il faut les appliquer à la pratique immédiate d'un art usuel.

Nous montrerons comment l'impression, multipliant, répandant les ouvrages même destinés à être publiquement lus ou récités, les transmet à un nombre de lecteurs incomparablement plus grand que celui des auditeurs; comment presque toutes les décisions importantes, prises dans des assemblées nombreuses, étant déterminées d'après l'instruction que leurs membres reçoivent par la lecture, il a dû en résulter, entre les règles de l'art de persuader chez les anciens et chez les modernes, des différences analogues à celle de l'effet qu'il doit produire, et du moyen qu'il emploie; comment, enfin, dans les genres où, même chez les anciens, on se bornait à la lecture des ouvrages, comme l'histoire ou la philosophie, la facilité que donne l'invention de l'imprimerie de se livrer à plus de développements et de détails, a dû encore influer sur ces mêmes règles.

Les progrès de la philosophie et des sciences ont étendu, ont favorisé ceux des lettres, et celles-ci ont servi à rendre l'étude des sciences plus facile, et la philosophie plus populaire. Elles se sont prêté un mutuel appui, malgré les efforts de l'ignorance et de la sottise pour les désunir, pour les rendre ennemies. L'érudition, que la soumission à l'autorité humaine, le respect pour les choses anciennes, semblait destiner à soutenir la cause des préjugés nuisibles, l'érudition a cependant aidé à les détruire, parce que les sciences et la philosophie lui ont prêté le flambeau d'une critique plus saine. Elle savait déjà peser les autorités, les comparer entre elles; elle a fini par les soumettre elles-mêmes au tribunal de la raison. Elle avait rejeté les prodiges, les contes absurdes, les faits contraires à la vraisemblance; mais en attaquant les témoignages sur lesquels ils s'appuyaient, elle a su depuis les rejeter, malgré la force de ces témoignages, pour ne céder qu'à celle qui pourrait l'emporter sur l'invraisemblance physique ou morale des faits extraordinaires.

Ainsi, toutes les occupations intellectuelles des hommes, quelque différentes qu'elles soient par leur objet, leur méthode, ou par les qualités d'esprit qu'elles exigent, ont concouru aux progrès de la raison humaine. Il en est, en effet, du système entier des travaux des hommes, comme d'un ouvrage bien fait, dont les parties, distinguées avec méthode, doivent être cependant étroitement liées, ne former qu 'un seul tout, et tendre à un but unique.

Et portant maintenant un regard général sur l'espèce humaine, nous montrerons que la découverte des vraies méthodes dans toutes les sciences, l'étendue des théories qu'elles renferment, leur application à tous les objets de la nature, à tous les besoins des hommes, les lignes de communication qui se sont établies entre elles, le grand nombre de ceux qui les cultivent; enfin, la multiplication des imprimeries, suffisent pour nous répondre qu'aucune d'elles ne peut descendre désormais au-dessous du point où elle a été portée. Nous ferons observer que les principes de la philosophie, les maximes de la liberté, la connaissance des véritables droits de l'homme et des intérêts réels, sont répandus dans un trop grand nombre de nations, et dirigent dans chacune d'elles les opinions d'un trop grand nombre d'hommes éclairés, pour qu'on puisse redouter de les voir jamais retomber dans l'oubli.

Et quelle crainte pourrait-on conserver encore, en voyant que les deux langues qui sont les plus répandues, sont aussi les langues des deux peuples qui jouissent de la liberté la plus entière; qui en ont le mieux connu les principes; en sorte que, ni aucune ligue de tyrans, ni aucune des combinaisons politiques possibles, ne peut empêcher de défendre hautement, dans ces deux langues, les droits de la raison, comme ceux de la liberté?

Mais si tout nous répond que le genre humain ne doit plus retomber dans son ancienne barbarie; si tout doit nous rassurer contre ce système pusillanime et corrompu, qui le condamne à d'éternelles oscillations entre la vérité et l'erreur, la liberté et la servitude, nous voyons en même temps les lumières n'occuper encore qu'une faible partie du globe, et le nombre de ceux qui en ont de réelles disparaître devant la masse des hommes livrés aux préjugés et à l'ignorance. Nous voyons de vastes contrées gémissant dans l'esclavage, et n'offrant que des nations, ici dégradées par les vices d'une civilisation dont la corruption ralentit la marche; là, végétant encore dans l'enfance de ses premières époques. Nous voyons que les travaux de ces derniers âges ont beaucoup fait pour le progrès de l'esprit humain, mais peu pour le perfectionnement de l'espèce humaine; beaucoup pour la gloire de l'homme; quelque chose pour sa liberté, presque rien encore pour son bonheur. Dans quelques points, nos yeux sont frappés d'une lumière éclatante; mais d'épaisses ténèbres couvrent encore un immense horizon. L'âme du philosophe se repose avec consolation sur un petit nombre d'objets; mais le spectacle de la stupidité, de l'esclavage, de l'extravagance, de la barbarie, l'afflige plus souvent encore; et l'ami de l'humanité ne peut goûter de plaisir sans mélange qu'en s'abandonnant aux douces espérances de l'avenir.

Tels sont les objets qui doivent entrer dans un tableau historique des progrès de l'esprit humain. Nous chercherons, en les présentant, à montrer surtout l'influence de ces progrès sur les opinions, sur le bien-être de la masse générale des diverses nations, aux différentes époques de leur existence politique; à montrer quelles vérités elles ont connues; de quelles erreurs elles ont été détrompées; quelles habitudes vertueuses elles ont contractées; quel développement nouveau de leurs facultés a établi une proportion plus heureuse entre ces facultés et leurs besoins; et, sous un point de vue opposé, de quels préjugés elles ont été les esclaves; quelles superstitions religieuses ou politiques s'y sont introduites; par quels vices l'ignorance ou le despotisme les ont corrompues; à quelles misères la violence ou leur propre dégradation les ont soumises.

Jusqu'ici, l'histoire politique, comme celle de la philosophie et des sciences, n'a été que l'histoire de quelques hommes; ce qui forme véritablement l'espèce humaine, la masse des familles qui subsistent presque en entier de leur travail a été oubliée; et même dans la classe de ceux qui, livrés à des professions publiques, agissent, non pour eux-mêmes, mais pour la société; dont l'occupation est d'instruire, de gouverner, de défendre, de soulager les autres hommes, les chefs seuls ont fixé les regards des historiens.

Pour l'histoire des individus, il suffit de recueillir les faits; mais celle d'une masse d'hommes ne peut s'appuyer que sur des observations; et, pour les choisir, pour en saisir les traits essentiels, il faut déjà des lumières, et presque autant de philosophie que pour les bien employer.

D'ailleurs, ces observations ont ici pour objet des choses communes, qui frappent tous les yeux, que chacun peut, quand il veut, connaître par lui-même. Aussi, presque toutes celles qui ont été recueillies sont dues à des voyageurs, ont été faites par des étrangers, parce que ces choses, si triviales dans le lieu où elles existent, deviennent pour eux un objet de curiosité. Or, malheureusement, ces voyageurs sont presque toujours des observateurs inexacts; ils voient les objets avec trop de rapidité, au travers des préjugés de leur pays, et souvent par les yeux des hommes de la contrée qu'ils parcourent. Ils consultent ceux avec qui le hasard les a liés; et c'est l'intérêt, l'esprit de parti, l'orgueil national ou l'humeur, qui dictent presque toujours la réponse.

Ce n'est donc point seulement à la bassesse des historiens, comme on l'a reproché avec justice à ceux des monarchies, qu'il faut attribuer la disette des monuments d'après lesquels on peut tracer cette partie la plus importante de l'histoire des hommes.

On ne peut y suppléer qu'imparfaitement par la connaissance des lois, les principes pratiques de gouvernement et de l'économie publique, ou par celle des religions, des préjugés généraux.

En effet, la loi écrite et la loi exécutée; les principes de ceux qui gouvernent, et la manière dont leur action est modifiée par l'esprit de ceux qui sont gouvernés; l'institution telle qu'elle émane des hommes qui la forment, et l'institution réalisée; la religion des livres et celle du peuple; l'universalité apparente d'un préjugé, et l'adhésion réelle qu'il obtient, peuvent différer tellement, que les effets cessent absolument de répondre à ces causes publiques et connues.

C'est à cette partie de l'histoire de l'espèce humaine, la plus obscure, la plus négligée, et pour laquelle les monuments nous offrent si peu de matériaux, qu'on doit surtout s'attacher dans ce tableau; et, soit qu'on y rende compte d'une découverte, d'une théorie importante, d'un nouveau système de lois, d'une révolution politique, on s'occupera de déterminer quels effets ont dû en résulter pour la portion la plus nombreuse de chaque société; car c'est là le véritable objet de la philosophie, puisque tous les effets intermédiaires de ces mêmes causes ne peuvent être regardés que comme des moyens d'agir enfin sur cette portion qui constitue vraiment la masse du genre humain.

C'est en parvenant à ce dernier degré de la chaîne, que l'observation des événements passés, comme les connaissances acquises par la méditation, deviennent véritablement utiles. C'est en arrivant à ce terme, que les hommes peuvent apprécier leurs titres réels à la gloire, ou jouir, avec un plaisir certain, des progrès de leur raison; c'est là seulement qu'on peut juger du véritable perfectionnement de l'espèce humaine.

Cette idée, de tout rapporter à ce dernier point, est dictée par la justice et par la raison; mais on serait tenté de la regarder comme chimérique; cependant, elle ne l'est pas: il doit nous suffire ici de le prouver par deux exemples frappants.

La possession des objets de consommation les plus communs, qui satisfont avec quelque abondance aux besoins de l'homme dont les mains fertilisent notre sol, est due aux longs efforts d'une industrie secondée par la lumière des sciences; et dès lors cette possession s'attache, par l'histoire, au gain de la bataille de Salamine, sans lequel les ténèbres du despotisme oriental menaçaient d'envelopper la terre entière. Le matelot, qu'une exacte observation de la longitude préserve du naufrage, doit la vie à une théorie qui, par une chaîne de vérités, remonte à des découvertes faites dans l'école de Platon, et ensevelies pendant vingt siècles dans une entière inutilité.

INDEX

abstraction, 179
ancients and moderns, 43, 75
Anglomania, 94, 107, 292, 301
anthropocentric hypothesis, 28, 32
arts, 133; *see also* sciences and
astronomy, 27, 29, 31
atheism, 9, 132
atheists, 16

Bacon, 200

causation, 172
causes, final, 28
circumstances, fortuitous, 45, 103
climate, 44, 103, 114, 250, 259, 310, 361
common sense, 61
conscience, 9, 11, 57, 88, 324, 376, 384, 388, 390
contract, social, 392
conversions, false, 3
Corneille, 52
criticism, art, 149 *ff.*; dramatic, 142 *ff.*, 301 *ff.*

deism, 77, 87, 122, 278
Descartes, 26, 202, 296
determinism, 228, 250; *see also* climate
dictionary, 180 *ff.*
division of knowledge, 181

Edict of Nantes, revocation of, 86
education, 365 *ff.*
Encyclopedia, 180 *ff.*
epistemology, 180, 188, 191
equality, 45, 325, 366
errors, popular, 8
esprit, 235 *ff.*
esprit général, 118
evil, *see* good and
evolution of species, 126
experience, 129, 187

faculties, mental, 188
false conversions, 3
fatalism, 173
feeling, natural, 389
final causes, 28
fortuitous circumstances, 45, 103
free will, 16, 18, 384, 385

Genesis, 157, 168, 175
glory, 88
God, 85, 122, 124, 186, 323, 350, 381, 382, 426
good and evil, 18, 20, 185, 386
goodness, natural, 366, 388
government, 45, 65, 83, 89, 92, 96, 97, 98, 104, 105, 106, 107, 118, 221, 232, 292, 294, 327, 329, 393
grace, 13

history, 287 *ff.*, 305 *ff.*, 318 *ff.*, 349; natural, 245 *ff.*
honor, 329
humanitarianism, 83, 93, 132, 177, 213, 220

imagination, 178
incredulity, 6
inequality, 185, 360, 397
injustice, 185
innate ideas, 181, 204
interest, personal, 9, 38, 58, 60, 84, 231, 311, 388

justice, 64, 67, 84, 386, 387

knowledge, division of, 181; popularization of, 23, 39, 43; unity of, 180

La Fontaine, 52
law, 99, 102, 159; natural, 322 *ff.*, 324
Law, John, 90
Leibnitz, 206
liberty, 61, 88, 98, 107, 176, 227, 293, 294, 390, 395, 448
Locke, 205, 295 *ff.*

Lucretius, 127, 170, 278
luxury, 231, 314

majority, 395
man, 58, 59
Manichéens, 17, 21
matter, 169, 171, 174, 379
mental faculties, 188
moderns, *see* ancients and
mœurs, 74, 75, 79 *ff.*, 91
morality, 10, 11, 12, 15, 92, 146, 228, 387; natural, 324; state, 16

natural feeling, 389; goodness, 366, 368; history, 245 *ff.*, law, 322 *ff.*, 324; morality, 324
nature, 30, 37, 44, 125, 251 *ff.*; immutability of laws of, 15; mechanical forces of, 26
necessity, 177, 186
Newton, 204

observation, 129, 187
optimism, 314, 421
oracles, 39
origin of species, 172

pantheism, 128
Pâris, Frère, 123
passions, 11, 12, 57, 121, 187
perpetual peace, 215
personal interest, 9, 38, 58, 60, 84, 231, 311, 388
philosophe, 134 *ff.*, 354, 357, 377
philosophy, 25, 47; experimental, 130, 131; rational, 130
physique, 45, 129, 345
Pope, 72
popular errors, 8
popularization of knowledge, 23, 39, 43
powers, separation of, 107 *ff.*
progress, 50, 192, 217, 362, 456 *ff.*
property, 364

Racine, 52
reason, 14, 57
reflexion, 129
reform, 231
religion, 68, 72, 76, 425; natural, 12, 281, 322; police function of, 9
revocation of Edict of Nantes, 86
right, 391
Rome, 98

Saint-Pierre, 207
scholastics, 76
science, 187
sciences and arts, 95, 351, 359
sensations, 63, 129, 167, 181 *ff.*, 186, 224, 225, 237 *ff.*, 255 *ff.*, 333, 378, 389
sensibility, 169, 171, 178
sentiment, 57
separation of powers, 107 *ff.*
social contract, 392
society, 159, 184, 326, 363, 365
soul, 15, 186, 296, 323, 345, 384
space, 127, 172
species, evolution of, 126; origin of, 172
suffrage, 394
superstitions, 13, 299
systems, 342, 419

thought, 185; *see also* sensations
time, 127, 172, 175
tolerance, 2, 86, 87, 234, 281 *ff.*, 347
trades, 140
tradition, 8
truth, 64, 248; criterion of, 7

unity of knowledge, 180; of universe, 382
utility, 130, 131, 184, 187, 219, 230, 308, 309

virtue, 63, 67, 163, 179, 186, 309, 311, 313
volonté générale, 393, 396

war, 70, 340, 344
will, 176, 185, 381; free, 16, 18, 384, 385